L'HIVER DU MONDE

Ken Follett est né à Cardiff en 1949. Diplômé en philosophie de l'University College de Londres, il travaille comme journaliste à Cardiff puis à Londres avant de se lancer dans l'écriture. En 1978, *L'Arme à l'œil* devient un best-seller et reçoit l'Edgar des auteurs de romans policiers d'Amérique. Ken Follett ne s'est cependant pas cantonné à un genre ni à une époque : outre ses thrillers, il a signé des fresques historiques, tels *Les Piliers de la Terre*, *Un monde sans fin*, *La Chute des géants* ou encore *L'Hiver du monde*. Ses romans sont traduits en plus de vingt langues et plusieurs d'entre eux ont été portés à l'écran. Ken Follett vit aujourd'hui à Londres.

Paru dans Le Livre de Poche :

APOCALYPSE SUR COMMANDE

L'ARME À L'ŒIL

LE CODE REBECCA

CODE ZÉRO

COMME UN VOL D'AIGLES

L'HOMME DE SAINT-PÉTERSBOURG

LES LIONS DU PANSHIR

LA MARQUE DE WINDFIELD

LA NUIT DE TOUS LES DANGERS

PAPER MONEY

LE PAYS DE LA LIBERTÉ

PEUR BLANCHE

LES PILIERS DE LA TERRE

LE RÉSEAU CORNEILLE

LE SCANDALE MODIGLIANI

LE SIÈCLE

1. La Chute des géants

TRIANGLE

LE TROISIÈME JUMEAU

UN MONDE SANS FIN

LE VOL DU FRELON

KEN FOLLETT

L'Hiver du monde

Le Siècle**

ROMAN TRADUIT DE L'ANGLAIS PAR JEAN-DANIEL BRÈQUE,
ODILE DEMANGE, NATHALIE GOUYÉ-GUILBERT,
DOMINIQUE HAAS, VIVIANE MIKHALKOV

ROBERT LAFFONT

Titre original :

WINTER OF THE WORLD

Publié par Dutton/Penguin Group, New York.

ISBN : 978-2-253-12596-9 – 1re publication LGF

À la mémoire de mes grands-parents,
Tom et Minnie Follett,
Arthur et Bessie Evans.

LES PERSONNAGES

Américains

Famille Dewar
Gus Dewar, sénateur
Rosa Dewar, sa femme
Woody Dewar, leur fils aîné
Chuck Dewar, leur benjamin
Ursula Dewar, mère de Gus

Famille Pechkov
Lev Pechkov
Olga Pechkov, sa femme
Daisy Pechkov, leur fille
Marga, maîtresse de Lev
Greg Pechkov, fils de Lev et de Marga
Gladys Angelus, actrice de cinéma, autre maîtresse de Lev

Famille Rouzrokh
Dave Rouzrokh
Joanne Rouzrokh, sa fille

Membres de la haute société de Buffalo
Dot Renshaw
Charlie Farquharson

Autres
Joe Brekhounov, gangster
Brian Hall, responsable syndical

Jacky Jakes, starlette
Eddie Parry, marin, ami de Chuck Dewar
Capitaine Vandermeier, supérieur de Chuck Dewar
Margaret Cowdry, belle héritière

Personnages historiques
F.D. Roosevelt, 32e président des États-Unis
Marguerite « Missy » LeHand, sa secrétaire particulière
Harry Truman, vice-président des États-Unis
Cordell Hull, secrétaire d'État
Sumner Welles, sous-secrétaire d'État
Colonel Leslie Groves, membre du Corps des ingénieurs de l'armée, un des responsables du projet Manhattan

ANGLAIS

Famille Fitzherbert
Comte Fitzherbert, dit Fitz
Princesse Bea, sa femme
« Boy » Fitzherbert, vicomte d'Aberowen, leur fils aîné
Andy Fitzherbert, leur benjamin

Famille Leckwith-Williams
Ethel Leckwith (née Williams), députée d'Aldgate
Bernie Leckwith, mari d'Ethel
Lloyd Williams, fils d'Ethel, beau-fils de Bernie
Millie Leckwith, fille d'Ethel et de Bernie

Autres
Ruby Carter, amie de Lloyd
Bing Westhampton, ami de Fitz
Lindy et Lizzie Westhampton, filles jumelles de Bing
Jimmy Murray, fils du général Murray
May Murray, sa sœur
Marquis de Lowther, dit Lowthie
Naomi Avery, meilleure amie de Millie Leckwith
Abe Avery, frère de Naomi

Personnages historiques
Ernest Bevin, député, ministre des Affaires étrangères
Winston Churchill, Premier ministre

ALLEMANDS ET AUTRICHIENS

Famille von Ulrich
Walter von Ulrich
Maud von Ulrich, sa femme (née Lady Maud Fitzherbert)
Erik von Ulrich, leur fils
Carla von Ulrich, leur fille
Ada Hempel, leur domestique
Kurt Hempel, fils illégitime d'Ada
Robert von Ulrich, cousin de Walter von Ulrich
Jörg Schleicher, associé de Robert von Ulrich
Rebecca Rosen, orpheline

Famille Franck
Ludwig Franck, industriel
Monika Franck, sa femme (née Monika von der Helbard)
Werner Franck, leur fils aîné
Frieda Franck, leur fille
Axel Franck, leur benjamin
Ritter, leur chauffeur
Comte Konrad von der Helbard, père de Monika

Famille Rothmann
Docteur Isaac Rothmann
Hannelore Rothmann, sa femme
Eva Rothmann, leur fille
Rudi Rothmann, leur fils

Famille von Kessel
Gottfried von Kessel, député du parti du Centre
Heinrich von Kessel, son fils

Membres de la Gestapo
Thomas Macke, inspecteur puis commissaire

Kringelein, commissaire puis commissaire principal, supérieur de Macke
Reinhold Wagner
Klaus Richter
Günther Schneider

Autres
Hermann Braun, meilleur ami d'Erik
Wilhelm Frunze, chercheur

RUSSES

Famille Pechkov
Grigori Pechkov
Katerina Pechkov, sa femme
Vladimir Pechkov, dit Volodia, leur fils
Ania Pechkov, leur fille

Autres
Zoïa Vorotsintseva, physicienne
Ilia Dvorkine, membre de la police secrète
Colonel Lemitov, supérieur de Volodia
Colonel Bobrov, officier de l'armée Rouge

Personnages historiques
Joseph Staline, secrétaire général du parti communiste soviétique
Lavrenti Beria, chef de la police secrète
Viatcheslav Molotov, ministre des Affaires étrangères

ESPAGNOLS

Teresa, professeur d'alphabétisation

GALLOIS

Famille Williams
Dai Williams, « Granda »
Cara Williams, « Grandmam »
Billy Williams, député d'Aberowen
Dave Williams, fils aîné de Billy
Keir Williams, benjamin de Billy

Famille Griffiths
Tommy Griffiths, ami de Billy Williams
Lenny Griffiths, fils de Tommy

PREMIÈRE PARTIE

Tendre l'autre joue

I

1933

1.

Carla savait que la scène de ménage menaçait. Elle sentit la tension entre ses parents dès qu'elle entra dans la cuisine, une atmosphère aussi glaciale que le vent qui soufflait dans les rues de Berlin, vous gelant jusqu'à la moelle avant une tempête de neige de février. Elle fut à deux doigts de ressortir.

Ils se disputaient rarement, pourtant. Ils étaient plutôt du genre à se faire des mamours – trop même, au goût de Carla qui avait envie de disparaître sous terre quand ils s'embrassaient en public. Leurs démonstrations d'affection étonnaient ses amies : leurs parents à eux n'auraient jamais fait une chose pareille. Carla en avait parlé à sa mère, un jour. Celle-ci avait ri, apparemment enchantée, et lui avait expliqué : « Tu sais, la guerre nous a séparés, ton père et moi, au lendemain de notre mariage. » Elle était anglaise de naissance, mais ça ne se remarquait pas. « Je suis restée à Londres alors qu'il rentrait en Allemagne pour rejoindre l'armée. » Carla avait entendu cette histoire d'innombrables fois ; il faut dire que Mutter ne se lassait pas de la raconter. « Nous pensions que la guerre durerait trois mois. En réalité, nous ne nous sommes pas revus pendant cinq ans. Et pendant tout ce temps, je n'ai eu qu'une envie : me blottir dans ses bras. Alors maintenant, j'en profite. »

Vater ne valait guère mieux. « Ta mère est la femme la plus intelligente que j'aie jamais rencontrée, lui avait-il déclaré, dans cette même cuisine, quelques jours plus tôt seulement. Voilà pourquoi je l'ai épousée. Ne va pas imaginer que c'était parce que… » Il avait baissé la voix et pouffé tout bas avec Mutter. À croire qu'ils pensaient qu'à onze ans, Carla ne savait rien de ce qui se passait entre un homme et une femme. C'était franchement gênant.

De temps en temps tout de même, une querelle éclatait. Carla savait en reconnaître les signes annonciateurs. Et ce jour-là, indéniablement, l'orage grondait.

Ils étaient assis chacun à une extrémité de la table de la cuisine. Vater était vêtu de sombre – costume gris foncé, chemise blanche empesée, cravate de satin noir. Il avait de l'allure, comme toujours, malgré ses cheveux qui commençaient à se clairsemer et le léger embonpoint qui faisait s'arrondir son gilet, sous la chaîne en or de sa montre. Son visage impassible affichait une expression de calme forcé. Carla connaissait bien cette mimique qui lui était habituelle quand un membre de la famille avait fait quelque chose qui l'irritait.

Il tenait à la main un numéro du *Demokrat*, l'hebdomadaire pour lequel Mutter travaillait. Elle y rédigeait une page d'échos politiques et diplomatiques sous le nom de Lady Maud. Vater se mit à lire à haute voix : « Notre nouveau chancelier, Herr Adolf Hitler, a fait ses débuts dans le monde diplomatique à l'occasion de la réception donnée par le président Hindenburg. »

Le président était le chef de l'État, Carla le savait. Il était élu, mais jouait un rôle d'arbitre dans la politique quotidienne, se tenant au-dessus de la mêlée. Le chancelier était l'équivalent du Premier ministre qui existait dans d'autres pays : c'était lui qui dirigeait le gouvernement. Bien qu'Hitler ait été nommé chancelier, sa formation politique, le parti nazi, ne disposait pas de la majorité absolue au Reichstag – le parlement allemand – ce qui permettait, pour le moment, aux autres formations d'endiguer ses excès.

Vater parlait d'un ton dégoûté, comme s'il était contraint d'évoquer un sujet répugnant, les eaux usées, par exemple. « Il paraissait mal à l'aise en frac. »

La mère de Carla buvait son café à petites gorgées et regardait par la fenêtre, feignant d'être captivée par le spectacle des gens gantés et emmitouflés, pressés de se rendre au travail. Elle faisait semblant d'être calme, elle aussi, mais Carla se rendait bien compte qu'elle rongeait son frein.

Leur domestique, Ada, se tenait en tablier devant le plan de travail, en train de couper du fromage. Elle posa une assiette devant Vater, qui l'ignora. « Herr Hitler était visiblement sous le charme d'Elisabeth Cerruti, l'épouse de l'ambassadeur d'Italie, une femme très cultivée, vêtue d'une robe de velours rose à parements crème. »

Mutter évoquait toujours la tenue des personnalités dont elle parlait dans ses articles. Elle prétendait que cela permettait aux lecteurs de mieux se les représenter. Elle-même était toujours d'une grande élégance ; les temps étaient durs pourtant et cela faisait des années qu'elle ne s'était rien acheté. Elle n'en était pas moins gracieuse ce matin-là dans une robe de cachemire bleu marine qui avait probablement l'âge de Carla, mais soulignait joliment sa silhouette élancée.

« Signora Cerruti, de confession juive, est une fasciste convaincue, et ils se sont entretenus pendant de longues minutes. A-t-elle demandé à Herr Hitler de cesser d'attiser la haine contre les Juifs ? » Vater reposa sèchement la revue sur la table.

Nous y voilà, songea Carla.

« Tu n'ignores sûrement pas que les nazis vont être fous de rage, lança-t-il.

— J'espère bien, répondit Mutter paisiblement. Le jour où ils apprécieront ce que j'écris, j'arrêterai.

— Tu ne te rends donc pas compte qu'ils peuvent être terriblement dangereux si on les met en rogne ? »

Une étincelle de colère s'alluma dans les yeux de Mutter. « Je t'en prie, Walter, ne me parle pas comme à une demeurée. Je sais bien qu'ils sont dangereux – c'est même la raison pour laquelle je m'oppose à eux.

— Je ne vois pas l'utilité de les pousser à bout.

— Tu les attaques bien au Reichstag. » Vater était député du parti social-démocrate.

« Je participe à des débats rationnels. »

C'était toujours pareil, songea Carla. Vati était logique, prudent, respectueux des lois. Mutti avait de la classe et de l'humour. Il arrivait à ses fins par une ténacité tranquille ; elle par le charme et le culot. Ils ne pourraient jamais être d'accord.

Vater ajouta : « Au moins, je ne rends pas les nazis fous de rage.

— C'est peut-être parce que tu ne leur fais pas grand mal. »

Agacé par sa repartie facile, Vater haussa le ton. « Tu t'imagines réellement que tes plaisanteries leur font du tort ?

— Je les ridiculise.

— Et tu éludes le débat.

— Il me semble que les deux tactiques ont leurs mérites. »

Cette fois, Vater était vraiment en colère. « Enfin Maud, tu ne comprends donc pas que tu te mets en danger, et toute notre famille avec toi ?

— Au contraire. Le vrai danger consiste à ne *pas* ridiculiser les nazis. Tu peux me dire à quoi ressemblerait la vie de nos enfants si l'Allemagne devenait un État fasciste ? »

Ce genre de discussion angoissait Carla. Elle ne supportait pas d'entendre dire que leur famille était en danger. La vie devait continuer comme toujours. Elle aurait voulu s'asseoir dans cette cuisine tous les matins jusqu'à la fin des temps, avec ses parents aux deux bouts de la table de pin, Ada devant l'évier, et son frère Erik, qui s'affairait bruyamment à l'étage, en retard, comme toujours. Pourquoi cela devrait-il changer ?

Elle ne se rappelait pas un petit déjeuner où ses parents n'aient pas parlé politique et avait l'impression de comprendre ce qu'ils faisaient, comment ils espéraient faire de l'Allemagne un pays où il ferait meilleur vivre pour tous. Récemment pourtant, leurs discussions avaient pris un tour nouveau. Ils semblaient penser qu'un péril effroyable planait sur eux, mais Carla n'arrivait pas à se figurer de quoi il retournait.

Vater disait : « Dieu sait que je fais tout ce que je peux pour mettre des bâtons dans les roues d'Hitler et de sa bande.

— Moi aussi. Mais quand c'est toi qui le fais, tu prétends agir raisonnablement. » Le ressentiment durcissait les traits de Mutter. « Et quand c'est moi, je me fais accuser de mettre la famille en danger.

— À juste titre », rétorqua Vater. La querelle commençait à peine, mais à cet instant-là, Erik dévala l'escalier dans un fracas de cheval au galop et fit irruption dans la cuisine, son sac de collégien bringuebalant sur l'épaule. Il venait d'avoir treize ans et un léger duvet noir disgracieux commençait à ombrer sa lèvre supérieure. Quand ils étaient petits, Carla et Erik jouaient beaucoup ensemble ; mais ces jours-là étaient révolus. Il s'était mis à pousser comme une asperge et affectait de trouver sa sœur stupide et puérile. En réalité, elle était plus intelligente que lui et savait un tas de choses auxquelles il ne comprenait rien, comme les cycles menstruels.

« C'était quoi, le dernier air que tu as joué ? » demanda-t-il à Mutter.

Le piano les réveillait souvent le matin. C'était un Steinway à queue – hérité, comme la maison elle-même, des parents de Vater. Mutter jouait avant le petit déjeuner parce que, disait-elle, elle était trop occupée le reste de la journée et trop fatiguée le soir. Ce matin-là, elle avait travaillé une sonate de Mozart puis un air de jazz. « Ça s'appelle Tiger Rag, répondit-elle à Erik. Tu veux du fromage ?

— Le jazz, c'est décadent, grommela Erik.

— Ne dis pas de bêtises, veux-tu ! »

Ada tendit à Erik une assiette de fromage et de tranches de saucisse, et il commença à s'empiffrer. Carla trouvait ses manières déplorables.

Vater prit l'air sévère. « Qui est-ce qui t'apprend pareilles niaiseries, Erik ?

— Hermann Braun dit que le jazz, ce n'est pas de la musique, c'est juste du bruit de Nègres. » Hermann était le meilleur ami d'Erik ; son père était membre du parti nazi.

« Hermann ferait mieux d'essayer d'en jouer au lieu de dire des sottises. » Vater se tourna vers Mutter et son visage s'adoucit. Elle lui sourit. Il poursuivit : « Ta mère a voulu m'apprendre le ragtime, il y a bien des années de cela, mais le rythme m'a toujours échappé.

— Autant chercher à apprendre à une girafe à faire du patins à roulettes », confirma Mutter en riant.

Carla constata avec soulagement que l'orage s'était éloigné. Elle se détendit. Elle prit une tranche de pain noir et la trempa dans son lait.

À présent, c'était Erik qui cherchait la querelle. « Les Nègres sont une race inférieure, lança-t-il d'un ton provocateur.

— Permets-moi d'en douter, le reprit Vater patiemment. S'ils passaient leur enfance dans de belles maisons remplies de livres et de tableaux, si on leur permettait de fréquenter de bonnes écoles avec des professeurs compétents, ils finiraient peut-être par être plus intelligents que toi.

— N'importe quoi ! protesta Erik.

— Ne parle pas à ton père sur ce ton, petit sot », intervint Mutter d'une voix indulgente : toute sa colère s'était épuisée contre Vater et elle paraissait simplement lasse et déçue. « Tu ne sais pas de quoi tu parles, et Hermann Braun non plus.

— La race aryenne est forcément supérieure aux autres, s'entêta Erik. C'est nous qui dirigeons le monde !

— Ton ami nazi ignore tout de l'histoire, reprit Vater. Les Égyptiens de l'Antiquité ont construit les pyramides à une époque où les Allemands vivaient encore dans des grottes. Les Arabes étaient les maîtres du monde au Moyen Âge – les musulmans pratiquaient l'algèbre à une époque où les princes allemands n'étaient même pas capables d'écrire leur nom. Cela n'a rien à voir avec la race. »

Carla fronça les sourcils : « Ça a à voir avec quoi, alors ? »

Vater lui jeta un regard plein de tendresse : « Voilà une excellente question, qui prouve que tu es une petite fille très intelligente. » Le compliment la fit rougir de plaisir. « Dans la plupart des civilisations – les Chinois, les Aztèques, les Romains –, la grandeur cède un jour la place à la décadence. Personne ne sait vraiment pourquoi.

— Finissez vite de manger et allez mettre vos manteaux, dit Mutter. Nous allons être en retard. »

Vater sortit sa montre de sa poche de gilet et la regarda en haussant les sourcils. « Il est encore tôt.

— Il faut que je dépose Carla chez les Franck, expliqua Mutter. Son école est fermée aujourd'hui – la chaudière à réparer si j'ai bien compris – et Carla va passer la journée avec Frieda. »

Frieda Franck était la meilleure amie de Carla. Leurs mères étaient très proches, elles aussi. En fait, dans leur jeunesse, la mère de Frieda, Monika, avait été amoureuse de Vater – une histoire amusante que la grand-mère de Frieda avait révélée un jour après avoir bu un peu trop de *Sekt*.

— Elle ne peut pas rester avec Ada ? demanda Vater.

— Ada a rendez-vous chez le médecin.

— Ah. »

Carla s'attendait à ce que son père demande de quoi elle souffrait, mais il hocha la tête comme s'il le savait déjà et rangea sa montre. Carla mourait d'envie de poser la question, mais sentit intuitivement que ce n'était pas une bonne idée. Elle prit mentalement note d'interroger sa mère un peu plus tard – et oublia immédiatement.

Vater enfila un grand pardessus noir et partit le premier. Erik mit sa casquette – la perchant aussi loin en arrière que possible sans qu'elle tombe, comme le voulait la mode chez les garçons de son âge – et suivit Vater sur le perron.

Carla et sa mère aidèrent Ada à débarrasser. Carla aimait ces deux femmes presque autant l'une que l'autre. Quand elle était petite, c'était Ada qui s'était occupée d'elle jusqu'à ce qu'elle ait l'âge d'aller à l'école, car Mutter avait toujours travaillé. À vingt-neuf ans, Ada n'était pas encore mariée. Elle n'était pas particulièrement jolie, mais avait un sourire charmant, plein de gentillesse. L'été précédent, elle avait été amoureuse d'un agent de police, Paul Huber. Malheureusement, ça n'avait pas duré.

Carla et sa mère mirent leurs chapeaux devant le miroir de l'entrée. Mutter prenait son temps. Elle avait choisi un feutre bleu foncé, de forme ronde avec un bord étroit, comme en portaient toutes les femmes ; mais elle inclinait le sien selon un angle particulier, qui lui donnait un chic fou. En se coiffant de sa casquette de laine tricotée, Carla se demanda si elle aurait un jour autant de classe que Mutter. Celle-ci ressemblait à une déesse de la guerre, avec son long cou, son menton et ses pommettes sculptés dans du marbre blanc ; belle, oui, sans rien de joli pourtant. Carla avait ses cheveux bruns et ses yeux verts, mais elle ressemblait plus à une poupée joufflue qu'à une statue. Un jour, elle avait surpris sa grand-mère qui disait à Mutter : « Ton vilain petit canard se transformera en cygne, tu verras. » Carla attendait toujours cette métamorphose.

Quand Mutter fut prête, elles sortirent. Leur demeure se trouvait au milieu d'un alignement de grandes et élégantes maisons de ville dans le quartier du Mitte, le vieux centre de la ville. Elles avaient été construites pour des ministres de haut rang et des officiers tels que le grand-père de Carla, qui travaillaient dans les bâtiments gouvernementaux voisins.

Carla et sa mère descendirent en tram l'avenue Unter den Linden avant de prendre le S-Bahn, le métro aérien, pour se rendre de la Friedrichstrasse à la station Zoologischer Garten, juste à côté du jardin zoologique. Les Franck habitaient le quartier de Schöneberg, au sud-ouest de la ville.

Carla espérait croiser le frère de Frieda, Werner. Il avait quatorze ans et elle était un peu amoureuse de lui. Il arrivait à Carla et Frieda d'imaginer que chacune épousait le frère de l'autre, qu'elles vivaient dans deux maisons voisines et que leurs enfants étaient les meilleurs amis du monde. Ce n'était qu'un jeu pour Frieda, mais en secret, Carla était sérieuse. Werner était un beau garçon, très mûr pour son âge, ce n'était pas un idiot comme Erik. Dans la maison de poupées de Carla, le père et la mère qui dormaient côte à côte dans le lit miniature s'appelaient Carla et Werner. Personne ne le savait, même pas Frieda.

Frieda avait un autre frère, Axel, qui n'avait que sept ans ; il était né avec un spina-bifida et comme il avait besoin de soins médicaux constants, il ne vivait pas chez eux, mais dans un hôpital spécialisé, dans la banlieue de Berlin.

Mutter avait eu l'air soucieuse pendant tout le trajet. « J'espère que ça va aller, murmura-t-elle plus ou moins pour elle-même lorsqu'elles sortirent du métro.

— Ne t'en fais pas. Je vais bien m'amuser avec Frieda.

— Ce n'est pas à ça que je pensais. C'est à mon petit article sur Hitler.

— Tu crois que nous sommes en danger ? Vati avait raison ?

— Ton père a souvent raison.

— Qu'est-ce qui va nous arriver si les nazis se mettent en colère contre nous ? »

Mutter lui jeta un long regard étrange avant de s'écrier : « Seigneur ! Dans quel monde t'ai-je fait naître ? » Puis elle se tut.

Au bout de dix minutes de marche, elles arrivèrent devant une superbe villa qu'entourait un vaste jardin. Les Franck étaient riches : le père de Frieda, Ludwig, était propriétaire d'une usine de postes de radio. Deux voitures étaient rangées dans l'allée. La plus grosse, une limousine noire et luisante, appartenait à Herr Franck. Le moteur ronronnait et un nuage de vapeur bleue s'élevait du pot d'échappement. Le chauffeur, Ritter, son pantalon d'uniforme enfoncé dans de hautes bottes, se tenait, casquette à la main, prêt à ouvrir la portière. Il s'inclina poliment en disant : « Bonjour, Frau von Ulrich. »

Le deuxième véhicule était une voiture verte à deux places. Un homme courtaud à barbe grise sortit de la maison, portant une sacoche de cuir, et effleura le bord de son chapeau pour saluer Mutter avant de monter dans la petite automobile. « Je me demande ce que le docteur Rothmann vient faire d'aussi bonne heure », s'inquiéta Mutter.

Elles ne tardèrent pas à l'apprendre. La mère de Frieda, Monika, une grande femme à l'opulente chevelure rousse, apparut sur le seuil. Au lieu de les faire entrer, elle se campa devant la porte comme pour en barrer l'accès. « Frieda a la rougeole ! annonça-t-elle.

— La pauvre ! s'écria Mutter. Comment va-t-elle ?

— Pas très bien. Elle a de la fièvre et elle tousse. Mais Rothmann dit qu'elle va se remettre. Le problème, c'est qu'elle est en quarantaine.

— Évidemment ! Et toi, tu l'as déjà eue ?

— Oui, quand j'étais petite.

— Werner aussi, je m'en souviens – il avait eu une éruption carabinée. Des boutons partout. Et ton mari ?

— Tout va bien. Ludi l'a eue dans son enfance. »

Les deux femmes se tournèrent vers Carla. Elle n'avait jamais eu la rougeole. Elle comprit qu'elle ne pourrait pas passer la journée chez Frieda.

Si Carla était déçue, Mutter, elle, était dans tous ses états. « Le numéro de cette semaine est consacré aux élections – il *faut* que j'aille au journal. » Elle avait l'air affolée. Tous les adultes étaient préoccupés par les élections législatives qui devaient se tenir le dimanche suivant. Mutter et Vater craignaient l'un comme l'autre que les nazis n'obtiennent suffisamment de voix pour prendre le contrôle intégral du gouvernement. « En plus, j'ai une vieille amie qui arrive de Londres. Je pourrais peut-être convaincre Walter de prendre une journée de congé pour garder Carla ?

— Tu devrais l'appeler », suggéra Monika.

Peu de gens avaient le téléphone chez eux, mais c'était le cas des Franck, et Carla et sa mère entrèrent dans le vestibule. L'appareil était posé près de la porte d'entrée sur une table à pieds fuselés. Mutter souleva le combiné et indiqua à l'opératrice le numéro du bureau de Vater au Reichstag, le bâtiment du Parlement. Dès que la communication fut établie, elle lui exposa la situation. Elle l'écouta un instant et son visage s'assombrit. « Mon journal va exhorter cent mille lecteurs à faire campagne pour le parti social-démocrate, insista-t-elle. Et tu me dis que tu as quelque chose de plus important que ça à faire aujourd'hui ? »

Carla n'eut pas de mal à deviner comment la discussion se terminerait. Vater avait beau l'aimer tendrement, il ne lui avait jamais consacré une journée entière depuis qu'elle était née. Les pères de ses amies ne se comportaient pas autrement. Ce n'était pas le travail des hommes, voilà tout. Mais il arrivait à Mutter de faire comme si elle ignorait ce genre de règles.

« Dans ce cas, je n'ai plus qu'à l'emmener au journal, conclut Mutter sèchement. Je n'ose pas imaginer comment Jochmann va le prendre. » Herr Jochmann était son patron. « Tu sais que ce n'est pas ce qu'on peut appeler un féministe, même dans ses meilleurs jours. » Elle raccrocha brutalement.

Carla avait horreur que ses parents se disputent, et c'était la deuxième scène de la journée. Le monde entier en devenait instable. Ces querelles lui faisaient beaucoup plus peur que les nazis.

« Allons, viens », lui dit Mutter en s'approchant de la porte.

En plus, je n'aurai même pas vu Werner, pensa Carla au désespoir.

À cet instant précis, le père de Frieda, un homme énergique et jovial, au visage rose barré d'une petite moustache noire, apparut dans l'entrée. Il salua aimablement Mutter, et elle s'arrêta pour échanger quelques politesses avec lui pendant que Monika aidait son mari à enfiler un manteau noir à col en fourrure.

Il se dirigea vers le pied de l'escalier. « Werner ! cria-t-il. Je pars sans toi ! » Il se coiffa d'un feutre gris et sortit.

« J'arrive ! J'arrive ! » Werner descendit l'escalier avec la grâce d'un danseur. Il était aussi grand que son père, et infiniment plus séduisant avec ses cheveux blond vénitien un tout petit peu trop longs. Il avait coincé sous son bras un cartable de cuir qui paraissait rempli de livres et tenait dans l'autre main une paire de patins à glace et une crosse de hockey. Malgré sa hâte, il s'arrêta pour dire : « Bonjour, Frau von Ulrich », très courtoisement. Puis, sur un ton moins formel : « Salut, Carla. Ma sœur a la rougeole. »

Carla se sentit rougir sans aucune raison. « Je sais », répondit-elle. Elle chercha quelque chose de charmant et de spirituel à lui dire, mais ne trouva rien. « Je ne l'ai jamais eue, alors je ne peux pas rester chez vous.

— Je l'ai attrapée quand j'étais gosse, précisa-t-il comme si cela remontait à une éternité. Il faut que je me dépêche », ajouta-t-il d'un ton contrit.

Se refusant à le voir disparaître aussi vite, Carla le suivit au-dehors. Ritter tenait la portière ouverte. « Qu'est-ce que c'est comme voiture ? » demanda Carla. Les garçons connaissaient toujours les marques d'automobiles.

« Une limousine Mercedes-Benz W 10.

— Elle a l'air très confortable. » Elle surprit le regard de sa mère, mi-étonné, mi-amusé.

« Tu veux qu'on vous dépose quelque part ? demanda Werner.

— Ce serait drôlement gentil.

— Je vais demander à mon père. » Werner passa la tête à l'intérieur de la voiture et dit quelques mots.

Carla entendit Herr Franck répondre : « Entendu, mais faites vite ! »

Elle se tourna vers sa mère. « Ils vont nous conduire en voiture ! »

Mutter n'hésita qu'un instant. Elle n'appréciait pas les idées politiques de Herr Franck – il donnait de l'argent aux nazis – mais n'allait certainement pas refuser de faire le trajet dans une voiture chauffée par un matin aussi glacial. « C'est très aimable à vous, Ludwig », remercia-t-elle.

Elles rejoignirent les Franck à l'arrière de la voiture, où il y avait suffisamment de place pour quatre. Ritter démarra souplement. « Vous allez Kochstrasse, je suppose ? » demanda Herr Franck. De nombreux éditeurs de journaux et de livres avaient leurs bureaux dans cette rue du quartier de Kreuzberg.

« Je m'en voudrais de vous faire faire un détour. Vous pouvez nous laisser Leipziger Strasse. Ça ira très bien.

— Je ne demande pas mieux que de vous conduire jusqu'à votre porte – mais peut-être préférez-vous que vos collègues de gauche ne vous voient pas descendre de la voiture d'un gros ploutocrate. » Son ton hésitait entre humour et hostilité.

Mutter lui adressa son sourire le plus charmant. « Voyons, Ludi, vous n'êtes pas gros – juste un peu enveloppé. » Elle tapota le devant de son pardessus.

Il rit et la tension se dissipa. « Je ne l'ai pas volé », reconnut Herr Franck qui prit le tuyau acoustique pour donner ses instructions à Ritter.

Ravie d'être dans la même voiture que Werner, Carla était bien décidée à en tirer le meilleur parti. Malheureusement, elle ne trouvait aucun sujet de conversation. La seule question qu'elle aurait vraiment voulu lui poser était : « Quand tu seras grand, tu crois que tu pourrais épouser une fille aux cheveux bruns et aux yeux verts, plus jeune que toi d'environ trois ans, et plutôt intelligente ? » En désespoir de cause, elle finit par désigner ses patins à glace et par lui demander : « Tu as match aujourd'hui ?

— Non. Je vais juste à l'entraînement après les cours.

— À quelle place joues-tu ? » Elle ne connaissait rien au hockey, mais il y avait toujours des places dans les sports d'équipe.

« Ailier droit.

— Ce n'est pas un peu dangereux, le hockey ?

— Pas vraiment, mais il faut être rapide.

— Je suis sûre que tu es un excellent patineur.

— Pas trop mauvais », concéda-t-il modestement.

Une fois de plus, Carla surprit sa mère qui la regardait avec un petit sourire énigmatique. Avait-elle deviné les sentiments que lui inspirait Werner ? Carla sentit son visage s'empourprer à nouveau.

La voiture s'arrêta devant un établissement scolaire et Werner descendit. « Au revoir, tout le monde ! » s'écria-t-il, et il franchit en courant le portail qui donnait dans la cour.

Ritter repartit, longeant la rive sud du canal de la Landwehr. Carla contempla les péniches, leurs cargaisons de charbon coiffées de neige comme des montagnes. Elle était étrangement déçue. Elle avait réussi à passer quelques instants avec Werner en lui faisant comprendre qu'elle aimerait bien faire le trajet en voiture, et avait gâché ces précieuses minutes en lui parlant de hockey sur glace.

De quoi aurait-elle aimé discuter avec lui ? Elle n'en avait pas la moindre idée.

Herr Franck se tourna vers Mutter : « J'ai lu votre chronique dans le *Demokrat*.

— J'espère qu'elle vous a plu.

— Je dois dire que je n'ai pas beaucoup apprécié votre manque de respect envers notre chancelier.

— Parce que vous pensez que les journalistes doivent se montrer respectueux à l'égard des hommes politiques ? répondit Mutter d'un ton enjoué. Voilà une idée bien radicale. Dans ce cas, la presse nazie ferait bien d'être un peu plus polie à l'égard de mon mari ! Je ne suis pas sûre qu'elle y soit très disposée.

— Je ne parle pas de tous les hommes politiques, évidemment », répliqua Herr Franck agacé.

Ils traversèrent le carrefour noir de monde de la Potsdamer Platz où régnait une terrible cohue : les automobiles, les tramways et les piétons y côtoyaient des charrettes tirées par des chevaux.

« Ne serait-il pas préférable que la presse puisse critiquer tout le monde équitablement ? demanda Mutter.

— Une idée merveilleuse, chère amie. Vous vivez dans un monde chimérique, vos amis socialistes et vous. Nous sommes des hommes pragmatiques, et nous savons que l'Allemagne ne peut pas vivre d'idées. Le peuple a besoin de pain, de chaussures et de charbon.

— Je suis tout à fait de votre avis. Je ne refuserais pas moi-même un peu plus de charbon. Mais je tiens à ce que Carla et Erik grandissent en citoyens d'un pays libre.

— Vous surestimez la liberté. Elle ne fait pas le bonheur des gens, vous savez. Ils préfèrent un pouvoir fort. Pour ma part, je veux que Werner, Frieda et ce pauvre Axel grandissent dans un pays fier de lui, discipliné et uni.

— Faut-il vraiment, pour qu'il soit uni, que de jeunes voyous en chemises brunes tabassent de vieux boutiquiers juifs ?

— La politique n'est pas toujours tendre. On n'y peut rien.

— Vous vous trompez. Nous avons un rôle à jouer, vous et moi, Ludwig, chacun à notre façon. Nous devons essayer de rendre la politique moins dure – plus honnête, plus rationnelle, moins violente. Ne pas le faire, c'est manquer à notre devoir patriotique. »

Herr Franck se hérissa.

Carla ne savait pas grand-chose des hommes, mais elle avait déjà compris qu'ils n'aimaient pas que les femmes leur fassent la leçon, surtout lorsqu'il s'agissait de devoir. Mutter avait dû oublier son charme légendaire à la maison ce matin-là. Il est vrai que tout le monde était sur les nerfs à l'approche des élections.

Ils débouchèrent sur la Leipziger Platz. « Où voulez-vous que je vous dépose ? demanda fraîchement Herr Franck.

— Ici, ce sera parfait », répondit Mutter.

Franck tapota sur la vitre de séparation. Ritter arrêta la voiture et se hâta de venir ouvrir la portière.

« J'espère que Frieda sera vite remise, dit Mutter.

— Merci. »

Elles descendirent et Ritter referma la portière.

Le bureau était à quelques minutes à pied, mais de toute évidence, Mutter avait eu hâte de quitter la voiture. Carla espérait qu'elle cesserait un jour de se disputer avec Herr Franck. Autrement, elle risquait pour sa part d'avoir du mal à continuer à voir Frieda et Werner, une perspective qui lui faisait horreur.

Elles s'éloignèrent d'un pas vif. « Surtout, tâche d'être sage au bureau et de n'embêter personne. » Le ton sincèrement implorant de sa mère toucha Carla, qui s'en voulut de lui donner autant de tracas. Elle se promit d'être irréprochable.

Mutter salua plusieurs personnes en passant : Carla avait toujours vu sa mère tenir cette chronique et elle était très connue dans les milieux de la presse. Tout le monde l'appelait « Lady Maud », à l'anglaise.

Près du bâtiment où le *Demokrat* avait ses bureaux, elles croisèrent une autre connaissance : le sergent Schwab. Il s'était battu au côté de Vater pendant la Grande Guerre, et portait encore les cheveux coupés très court, dans le style militaire. La paix revenue, il avait travaillé comme jardinier, d'abord pour le grand-père de Carla, puis pour son père ; mais il avait volé de l'argent dans le porte-monnaie de Mutter et Vater l'avait renvoyé. Maintenant, il portait l'affreux uniforme militaire des Sections d'assaut, les Chemises brunes, qui n'étaient pas des soldats mais des nazis qui s'étaient vu accorder des pouvoirs de police auxiliaire.

Sans porter la main à sa casquette, Schwab lança d'une voix claironnante : « Bonjour, Frau von Ulrich », comme s'il n'avait même pas honte d'être un voleur.

Mutter lui adressa un signe de tête glacial et passa devant lui. « Je me demande ce qu'il fabrique par ici », murmura-t-elle, soucieuse, au moment où elles entraient dans le bâtiment.

La revue pour laquelle elle travaillait occupait le premier étage d'un immeuble moderne. Consciente qu'elle n'aurait pas dû se trouver là, Carla espérait pouvoir rejoindre discrètement le bureau de Mutter. Par malchance, elles rencontrèrent Herr Jochmann dans l'escalier. C'était un homme corpulent, au nez chaussé d'épaisses lunettes. « Qu'est-ce que c'est ? lança-t-il d'un ton rogue sans retirer la cigarette qu'il avait à la bouche. C'est un journal que je dirige ou une école maternelle ? »

Mutter ne se démonta pas. « J'ai pensé au commentaire que vous avez fait l'autre jour, dit-elle. Sur les jeunes, qui s'imaginent que le journalisme est un métier prestigieux et ne se rendent pas compte du travail que cela représente. »

Il fronça les sourcils. « J'ai dit ça, moi ? Ma foi, c'est vrai, indéniablement.

— Alors j'ai eu l'idée de proposer à ma fille de m'accompagner aujourd'hui. Pour qu'elle découvre la réalité de notre métier. Ça ne peut qu'être bon pour son éducation, surtout si elle devient écrivain, comme elle le souhaite. Elle fera un compte rendu de sa visite à ses camarades de classe. J'étais certaine que vous approuveriez cette démarche. »

Mutter avait beau broder, elle avait l'air convaincante, estima Carla qui n'était pas loin d'y croire elle-même. Cette fois-ci, tout son charme était au rendez-vous.

« Vous n'attendez pas une visite importante de Londres aujourd'hui ?

— Si, en effet, Ethel Leckwith, mais c'est une vieille amie. Elle a connu Carla quand elle était bébé. »

Jochmann s'adoucit. « Hum. Bien. Je vous rappelle que nous avons une conférence de rédaction dans cinq minutes. Le temps que j'aille acheter des cigarettes.

— Carla peut y aller à votre place. » Mutter se tourna vers elle. « Il y a un bureau de tabac trois immeubles plus loin. Herr Jochmann fume des Roth-Händle.

— Oh, c'est vraiment gentil, ça me fera gagner du temps. » Jochmann tendit à Carla une pièce d'un mark.

Mutter ajouta : « Mon bureau est en haut de l'escalier, juste à côté de l'alarme d'incendie. Tu m'y trouveras quand tu reviendras. » Elle se détourna et prit le bras de Jochmann pour lui parler en confidence. « J'ai trouvé que le numéro de la semaine dernière était le meilleur que nous ayons jamais sorti », lui déclara-t-elle tandis qu'ils gravissaient les marches.

Carla sortit dans la rue en courant. Mutter s'en était habilement sortie, avec son mélange habituel d'audace et de séduction. Il lui arrivait de dire : « Nous les femmes, nous devons employer toutes les armes dont nous disposons. » En y réfléchissant, Carla prit conscience qu'elle n'avait pas agi autrement pour obtenir de monter dans la voiture de Herr Franck. Peut-être n'étaient-elles pas si différentes, après tout. Cela expliquerait aussi le curieux petit sourire avec lequel Mutter l'avait regardée : elle se revoyait sans doute trente ans plus tôt.

Il y avait la queue au bureau de tabac. La moitié des journalistes de Berlin semblaient s'y être donné rendez-vous pour acheter leurs provisions de cigarettes de la journée. Carla réussit enfin à mettre la main sur un paquet de Roth-Händle et retourna au *Demokrat*. Elle trouva facilement l'alarme d'incendie – une grande manette fixée au mur – mais Mutter n'était pas dans son bureau. Sans doute la conférence de rédaction avait-elle déjà commencé.

Carla s'engagea dans le couloir. Toutes les portes étaient ouvertes sur des pièces presque vides. Elle n'y aperçut que quelques femmes qui devaient être des dactylos et des secrétaires. Au fond du bâtiment, à l'endroit où le couloir faisait un coude, elle se trouva devant une porte fermée portant un panonceau « Salle de réunion », d'où lui parvenaient des voix masculines échauffées par la discussion. Elle frappa doucement à la porte, mais personne ne lui répondit. Elle hésita un instant, puis tourna la poignée et entra.

Dans la salle remplie de fumée de tabac, elle découvrit huit à dix personnes assises autour d'une longue table. Mutter était la seule femme. Voyant Carla se diriger vers le bout de la table et tendre à Jochmann les cigarettes et la monnaie, tous se turent, manifestement surpris. Elle se dit qu'elle n'aurait pas dû entrer.

Mais Jochmann la remercia.

« Je vous en prie, Monsieur », répondit-elle et sans trop savoir pourquoi, elle esquissa une petite révérence.

Les hommes éclatèrent de rire et l'un d'eux lança : « Une nouvelle assistante, Jochmann ? » Elle comprit avec soulagement qu'elle n'avait pas commis d'impair.

Elle quitta la salle prestement et regagna le bureau de Mutter. Sans retirer son manteau – il faisait froid –, elle parcourut la pièce du regard. Elle vit un téléphone, une machine à écrire et des piles de papier et de carbone posées sur une table.

À côté du téléphone, se trouvait une photographie encadrée représentant Carla, Erik et Vater. Elle avait été prise deux ans plus tôt par une belle journée ensoleillée qu'ils avaient passée sur la plage du lac de Wannsee, à vingt-cinq kilomètres du centre de Berlin. Vater était en short. Ils riaient tous. C'était avant qu'Erik ne se prenne au sérieux et ne se croie devenu un homme.

Il y avait une seule autre photo dans la pièce, accrochée au mur celle-là, sur laquelle on voyait Mutter au côté du héros social-démocrate Friedrich Ebert, qui avait été le premier président du Reich allemand, juste après la guerre. Elle avait été prise une dizaine d'années plus tôt. Carla sourit devant la robe informe, à taille basse de sa mère, et sa coupe de cheveux à la garçonne : c'était sans doute la mode à l'époque.

L'étagère contenait des Bottin mondains, des annuaires téléphoniques, des dictionnaires de différentes langues et des atlas. Rien à lire en un mot. Dans le tiroir du bureau, elle trouva des crayons, plusieurs paires de gants de soirée neufs, encore enveloppés dans leur papier de soie, un paquet de serviettes hygiéniques et un carnet contenant des noms et des numéros de téléphone.

Carla mit le calendrier de bureau à jour à la date du lundi 27 février 1933. Puis elle glissa une feuille de papier dans la machine à écrire. Elle tapa son nom complet : Heike Carla von Ulrich. À l'âge de cinq ans, elle avait déclaré qu'elle préférait son deuxième prénom et ne voulait plus qu'on l'appelle Heike. Toute la famille avait accepté son choix, ce qui l'avait tout de même un peu étonnée.

Chaque touche de la machine à écrire actionnait une tige métallique qui venait frapper le papier à travers un ruban encreur, imprimant une lettre. Quand accidentellement, elle appuya sur deux touches à la fois, les tiges se coincèrent. Elle s'efforça de les séparer, vainement. Elle décida de presser sur une nouvelle touche, avec le résultat inverse de celui qu'elle espérait : il y avait maintenant trois tiges enchevêtrées. Elle poussa un gémissement : elle avait fait une bêtise, c'était sûr.

Un bruit l'attira vers la fenêtre. Une dizaine de Chemises brunes défilaient au milieu de la rue en scandant des slogans : « Mort aux Juifs ! À bas les Juifs ! » Carla ne comprenait pas pourquoi ces gens-là en voulaient tellement aux Juifs, qui étaient comme tout le monde, après tout, religion mise à part. Elle reconnut avec stupéfaction le sergent Schwab en tête du cortège. Elle avait eu de la peine pour lui quand ses parents l'avaient mis à la porte, parce qu'elle savait qu'il aurait du mal à retrouver un emploi. L'Allemagne comptait des millions d'hommes qui cherchaient du travail : Vater disait que c'était la crise. Mais Mutter avait été inflexible : ils ne pouvaient tout de même pas garder un voleur chez eux !

Les cris au-dehors avaient changé. « À bas les journaux juifs », hurlaient désormais les hommes en chœur. Carla vit un bras se lever et un légume pourri vint s'écraser sur la porte d'un quotidien national. Puis, sous ses yeux épouvantés, ils se dirigèrent vers le bâtiment dans lequel elle se trouvait.

Elle recula et continua à épier du coin de l'œil, cachée par l'embrasure de la fenêtre, espérant que les manifestants ne la verraient pas. Ils s'arrêtèrent devant l'immeuble, criant toujours. L'un d'eux jeta une pierre qui heurta la fenêtre de Carla, sans la briser pourtant. Elle poussa tout de même un petit cri effrayé qui attira une dactylo, une jeune femme coiffée d'un béret rouge. « Que se passe-t-il ? » demanda-t-elle en poussant la porte, puis elle regarda par la fenêtre. « Et merde ! »

Les membres de la Section d'assaut pénétrèrent dans le bâtiment et Carla entendit un piétinement de bottes dans l'escalier. Elle était terrifiée : qu'allaient-ils faire ?

Le sergent Schwab entra dans le bureau de Mutter. Il hésita un instant en voyant une femme et une enfant, puis parut prendre son courage à deux mains. Il attrapa la machine à écrire et la balança par la fenêtre, fracassant la vitre. Carla et la dactylo hurlèrent.

D'autres Chemises brunes passaient dans le couloir, braillant leurs slogans.

Schwab empoigna la dactylo par le bras : « Et maintenant, chérie, tu vas me dire où est le coffre-fort.

— Dans la salle des archives, murmura-t-elle d'une petite voix apeurée.

— Montre-moi où c'est.

— Tout ce que vous voudrez. »

Il la poussa hors de la pièce.

Carla se mit à pleurer, mais ravala immédiatement ses larmes. Elle songea un instant à se cacher sous le bureau, avant de se raviser. Elle ne voulait pas leur montrer à quel point elle était terrifiée. Quelque chose en elle se révoltait, lui donnait envie de défier ces brutes.

Que pouvait-elle faire ? Avant tout, il fallait prévenir Mutter.

Elle s'approcha de la porte et regarda dans le couloir. Les SA entraient et sortaient des bureaux, mais ils n'étaient pas encore arrivés au fond. Carla ne savait pas si le tapage qu'ils faisaient s'entendait depuis la salle de réunion. Elle enfila le couloir, courant à toutes jambes, quand un cri l'arrêta net. Jetant un coup d'œil dans une pièce, elle vit Schwab qui secouait la dactylo au béret rouge en hurlant : « Où est la clé ?

— Je n'en sais rien, je vous le jure ! » sanglotait la jeune femme.

Le sang de Carla ne fit qu'un tour. Comment Schwab pouvait-il se permettre de traiter une femme de cette façon ? Elle cria : « Lâchez-la tout de suite, Schwab, espèce de voleur ! »

Schwab fit volte-face avec dans les yeux un éclair de haine qui décupla la peur de Carla. Puis son regard se déplaça vers quelqu'un qui devait être situé derrière elle et à qui il lança : « Fais dégager cette gosse, tu veux ? »

Elle sentit quelqu'un la soulever par les aisselles. « Une petite Juive ? demanda une voix masculine. Tu m'en as tout l'air, avec ta tignasse brune.

— Je ne suis pas juive », hurla-t-elle, terrifiée.

L'homme la porta jusqu'à l'entrée du couloir et la déposa brutalement dans le bureau de Mutter. Elle trébucha et tomba. « Reste ici, toi », dit-il et il s'éloigna.

Carla se releva. Elle ne s'était pas fait mal. Le couloir était rempli de Chemises brunes à présent, et il lui était impossible de rejoindre sa mère. Il fallait absolument trouver de l'aide.

Elle regarda par la fenêtre brisée. Une petite foule s'était rassemblée dans la rue. Deux policiers se trouvaient parmi les badauds, en train de bavarder. Carla leur cria : « Au secours ! Au secours ! Police ! »

Ils la virent et s'esclaffèrent.

Leurs rires l'exaspérèrent, et la colère lui fit un peu oublier sa peur. Elle retourna dans le couloir. Son regard se posa sur l'alarme d'incendie. Levant le bras, elle empoigna la manette.

Elle hésita. On n'était pas censé actionner l'alarme s'il n'y avait pas d'incendie, et une petite affiche apposée sur le mur menaçait les contrevenants de lourdes sanctions.

Elle tira tout de même le levier.

Rien. Le mécanisme ne fonctionnait peut-être pas.

Mais soudain, un mugissement retentit, s'élevant puis retombant, résonnant à travers tout le bâtiment.

Les journalistes surgirent presque immédiatement de la salle de réunion, au fond du couloir. Jochmann sortit le premier. « Bon sang ! Mais que se passe-t-il ? » demanda-t-il furieux, hurlant pour couvrir le bruit de l'alarme.

Un des SA répondit : « Ce torchon juif communiste a insulté notre Führer. Nous le fermons.

— Sortez de mes bureaux ! »

L'homme l'ignora et passa dans une autre pièce. Quelques instants plus tard, on entendit un hurlement de femme et un fracas qui évoquait le bruit d'un bureau métallique renversé.

Jochmann se tourna vers un de ses collaborateurs : « Schneider, appelez la police immédiatement ! »

Carla savait que c'était inutile : les policiers étaient déjà sur place, et se gardaient bien d'intervenir.

Mutter se fraya un passage à travers l'attroupement et courut dans le couloir jusqu'à son bureau : « Ça va ? Tu n'as rien ? » cria-t-elle en serrant Carla dans ses bras.

Elle ne voulait pas être consolée comme un bébé. Repoussant sa mère, elle répondit : « Je vais bien, ne t'en fais pas. »

Mutter regarda autour d'elle : « Ma machine !

— Ils l'ont jetée par la fenêtre. » Carla se dit que finalement, elle ne se ferait pas gronder parce qu'elle avait bloqué des touches.

« Il faut sortir d'ici. » Mutter attrapa la photo qui était sur son bureau, prit Carla par la main et elles quittèrent la pièce en toute hâte.

Personne ne les arrêta dans l'escalier. Devant elles, un jeune homme, peut-être un journaliste, avait coincé la tête d'un SA sous son bras et le traînait hors du bâtiment. Carla et sa mère les suivirent. Une autre Chemise brune dévalait les marches derrière elles.

Sans desserrer son étreinte, le reporter aborda les deux policiers qui se trouvaient dans la rue : « Arrêtez cet homme, dit-il. Je l'ai surpris en train de dévaliser nos bureaux. Vous trouverez dans sa poche un pot de café volé.

— Lâchez-le tout de suite », répondit le plus âgé des deux policiers.

À contrecœur, le reporter le libéra.

Le deuxième SA se rapprocha de son collègue.

« Quel est votre nom, monsieur? demanda le policier au journaliste.

— Rudolf Schmidt. Je suis correspondant parlementaire au *Demokrat.*

— Monsieur Schmidt, je vous arrête pour voies de fait sur la personne d'un auxiliaire de police.

— Ne soyez pas ridicule. J'ai pris cet homme la main dans le sac. »

Le policier fit un signe de tête aux deux Chemises brunes. « Conduisez-le au commissariat. »

Les hommes attrapèrent Schmidt par les bras. Il parut sur le point de se débattre, puis se ravisa. « Tous les détails de cette affaire paraîtront dans le prochain numéro du *Demokrat*! s'écria-t-il.

— Il n'y aura pas de prochain numéro, rétorqua le policier. Emmenez-le ! »

Sur ces entrefaites, un camion de pompiers arriva et une demi-douzaine d'hommes en jaillit. Leur chef s'adressa aux policiers d'un ton brutal : « Il faut évacuer le bâtiment.

— Retournez à la caserne, il n'y a pas d'incendie, rétorqua le plus âgé. Ce ne sont que des membres des Sections d'assaut qui ferment un journal communiste.

— Ce n'est pas mon problème, répliqua le pompier. L'alarme a été déclenchée et la première chose à faire est d'évacuer tout le monde, les Sections d'assaut comme les autres. Nous nous passerons de vous. » Il conduisit ses hommes à l'intérieur de l'immeuble.

Carla entendit sa mère s'exclamer : « Oh, non ! » Se retournant, elle la vit qui contemplait sa machine à écrire, tombée sur le trottoir. Le boîtier métallique avait explosé, révélant les articulations entre les tiges et les touches. Le clavier était complètement déformé, une extrémité du cylindre s'était détachée et la petite cloche qui tintait pour indiquer la fin d'une ligne gisait par terre pitoyablement. Une machine à écrire n'était pas un objet précieux, mais Mutter semblait au bord des larmes.

Les Chemises brunes et le personnel de la revue quittèrent le bâtiment sous la conduite des pompiers. Le sergent Schwab résistait et criait, furieux : « Il n'y a pas le feu ! » Les pompiers le poussèrent en avant sans l'écouter.

Jochmann sortit, lui aussi, et s'adressa à Mutter : « Ils n'ont pas eu le temps de faire beaucoup de dégâts – les pompiers les en ont empêchés. Je ne sais pas qui a déclenché l'alarme, mais nous lui devons une fière chandelle ! »

Carla qui avait eu peur de se faire réprimander pour son initiative se félicita. Finalement, elle avait bien fait !

Elle prit la main de sa mère, qui sembla surmonter son accès de chagrin. Elle s'essuya les yeux avec sa manche, un geste inhabituel qui révélait son émotion : si Carla en avait fait autant, sa mère n'aurait pas manqué de lui rappeler qu'elle avait un mouchoir. « Qu'est-ce qu'on fait maintenant ? » Elle n'avait jamais entendu ces mots dans la bouche de Mutter – d'habitude, elle savait toujours quoi faire.

Carla prit soudain conscience que deux personnes se tenaient près d'elles. Elle leva les yeux sur une très jolie femme qui devait avoir à peu près l'âge de Mutter, et dont le visage respirait l'autorité. Carla la connaissait, mais n'aurait pas su dire où elle l'avait déjà rencontrée. Elle était accompagnée d'un homme assez jeune pour être son fils. Il était mince, pas très grand, et ressemblait à un acteur de cinéma. Il avait un visage remarquablement séduisant, qui aurait presque été trop harmonieux sans son nez aplati et déformé. Les deux nouveaux venus avaient l'air abasourdis, et le jeune homme était pâle de colère.

La femme prit la parole la première, en anglais. « Bonjour, Maud, dit-elle d'une voix qui parut vaguement familière à Carla. Ne me dites pas que vous ne me reconnaissez pas ! Je suis Eth Leckwith, et voici Lloyd. »

2.

Lloyd Williams trouva à Berlin un club de boxe où il pouvait venir s'entraîner une heure par jour pour quelques pièces. Il était situé dans le quartier ouvrier de Wedding, au nord du centre-ville. Lloyd travailla avec des massues de gymnastique, des médecine-balls, la corde à sauter et le sac de sable avant de mettre un casque et d'enchaîner cinq rounds sur le ring. Le responsable du club lui trouva un sparring-partner, un Allemand de son âge et de sa catégorie – Lloyd était poids welter. L'Allemand avait un joli coup droit rapide et imprévisible, et toucha Lloyd plusieurs fois avant que celui-ci ne lui envoie un crochet du gauche qui le mit au tapis.

Lloyd avait grandi dans un quartier difficile, l'East End de Londres. À douze ans, il s'était fait rudoyer par d'autres garçons de son école. « J'ai connu ça, lui avait dit son beau-père, Bernie Leckwith. Tu as les meilleures notes, et le *shlammer*, la petite frappe de la classe, te prend en grippe. » Dad était juif – sa mère ne parlait que yiddish. Quelques jours plus tard, il accompagnait Lloyd au club de boxe d'Aldgate. Ethel avait protesté, mais Bernie avait eu le dernier mot, ce qui n'était pas fréquent.

Lloyd avait appris à bouger vite et à frapper dur, et les bagarreurs de l'école s'étaient cherché une autre victime. Il y avait aussi gagné le nez cassé qui donnait un peu de caractère à son joli visage. Et surtout, il s'était découvert un talent. Il avait des réflexes rapides et une pugnacité qui lui avaient permis de remporter plusieurs victoires sur le ring. Son entraîneur avait été déçu qu'il choisisse d'entrer à l'université de Cambridge alors qu'il aurait pu passer professionnel.

Il prit une douche, remit sa tenue de ville et gagna un bar ouvrier, où il commanda une bière pression et s'assit à une table pour écrire à sa demi-sœur, Millie, et lui raconter l'incident des Chemises brunes. Millie l'avait envié de pouvoir faire ce voyage avec leur mère, et il lui avait promis de lui envoyer un véritable journal de bord.

Lloyd avait été profondément ébranlé par l'échauffourée à laquelle il avait assisté le matin même. La politique faisait partie de sa vie quotidienne : sa mère avait été députée, son père était conseiller d'arrondissement à Londres et lui-même était président de la section londonienne de la Labour League of Youth, la jeunesse travailliste. Mais jusqu'à ce jour, il n'avait connu que les débats et les scrutins. Jamais encore il n'avait vu un bureau saccagé par des voyous en uniforme sous les yeux de policiers complaisants. C'était une forme brutale de politique, qui l'avait choqué.

« Penses-tu que cela pourrait arriver à Londres, Millie ? » écrivit-il. Instinctivement, il avait tendance à penser que non. Hitler avait pourtant des admirateurs parmi les industriels et les patrons de presse britanniques. Quelques mois auparavant seulement, Sir Oswald Mosley, un ancien député qui n'hésitait pas à retourner sa veste, avait fondé l'Union des fascistes britanniques. À l'image des nazis, ses membres aimaient à se pavaner dans des uniformes de style militaire. Jusqu'où iraient-ils ?

Il termina sa lettre et la plia avant de prendre le S-Bahn pour regagner le centre. Sa mère et lui avaient prévu de retrouver Walter et Maud von Ulrich pour le dîner. Lloyd avait entendu parler de Maud toute sa vie. Malgré tout ce qui les séparait, sa mère et elle s'aimaient beaucoup. Ethel avait commencé à travailler toute jeune comme femme de chambre dans la grande demeure de la famille de Maud. Plus tard, elles avaient été suffragettes ensemble, faisant campagne pour que les femmes obtiennent le droit de vote. Pendant la guerre, elles avaient publié un journal féministe, *La Femme du soldat*. Leurs idées avaient ensuite divergé sur des questions de tactique politique et elles s'étaient brouillées.

Lloyd se rappelait très bien le voyage de la famille von Ulrich à Londres en 1925. Il avait dix ans et était assez grand pour avoir été mortifié de ne pas savoir un mot d'allemand alors qu'Erik et Carla, qui avaient respectivement cinq et trois ans, étaient parfaitement bilingues. C'était à cette occasion qu'Ethel et Maud s'étaient réconciliées.

Il se dirigea vers le restaurant où ils s'étaient donné rendez-vous, le Bistro Robert. En entrant, il fut surpris par l'ameublement Art déco – des chaises et des tables impitoyablement rectangulaires et des pieds de lampe en fer forgé très ornementés surmontés d'abat-jour de verre coloré –, mais apprécia les serviettes blanches amidonnées au garde-à-vous à côté des assiettes.

Il était le dernier. Maud et sa mère avaient vraiment de l'allure, se dit-il en approchant de la table où les von Ulrich et Ethel avaient déjà pris place : élégamment vêtues, séduisantes, pleines de grâce et d'assurance. D'autres clients leur jetaient des regards admiratifs. Il se demanda dans quelle mesure sa mère devait son sens du chic à son amie aristocratique.

Après qu'ils eurent passé commande, Ethel leur exposa la raison de son voyage. « J'ai perdu mon siège parlementaire en 1931, dit-elle, et j'espère bien le retrouver aux prochaines élections. Mais en attendant, il faut que je gagne ma vie. Par bonheur, Maud, vous m'avez appris le métier de journaliste.

— Je ne vous ai pas appris grand-chose, protesta Maud. Vous étiez douée, voilà tout.

— Le *News Chronicle* m'a commandé une série d'articles sur les nazis et j'ai signé un contrat avec un éditeur, Victor Gollancz, pour écrire un livre sur le même sujet. Lloyd a accepté de m'accompagner pour me servir d'interprète – il fait des études de français et d'allemand à Cambridge. »

Son sourire plein d'orgueil maternel n'échappa pas à Lloyd, qui craignit d'en être indigne. « Mes compétences de traducteur n'ont pas encore été mises à rude épreuve, commenta-t-il. Pour le moment, nous avons essentiellement rencontré des gens comme vous, qui parlent anglais couramment. »

Lloyd avait commandé une escalope de veau panée à la viennoise, un plat qu'il n'avait jamais vu en Angleterre et qu'il trouva délicieux. Pendant qu'ils mangeaient, Walter lui demanda : « Tu ne devrais pas être à la fac ?

— Si, mais Mam s'est dit qu'en l'accompagnant, je ferais sûrement des progrès en allemand, et l'université m'a donné l'autorisation de m'absenter.

— Ça te dirait de venir travailler pour moi au Reichstag pendant votre séjour ? Je ne pourrai pas te payer, malheureusement, mais au moins, tu entendrais parler allemand toute la journée. »

Lloyd fut enchanté. « Ça serait sensationnel. Quelle chance incroyable !

— À condition qu'Ethel puisse se passer de toi, évidemment », ajouta Walter.

Elle sourit : « Peut-être pourrez-vous me le rendre de temps en temps, quand j'aurai vraiment besoin de lui ?

— Bien sûr. »

Ethel tendit le bras par-dessus la table et effleura la main de Walter. C'était un geste plein d'intimité, qui révéla à Lloyd l'étroitesse du lien qui unissait ces trois êtres. « C'est tellement gentil de votre part, Walter, dit-elle.

— Moins que vous ne croyez. Un jeune assistant intelligent ayant quelques notions de politique est toujours précieux.

— Il y a des moments où je me demande si je comprends encore quelque chose à la politique, murmura Ethel. Bon sang, que se passe-t-il ici, en Allemagne ?

— On ne s'en sortait pas si mal au milieu des années 1920, expliqua Maud. Nous avions un gouvernement démocratique et l'économie se développait. Mais en 1929, le krach de Wall Street a tout réduit à néant. Et nous voilà en pleine crise. » Sa voix frémissait d'une émotion singulièrement proche de la douleur. « On peut voir des centaines d'hommes faire la queue pour une offre d'emploi. Il m'arrive de regarder leurs visages. Ils sont désespérés. Ils se demandent comment ils vont nourrir leurs enfants. Comme les nazis semblent leur offrir une lueur d'espoir, ils se disent : Après tout, qu'est-ce que j'ai à perdre ? »

Estimant apparemment qu'elle exagérait, Walter intervint avec plus d'optimisme : « La bonne nouvelle est qu'Hitler n'a pas su convaincre une majorité d'Allemands. Aux dernières élections, les nazis ont obtenu le tiers des voix. Ça ne les a pas empêchés de devenir le parti le plus puissant du pays, mais par bonheur, Hitler ne dirige qu'un gouvernement minoritaire.

— Voilà pourquoi ils ont réclamé de nouvelles élections, coupa Maud. Il lui faut la majorité absolue pour faire de l'Allemagne la dictature brutale qu'il veut instaurer.

— L'obtiendra-t-il ? demanda Ethel.

— Non, dit Walter.

— Oui, dit Maud.

— Je serais vraiment surpris que le peuple vote pour une dictature, précisa Walter.

— Mais les élections ne seront pas libres ! s'indigna Maud, très en colère. Tu as bien vu ce qui s'est passé à la revue ce matin ! Tous ceux qui critiquent les nazis sont en danger. Et pendant ce temps, ils se livrent à une propagande incroyable, à laquelle personne ne peut échapper.

— Je n'ai pas eu l'impression que les gens étaient prêts à riposter », remarqua Lloyd. Il regrettait de ne pas être arrivé quelques minutes plus tôt aux bureaux du *Demokrat* pour régler leur compte à quelques Chemises brunes. Se rendant compte qu'il serrait le poing, il se força à mettre sa main à plat. Mais son sentiment de révolte demeura intact. « Pourquoi les militants de gauche ne vont-ils pas saccager les bureaux des journaux nazis ? Ils n'ont qu'à leur rendre la monnaie de leur pièce !

— Il ne faut pas répondre à la violence par la violence, objecta Maud énergiquement. Hitler n'attend qu'un prétexte pour prendre des mesures répressives – décréter l'état d'urgence, supprimer les droits civils et jeter ses adversaires en prison. » Sa voix prit un ton implorant. « Évitons de lui donner cette excuse – même si c'est difficile. »

Ils terminèrent leur repas. Le restaurant commençait à se vider. Au moment où on leur apportait le café, ils furent rejoints par le patron, Robert von Ulrich, un cousin de Walter, et par le chef, Jörg. Robert avait été attaché militaire à l'ambassade d'Autriche à Londres avant la guerre, à l'époque où Walter occupait les mêmes fonctions à l'ambassade d'Allemagne – et où il était tombé amoureux de Maud.

Robert ressemblait à Walter, mais était vêtu de façon plus apprêtée, avec une épingle de cravate en or et des breloques à sa chaîne de montre ; ses cheveux étaient parfaitement lissés. Jörg, un blond aux traits délicats et au sourire enjoué, était plus jeune que lui. Ils avaient été prisonniers de guerre ensemble en Russie et partageaient à présent un appartement au-dessus du restaurant.

Ils évoquèrent le mariage de Walter et Maud, célébré dans le plus grand secret à la veille de la guerre. Ils n'avaient invité personne, mais Robert et Ethel avaient été leurs témoins. Ethel raconta : « Nous avons pris le champagne à l'hôtel, puis j'ai suggéré délicatement que nous nous retirions, Robert et moi, et Walter – elle réprima un fou rire – Walter a dit : "Je pensais que nous dînerions ici tous ensemble !" »

Maud s'étrangla. « Vous pouvez imaginer combien ça m'a fait plaisir ! »

Lloyd baissa les yeux sur son café, embarrassé. À dix-huit ans, il n'avait jamais connu de femme et les plaisanteries un peu lestes le mettaient mal à l'aise.

Ethel se tourna vers Maud d'un air plus sombre : « Avez-vous des nouvelles récentes de Fitz ? »

Lloyd savait que ce mariage clandestin avait été à l'origine d'une terrible rupture entre Maud et son frère, le comte Fitzherbert. Fitz l'avait reniée parce que, passant outre à son statut de chef de famille, elle ne lui avait pas demandé l'autorisation de se marier.

Maud secoua la tête tristement : « Je lui ai écrit la dernière fois que nous sommes allés à Londres, mais il n'a même pas voulu me voir. Je l'ai blessé dans son orgueil en épousant Walter sans le prévenir. J'ai bien peur que mon frère ne soit pas du genre à pardonner les offenses. »

Ethel régla l'addition. Tout était bon marché en Allemagne pour qui avait des devises étrangères. Ils étaient sur le point de se lever quand un inconnu s'approcha de leur table et, sans y avoir été invité, avança une chaise. C'était un homme corpulent au visage rond barré d'une petite moustache.

Il portait l'uniforme des Chemises brunes.

Robert demanda d'un ton glacial : « Que puis-je pour vous, monsieur ?

— Inspecteur Thomas Macke. » Il attrapa par le bras un serveur qui passait : « Apportez-moi un café. »

Le serveur jeta un regard interrogateur à Robert, qui acquiesça d'un signe de tête.

« Je travaille au service politique de la police prussienne, poursuivit Macke. Je suis responsable de la section berlinoise du Renseignement. »

Lloyd traduisit à voix basse pour sa mère.

« Mais peu importe, dit Macke, je souhaite m'entretenir d'une affaire personnelle avec le propriétaire du restaurant.

— Où travailliez-vous il y a un mois ? » demanda Robert.

Cette question inattendue prit Macke au dépourvu, et il répondit sans réfléchir : « Au commissariat de Kreuzberg.

— Quel emploi exerciez-vous ?

— J'étais chargé des casiers judiciaires. Pourquoi ? »

Robert hocha la tête comme s'il s'était attendu à cette réponse. « Autrement dit, vous avez quitté un emploi de gratte-papier pour vous retrouver à la tête de la section berlinoise du Renseignement. Un avancement remarquablement rapide. Permettez-moi de vous en féliciter. » Il se tourna vers Ethel. « Quand Hitler est devenu chancelier, à la fin du mois de janvier, son homme de main, Hermann Göring, a été nommé ministre de l'Intérieur de Prusse – responsable du plus important service de police du monde. Depuis, Göring a renvoyé un très grand nombre de policiers et les a remplacés par des nazis. » S'adressant à nouveau à Macke, il ajouta d'un ton sarcastique : « Bien sûr, s'agissant de notre invité surprise, je suis convaincu que cette promotion est due à ses seuls mérites. »

Macke s'empourpra mais conserva son calme. « Comme je vous l'ai dit, je désire m'entretenir d'une affaire personnelle avec le propriétaire.

— Je vous en prie, passez me voir demain matin. À dix heures, si vous voulez bien ?

— Mon frère est dans la restauration, continua-t-il, sans tenir compte de la proposition de Robert.

— Ah, très bien ! Je le connais peut-être. Macke, c'est bien cela ? Quel genre d'établissement tient-il ?

— Un petit restaurant ouvrier à Friedrichshain.

— Ah ! Dans ce cas, il y a peu de chances que je l'aie rencontré. »

Lloyd se demanda si Robert n'avait pas tort de se montrer aussi arrogant. Macke était grossier et ne méritait pas qu'on prenne de gants avec lui, mais il avait certainement le pouvoir de nuire.

Macke poursuivit : « Mon frère souhaite racheter votre restaurant.

— Décidément, on ne manque pas d'ambition dans votre famille, me semble-t-il.

— Nous sommes prêts à vous en offrir vingt mille marks, payables en deux ans. »

Jörg éclata de rire.

« Laissez-moi vous raconter une histoire, monsieur l'inspecteur, reprit Robert. Je suis autrichien, et je suis comte. Il y a vingt ans, j'étais propriétaire d'un château en Hongrie et d'un grand domaine où vivaient ma mère et ma sœur. La guerre m'a fait perdre ma famille, mon château, mes terres et même mon pays, qui a été… comment dire… amputé. » Son ton ironique avait disparu et sa voix était rauque d'émotion. « Quand je suis arrivé à Berlin, je n'avais en poche que l'adresse de Walter von Ulrich, un cousin, c'est tout. Je suis tout de même parvenu à monter ce restaurant. » Il déglutit péniblement. « C'est tout ce que j'ai. » Il s'interrompit pour boire une gorgée de café. Autour de la table, tous gardaient le silence. Robert se ressaisit et retrouva un peu de sa superbe. « Même si vous m'en proposiez une somme généreuse – ce qui n'est pas le cas – je refuserais, parce qu'en vous le vendant, c'est toute ma vie que je vous vendrais. Je ne veux pas me montrer discourtois, malgré votre comportement déplaisant. Mais mon restaurant n'est pas à vendre, quel que soit le prix que vous m'en offrirez. » Il se leva. « Bonsoir, monsieur l'inspecteur », dit-il en tendant la main à Macke.

Celui-ci la serra machinalement, puis sembla le regretter. Il se leva, visiblement en colère. Son visage replet avait pris une teinte cramoisie. « Nous en reparlerons », lança-t-il et il sortit.

« Quel mufle ! s'écria Jörg.

— Vous voyez ce que nous sommes obligés de supporter ? demanda Walter à Ethel. Cet homme se croit tout permis, simplement à cause de l'uniforme qu'il porte ! »

Ce qui inquiétait le plus Lloyd, c'était l'assurance de Macke. Qu'on lui cède le restaurant au prix qu'il en offrait lui avait paru évident et il avait réagi au refus de Robert comme à un simple contretemps. Les nazis étaient-ils déjà aussi puissants ?

Oswald Mosley et ses fascistes britanniques n'avaient pas d'autre objectif pour l'Angleterre – remplacer le règne de la loi par l'intimidation et les brutalités. Comment les gens pouvaient-ils avoir la sottise de les suivre ?

Ils enfilèrent leurs manteaux, prirent leurs chapeaux et dirent bonsoir à Robert et Jörg. Lloyd sentit la fumée dès qu'ils eurent franchi le seuil : ce n'était pas une odeur de tabac, c'était autre chose. Ils montèrent tous les quatre dans la voiture de Walter, une BMW Dixi 3/15, ces Austin Seven fabriquées sous licence en Allemagne.

Au moment où ils traversaient le parc du Tiergarten, deux camions de pompiers les dépassèrent dans un vacarme de cloches. « Je me demande bien où ça brûle », s'interrogea Walter.

Ils ne tardèrent pas à distinguer la lueur des flammes à travers les arbres. « On dirait que c'est du côté du Reichstag », remarqua Maud.

La voix de Walter s'altéra. « Nous ferions bien d'aller jeter un coup d'œil », murmura-t-il visiblement inquiet, et il bifurqua immédiatement.

L'odeur de fumée se renforça. Au-dessus de la cime des arbres, Lloyd vit des langues de feu s'élancer vers le ciel. « C'est un sacré incendie », observa-t-il.

Ils débouchèrent du parc sur la Königsplatz, la vaste esplanade qui s'étendait entre le bâtiment du Reichstag et l'opéra Kroll, juste en face. Le Reichstag était en feu. On voyait des formes lumineuses rouges et jaunes danser derrière les rangées de fenêtres de son architecture classique. Des flammes et de la fumée jaillissaient à travers le dôme central. « Oh, non ! » s'écria Walter, et Lloyd fut frappé par la consternation que trahissait sa voix. « Dieu du ciel, ce n'est pas possible ! »

Il arrêta la voiture et ils sortirent sur le trottoir.

« Quelle catastrophe ! murmura Walter.

— Un si beau bâtiment, et si ancien, renchérit Ethel.

— Je me fiche pas mal du bâtiment, rétorqua Walter à la surprise générale. C'est notre démocratie qui part en fumée. »

Une petite foule de spectateurs s'était rassemblée à une cinquantaine de mètres du sinistre. Des camions de pompiers étaient alignés devant l'édifice, lances braquées vers les flammes. Des trombes d'eau s'engouffraient par les fenêtres brisées. Une poignée de policiers se tenaient là, immobiles. Walter s'approcha d'eux. « Je suis député du Reichstag. Quand l'incendie a-t-il commencé ?

— Il y a une heure, répondit un des policiers. On a arrêté un des coupables : un type qui n'avait qu'un pantalon sur lui. Il s'est servi de ses vêtements pour allumer le feu.

— Vous devriez établir un cordon de sécurité, conseilla Walter avec autorité. Pour que les gens ne s'approchent pas trop.

— Oui, monsieur », acquiesça le policier, et il s'éloigna.

Lloyd quitta discrètement leur petit groupe et se dirigea vers le bâtiment. Les pompiers étaient sur le point de maîtriser l'incendie : les flammes diminuaient déjà et la fumée était moins dense. Il dépassa les camions et, jugeant que ce n'était pas dangereux, s'approcha d'une fenêtre, sa curiosité l'emportant, comme toujours, sur la prudence.

En regardant par une vitre brisée, il constata que les dégâts étaient considérables : les murs et les plafonds s'étaient effondrés, ne laissant qu'un amas de gravats. À côté des pompiers, il repéra quelques civils en pardessus – sans doute des employés du Reichstag – qui erraient au milieu des débris, évaluant les dommages. Il se dirigea vers l'entrée principale et gravit l'escalier.

Deux Mercedes noires s'arrêtèrent dans un crissement de pneus au moment même où les policiers installaient le cordon de sécurité. Lloyd observa la scène avec intérêt. Un homme portant un imperméable de couleur claire et un chapeau mou noir sortit d'un bond de la deuxième voiture. À la petite moustache qu'il avait sous le nez, Lloyd reconnut le nouveau chancelier, Adolf Hitler.

Hitler était suivi d'un homme de plus haute taille, en uniforme noir de la Schutzstaffel, la SS, sa garde du corps personnelle. Le chef de la Propagande, Joseph Goebbels, un antisémite notoire, fermait la marche en claudiquant. Lloyd les identifia grâce aux photos qu'il avait vues dans la presse. Il était tellement fasciné de les avoir sous les yeux en chair et en os qu'il en oublia l'horreur que ces hommes lui inspiraient.

Hitler gravit les marches deux par deux, se dirigeant droit vers Lloyd. Sans réfléchir, celui-ci poussa la grande porte et la tint ouverte devant le chancelier. Hitler lui adressa un signe de tête et entra avec toute sa suite.

Lloyd leur emboîta le pas. Personne ne lui posa de question. Les hommes d'Hitler semblaient le prendre pour un employé du Reichstag.

Une puanteur de cendres froides le prit à la gorge. Hitler et ses compagnons enjambèrent les poutres calcinées et les lances d'arrosage, pataugeant dans des flaques boueuses. Hermann Göring les attendait dans le vestibule, un pardessus en poil de chameau recouvrant son énorme bedaine, son chapeau relevé à l'avant à la mode de Potsdam. C'était donc cet homme qui noyautait la police en y plaçant ses amis nazis, songea Lloyd, se rappelant ce qu'il avait entendu dire au restaurant.

Dès qu'il aperçut Hitler, Göring se mit à hurler : « C'est le début de l'insurrection communiste ! Ils vont attaquer ailleurs ! Il n'y a pas un instant à perdre ! »

Lloyd avait la curieuse impression d'assister à une pièce de théâtre dans laquelle des acteurs interprétaient le rôle de tous ces hommes puissants.

Hitler donna la réplique à Göring d'un ton encore plus théâtral. « Plus de pitié désormais ! » glapit-il. On aurait dit qu'il parlait devant un stade bondé. « Ceux qui cherchent à nous faire obstacle seront impitoyablement massacrés. » Il tremblait, laissant délibérément la colère monter en lui. « Tous les fonctionnaires communistes seront abattus là où ils se trouvent. Les députés communistes du Reichstag doivent être pendus cette nuit même. » Il avait l'air au bord de l'explosion.

En même temps, tout cela paraissait étrangement factice. La haine d'Hitler était sincère, sans doute, mais ses vitupérations participaient d'un spectacle destiné à ceux qui l'entouraient, ses compagnons et les autres. C'était un comédien, mû par une émotion authentique mais qui l'amplifiait au profit de son public. Son numéro était indéniablement efficace : tous ceux qui se trouvaient à portée d'oreille avaient les yeux rivés sur lui, littéralement hypnotisés.

« *Mein Führer*, dit Göring, je vous présente le chef de ma police politique, Rudolf Diels. » Il désigna un homme mince aux cheveux bruns qui se tenait près de lui. « Il a déjà arrêté un des auteurs de ce crime. »

Diels ne participait pas à l'hystérie générale. Il annonça calmement : « Il s'agit de Marinus van der Lubbe, un ouvrier du bâtiment hollandais.

— Un communiste ! ajouta Göring triomphant.

— Expulsé du parti communiste hollandais pour avoir provoqué des incendies, précisa encore Diels.

— J'en étais sûr ! » s'exclama Hitler.

Lloyd comprit que le nouveau maître de l'Allemagne était décidé à incriminer les communistes, sans tenir compte de la réalité.

Diels reprit d'un ton déférent : « À la suite de l'interrogatoire préliminaire auquel j'ai procédé, je me permets de préciser que cet homme est de toute évidence un malade mental, et qu'il a agi seul.

— Ridicule ! s'écria Hitler. Ils préparaient ça depuis longtemps. Mais ils ont raté leur coup ! Ils n'ont pas compris que le peuple est avec nous. »

Göring se tourna vers Diels : « La police est en état d'alerte maximum dès cet instant. Nous avons la liste de tous les communistes – députés au Reichstag, représentants élus des gouvernements locaux, responsables et militants du parti communiste. Je vous ordonne de procéder à leur arrestation : cette nuit même ! Dites à vos hommes de ne pas hésiter à faire usage de leurs armes. Interrogez-les sans pitié.

— Oui, monsieur le ministre », répondit Diels.

Lloyd comprit que Walter avait eu raison de s'inquiéter. C'était le prétexte qu'attendaient les nazis. Ils n'écouteraient aucun de ceux qui présenteraient l'incendie comme le crime d'un fou isolé. Ils avaient besoin d'un complot communiste pour imposer des mesures de répression.

Göring contempla d'un air dégoûté la boue qui maculait ses chaussures. « Ma résidence officielle n'est qu'à une minute d'ici et elle a, par bonheur, été épargnée par le feu, *mein Führer*, dit-il. Peut-être pourrions-nous nous y transporter ?

— Excellente idée. Il va falloir mettre un certain nombre de choses au point. »

Lloyd leur tint la porte ouverte et ils sortirent. Dès que les voitures s'éloignèrent, il franchit le cordon de police et rejoignit sa mère et les von Ulrich.

« Lloyd ! Où étais-tu passé ? s'écria Ethel. J'étais folle d'inquiétude.

— Je suis entré dans le bâtiment.

— Quoi ? Comment ?

— Personne ne m'en a empêché. C'est une telle pagaille là-dedans. »

Sa mère leva les bras au ciel. « Ce garçon n'a aucun sens du danger.

— J'ai vu Adolf Hitler.

— As-tu entendu ce qu'il disait ? demanda Walter.

— Il accuse les communistes d'avoir provoqué l'incendie. Il va y avoir une purge.

— Que Dieu nous protège », murmura Walter.

3.

Thomas Macke n'avait pas digéré les sarcasmes de Robert von Ulrich. *Décidément, on ne manque pas d'ambition dans votre famille, me semble-t-il.* Ces paroles méprisantes résonnaient encore à ses oreilles.

Il regrettait de n'avoir pas eu la présence d'esprit de lui répondre : « Et alors ? Vous ne valez pas mieux que nous, espèce de freluquet arrogant. » Il n'avait plus qu'une idée en tête : se venger. Mais il fut tellement occupé pendant les journées qui suivirent qu'il fut bien obligé de ronger son frein.

La police secrète prussienne avait son siège dans un élégant bâtiment de style classique, au 8, Prinz-Albrecht-Strasse, dans le quartier gouvernemental. Macke éprouvait un frisson d'orgueil chaque fois qu'il en franchissait la porte.

Il ne savait plus où donner de la tête. Quatre mille communistes avaient été appréhendés dans les vingt-quatre heures qui avaient suivi l'incendie du Reichstag, et les rafles se poursuivaient. On avait entrepris de débarrasser l'Allemagne d'une véritable infection, et Macke trouvait que l'air de Berlin était déjà plus pur.

Mais les dossiers de police n'étaient pas à jour. Des gens avaient déménagé, des élections avaient été perdues et gagnées, des personnes âgées étaient décédées et des jeunes avaient repris leur appartement. Macke dirigeait une équipe chargée d'actualiser les fichiers, de trouver de nouveaux noms, de nouvelles adresses.

C'était une activité qui lui convenait. Il aimait les registres, les répertoires, les plans de villes, les coupures de presse, les listes en tout genre. On n'avait pas su prendre la juste mesure de son talent au commissariat de quartier de Kreuzberg, où les tâches du service de renseignement se limitaient à rosser les suspects jusqu'à ce qu'ils livrent des noms. Il espérait être plus apprécié ici.

Cela dit, passer à tabac des détenus ne lui avait jamais posé problème. Depuis son bureau, au fond du bâtiment, il lui arrivait d'entendre les cris d'hommes et de femmes qu'on torturait au sous-sol, mais cela ne le perturbait pas le moins du monde. C'étaient des traîtres, des éléments subversifs, des révolutionnaires. Leurs grèves avaient ruiné l'Allemagne, et ces salauds-là feraient bien pire encore si on leur en laissait l'occasion. Ils ne lui inspiraient aucune compassion. Son seul regret était que Robert von Ulrich ne se trouve pas parmi eux, gémissant de douleur, suppliant qu'on l'épargne.

Il lui fallut attendre le jeudi 2 mars à huit heures du soir pour pouvoir consulter le dossier de Robert.

Il renvoya les membres de son équipe chez eux et monta à l'étage pour apporter une liasse de listes mises à jour à son supérieur, le commissaire Kringelein. Puis il retourna à ses classeurs.

Il n'était pas pressé de rentrer chez lui. Il vivait seul depuis que son épouse, une femme rétive, était partie avec un serveur du restaurant de son frère, prétendant avoir besoin de liberté. Ils n'avaient pas d'enfants.

Il commença à dépouiller les fichiers.

Il avait déjà découvert que Robert von Ulrich avait adhéré au parti nazi en 1923 et l'avait quitté deux ans plus tard. Cela ne présentait pas un intérêt majeur en soi. Il lui fallait autre chose.

Le système de classement n'était pas aussi cohérent qu'il l'aurait souhaité. Dans l'ensemble d'ailleurs, la police prussienne le décevait. La rumeur prétendait que Göring n'était pas satisfait, lui non plus, et avait l'intention de détacher le service politique et le Renseignement de la police régulière pour constituer une nouvelle police secrète, plus efficace. C'était une bonne idée, selon Macke.

En attendant, le nom de Robert von Ulrich ne figurait dans aucun des fichiers officiels. Peut-être l'inefficacité de la police n'était-elle pas seule en cause. Ce type pouvait très bien ne rien avoir à se reprocher. S'il s'agissait vraiment d'un comte autrichien, il y avait peu de chances pour qu'il soit communiste ou juif. Apparemment, le pire reproche qu'on pût lui faire était d'avoir un cousin social-démocrate, ce Walter von Ulrich. Or ce n'était pas un délit – pas encore.

Macke regretta de ne pas avoir procédé à cette enquête avant d'aller rendre visite au restaurateur. Il s'était engagé dans cette affaire sans avoir pris suffisamment de renseignements. C'était une erreur indigne de lui. Elle l'avait exposé à l'arrogance et aux sarcasmes de ce soi-disant aristo. Il avait été humilié. Mais il aurait sa revanche.

Il commença à parcourir des tas de paperasses diverses et variées, rangées dans un placard poussiéreux au fond de la pièce. Le nom de von Ulrich n'y apparaissait pas non plus. Il remarqua pourtant qu'il manquait un dossier : à en croire la liste punaisée à l'intérieur de la porte du placard, il aurait dû y trouver un rapport de cent dix-sept pages intitulé « Établissements de débauche ». Il s'agissait probablement de la liste de toutes les boîtes de nuit de Berlin. Macke devina la raison de son absence. On avait dû s'en servir récemment : les bars de nuit les plus décadents avaient été fermés quand Hitler était devenu chancelier.

Macke remonta à l'étage. Kringelein était en train de donner des instructions aux policiers en uniforme chargés de faire une descente dans les appartements de communistes et de sympathisants dont Macke avait fourni les nouvelles adresses.

« Je cherche le rapport sur les établissements de débauche », annonça-t-il, n'hésitant pas à interrompre son supérieur : Kringelein n'était pas nazi et ne se permettrait pas de réprimander un membre des Sections d'assaut.

Kringelein eut l'air importuné, mais ne protesta pas. « Sur la table là-bas, dit-il. Prenez. »

Macke prit le dossier et retourna dans son bureau.

L'enquête remontait à cinq ans déjà. Elle dressait l'inventaire des bars en activité et précisait leurs spécialités : jeu, spectacles indécents, prostitution, trafic de drogue, homosexualité et autres dépravations. Le dossier donnait les noms des propriétaires et des investisseurs, des employés et des membres des clubs privés. Macke éplucha consciencieusement toutes les notices : Robert von Ulrich était peut-être toxicomane, ou amateur de prostituées.

Berlin était célèbre pour ses bars homosexuels. Macke examina avec dégoût la fiche consacrée au Chausson rose, une boîte où des hommes dansaient entre eux et où le spectacle de variétés mettait en scène des chanteurs travestis. Il y avait des moments où son travail était franchement répugnant, se dit-il.

Faisant courir son doigt sur la liste de membres, il trouva le nom de Robert von Ulrich et poussa un soupir d'aise.

Celui de Jörg Schleicher figurait quelques lignes plus bas.

« Parfait, parfait, murmura-t-il. On va bien voir si vous faites encore les malins. »

4.

Lorsque Lloyd revit Walter et Maud, il les trouva plus en colère – et plus inquiets encore.

C'était le samedi suivant, le 4 mars, la veille des élections. Lloyd et Ethel avaient l'intention d'assister à un rassemblement du parti social-démocrate organisé par Walter et avaient été invités à déjeuner chez les von Ulrich, dans le quartier du Mitte, avant le meeting.

Les von Ulrich habitaient une demeure du XIXe siècle aux pièces spacieuses percées de grandes fenêtres, mais la décoration intérieure portait la marque du temps. Le déjeuner fut très simple, des côtelettes de porc accompagnées de pommes de terre et de chou, mais le vin était bon. À les entendre, Walter et Maud étaient pauvres et ils vivaient indéniablement de façon plus spartiate que leurs parents, mais au moins, ils n'avaient pas faim.

En revanche, ils avaient peur.

Hitler avait persuadé le vieux président du Reich, Paul von Hindenburg, d'approuver le décret sur l'incendie du Reichstag accordant aux nazis le pouvoir de faire ce qu'ils faisaient déjà, c'est-à-dire passer à tabac et torturer leurs adversaires politiques. « Ils ont procédé à vingt mille arrestations depuis la nuit de lundi ! annonça Walter d'une voix tremblante. Pas seulement des communistes déclarés, mais aussi ceux que les nazis appellent des "sympathisants communistes".

— Autrement dit, tous ceux qui leur déplaisent, précisa Maud.

— Dans de telles conditions, comment peut-on envisager la tenue d'élections démocratiques ? demanda Ethel.

— Nous ferons ce que nous pouvons, répondit Walter. Renoncer à faire campagne, c'est rendre service aux nazis. »

Lloyd intervint d'un ton impatient : « Quand cesserez-vous de vous résigner comme ça ? Quand riposterez-vous enfin ?

Êtes-vous toujours convaincus qu'il ne faut pas répondre à la violence par la violence ?

— Oui, acquiesça Maud. L'opposition pacifique est notre seule planche de salut.

— Le parti social-démocrate possède bien une organisation paramilitaire, la Reichsbanner, expliqua Walter. Le problème est qu'elle est tellement faible ! Un petit groupe de sociaux-démocrates a proposé de rendre coup pour coup aux nazis, mais il a été mis en minorité.

— N'oublie pas, Lloyd, ajouta Maud, que la police et l'armée sont du côté des nazis. »

Walter consulta sa montre de gousset. « Il faut y aller. »

C'est alors que Maud lança inopinément : « Walter, et si tu annulais ? »

Il la dévisagea, stupéfait. « Voyons, on a vendu sept cents billets.

— Au diable les billets. C'est pour *toi* que je me fais du souci.

— Ne te fais pas de mauvais sang. Les entrées seront soigneusement filtrées. Aucun fauteur de troubles ne pourra s'introduire dans la salle. »

Lloyd eut l'impression que Walter était moins confiant qu'il ne cherchait à le paraître.

« De toute façon, il est hors de question de laisser tomber ceux qui ont encore le courage d'assister à un rassemblement politique démocratique. Ils représentent notre dernier espoir.

— Tu as raison, convint Maud, qui se tourna vers Ethel. Vous feriez peut-être tout de même mieux de rester ici, Lloyd et vous. Walter a beau dire, cela peut être dangereux, et après tout, ce n'est pas votre pays.

— Le socialisme est international, répliqua Ethel avec énergie. Comme votre mari, j'apprécie votre sollicitude, mais je suis venue observer la politique allemande de près, et je ne vais certainement pas laisser échapper une occasion pareille.

— Quoi qu'il en soit, les enfants n'iront pas », conclut Maud.

Carla eut l'air déçue, mais garda le silence, tandis qu'Erik déclarait : « De toute manière, je n'avais pas envie d'y aller. »

Walter, Maud, Ethel et Lloyd montèrent dans la petite voiture de Walter. Lloyd avait beau être inquiet, l'excitation était la plus forte. Il allait découvrir la politique sous un angle bien plus passionnant que ce que l'Angleterre pouvait lui offrir. Et s'il y avait de la bagarre, cela ne lui faisait pas peur.

Ils se dirigèrent vers l'est, traversant l'Alexanderplatz, pour s'engager dans un quartier d'immeubles pauvres et de petites boutiques dont certaines arboraient des enseignes en caractères hébraïques. Le parti social-démocrate était un mouvement ouvrier, mais, à l'image du parti travailliste britannique, il avait su séduire quelques membres de l'élite. Walter von Ulrich faisait partie d'une petite minorité haut placée.

La voiture s'arrêta devant un immeuble dont le fronton portait l'inscription : « Théâtre du Peuple ». Une queue s'était déjà formée devant l'entrée. Walter traversa le trottoir pour rejoindre la porte, agitant la main en direction de la foule qui l'ovationna. Lloyd et les autres le suivirent à l'intérieur.

Walter serra la main d'un jeune homme au visage grave. « Je vous présente Wilhelm Frunze, le secrétaire de la branche locale de notre parti. » Frunze, qui ne devait pas avoir plus de dix-huit ans, était de ces garçons qui donnent l'impression d'être nés adultes. Il portait un blazer aux poches boutonnées, passé de mode depuis dix ans.

Frunze montra à Walter comment on pouvait bloquer les portes à l'aide de barres intérieures. « Dès que tout le monde sera installé, nous bouclerons la salle, comme ça, aucun agitateur ne pourra entrer, expliqua-t-il.

— Très bien, approuva Walter. C'est une bonne idée. »

Frunze les fit entrer dans la salle. Walter monta sur l'estrade et salua plusieurs autres candidats qui étaient déjà arrivés. Le public commença à prendre place. Frunze indiqua à Maud, Ethel et Lloyd les sièges qui leur avaient été réservés au premier rang.

Deux garçons s'approchèrent d'eux. Le plus jeune, qui donnait l'impression d'avoir quatorze ans mais était plus grand que Lloyd, salua Maud avec une courtoisie irréprochable et esquissa une petite courbette. Maud se tourna vers Ethel : « Ethel, voici Werner Franck, le fils de mon amie Monika. » Elle s'adressa ensuite à Werner : « Ton père sait que tu es ici ?

— Oui. Il trouve qu'il vaut mieux que je m'informe moi-même des réalités de la social-démocratie.

— Il a les idées larges, pour un nazi. »

Lloyd trouva que c'était une réflexion un peu rude à faire à un garçon aussi jeune, mais Werner ne se laissa pas démonter : « Mon père ne croit pas vraiment au nazisme, vous savez. Il pense simplement que l'arrivée d'Hitler au pouvoir est une bonne chose pour l'économie allemande. »

Wilhelm Frunze répliqua, indigné : « Je vois mal ce que notre économie a à y gagner. Toute question d'injustice mise à part, ces milliers de gens qu'on jette en prison ne peuvent plus travailler. C'est une grande perte, au contraire.

— Je suis bien de votre avis, approuva Werner. Et pourtant, la population approuve les mesures d'Hitler.

— Les gens s'imaginent qu'on les sauve d'une révolution bolchevique, soupira Frunze. La presse nazie les a convaincus que les communistes étaient sur le point de lancer une campagne d'assassinats, d'incendies criminels et d'empoisonnements dans toutes les villes et tous les villages du pays. »

Le compagnon de Werner, un garçon de plus petite taille mais manifestement plus âgé, intervint : « N'empêche que ce sont les Chemises brunes et pas les communistes qui traînent les gens dans des caves et leur brisent les os à coups de matraque. » Il parlait allemand couramment avec une pointe d'accent que Lloyd n'arrivait pas à identifier.

« Pardon, j'ai oublié de vous présenter Vladimir Pechkov, dit Werner. Il fréquente la même école que moi, l'Académie de garçons de Berlin. Tout le monde l'appelle Volodia. »

Lloyd se leva pour lui serrer la main. Volodia devait avoir le même âge que lui ; c'était un jeune homme au physique peu commun, dont le regard bleu dénotait une grande franchise.

« Je connais Volodia puisque je suis aussi à l'Académie des garçons, répondit Frunze.

— Wilhelm Frunze est le génie du lycée, précisa Volodia. Toujours premier en physique, en chimie et en maths.

— C'est vrai », confirma Werner.

Jetant un regard insistant à Volodia, Maud lui demanda : « Pechkov ? Seriez-vous le fils de Grigori ?

— En effet, madame. Mon père est attaché militaire à l'ambassade soviétique. »

Volodia était donc russe. Il parlait un allemand irréprochable, se dit Lloyd avec un soupçon d'envie. Évidemment, si cela faisait plusieurs années qu'il vivait ici…

« Je connais bien vos parents », dit Maud à Volodia. Elle fréquentait tous les diplomates de Berlin, Lloyd l'avait déjà compris. Cela faisait partie de son travail.

Frunze consulta sa montre : « Il est temps de commencer. » Il monta sur l'estrade et demanda le calme.

Le silence se fit dans la salle.

Frunze annonça que les candidats prononceraient des discours puis répondraient aux questions du public. On n'avait distribué de billets d'entrée qu'aux membres du parti social-démocrate, et les portes avaient été fermées, ajouta-t-il, de sorte que chacun pouvait parler librement. Ils étaient entre amis.

On se serait cru dans une société secrète, songea Lloyd, qui se faisait une autre image de la démocratie.

Walter fut le premier à prendre la parole. Ce n'était pas un démagogue, remarqua Lloyd, et il évitait les effets rhétoriques gratuits. Ce qui ne l'empêchait pas de flatter ses auditeurs, de leur affirmer qu'ils étaient des hommes et des femmes intelligents et bien informés, qui n'ignoraient rien de la complexité des questions politiques.

Il ne parlait que depuis quelques minutes quand un homme en chemise brune apparut sur l'estrade.

Lloyd jura. Comment était-il entré ? Il était arrivé depuis les coulisses : quelqu'un avait dû lui ouvrir la porte des artistes.

C'était un colosse aux cheveux en brosse. Il s'avança jusqu'à la rampe et se mit à vociférer : « Ceci est un attroupement séditieux. Les communistes et les éléments subversifs sont indésirables dans l'Allemagne d'aujourd'hui. Le meeting est terminé. »

Son assurance présomptueuse scandalisa Lloyd. Il aurait bien voulu pouvoir affronter ce gros malotru sur le ring.

Wilhelm Frunze bondit sur ses pieds, se dressa devant l'intrus et hurla d'une voix tremblante de fureur : « Sortez d'ici, espèce de brute ! »

L'autre le repoussa d'une violente bourrade. Frunze recula en chancelant, trébucha et tomba à la renverse.

Tous les auditeurs étaient debout. Certains poussaient des cris de colère et de protestation, d'autres de peur.

Une bande entière de SA sortit alors des coulisses.

Lloyd comprit avec consternation que ces salauds avaient bien préparé leur coup.

Celui qui avait bousculé Frunze cria : « Dehors ! » et les autres Chemises brunes lui firent écho : « Dehors ! Dehors ! Dehors ! » Ils devaient être une vingtaine à présent, et il en arrivait constamment de nouveaux. Certains portaient des matraques de police ou des gourdins improvisés. Lloyd aperçut une crosse de hockey, une masse de forgeron en bois, un pied de chaise. Ils arpentaient la scène en bombant le torse, le visage crispé dans un sourire mauvais, brandissant leurs armes en scandant « Dehors ! » Lloyd sentait que l'envie de frapper les démangeait.

Il s'était levé avec les autres. Sans se concerter, Werner, Volodia et lui avaient formé une haie défensive devant Ethel et Maud.

La moitié de la salle essayait de fuir, l'autre criait et tendait le poing en direction des intrus. Ceux qui cherchaient la sortie bousculaient ceux qui voulaient rester, provoquant de petites échauffourées. Beaucoup de femmes pleuraient.

Sur l'estrade, Walter s'agrippa au lutrin : « Gardez votre calme, s'il vous plaît ! cria-t-il. Pas de débandade ! » La plupart ne l'entendaient pas, les autres l'ignorèrent.

Les Chemises brunes commencèrent à sauter de l'estrade pour se mêler à la foule. Lloyd prit sa mère par le bras tandis que Werner en faisait autant avec Maud, et ils se dirigèrent en groupe vers la sortie la plus proche. Mais toutes les portes étaient déjà obstruées par des essaims de gens affolés qui cherchaient à quitter la salle. Ce qui n'empêchait pas les SA de continuer à hurler aux gens de vider les lieux.

Les assaillants étaient en majorité des hommes robustes alors que le public, beaucoup plus hétéroclite, comprenait des femmes et des vieillards. Lloyd, qui mourait d'envie d'en découdre, se ravisa : ce n'était évidemment pas une bonne idée.

Un homme coiffé d'un casque d'acier datant de la Grande Guerre bouscula Lloyd qui perdit l'équilibre et heurta sa mère.

Il résista à la tentation de se retourner pour le frapper. Sa priorité était de protéger Mam.

Un adolescent boutonneux armé d'une matraque posa la main dans le dos de Werner et le poussa violemment en criant « Dehors ! Dehors ! » Werner fit volte-face et esquissa un pas dans sa direction. « Bas les pattes, salaud de fasciste ! » lança-t-il. L'autre se figea sur place, visiblement terrifié, ne s'attendant pas à rencontrer de résistance.

Werner reprit sa progression, soucieux avant tout, comme Lloyd, de conduire les deux femmes en sécurité. Le géant casqué qui avait assisté à l'échange intervint : « Qui est-ce que tu traites de salaud ? » hurla-t-il. Il se jeta sur Werner, le frappant du poing à l'arrière de la tête. Il visa mal et le coup porta obliquement, mais Werner poussa tout de même un cri et trébucha en avant.

Volodia s'interposa et frappa la brute au visage, à deux reprises. Lloyd admira l'enchaînement gauche droite, sans se laisser pour autant détourner de sa mission. Quelques secondes plus tard, ils atteignaient la porte tous les quatre. Lloyd et Werner réussirent à gagner le foyer du théâtre avec les deux femmes. Là, il n'y avait plus ni cohue ni violence. Ni Chemises brunes non plus.

Rassurés sur le sort de leurs protégées, Lloyd et Werner retournèrent en direction de la salle.

Volodia se battait courageusement contre la brute, mais il était en difficulté. Il martelait le visage et le corps de l'autre qui se contentait de secouer la tête comme s'il était importuné par un insecte. Malgré son poids et sa lenteur, il toucha Volodia à la poitrine et à la tête. Le jeune Russe chancela. Le colosse leva le poing, s'apprêtant à frapper de toutes ses forces. Lloyd craignit que Volodia ne résiste pas à la puissance du coup.

À cet instant, Walter prit son élan et sauta de l'estrade, atterrissant sur le dos de la brute. Lloyd faillit applaudir. Ils tombèrent dans une mêlée de bras et de jambes. Volodia était sauvé, pour le moment.

Le boutonneux qui avait bousculé Werner était en train de harceler ceux qui s'efforçaient de sortir, abattant sa matraque sur leurs dos et sur leurs têtes. « Sale lâche ! » hurla Lloyd en se précipitant vers lui. Mais Werner l'avait devancé. Écartant

Lloyd, il saisit la matraque des deux mains pour l'arracher au jeune homme.

L'homme casqué intervint et frappa Werner avec un manche de pioche. Lloyd fit un pas en avant et lui asséna un direct du droit. Le coup était parfait et atteignit l'homme juste à côté de l'œil droit.

Mais c'était un ancien combattant, qui n'était pas homme à se laisser aisément démonter. Il pivota et se lança contre Lloyd, toujours armé de son manche de pioche. Lloyd esquiva sans difficulté et le frappa encore à deux reprises. Il se concentra sur la même zone, autour des yeux, faisant éclater la peau. Le casque qui protégeait la tête de son adversaire empêchait malheureusement Lloyd de lui asséner un crochet du gauche, son coup fatal. Il évita un swing du manche de pioche et frappa à nouveau l'homme au visage. Cette fois, celui-ci recula, le sang ruisselant des entailles qui entouraient ses yeux.

Lloyd regarda autour de lui. Constatant que les sociaux-démocrates ripostaient enfin, il se sentit envahi par un élan de joie féroce. Une grande partie des auditeurs s'étaient réfugiés au-delà des portes, et il ne restait presque plus que des jeunes gens dans la salle. Ils avançaient, escaladant les rangées de sièges pour s'approcher des Chemises brunes ; ils étaient des dizaines.

Quelque chose de dur le frappa à l'occiput. La douleur fut si violente qu'il poussa un rugissement. Se retournant, il aperçut un garçon de son âge qui brandissait un morceau de madrier et s'apprêtait à frapper à nouveau. Lloyd l'agrippa par le collet et lui asséna deux violents coups dans le ventre, d'abord du poing droit, puis du gauche. Le garçon en eut le souffle coupé et lâcha son arme. Un uppercut au menton l'acheva ; il s'évanouit.

Lloyd se frotta la base du crâne. Cela faisait un mal de chien, mais la blessure ne saignait pas.

Il avait en revanche la jointure des doigts écorchée et couverte de sang. Se penchant, il ramassa le morceau de poutre que son agresseur avait laissé tomber.

Quand il parcourut à nouveau la salle du regard, il fut ravi de constater qu'un certain nombre de Chemises brunes battaient en retraite, se hissant sur l'estrade et disparaissant en coulisses, prévoyant sans doute de déguerpir par l'entrée des artistes, qui leur avait permis d'accéder à la salle.

Le colosse qui avait tout déclenché gisait au sol, il gémissait et se tenait le genou comme s'il se l'était démis. Debout au-dessus de lui, Wilhelm Frunze le frappait avec une pelle en bois, encore et encore, martelant d'une voix suraiguë les mots que l'homme avait prononcés pour déclencher la bagarre : « In-dé-si-rables ! Dans ! L'Al-le-magne ! D'au-jour-d'hui ! » Impuissant, le type cherchait à esquiver les coups en rampant, mais Frunze ne lâchait pas. Finalement, deux autres SA attrapèrent leur camarade par les bras et le traînèrent dehors.

Frunze les laissa partir.

Est-ce qu'on les a vraiment battus ? se demanda Lloyd avec une allégresse croissante. On dirait bien !

Plusieurs jeunes gens poursuivirent leurs adversaires jusqu'au fond de la scène, mais ils s'arrêtèrent là et se contentèrent d'accabler d'injures les Chemises brunes qui décampaient.

Lloyd chercha les autres du regard. Volodia avait le visage tuméfié et un œil fermé. La veste de Werner était déchirée, et un grand carré d'étoffe pendillait. Walter était assis sur un siège, au premier rang. Le souffle court, il se frottait le coude, grimaçant un sourire. Frunze lança sa pelle, la faisant voler à travers les rangées de sièges vides jusqu'au fond de la salle.

Werner, qui n'avait que quatorze ans, exultait. « On leur a donné une bonne leçon, hein ?

— Ça, c'est sûr », répondit Lloyd avec un grand sourire.

Volodia prit Frunze par les épaules. « Pas mal pour une bande de lycéens, non ?

— Ils ont tout de même interrompu notre réunion », fit remarquer Walter.

Les jeunes le regardèrent avec rancune, fâchés qu'il gâche leur triomphe.

Mais Walter était furieux. « Soyez réalistes, les garçons. Ceux qui étaient venus nous écouter ont pris la fuite, terrifiés. Quand retrouveront-ils le courage d'assister à un rassemblement politique ? Les nazis ont obtenu ce qu'ils voulaient. Plus personne ne peut ignorer qu'il est risqué de venir écouter les représentants d'un autre parti que le leur. La grande perdante d'aujourd'hui, c'est l'Allemagne. »

Werner se tourna vers Volodia : « Je déteste ces salauds de Chemises brunes. Je me demande si je ne vais pas adhérer au parti communiste. »

Volodia lui jeta un regard pénétrant de ses yeux intensément bleus et lui dit tout bas : « Si tu veux vraiment combattre les nazis, il y a peut-être un moyen plus efficace. »

Ayant surpris ses propos, Lloyd se demanda ce qu'il voulait dire.

À cet instant, Maud et Ethel revinrent dans la salle en courant. Elles parlaient toutes les deux en même temps, pleuraient et riaient de soulagement ; Lloyd oublia les paroles de Volodia et n'y repensa plus jamais.

5.

Quatre jours plus tard, Erik von Ulrich rentra chez lui en uniforme de la Hitlerjugend, la Jeunesse hitlérienne.

Il était fier comme Artaban.

Il portait une Chemise brune exactement du même modèle que celles des membres des Sections d'assaut, avec plusieurs écussons et un brassard orné d'une croix gammée. Il arborait également la cravate noire et le short noir réglementaires. Il était un soldat, un patriote, voué au service de son pays. Enfin, il faisait partie du groupe.

C'était encore mieux que de soutenir le Hertha, la populaire équipe de football berlinoise. Certains samedis où son père n'avait pas de réunion politique, il lui était arrivé de l'emmener à un match. Erik avait alors éprouvé le même sentiment grisant d'appartenir à une immense foule d'êtres humains battant au rythme d'un seul cœur.

Il arrivait cependant que le Hertha se fasse battre, et il rentrait à la maison inconsolable.

Les nazis, eux, étaient des gagnants.

Et pourtant, il était terrifié à l'idée de ce que son père allait dire.

Ses parents avaient la sale manie de ne jamais faire comme les autres et ça le rendait fou. Tous les garçons de son âge étaient membres de la Jeunesse hitlérienne. Ils faisaient du sport, ils chantaient, ils partaient à l'aventure dans les champs et les bois hors de la ville. Ils étaient intelligents, costauds, loyaux, efficaces.

Erik était rongé d'inquiétude à l'idée qu'un jour, il pourrait être obligé de faire la guerre – comme son père et son grand-père – et si cela devait arriver, il voulait être prêt, entraîné, endurci, discipliné et combatif.

Les nazis détestaient les communistes, mais après tout, son père et sa mère ne les aimaient pas non plus. Les nazis haïssaient aussi les Juifs. Et après ? Les von Ulrich n'étaient pas juifs, alors qu'est-ce que ça pouvait bien faire ? Pourquoi Vater et Mutter refusaient-ils obstinément de participer au mouvement ? Erik en avait assez d'être tenu à l'écart, alors il avait décidé de passer outre.

Ce qui ne l'empêchait pas d'avoir une trouille bleue.

Comme d'habitude, leurs parents n'étaient pas là quand Erik et Carla rentrèrent du collège. Ada fit une moue désapprobatrice en leur servant leur goûter et leur annonça : « Il va falloir que vous débarrassiez vous-mêmes aujourd'hui, j'ai affreusement mal au dos. Je vais aller m'allonger un moment. »

Carla s'inquiéta : « C'est pour ça que tu as dû aller chez le médecin ? »

Ada hésita un instant avant de répondre : « Oui, en effet. »

De toute évidence, elle leur cachait quelque chose. L'idée qu'Ada puisse être malade et leur mente à ce sujet mettait Erik mal à l'aise. Il ne serait jamais allé jusqu'à dire comme Carla qu'il aimait Ada, mais sa présence bienveillante l'avait accompagné toute sa vie et il tenait à elle plus qu'il n'était prêt à le reconnaître.

Carla était tout aussi soucieuse. « J'espère que ce n'est pas grave. »

Ces derniers temps, Carla avait mûri, et il arrivait à Erik de ne plus la comprendre. Il avait beau avoir presque deux ans de plus qu'elle, il avait encore l'impression d'être un enfant, alors qu'elle se comportait en adulte une bonne partie du temps.

Ada les rassura : « Il faut que je me repose, c'est tout. Ça ira mieux après. »

Erik prit une tartine. Quand Ada fut sortie, il vida sa bouche et expliqua à sa sœur : « Je suis encore dans la section des petits, le Deutsches Jungvolk, mais dès que j'aurai quatorze ans, je pourrai rejoindre les grands.

— Vati va piquer une de ces crises ! Tu es complètement toqué ou quoi ?

— Herr Lippmann dit que Vati aura des ennuis s'il cherche à m'en faire partir.

— Oh, mais c'est épatant », lança Carla. Elle manifestait depuis peu une tendance au sarcasme cinglant qui hérissait Erik. « Tu vas monter les nazis contre ton père, l'accabla-t-elle. Quelle excellente idée ! Toute la famille a beaucoup à y gagner. »

Erik fut décontenancé. Il n'avait pas envisagé les choses sous cet angle. « Tous les garçons de ma classe y sont, s'indigna-t-il. Sauf Fontaine le Français et le Juif, Rothmann. »

Carla tartina sa tranche de pain de beurre de poisson. « Pourquoi tiens-tu tellement à faire comme tout le monde ? Ce sont presque tous des imbéciles. Tu m'as dit toi-même que Rudi Rothmann est le garçon le plus intelligent de ta classe.

— Je ne veux ni du Français ni de Rudi comme copain ! cria Erik, et à sa grande humiliation, il sentit les larmes lui monter aux yeux. Pourquoi est-ce que je devrais fréquenter des garçons que tout le monde déteste ? » C'était ce qui lui avait donné l'audace de défier son père : il ne supportait plus de quitter le collège en compagnie des Juifs et des étrangers pendant que tous les petits Allemands défilaient autour du terrain de sport en uniforme.

Un cri parvint à leurs oreilles.

Erik se tourna vers Carla : « Qu'est-ce que c'est ?

— Je crois que c'était Ada », répondit Carla en fronçant les sourcils.

Ils entendirent alors, plus distinctement : « À l'aide ! »

Erik bondit sur ses pieds, mais Carla l'avait déjà devancé. Il la suivit dans l'escalier qui menait au sous-sol et ils s'engouffrèrent dans la petite chambre où logeait Ada.

Elle était allongée sur le petit lit rangé contre le mur, le visage crispé de douleur. Sa jupe était mouillée et il y avait une flaque par terre. Erik n'en croyait pas ses yeux. Elle avait fait pipi dans sa culotte ? Comment une chose pareille pouvait-elle arriver ?

En plus, elle était la seule adulte présente dans la maison. Il était complètement désemparé.

Carla avait peur, elle aussi – Erik le lisait sur son visage – mais elle ne s'affola pas. « Ada, qu'est-ce qui ne va pas ? » Sa voix paraissait étrangement calme.

« J'ai perdu les eaux. »

Erik n'avait pas la moindre idée de ce que cela signifiait.

Carla non plus : « Je ne comprends pas.

— Ça veut dire que mon bébé va bientôt naître.

— Tu attends un bébé ? demanda Carla, stupéfaite.

— Mais tu n'es pas mariée ! » s'offusqua Erik.

Carla réagit violemment : « Tais-toi, Erik : tu es donc bête à ce point ? »

Il savait, bien sûr, que les femmes pouvaient avoir des bébés sans être mariées… mais quand même pas Ada !

« Alors c'est pour ça que tu es allée chez le médecin la semaine dernière », dit Carla à Ada.

Ada hocha la tête.

Erik essayait encore de se faire à cette idée. « Tu crois que Mutti et Vati le savent ?

— Bien sûr que oui. Ils n'ont pas voulu nous le dire, c'est tout. Va chercher une serviette de toilette.

— Où ça ?

— Dans le placard du palier, au premier.

— Une propre ?

— Bien sûr que oui ! »

Erik monta l'escalier quatre à quatre, prit une petite serviette blanche dans le placard et redescendit à toute vitesse.

« Ça ne va pas servir à grand-chose », observa Carla qui la prit tout de même pour essuyer les jambes d'Ada.

« Le bébé va bientôt sortir, je le sens, gémit Ada. Mais je ne sais pas quoi faire. » Elle se mit à pleurer.

Erik avait les yeux rivés sur Carla. C'était elle qui commandait, maintenant. Peu importait qu'il fût l'aîné, il attendait qu'elle prenne la direction des opérations. Elle restait calme et essayait de faire preuve de sens pratique, mais il voyait bien qu'elle était terrifiée et qu'il aurait suffi d'un rien pour qu'elle perde son sang-froid. Pourvu qu'elle tienne le coup, songea-t-il.

Carla se tourna à nouveau vers lui. « Va chercher le docteur Rothmann, dit-elle. Tu sais où est son cabinet. »

Erik fut profondément soulagé de se voir confier une tâche à sa portée. Mais un obstacle lui traversa immédiatement l'esprit. « Et s'il est en visite ?

— Alors tu demanderas à Frau Rothmann ce qu'il faut faire, espèce d'imbécile ! Allez, grouille ! »

Erik ne demandait qu'à s'éloigner de cette chambre et de son mystère terrifiant. Il remonta l'escalier au grand galop et se précipita dans la rue. Courir, ça au moins, c'était une chose qu'il savait faire.

Le cabinet du médecin était à un peu moins d'un kilomètre. Il adopta une foulée rapide. En courant, il pensait à Ada. Qui était le père de son bébé ? Il se rappela qu'elle était allée au cinéma avec Paul Huber deux ou trois fois, l'été précédent. Est-ce qu'ils l'avaient fait ? Forcément ! Erik et ses camarades parlaient beaucoup de ce qui se passait entre les hommes et les femmes, mais en réalité, ils ne savaient pas grand-chose. Où est-ce que ça avait eu lieu ? Pas au cinéma, tout de même ? Est-ce qu'on ne devait pas s'allonger pour faire ça ? Il était perplexe.

Les Rothmann habitaient une rue modeste. C'était un bon docteur, Erik avait entendu sa mère le dire, mais il avait dans sa clientèle de nombreux ouvriers qui ne pouvaient pas lui verser d'honoraires élevés. La maison du médecin comprenait un cabinet de consultation et une salle d'attente au rez-de-chaussée. La famille vivait à l'étage.

Une Opel 4 verte était rangée le long du trottoir, une affreuse petite voiture à deux places qu'on surnommait la *Laubfrosch*, la Rainette.

Le loquet de la porte d'entrée n'était pas mis. Tout essoufflé, Erik poussa le battant et entra dans la salle d'attente. Un vieil homme toussait dans un coin et une jeune femme tenait son bébé sur ses genoux. « Bonjour ! Docteur Rothmann ? » appela Erik.

Hannelore Rothmann, une grande femme blonde aux traits énergiques, sortit de la salle de consultation. L'épouse du médecin jeta à Erik un regard furieux. « Tu as un sacré toupet d'entrer ici dans cet uniforme ! » lui lança-t-elle.

Erik fut pétrifié. Frau Rothmann n'était pas juive, mais son mari l'était, ce qu'Erik avait oublié dans son agitation. « Notre bonne est en train d'avoir un bébé ! expliqua-t-il.

— Et tu viens chercher un docteur juif pour t'aider ? »

Erik était complètement déconcerté. Il n'avait jamais imaginé que les attaques des nazis pourraient inciter les Juifs à leur rendre la pareille. Il dut convenir cependant que l'attitude de Frau Rothmann était tout à fait sensée. Les Chemises brunes paradaient dans les rues en criant « Mort aux Juifs ! » Pourquoi un médecin juif devrait-il les aider ?

Il ne savait plus quoi faire. Il y avait beaucoup d'autres médecins, bien sûr, mais il ne savait pas où ils habitaient, ni s'ils accepteraient de venir chez des gens qu'ils ne connaissaient pas. « C'est ma sœur qui m'envoie, murmura-t-il d'une voix tremblante.

— Carla a beaucoup plus de bon sens que toi.

— Ada a dit qu'elle avait perdu les eaux. » Erik ne savait pas ce que cela signifiait, mais ça avait l'air important.

Tout en lui jetant un regard de dégoût, Frau Rothmann regagna le cabinet de consultation.

Le vieux assis dans le coin de la salle d'attente gloussa : « Nous sommes tous des sales Juifs jusqu'à ce que vous ayez besoin de nous ! Et alors c'est : "Je vous en prie, docteur Rothmann, venez !" et "Que pensez-vous de cette affaire, maître Koch !" et "Prêtez-moi cent marks, Herr Goldman" et… » Une quinte de toux interrompit sa litanie.

Une fille qui devait avoir environ seize ans arriva du vestibule. C'était sûrement Eva, la fille des Rothmann, se dit Erik. Il ne l'avait pas vue depuis bien longtemps. Elle avait des seins maintenant, mais elle était toujours moche et boulotte. « Ton père t'a laissé entrer à la Jeunesse hitlérienne ? lui demanda-t-elle.

— Il ne le sait pas encore.

— Oh ! là, là ! J'en connais un qui va avoir des ennuis ! »

Le regard d'Erik se reporta sur la porte du cabinet, désespérément close. « Tu crois que ton père va bien vouloir venir ? Ta mère était drôlement fâchée contre moi.

— Bien sûr qu'il viendra, le rassura Eva. Si les gens sont malades, il les soigne. » Sa voix se chargea de mépris. « Il ne commence pas par leur poser des questions sur leur race ou leurs idées politiques. On n'est pas des nazis, nous. » Elle ressortit.

Erik allait de surprise en surprise. S'il avait su que cet uniforme allait lui valoir autant d'avanies ! Au collège, tout le monde trouvait ça sensationnel.

Quelques instants plus tard, le visage du docteur Rothmann apparut dans l'embrasure de la porte. Il s'excusa auprès de ses deux patients : « Je reviens dès que possible. Je suis navré, mais il y a là un bébé qui refuse d'attendre. » Il se tourna vers Erik : « Viens jeune homme, je vais te raccompagner chez toi malgré cet uniforme. »

Erik le suivit dans la rue et prit place sur le siège avant de la Rainette. Il adorait les voitures et attendait impatiemment d'avoir l'âge d'apprendre à conduire ; en général, il était enchanté de pouvoir faire un tour dans un nouveau véhicule, quel qu'il fût : il observait les cadrans et étudiait la façon de conduire du conducteur. Mais ce jour-là, assis dans sa Chemise brune à côté d'un médecin juif, il avait l'impression d'être en vitrine. Et s'ils croisaient Herr Lippmann ? Le trajet fut un supplice.

Par bonheur, il fut court : il ne leur fallut que quelques minutes pour arriver chez les von Ulrich.

« Comment s'appelle la jeune maman ? demanda Rothmann.

— Ada Hempel.

— Ah oui, elle est venue me voir la semaine dernière. Ce bébé arrive un peu tôt. Montre-moi le chemin, veux-tu ? »

Erik le fit entrer et des vagissements lui parvinrent immédiatement aux oreilles. Le bébé était déjà là ! Il se précipita au sous-sol, le médecin sur les talons.

Ada était couchée sur le dos. Ses draps étaient imbibés de sang et de matières visqueuses. Carla était là, tenant dans ses bras un minuscule bébé couvert de mucosités. Une espèce de corde sortait du ventre du bébé et passait sous la jupe d'Ada. Carla avait les yeux écarquillés de terreur. « Qu'est-ce que je dois faire ? cria-t-elle, la voix mouillée de larmes.

— Tu fais exactement ce qu'il faut, la rassura le docteur Rothmann. Garde encore le bébé contre toi quelques instants, tu veux ? »

Il s'assit à côté d'Ada. Il l'ausculta et lui prit le pouls : « Comment vous sentez-vous ?

— Je suis épuisée », murmura-t-elle.

Rothmann hocha la tête d'un air satisfait. Il se releva et jeta un coup d'œil au bébé que tenait Carla. « C'est un garçon », annonça-t-il.

Avec un mélange de fascination et de répulsion, Erik regarda le médecin ouvrir sa sacoche, en sortir du fil et faire deux nœuds sur la corde. Tout en s'affairant, il demanda à Carla d'une voix douce : « Pourquoi pleures-tu ? Tu as fait un travail du tonnerre. Tu as mis un bébé au monde toute seule. Tu n'avais pas vraiment besoin de moi, tu sais ! Tu devrais être médecin quand tu seras grande. »

Carla s'apaisa. Puis elle chuchota : « Regardez sa tête, docteur. » Le médecin dut s'incliner vers elle pour l'entendre. « J'ai l'impression qu'elle a quelque chose de bizarre.

— Je sais. » Le médecin sortit de sa mallette une paire de ciseaux aiguisés et coupa le cordon entre les deux nœuds. Puis il prit le nouveau-né tout nu et le tint à bout de bras, l'examinant sous tous les angles. Erik ne remarquait rien d'anormal, mais le bébé était si rouge, si ridé et si gluant que c'était difficile à dire. Après un moment, le médecin soupira : « Oh, mon Dieu ! »

Observant plus attentivement, Erik constata que le bébé avait effectivement un problème. Sa figure était de travers. Un côté était normal, mais de l'autre, la tête paraissait cabossée, et l'œil était bizarre, lui aussi.

Rothmann rendit le bébé à Carla.

Ada gémit et sembla se contracter.

Quand elle se détendit, le docteur Rothmann glissa la main sous sa jupe et en sortit une masse qui ressemblait de façon répugnante à un morceau de viande. « Erik, dit-il, va me chercher un journal.

— Lequel ? » demanda Erik. Ses parents lisaient la plupart des quotidiens.

« Peu importe, mon garçon, répondit Rothmann avec gentillesse. Ce n'est pas pour le lire. »

Erik courut au rez-de-chaussée où il trouva le *Vossische Zeitung* de la veille. Lorsqu'il revint, le médecin enveloppa le bout de viande dans le journal et le posa par terre. « C'est ce qu'on appelle le placenta, expliqua-t-il à Carla. Si tu pouvais le faire brûler tout à l'heure, ce serait bien. »

Puis il se rassit au bord du lit. « Ada, mon petit, il va falloir être très courageuse. Votre bébé est vivant, mais il a probablement quelque chose qui n'est pas tout à fait comme il faudrait. Nous allons le laver, l'envelopper chaudement et ensuite, il faudra l'emmener à l'hôpital. »

— Qu'est-ce qu'il a ? demanda Ada effrayée.

— Je ne sais pas. Les examens nous le diront sans doute.

— Il s'en sortira ?

— Les médecins de l'hôpital feront tout leur possible. Le reste est entre les mains de Dieu. »

Erik se rappela que les Juifs adoraient le même Dieu que les chrétiens. Il était si facile de l'oublier.

« Pensez-vous, Ada, que vous arriverez à vous lever pour venir à l'hôpital avec moi ? reprit Rothmann. Votre bébé a besoin de vous. Il faut que vous l'allaitiez.

— Je suis tellement fatiguée !

— Reposez-vous une minute ou deux. Mais pas plus, parce que je tiens à faire examiner rapidement ce petit. Carla vous aidera à vous habiller. Je vous attends en haut. » Il s'adressa à Erik avec une ironie débonnaire : « Viens avec moi, petit nazi. »

Erik était au supplice. L'indulgence du docteur Rothmann était encore plus blessante que la colère de sa femme.

Ils s'éloignaient déjà quand Ada héla le médecin : « Docteur ?

— Oui, mon petit.

— Il s'appelle Kurt.

— C'est un très joli prénom », dit le docteur Rothmann. Il sortit et Erik le suivit.

6.

Le nouveau parlement allemand se réunit pour la première fois le jour où Lloyd Williams commença à travailler comme assistant de Walter von Ulrich.

Walter et Maud se battaient avec l'énergie du désespoir pour sauver la fragile démocratie allemande. Lloyd partageait leur détresse parce qu'il les connaissait depuis toujours et savait que c'étaient des gens bien, mais aussi parce qu'il craignait que l'Angleterre ne suive l'Allemagne sur la route de l'enfer.

Les élections n'avaient rien réglé. Les nazis avaient obtenu quarante-quatre pour cent des suffrages, davantage qu'au scrutin précédent, mais moins que les cinquante et un pour cent dont ils avaient besoin.

Walter y voyait un motif d'espoir. Alors qu'ils se rendaient à l'ouverture du Parlement, il se réjouit tout haut : « Malgré des manœuvres d'intimidation massives, ils n'ont pas réussi à convaincre la majorité des Allemands de voter pour eux. » Il frappa le volant du poing. « Ils peuvent dire ce qu'ils veulent, ils ne sont *pas* populaires. Et plus longtemps ils resteront au pouvoir, plus les gens prendront conscience de leur perversité. »

Lloyd ne partageait pas son optimisme. « Ils ont interdit tous les journaux d'opposition, jeté en prison des députés et corrompu la police, observa-t-il. Cela n'a pas empêché quarante-quatre pour cent des Allemands de leur accorder leur voix ! Je ne trouve pas ça rassurant. »

Gravement endommagé par l'incendie, le bâtiment du Reichstag était inutilisable et le Parlement se réunissait à l'opéra Kroll, à l'autre bout de la Königsplatz. Ce vaste complexe architectural rassemblait trois grandes salles de concert et quatorze plus petites, sans compter des restaurants et des bars.

À leur arrivée, ils furent abasourdis : des Chemises brunes cernaient l'édifice. Les députés et leurs collaborateurs se massaient devant les portes, cherchant à entrer. « C'est comme ça qu'Hitler pense arriver à ses fins ? lança Walter, furieux. En interdisant l'accès aux membres de la Chambre ? »

Lloyd remarqua que les portes étaient bloquées par des recrues de la SA. Ils laissaient passer sans autre formalité ceux qui étaient vêtus d'uniformes nazis, mais réclamaient leurs papiers à tous les autres. Un garçon plus jeune que Lloyd le toisa de la tête aux pieds avec mépris avant de le laisser entrer à contrecœur. C'était de l'intimidation pure et simple.

Lloyd sentit la colère monter en lui. Il avait horreur des menaces et savait qu'un bon crochet du gauche aurait suffi à assommer cette petite brute. Mais il se força à garder son sang-froid, à passer son chemin et à franchir la porte.

Après la bagarre du Théâtre du Peuple, sa mère avait examiné la grosse bosse qu'il avait sur le crâne et avait prétendu le faire rentrer immédiatement en Angleterre. Il avait réussi à la ramener à de meilleurs sentiments, mais de justesse.

Elle lui reprochait régulièrement de n'avoir aucun sens du danger, ce qui n'était pas tout à fait vrai. Il lui arrivait d'avoir peur, mais ce sentiment ne faisait qu'exacerber sa combativité. Son tempérament le portait à l'attaque, pas à la retraite. C'était bien ce qui effrayait sa mère.

Pourtant, elle était exactement comme lui. Elle n'avait pas la moindre intention de repartir. Elle était effrayée, et en même temps, l'idée de se trouver à Berlin à ce tournant de l'histoire de l'Allemagne la transportait. De plus, elle était scandalisée par la violence et la répression dont elle était témoin et était bien décidée à écrire un livre pour mettre en garde les démocrates d'autres pays contre les méthodes des fascistes. « Tu es pire que moi », lui avait lancé Lloyd, et elle avait été incapable de le contredire.

À l'intérieur, l'Opéra grouillait de Chemises brunes et de SS, dont beaucoup étaient armés. Ils gardaient toutes les issues et manifestaient, par leurs regards et par leurs gestes, leur haine et leur mépris envers tous ceux qui n'épousaient pas la cause du nazisme.

Walter devait assister à une réunion du groupe parlementaire du parti social-démocrate et il était en retard. Lloyd fit rapidement le tour du bâtiment, cherchant la pièce où ils devaient se rendre. Passant la tête à l'intérieur de la chambre des débats, il vit qu'une immense croix gammée avait été suspendue au plafond, dominant la salle.

Le premier point à l'ordre du jour de l'après-midi devait être la loi sur les pleins pouvoirs, qui permettrait au gouvernement d'Hitler d'adopter des mesures législatives sans avoir à les faire approuver par le Reichstag.

Cette loi ferait d'Hitler un dictateur. La répression, l'intimidation, la violence, la torture et le meurtre qui s'étaient imposés en Allemagne depuis plusieurs semaines prendraient un caractère définitif. C'était une perspective intolérable, impensable.

Lloyd n'imaginait pas qu'un Parlement au monde pût voter une loi pareille. Cela revenait à abdiquer tout pouvoir. Un vrai suicide politique.

Il trouva les sociaux-démocrates dans une petite salle de concert. La réunion avait déjà commencé. Lloyd entra avec Walter, et on lui demanda d'aller chercher du café.

Il fit la queue derrière un jeune homme pâle, à l'air exalté, entièrement vêtu de noir. Lloyd avait fait de grands progrès en allemand qu'il parlait plus couramment désormais ; il employait des expressions familières et avait suffisamment d'assurance pour engager la conversation avec un inconnu. Il apprit ainsi que le jeune homme en noir s'appelait Heinrich von Kessel. Il faisait le même genre de travail que Lloyd, puisqu'il était assistant bénévole de son père, Gottfried von Kessel, un député du Zentrum, le parti catholique.

« Mon père connaît bien Walter von Ulrich, lui apprit Heinrich. Ils étaient tous deux attachés à l'ambassade d'Allemagne à Londres en 1914. »

Le monde de la politique internationale et de la diplomatie était décidément bien petit, songea Lloyd.

Heinrich déclara à Lloyd que le retour aux valeurs chrétiennes était la réponse à tous les problèmes de l'Allemagne.

« Le christianisme, ce n'est pas trop mon truc, avoua Lloyd avec franchise. Ne le prends pas mal. Mes grands-parents gallois sont de fervents chrétiens qui passent leur temps au temple, mais ma mère est indifférente à tout ce qui concerne la religion et mon père est juif. Il nous arrive de temps en temps d'aller à la chapelle évangélique du calvaire à Aldgate, mais c'est surtout parce que le pasteur est membre du parti travailliste. »

Heinrich sourit : « Je prierai pour toi. »

Les catholiques ne faisaient pas de prosélytisme, se rappela Lloyd. Quel contraste avec ses grands-parents d'Aberowen si dogmatiques, convaincus que tous ceux qui ne pensaient pas comme eux restaient volontairement sourds au message de l'Évangile et étaient voués à la damnation éternelle !

Quand Lloyd regagna la réunion du parti social-démocrate, Walter avait pris la parole. « C'est tout bonnement impossible ! s'écriait-il. La loi sur les pleins pouvoirs constitue un amendement à la Constitution. Il faut, pour qu'elle soit adoptée, que les deux tiers des députés soient présents, soit quatre cent trente-deux députés sur six cent quarante-sept. Et que les deux tiers de ce quorum l'approuvent. »

Lloyd fit le calcul de tête tout en posant le plateau sur la table. Les nazis disposaient de deux cent quatre-vingt-huit sièges, et les nationaux-allemands, leurs proches alliés, de cinquante-deux, ce qui faisait trois cent quarante – il leur en manquait donc presque cent. Walter avait raison. La loi ne passerait pas. Rasséréné, Lloyd s'assit pour écouter le débat et améliorer ses connaissances en allemand.

Son soulagement fut de courte durée. « N'en soyez pas si sûr, répliqua un homme qui s'exprimait avec l'accent ouvrier berlinois. Les nazis essaient d'obtenir le soutien du parti du Centre. » Les amis d'Heinrich, se dit Lloyd. « Cela pourrait leur donner soixante-quatorze voix supplémentaires. »

Lloyd fronça les sourcils. Pourquoi le Zentrum soutiendrait-il une mesure qui le priverait de tout pouvoir ?

Walter exprima la même interrogation sous une forme plus brutale : « Il faudrait que les catholiques soient vraiment stupides ! »

Lloyd regretta de n'avoir pas eu ces informations avant d'aller chercher le café : il aurait pu en discuter avec Heinrich. Peut-être aurait-il appris quelque chose d'utile. C'était trop bête !

L'homme à l'accent berlinois reprit : « En Italie, les catholiques ont conclu une alliance avec Mussolini – un concordat, censé préserver les droits de l'Église. Pourquoi n'en feraient-ils pas autant ici ? »

Lloyd calcula que le soutien du parti du Centre permettrait aux nazis d'obtenir quatre cent quatorze voix. « Ils sont encore loin du compte », chuchota-t-il à Walter, un peu rassuré.

Un autre jeune assistant surprit ses propos et lui fit observer en élevant la voix : « Vous semblez oublier la toute récente déclaration du président du Reichstag. » – En l'occurrence Hermann Göring, le plus proche collaborateur d'Hitler. – Lloyd n'avait pas entendu parler de cette déclaration. Personne d'autre non plus, apparemment, car les députés se turent en entendant cet échange. L'assistant poursuivit : « Il a décrété que les députés communistes emprisonnés et donc absents ne sont plus considérés comme membres du Reichstag. »

Une explosion de protestations indignées secoua la salle. Lloyd vit le visage de Walter s'empourprer. « Il ne peut pas agir comme ça ! s'écria-t-il.

— C'est parfaitement illégal, acquiesça l'assistant. Il n'empêche qu'il l'a fait. »

Lloyd était consterné. Ils n'allaient tout de même pas faire passer la loi par un tel tour de passe-passe ! Il recommença ses calculs. Les communistes avaient quatre-vingt-un sièges. Si on les déduisait du total, les nazis n'avaient plus besoin que des deux tiers de cinq cent soixante-six, autrement dit trois cent soixante-dix-huit voix. Même avec celles des nationaux-allemands, ils ne les avaient toujours pas. En revanche, s'ils obtenaient le concours des catholiques, ils pouvaient l'emporter.

Une voix s'éleva : « La légalité est bafouée. Nous devrions quitter la salle en signe de protestation.

— Non, non, surtout pas ! objecta Walter. Ils feraient adopter la loi en notre absence. Il faut dissuader les catholiques de les soutenir. Wels doit parler à Kaas immédiatement. » Otto Wels était le président du parti social-démocrate ; quant à Ludwig Kaas, un prélat, il dirigeait le parti du Centre.

Un murmure d'approbation parcourut la salle.

Lloyd inspira profondément et se pencha vers Walter : « Herr von Ulrich, pourquoi ne pas inviter Gottfried von Kessel à déjeuner ? Il me semble que vous avez travaillé ensemble à Londres avant la guerre. »

Walter émit un rire sans joie : « C'est un type franchement imbuvable ! » maugréa-t-il.

Peut-être ce déjeuner n'était-il pas une excellente idée, après tout. « J'ignorais que vous ne l'appréciez pas, reprit Lloyd contrit.

— Je le déteste, confirma Walter, l'air pensif. Mais je suis prêt à tout essayer.

— Voulez-vous que j'aille le trouver pour lui transmettre cette invitation ?

— Si tu veux. On verra bien. S'il accepte, dis-lui de me retrouver au Herrenklub à une heure.

— Parfait. »

Lloyd gagna en toute hâte la salle dans laquelle Heinrich s'était engouffré. Une réunion très comparable à celle qu'il venait de quitter s'y déroulait. Parcourant la pièce du regard, il repéra la silhouette noire de Heinrich, croisa son regard et lui fit signe de le rejoindre de toute urgence.

Ils sortirent ensemble de la salle. « Il paraît que ton parti va soutenir la loi sur les pleins pouvoirs ! lança Lloyd.

— Ce n'est pas sûr, répondit Heinrich. Nos députés sont divisés.

— Qui est contre les nazis ?

— Brüning et plusieurs autres. » Brüning était l'ancien chancelier, une personnalité importante de la scène politique.

Lloyd reprit espoir. « Qui d'autre ?

— Tu m'as fait sortir pour me tirer les vers du nez, c'est ça ?

— Non, pardon, pas vraiment. Walter von Ulrich voudrait déjeuner avec ton père. »

Heinrich fit une moue dubitative. « Ils ne s'apprécient pas beaucoup, tu es au courant, non ?

— C'est ce que j'ai cru comprendre. Mais pour une fois, ils mettront leurs différends de côté ! »

Heinrich n'était toujours pas convaincu. « Je vais lui transmettre ta proposition. Attends-moi ici. » Il retourna dans la salle.

Lloyd s'interrogea sur ses chances de succès. Si seulement Walter et Gottfried avaient été des amis intimes ! Il avait toujours peine à croire que les catholiques puissent voter avec les nazis.

Le pire était que la situation qui régnait en Allemagne pouvait fort bien se reproduire en Angleterre, une perspective sinistre qui le faisait frémir. Il avait toute sa vie devant lui et n'avait aucune envie de la passer sous le joug d'une dictature répressive. Il voulait faire carrière en politique, comme ses parents, et faire de son pays un lieu où il fasse meilleur vivre pour des hommes comme les mineurs des houillères d'Aberowen. Pour cela, il fallait des rassemblements politiques où les gens puissent s'exprimer franchement, des journaux libres de critiquer le gouvernement, des pubs où les hommes soient en mesure d'aborder tous les sujets sans avoir à regarder par-dessus leur épaule pour vérifier que personne ne les écoutait.

Le fascisme menaçait tout cela. Mais peut-être le fascisme échouerait-il. Si seulement Walter réussissait à convaincre Gottfried von Kessel et à empêcher le Centre de soutenir les nazis !

Heinrich ressortit : « Il est d'accord.

— Magnifique ! Herr von Ulrich a suggéré qu'ils se retrouvent au Herrenklub à une heure.

— Ah oui ? Il en est membre ?

— Je suppose. Pourquoi ?

— C'est un cercle conservateur. Mais puisqu'il s'appelle Walter *von* Ulrich, il vient forcément d'une famille noble, même s'il est socialiste.

— Je ferais sans doute bien de réserver une table. Peux-tu me dire où il se trouve ?

— À deux pas. » Heinrich indiqua le chemin à Lloyd.

« Je réserve pour quatre ? »

Heinrich sourit. « Pourquoi pas ? S'ils ne veulent pas de nous, ils pourront toujours nous demander de partir. » Il regagna la salle.

Lloyd quitta le bâtiment, traversa rapidement la place, passant devant le bâtiment incendié du Reichstag, et se dirigea vers le Herrenklub.

Il y avait des cercles à Londres, bien sûr, mais Lloyd n'y avait jamais mis les pieds. Le Herrenklub lui fit l'effet d'un lieu hybride qui tenait à la fois du restaurant et de la chambre mortuaire. Des serveurs en habit allaient et venaient à pas feutrés, posant silencieusement des couverts sur des tables drapées de blanc. Un maître d'hôtel prit sa réservation et nota le nom « von Ulrich » aussi solennellement que s'il consignait une formule dans le Livre des morts.

Lloyd regagna l'opéra Kroll, encore plus animé et plus bruyant que quelques instants auparavant. La tension semblait avoir monté d'un cran. Il entendit dire qu'Hitler lui-même ouvrirait la séance de l'après-midi pour présenter le projet de loi.

Un peu avant une heure, Lloyd et Walter traversèrent l'esplanade. « Heinrich von Kessel a été surpris d'apprendre que vous étiez membre du Herrenklub », remarqua Lloyd.

Walter hocha la tête. « J'en ai été l'un des fondateurs, il y a une dizaine d'années. À l'époque, il s'appelait le Juniklub. Nous l'avions créé pour faire campagne contre le traité de Versailles. C'est devenu un bastion de droite, et je suis probablement le seul membre social-démocrate, mais j'y reste parce que c'est un lieu idéal pour rencontrer l'ennemi. »

À l'intérieur du cercle, Walter désigna à Lloyd un homme tiré à quatre épingles qui se tenait au bar. « C'est Ludwig Franck, le père du jeune Werner, qui s'est battu avec nous au Théâtre du Peuple. Je suis certain qu'il n'est pas membre – il n'est même pas allemand de naissance. Sans doute a-t-il été invité à déjeuner par son beau-père, le comte von der Helbard, l'homme âgé qui l'accompagne. Suis-moi. »

Ils se dirigèrent vers le bar, et Walter fit les présentations. Herr Franck s'adressa à Lloyd : « Vous avez fait le coup de poing avec mon fils il y a une quinzaine de jours, si j'ai bien compris. »

Lloyd effleura machinalement l'arrière de son crâne : la bosse avait diminué, mais la douleur n'avait pas entièrement disparu. « Nous avions des femmes à protéger, monsieur, expliqua-t-il.

— Je n'ai rien contre une bonne bagarre de temps en temps, reprit Herr Franck. Ça forge la jeunesse. »

Walter l'interrompit avec agacement. « Allons, Ludi, je vous en prie, ce n'est pas un sujet de plaisanterie. Empêcher la tenue de réunions électorales est déjà suffisamment grave, et voilà que votre Führer s'est mis dans la tête de détruire tous les fondements de la démocratie !

— Peut-être la démocratie n'est-elle pas la forme de gouvernement qui nous convient, observa Ludwig Franck. Après tout, nous ne sommes ni français ni américains, Dieu merci.

— Et la liberté ? Vous y renonceriez sans état d'âme ? Soyez sérieux, voyons. »

Herr Franck changea soudain de ton. « Fort bien Walter, dit-il froidement. Je serai sérieux puisque vous insistez. Ma mère et moi sommes arrivés de Russie il y a plus de dix ans. Mon père n'a pas pu nous accompagner. On l'avait trouvé en possession de littérature subversive, et plus précisément d'un ouvrage intitulé *Robinson Crusoé*, un roman qui fait, paraît-il, l'apologie de l'individualisme bourgeois. Ne me demandez pas ce que c'est, je n'en sais rien. Toujours est-il qu'il a été envoyé en camp de détention quelque part, dans les régions arctiques. Peut-être… » la voix de Herr Franck se brisa et il s'interrompit, déglutissant avec peine avant d'achever sa phrase calmement : « Peut-être s'y trouve-t-il toujours. »

Il y eut un moment de silence. Lloyd était bouleversé par ce qu'il venait d'entendre. Il savait que le gouvernement communiste de Russie pouvait se montrer impitoyable, mais ce récit personnel, relaté par un homme dont la peine était manifestement encore très vive, rendait la réalité tellement plus présente !

« Ludi, dit enfin Walter, nous détestons tous les bolcheviks, mais les nazis pourraient bien être pires !

— Je suis prêt à courir ce risque », rétorqua Franck.

Le comte von der Helbard intervint alors : « Nous ferions bien d'aller déjeuner. J'ai un rendez-vous en début d'après-midi. Veuillez nous excuser. » Les deux hommes s'éloignèrent.

« Ils ne savent dire que ça ! fulmina Walter. Les bolcheviks ! Comme s'il n'y avait qu'eux ou les nazis. C'est à pleurer. »

Heinrich s'avança alors avec un homme plus âgé, son père, de toute évidence : ils avaient la même crinière brune séparée par une raie, à cette différence près que les cheveux de Gottfried étaient plus courts et mouchetés d'argent. Malgré la similitude de leurs traits, Gottfried, avec son faux col à l'ancienne mode, avait l'air d'un bureaucrate tatillon, alors qu'Heinrich ressemblait davantage à un poète romantique qu'à un assistant parlementaire.

Ils se dirigèrent vers la salle à manger. Walter attaqua sans perdre de temps, dès qu'ils eurent passé leur commande : « Je ne comprends pas ce que votre parti espère gagner en soutenant cette loi sur les pleins pouvoirs, Gottfried. »

Von Kessel ne fut pas moins direct. « Nous sommes un parti catholique, et notre premier devoir est de protéger la position de l'Église en Allemagne. C'est ce que nos électeurs attendent de nous. »

Lloyd fronça les sourcils de désapprobation. Sa mère, qui avait été membre du parlement britannique, disait toujours qu'il était de son devoir de se placer au service des électeurs qui n'avaient *pas* voté pour elle, et pas seulement au service de ceux qui lui avaient donné leur voix.

Walter recourut à un autre argument. « Un parlement démocratique est la meilleure garantie pour toutes nos églises – et c'est précisément ce que vous vous apprêtez à détruire !

— Réveillez-vous, Walter, répliqua Gottfried d'un ton agacé. Hitler a remporté les élections. Il est au pouvoir. Dans les années à venir, c'est lui qui gouvernera l'Allemagne, quoi que nous fassions. Nous devons nous protéger.

— Ses promesses ne sont que du vent, vous devriez le savoir !

— Nous avons exigé des assurances précises, par écrit : l'Église catholique sera indépendante de l'État, les établissements d'enseignement catholique pourront poursuivre leurs activités librement, les catholiques ne feront l'objet d'aucune discrimination dans la fonction publique. » Il jeta un regard interrogateur à son fils.

« Ils ont promis que cet accord nous serait remis en début d'après-midi, confirma celui-ci.

— L'alternative est pourtant très claire ! Un bout de papier signé par un tyran ou un parlement démocratique : que préférez-vous ?

— La seule puissance est celle de Dieu.

— Dans ce cas, que Dieu sauve l'Allemagne », soupira Walter en levant les yeux au ciel.

La confiance dans la démocratie n'avait pas eu le temps de s'affermir en Allemagne, songea Lloyd alors que la joute oratoire se poursuivait entre Walter et Gottfried. Le Reichstag n'exerçait de pouvoir que depuis quatorze ans. Ils avaient perdu une guerre, vu leur monnaie privée de toute valeur et souffert d'un chômage massif : aux yeux des Allemands, le droit de vote était impuissant à les protéger.

Gottfried se montra inflexible. À la fin du déjeuner, sa position était aussi inébranlable qu'au début. Sa seule responsabilité était la protection de l'Église catholique. Lloyd en aurait hurlé d'exaspération.

Ils regagnèrent l'Opéra et les députés prirent place dans la salle, tandis que Lloyd et Heinrich s'installaient dans une loge pour assister aux débats.

Lloyd reconnut les membres du parti social-démocrate regroupés tout à gauche. Alors que l'heure de l'ouverture de la séance approchait, il vit des SA et des SS se poster devant toutes les issues et le long des murs, formant un demi-cercle menaçant derrière les sociaux-démocrates. On aurait pu croire qu'ils avaient l'intention d'empêcher les députés de quitter le bâtiment tant qu'ils n'auraient pas voté la loi. Devant cette image effrayante, Lloyd se demanda, avec un frisson de crainte, s'il ne risquait pas, lui aussi, de se trouver emprisonné dans la salle.

Un rugissement d'acclamations et d'applaudissements s'éleva. Hitler fit son entrée, vêtu d'un uniforme de SA. Les députés nazis, dans la même tenue pour la plupart, se levèrent, grisés d'enthousiasme, lorsqu'il monta à la tribune. Seuls les sociaux-démocrates restèrent assis ; mais Lloyd remarqua qu'ils étaient quelques-uns à jeter des regards soucieux, par-dessus leur épaule, en direction des gardes armés. Comment pourraient-ils s'exprimer et voter librement s'ils s'inquiétaient déjà parce qu'ils s'abstenaient d'ovationner leur adversaire ?

Quand le calme revint enfin, Hitler prit la parole. Il se tenait très droit, le bras gauche collé contre le flanc, n'esquissant de gestes que du droit. Il avait un timbre criard et grinçant mais puissant, qui évoqua aux oreilles de Lloyd à la fois un fusil-mitrailleur et un aboiement. Sa voix frémissait d'émotion lorsqu'il évoqua les « traîtres de novembre 1918 », qui avaient capitulé alors que l'Allemagne était sur le point de gagner la guerre. Ce n'était pas du cinéma : Lloyd eut l'impression qu'il était convaincu de la vérité de chacune des paroles stupides et mensongères qu'il prononçait.

Les traîtres de novembre étaient un thème rebattu, mais Hitler changea alors de sujet. Il parla des Églises et de la place essentielle de la religion chrétienne dans l'État allemand. C'était inhabituel de sa part et ses propos étaient clairement destinés au parti du Centre, dont les suffrages décideraient du résultat du scrutin. Il affirma qu'il considérait les deux grandes confessions, le protestantisme et le catholicisme, comme des piliers de la nation allemande. Il n'était pas question que le gouvernement nazi porte atteinte à leurs droits.

Heinrich jeta à Lloyd un regard triomphant.

« Si j'étais vous, je réclamerais tout de même ces engagements par écrit », lui chuchota Lloyd.

Il était deux heures et demie quand Hitler en arriva à sa péroraison. Il termina son discours par une indéniable menace de violence : « Le gouvernement de soulèvement national est déterminé, et préparé à prendre acte de l'annonce d'un rejet et donc de la proclamation d'une résistance. » Il s'interrompit, pour que tout le monde ait le temps de s'imprégner du message : voter contre la loi serait considéré comme une déclaration de résistance. « C'est à vous, messieurs, qu'il appartient à présent de décider si nous aurons la guerre ou la paix ! »

Il s'assit sous les bruyantes acclamations des députés nazis, et la séance fut suspendue.

Heinrich était aux anges, Lloyd au désespoir. Ils s'éloignèrent dans des directions différentes : il ne restait plus à leurs partis qu'à se livrer à des discussions de dernière minute.

Dans le camp des sociaux-démocrates, l'ambiance était pesante. Leur président, Wels, devait parler devant la Chambre. Que pourrait-il dire ? Plusieurs députés firent valoir que s'il critiquait Hitler, il risquait de ne pas quitter le bâtiment vivant. Ils craignaient aussi pour leurs propres vies. En admettant que des députés se fassent tuer, songea Lloyd avec un frémissement d'effroi, qu'arriverait-il à leurs assistants ?

Wels révéla alors qu'il gardait une capsule de cyanure à portée de main, dans la poche de son gilet. S'il était arrêté, il était décidé à se suicider pour éviter la torture. Lloyd fut horrifié. Wels était un représentant du peuple, et se voyait contraint de se conduire comme un vulgaire saboteur.

La journée de Lloyd s'était ouverte sur de faux espoirs. Il avait considéré la loi sur les pleins pouvoirs comme une idée absurde qui ne risquait en aucun cas de se concrétiser. Il prit alors conscience que la plupart de ceux qui l'entouraient s'attendaient à ce que cette loi soit adoptée le jour même. Il avait fort mal évalué la situation.

Avait-il également tort de croire qu'une chose pareille ne pouvait pas se produire dans son propre pays ? Se leurrait-il, une fois de plus ?

Quelqu'un demanda alors si les catholiques avaient pris une décision définitive. Lloyd se leva. « Je vais aller voir. » Il sortit et gagna en courant la salle où se réunissait le parti du Centre. Comme dans la matinée, il glissa la tête par la porte et fit signe à Heinrich de le rejoindre dehors.

« Brüning et Ersing sont en train de flancher », lui annonça Heinrich.

Le cœur de Lloyd se serra. Ersing était un éminent dirigeant syndical catholique. « Comment un syndicaliste peut-il envisager de voter une mesure pareille ? s'étonna-t-il.

— Kaas prétend que la patrie est en danger. Ils sont tous convaincus qu'un rejet de la loi ouvrirait la voie à une anarchie sanglante.

— C'est une tyrannie sanglante que vous inaugurerez en l'adoptant.

— Et ton groupe ?

— Ils sont persuadés qu'ils se feront tous fusiller s'ils votent contre. Mais ils le feront quand même. »

Heinrich rejoignit les membres du Zentrum et Lloyd les sociaux-démocrates. « Les plus durs sont en train de fléchir, annonça-t-il à Walter et à ses collègues. Ils craignent qu'un rejet de la loi ne provoque une guerre civile. »

L'atmosphère s'assombrit encore.

Ils regagnèrent tous la salle des débats à dix-huit heures.

Wels fut le premier à parler. Il était calme, raisonnable, pondéré. Il rappela que dans l'ensemble, la république démocratique avait permis aux Allemands de vivre mieux, qu'elle leur avait assuré l'égalité des chances et le droit à la protection sociale, tout en rendant à leur pays sa place légitime dans le concert des nations.

Lloyd remarqua qu'Hitler prenait des notes.

En conclusion, Wels proclama courageusement sa foi dans l'humanité et la justice, la liberté et le socialisme. « Aucune loi ne vous donnera le pouvoir d'anéantir des idées qui sont éternelles et indestructibles », lança-t-il d'une voix ferme sous les rires et les quolibets des nazis.

Les applaudissements des sociaux-démocrates furent noyés sous le charivari général.

« Nous saluons les persécutés et les opprimés ! cria encore Wels. Nous saluons nos amis dans le Reich. Leur résolution et leur loyauté méritent l'admiration. »

Lloyd distingua à peine ses paroles au-dessus des huées et des sifflets des nazis.

« Le courage de leurs convictions et leur confiance demeurée intacte sont les gages d'un avenir meilleur ! »

Wels se rassit au milieu d'un tapage indescriptible.

Sa déclaration pouvait-elle encore inverser la tendance ? s'interrogea Lloyd.

Hitler succéda à Wels à la tribune. Le chancelier avait changé de ton et Lloyd comprit que son discours précédent n'avait été qu'un échauffement. La voix était devenue plus sonore, les formules plus brutales, le ton plus méprisant. Son bras droit ne cessait d'esquisser des gestes agressifs : il tendait l'index vers la salle, serrait le poing, en martelait le lutrin, portait la main à sa tête et balayait l'air d'un grand mouvement semblant repousser toute opposition. Ses partisans accueillaient chaque expression véhémente par une tempête d'acclamations. Chacune de ses phrases exprimait la même émotion : une colère farouche, dévorante, meurtrière.

Débordant d'assurance, Hitler fit clairement comprendre qu'il aurait parfaitement pu s'abstenir de présenter ce projet de loi au Parlement. « En cette heure, nous faisons appel au Reichstag allemand pour qu'il nous accorde quelque chose que nous aurions pris de toute façon ! » lança-t-il d'un ton goguenard.

Le visage d'Heinrich s'assombrit et le jeune homme quitta la loge. Quelques instants plus tard, Lloyd le vit s'approcher de son père et lui parler tout bas à l'oreille.

Lorsqu'il revint, il avait l'air ravagé.

« Et alors, ces garanties écrites, vous les avez ? » lui demanda Lloyd.

Heinrich détourna le regard. « Elles sont en train d'être dactylographiées », répondit-il.

Hitler acheva son discours par une déclaration de mépris à l'endroit des sociaux-démocrates. Il ne voulait pas de leurs voix. « L'Allemagne sera libre, hurla-t-il, mais pas grâce à vous ! »

Les chefs de file des autres partis se succédèrent brièvement à la tribune, plus accablés les uns que les autres. Le prélat Kaas annonça que le Centre accorderait son soutien au projet de loi. Les autres lui emboîtèrent le pas. Tous s'y déclarèrent favorables, à l'exception des sociaux-démocrates.

Le résultat du vote fut proclamé pendant que les nazis poussaient des cris de victoire.

Lloyd était frappé de stupeur. Il venait de voir la force à l'état brut s'étaler dans toute sa crudité, et c'était un spectacle hideux.

Il quitta la loge sans dire un mot à Heinrich.

Il trouva Walter en pleurs dans le hall d'entrée. Il s'essuyait le visage avec un grand mouchoir blanc, sans parvenir à endiguer ses larmes. Lloyd, qui n'avait jamais vu un homme pleurer de la sorte sinon à des enterrements, en fut tout désemparé.

« Ma vie est un échec, murmura Walter. Il n'y a plus d'espoir. La démocratie allemande est morte. »

7.

Les nazis avaient décrété que le samedi 1er avril serait une journée de boycott des entreprises juives. Lloyd et Ethel se promenèrent dans les rues de Berlin, incrédules. Ethel prenait des notes pour son livre. L'étoile de David avait été peinte sur les vitrines des boutiques appartenant à des Juifs. Des Chemises brunes se tenaient à la porte des grands magasins juifs, intimidant les acheteurs potentiels, tandis que des détachements de SA interdisaient l'accès aux études d'avocats et aux cabinets de médecins juifs. Lloyd vit deux Chemises brunes tenter d'arrêter les patients qui venaient consulter le docteur Rothmann, le médecin de famille des von Ulrich, mais un charbonnier qui souffrait apparemment d'une cheville foulée leur cria d'aller se faire foutre, et ils s'éloignèrent en quête d'une proie plus facile. « Comment des gens peuvent-ils se montrer aussi abjects envers les autres ? » s'interrogea Ethel.

Lloyd pensait à son beau-père qu'il aimait tant. Bernie Leckwith était juif. Si le fascisme arrivait à s'imposer en Angleterre, il serait la cible de telles manifestations de haine. Il en frémit d'horreur.

Une sorte de veillée funèbre se tint au Bistro Robert ce soir-là. Personne ne l'avait organisée, mais à huit heures, la salle du restaurant était bondée de sociaux-démocrates, de journalistes (des collègues de Maud), et d'amis de Robert, des acteurs pour la plupart. Les plus optimistes prétendaient que la crise économique n'avait fait que plonger la liberté en hibernation et qu'elle se réveillerait un jour. Les autres étaient purement et simplement désespérés.

Lloyd ne but presque rien. L'alcool lui brouillait les idées, et c'était une sensation qu'il n'aimait pas. Il se demandait, sans trouver de réponse, ce que les Allemands de gauche auraient pu faire pour éviter cette catastrophe.

Maud leur parla de Kurt, le bébé d'Ada. « Elle l'a ramené de l'hôpital. Il a l'air tout à fait heureux pour le moment. Mais son cerveau a souffert et il ne pourra jamais vivre normalement. Quand il aura grandi, il faudra le confier à un établissement spécialisé, le pauvre petit ! »

Lloyd avait appris que Carla, qui n'avait pourtant que onze ans, avait aidé Ada à accoucher. Cette gamine avait un sacré cran.

L'inspecteur Thomas Macke fit irruption à neuf heures et demie en uniforme de SA.

Lors de sa dernière apparition, Robert ne l'avait pas pris au sérieux, alors que Lloyd avait immédiatement senti que c'était un homme dangereux. Il avait l'air d'un abruti avec son visage bouffi coupé en deux par sa petite moustache, mais l'inquiétante lueur de cruauté qui brillait dans ses yeux ne lui avait pas échappé.

Robert avait fermement refusé de lui vendre son restaurant. Qu'est-ce que Macke pouvait bien vouloir aujourd'hui ?

L'inspecteur se planta au milieu de la salle à manger et hurla : « Cet établissement encourage des comportements dégénérés ! »

Les clients se turent, interloqués.

Dans une imitation de la gestuelle hitlérienne, Macke leva l'index pour leur intimer l'ordre d'écouter. « L'homosexualité est incompatible avec la virilité de la nation allemande ! »

Lloyd plissa le front. Voulait-il dire que Robert était pédé ?

Jörg sortit de la cuisine, coiffé de sa toque de chef. Il s'immobilisa près de la porte, les yeux rivés sur Macke.

Une idée choquante traversa l'esprit de Lloyd. Peut-être Robert était-il *vraiment* pédé : après tout, il vivait avec Jörg depuis la guerre. Parcourant la salle du regard, il constata que tous leurs amis comédiens étaient des couples d'hommes, à l'exception de deux femmes aux cheveux courts…

Il était perplexe. Il savait que ces hommes-là existaient, bien sûr, et ayant les idées larges, il pensait qu'ils ne méritaient pas d'être persécutés mais aidés. Tout de même, c'étaient des pervers, des types bizarres. Robert et Jörg avaient pourtant l'air parfaitement normaux, ils tenaient un restaurant et vivaient paisiblement, presque comme un couple marié !

Il se tourna vers sa mère et lui demanda tout bas : « Est-ce que Robert et Jörg sont vraiment…

— Oui, mon chéri. »

Assise à la droite d'Ethel, Maud ajouta : « Quand Robert était jeune, les valets avaient intérêt à numéroter leurs abattis. »

Les deux femmes rirent sous cape. Lloyd était doublement scandalisé : non seulement Robert était pédé, mais sa mère et Maud y voyaient matière à plaisanteries.

Macke lança : « Je déclare cet établissement fermé jusqu'à nouvel ordre !

— Vous n'avez pas le droit ! » protesta Robert.

Macke n'avait évidemment pas le pouvoir de prendre une décision pareille, se dit Lloyd ; mais il se rappela alors comment les Chemises brunes avaient investi la scène du Théâtre du Peuple. Il se retourna et constata, atterré, que des SA franchissaient déjà la porte.

Ils firent le tour des tables, renversant bouteilles et verres sur leur passage. Certains dîneurs se figèrent, observant la scène ; d'autres quittèrent leurs sièges. Plusieurs hommes crièrent et une femme se mit à hurler.

Walter se leva et prit la parole d'une voix forte et calme : « Nous ferions mieux de nous en aller en bon ordre, dit-il. Inutile d'en venir aux mains. Que tout le monde aille chercher son manteau et son chapeau et rentre chez lui. »

Plusieurs clients se dirigèrent vers les portemanteaux tandis que les autres prenaient la fuite en toute hâte. Walter et Lloyd poussèrent doucement Maud et Ethel vers la sortie. La caisse se trouvait près de la porte, et Lloyd vit un SA qui l'ouvrait et commençait à se remplir les poches.

Robert n'était pas intervenu jusque-là, regardant avec accablement son chiffre d'affaires de la soirée disparaître dans la rue ; mais c'en fut trop. Il poussa un cri de colère et bouscula le voleur pour l'éloigner de la caisse.

L'homme riposta d'un coup de poing qui mit Robert à terre, et il en profita pour lui asséner une volée de coups de pied. Un de ses camarades se joignit à lui.

Lloyd se précipita au secours de Robert. Il entendit sa mère crier « Non ! » alors qu'il repoussait les Chemises brunes. Jörg avait été presque aussi rapide que lui, et à eux deux, ils aidèrent Robert à se relever.

Ils furent immédiatement agressés par plusieurs autres Chemises brunes. Lloyd reçut une grêle de coups de poing et de coups de pied, et un objet s'abattit brutalement sur sa tête. Tout en poussant un cri de douleur, il pensa *Non, ça ne va pas recommencer !*

Il fit volte-face et riposta, frappant alternativement du poing gauche et du droit, assénant chaque coup avec précision, cherchant à traverser sa cible, comme on le lui avait appris à l'entraînement. Il assomma deux hommes, avant de se sentir agrippé par-derrière et de perdre l'équilibre. Il se retrouva au sol, solidement maintenu par deux brutes, pendant qu'une troisième le bourrait de coups de pied.

On le fit ensuite rouler sur le ventre, on lui tira les bras derrière le dos et il sentit le contact du métal sur ses poignets. Il était menotté pour la première fois de sa vie. Il sentit une peur nouvelle monter en lui. Ce n'était pas une bagarre comme les autres. Il s'était fait rosser, d'accord, mais le pire était certainement encore à venir.

« Debout ! » lui ordonna quelqu'un en allemand.

Il se contorsionna pour se remettre sur ses pieds et constata que Robert et Jörg étaient eux aussi menottés. Robert saignait de la bouche, et Jörg avait un œil poché. Une demi-douzaine de Chemises brunes les surveillait. Les autres vidaient les verres et les bouteilles qui restaient sur les tables ou se bousculaient autour du chariot des desserts, se bourrant de pâtisseries.

Tous les clients semblaient être partis. Lloyd fut soulagé de savoir sa mère en sécurité.

La porte du restaurant s'ouvrit sur Walter. « Inspecteur Macke », lança-t-il, le nom du sinistre individu s'étant gravé dans sa mémoire. S'exprimant avec toute l'autorité dont il était capable, il poursuivit : « Que veut dire ce scandale ? »

Macke désigna Robert et Jörg. « Ces deux individus sont des homosexuels. Et ce jeune homme a agressé un membre de la police auxiliaire qui cherchait à les arrêter. »

Walter pointa le doigt vers la caisse, qui était restée ouverte, son tiroir béant et vide à l'exception de quelques petites pièces. « Les policiers se seraient-ils transformés en cambrioleurs de nos jours ?

— Un client a dû profiter de la confusion provoquée par ces hommes lorsqu'ils se sont opposés à leur arrestation. »

Plusieurs Chemises brunes s'esclaffèrent d'un air entendu.

« Je crois me souvenir, dit Walter, que vous avez été un jour un policier chargé de faire respecter la loi et l'ordre, inspecteur. Ou bien fais-je erreur ? En ce temps-là, vous pouviez être fier de vous. Qu'êtes-vous devenu aujourd'hui ?

— Nous faisons respecter l'ordre, pour protéger la patrie, rétorqua Macke, piqué au vif.

— Où avez-vous l'intention de conduire vos prisonniers, insista Walter. Dans un lieu de détention officiel ? Ou dans quelque sous-sol plus ou moins clandestin ?

— À la caserne de la Friedrichstrasse », répondit Macke indigné.

À l'éclair de satisfaction qui illumina brièvement le visage de Walter, Lloyd comprit que celui-ci avait habilement manœuvré, exploitant ce que Macke pouvait conserver de fierté professionnelle pour lui faire révéler ses intentions. À présent, au moins, Walter savait où Lloyd, Robert et Jörg allaient être emmenés.

Mais que se passerait-il à la caserne ?

C'était une situation inédite pour Lloyd bien qu'il eût vécu dans l'East End de Londres et connu un certain nombre de gens qui avaient eu maille à partir avec la police. Pendant toute son enfance, il avait joué au football dans la rue avec des garçons dont les pères faisaient de fréquents séjours au commissariat de Leman Street, dans le quartier d'Aldgate. Peu en sortaient indemnes. On racontait que les murs étaient maculés de sang. Pouvait-il espérer être mieux traité dans la caserne de la Friedrichstrasse ?

« Vous risquez l'incident diplomatique, inspecteur », reprit Walter. Lloyd comprit qu'il lui rappelait systématiquement son titre dans l'espoir d'inciter Macke à se conduire en policier plutôt qu'en truand. « Vous avez arrêté trois citoyens étrangers : deux Autrichiens et un Britannique. » Il leva la main comme pour couper court à une éventuelle objection. « Il est trop tard pour reculer, maintenant. Les deux ambassades ont été prévenues, et je suis persuadé que leurs représentants viendront frapper à la porte de notre ministère des Affaires étrangères de la Wilhelmstrasse dans moins d'une heure. »

Lloyd se demanda si c'était vrai.

Macke esquissa un sourire odieux. « Le ministère ne se précipitera certainement pas pour défendre deux pédés et un jeune voyou.

— Permettez-moi de vous rappeler que notre ministre des Affaires étrangères, von Neurath, n'est pas membre de votre parti. Il fera probablement passer les intérêts de la patrie avant les vôtres.

— Et vous, vous allez certainement découvrir qu'il fait ce qu'on lui dit. Et maintenant, dégagez. Vous faites entrave à l'exercice de mes fonctions.

— Je vous aurai prévenu ! insista Walter courageusement. Vous feriez bien de respecter les procédures si vous ne voulez pas vous attirer de sérieux ennuis.

— Fichez le camp », lança Macke.

Walter sortit.

Lloyd, Robert et Jörg furent traînés à l'extérieur du restaurant et poussés sans ménagement à l'arrière d'une sorte de camion. Ils furent contraints de s'allonger sur le plancher du véhicule tandis que les Chemises brunes s'asseyaient sur des bancs pour les surveiller. Ils démarrèrent. Lloyd avait mal aux poignets et avait l'impression que ses épaules allaient se démettre à tout instant.

Heureusement, le trajet ne fut pas long. On les fit descendre brutalement du camion pour entrer dans un bâtiment. Il faisait sombre et Lloyd ne distinguait pas grand-chose. On les conduisit dans un bureau où l'on nota son nom dans un registre et où on lui confisqua son passeport. Robert fut dépouillé de son épingle de cravate en or et de sa chaîne de montre. Puis on leur retira enfin les menottes avant de les pousser dans une pièce faiblement éclairée, aux fenêtres munies de barreaux. Une quarantaine de détenus s'y entassaient déjà.

Lloyd avait mal partout. Il éprouvait une douleur thoracique si vive qu'il pensa que les SA avaient dû lui casser une côte. Il avait le visage meurtri et un violent mal de tête. Il aurait donné beaucoup pour avoir une aspirine, une tasse de thé et un oreiller, mais se doutait bien qu'il devrait s'en passer pendant un certain temps.

Ils s'assirent par terre près de la porte. Lloyd enfonça sa tête entre ses mains pendant que Robert et Jörg discutaient entre eux, se demandant quand on viendrait les sortir de là. Walter allait téléphoner à un avocat, évidemment. Mais toutes les procédures réglementaires avaient été suspendues par le décret sur l'incendie du Reichstag, et la loi ne leur offrait plus de vraie protection. Walter se mettrait aussi en relation avec les ambassades : une intervention politique était désormais leur plus grand espoir. Lloyd se dit que sa mère essaierait sûrement de passer un appel international pour avertir le ministère britannique des Affaires étrangères, à Londres. Si elle y parvenait, le gouvernement ne manquerait pas de réagir à l'arrestation d'un étudiant britannique. Cela prendrait du temps, évidemment – au moins une heure, peut-être même deux ou trois.

Quatre heures s'écoulèrent, puis cinq. La porte ne s'ouvrit pas.

Dans les pays civilisés, une loi prévoyait la durée pendant laquelle la police était autorisée à maintenir un individu en détention sans chef d'accusation précis, sans désignation d'un avocat et sans saisie d'un juge. Lloyd comprit alors que cette mesure n'était pas un simple détail de procédure. En l'absence d'une telle protection juridique, il pouvait rester là indéfiniment.

Leurs compagnons de détention étaient tous des prisonniers politiques, découvrit-il : des communistes, des sociaux-démocrates, des responsables syndicaux et un prêtre.

La nuit passa lentement. Aucun des trois compagnons d'infortune ne ferma l'œil. Lloyd ne voyait pas comment il aurait pu dormir. Les premières lueurs grises de l'aube s'infiltraient déjà par les barreaux des fenêtres quand enfin, la porte de la cellule s'ouvrit. Mais au lieu de laisser entrer des avocats ou des diplomates, elle livra passage à deux hommes en tablier qui poussaient un chariot chargé d'une grosse marmite. Ils servirent à la louche de la bouillie d'avoine claire. Lloyd n'en mangea pas, mais but un gobelet de café qui sentait l'orge brûlé.

Il se rassura en songeant que le personnel de nuit de l'ambassade britannique n'était formé que de diplomates subalternes, qui n'avaient guère d'influence. Au matin, dès que l'ambassadeur lui-même serait levé, il prendrait des mesures énergiques.

Une heure après le petit déjeuner, la porte se rouvrit, mais uniquement sur des Chemises brunes… Les SA firent sortir tous les prisonniers en rangs et les chargèrent dans un camion : quarante ou cinquante hommes dans un unique véhicule bâché. Ils étaient si serrés qu'il n'était pas question de s'asseoir. Lloyd réussit à ne pas être séparé de Robert et de Jörg.

C'était un dimanche, mais peut-être les conduisait-on tout de même au tribunal. Il l'espérait de tout cœur. Au moins, il y aurait des avocats et un semblant de procédure régulière. Il se dit qu'il se débrouillait à présent assez bien en allemand pour exposer son cas, très simple après tout, et prépara son discours dans sa tête. Il dînait au restaurant avec sa mère quand il avait vu quelqu'un dérober le contenu de la caisse ; il était intervenu et avait été pris dans l'échauffourée qui avait suivi. Il imaginait déjà le contre-interrogatoire. On lui demanderait si l'individu qu'il avait agressé était une Chemise brune. Il répondrait : « Je n'ai pas fait attention à ses vêtements, j'ai vu un voleur, c'est tout. » Des rires fuseraient dans la salle et le procureur aurait l'air ridicule.

Le camion sortit de la ville.

Ils pouvaient voir le paysage par des fentes de la bâche. Lloyd avait l'impression qu'ils avaient parcouru une trentaine de kilomètres quand Robert annonça : « Nous sommes à Oranienburg. » C'était le nom d'une petite ville au nord de Berlin.

Le camion s'arrêta devant un portail de bois flanqué de deux piliers de brique. Deux SA armés de fusils gardaient l'entrée.

L'angoisse de Lloyd monta d'un cran. Où était le tribunal ? Cet endroit avait tout l'air d'un camp de détention. Comment pouvait-on jeter des gens en prison sans l'ordre d'un juge ?

Après une brève attente, le camion entra et s'arrêta devant un ensemble de bâtiments en ruine.

Lloyd était de plus en plus inquiet. La nuit précédente, il avait pu se rassurer en se rappelant que Walter savait où ils étaient. Aujourd'hui, personne ne pouvait deviner où on les avait conduits. Et si la police répondait simplement que non, il n'était pas en détention provisoire et qu'elle n'avait aucune trace de son arrestation ? Comment pourrait-on le faire sortir de là ?

Ils descendirent du camion et entrèrent lentement dans ce qui ressemblait à une usine. Une odeur de pub flottait dans l'air. Peut-être était-ce une ancienne brasserie.

Une fois de plus, on releva leurs noms. L'idée qu'il existerait au moins une trace écrite de ses déplacements réconforta un peu Lloyd. Ils ne furent ni attachés, ni menottés, mais des SA armés de fusils les surveillaient sans relâche, et Lloyd eut la sinistre impression que ces jeunes gens n'attendaient qu'un prétexte pour tirer.

On leur distribua à chacun une paillasse et une couverture bien mince puis on les parqua dans un bâtiment délabré qui avait dû servir un jour d'entrepôt. L'attente recommença.

La journée s'écoula sans qu'on vienne chercher Lloyd.

Le soir, il y eut un nouveau chariot et une nouvelle marmite, qui contenait cette fois un brouet de carottes et de navets. Chaque homme en reçut un bol plein, avec une tranche de pain. Lloyd était mort de faim car il n'avait rien mangé depuis vingt-quatre heures, et il engloutit cette maigre pitance, regrettant qu'il n'y en ait pas davantage.

Quelque part dans le camp, trois ou quatre chiens hurlèrent toute la nuit.

Lloyd se sentait sale. C'était la deuxième nuit qu'il passait dans les mêmes vêtements. Il avait envie de prendre un bain, de se raser, d'enfiler une chemise propre. Les latrines, deux tonneaux disposés dans un angle, étaient absolument répugnantes.

Mais le lendemain était un lundi. Il se passerait forcément quelque chose.

Lloyd s'endormit vers quatre heures du matin. À six heures, ils furent réveillés par un SA qui beuglait : « Schleicher ! Jörg Schleicher ! Où est Jörg Schleicher ! »

Peut-être allait-on les libérer ?

Jörg se leva : « C'est moi, je suis Schleicher.

— Suis-moi », ordonna la Chemise brune.

Robert demanda d'une voix inquiète : « Pourquoi ? Que lui voulez-vous ? Où l'emmenez-vous ?

— Qu'est-ce que ça peut te faire ? Tu es sa mère ? répliqua l'autre. Couche-toi et boucle-la. » Il enfonça son fusil dans les côtes de Jörg. « Dehors, toi. »

En les regardant s'éloigner, Lloyd se reprocha de n'avoir pas assommé cette brute pour s'emparer de son fusil. Il aurait pu s'évader. Et s'il avait manqué son coup, qu'auraient-ils pu lui faire, le jeter en prison ? Il y était déjà. Sur le coup, cette idée ne lui était même pas venue à l'esprit. Avait-il déjà adopté une mentalité de prisonnier ?

Il attendait même sa bouillie d'avoine avec impatience.

Avant le petit déjeuner, on les fit tous sortir du bâtiment pour s'aligner autour d'un terrain entouré de grillage, à peu près grand comme le quart d'un court de tennis. On aurait dit qu'il avait servi de lieu de stockage de matériaux, du bois ou des pneus peut-être. Lloyd frissonna dans l'air glacé du matin : son pardessus était resté au Bistro Robert.

C'est alors qu'il vit Thomas Macke approcher.

L'inspecteur portait un manteau noir au-dessus de son uniforme de SA. Il avait la démarche pesante d'un flic, se dit Lloyd.

Derrière lui, deux Chemises brunes maintenaient par les bras un homme nu coiffé d'un seau.

Lloyd regardait, horrifié. Les mains du prisonnier étaient liées derrière son dos, et le seau fermement attaché sous son menton par un cordon.

C'était un homme jeune, menu, à la toison pubienne blonde.

Robert poussa un gémissement : « Oh mon Dieu, c'est Jörg. »

Toutes les Chemises brunes du camp étaient rassemblées. Lloyd fronça les sourcils. De quoi s'agissait-il ? Quel était ce jeu cruel ?

Jörg fut conduit à l'intérieur du terrain grillagé et resta là, frissonnant de froid. Les deux hommes qui l'avaient escorté se retirèrent. Ils disparurent quelques instants avant de revenir, tenant chacun deux bergers allemands en laisse.

Cela expliquait les aboiements qui n'avaient pas cessé de la nuit.

Les chiens étaient squelettiques et leur robe fauve laissait apparaître des plaques pelées et malsaines. Ils avaient l'air affamés.

Les Chemises brunes s'approchèrent de la clôture.

Lloyd eut une prémonition, vague mais atroce, de ce qui allait se passer.

Robert hurla « Non ! » et se jeta en avant. « Non, non, non ! » Il chercha à ouvrir la grille de l'enceinte. Trois ou quatre SA le tirèrent brutalement en arrière. Il se débattit, mais c'étaient de jeunes brutes robustes et Robert n'avait pas loin de la cinquantaine : il n'était pas de force à leur résister. Ils le jetèrent au sol avec mépris.

« Non, dit Macke à ses hommes. Je veux qu'il regarde. »

Ils remirent Robert sur ses pieds et le maintinrent debout, face au grillage.

On introduisit les chiens dans l'enceinte. Terriblement excités, ils aboyaient et bavaient. Les deux SA savaient manifestement les maîtriser et ne les craignaient pas. Ils devaient avoir l'habitude. Lloyd se demanda, atterré, combien de fois cette scène s'était déjà jouée.

Les hommes lâchèrent les chiens et sortirent précipitamment de l'enclos.

Les bêtes se jetèrent immédiatement sur Jörg. L'un le mordit au mollet, l'autre au bras, un troisième à la cuisse. Un cri de souffrance et de terreur parvint aux spectateurs, assourdi par le seau métallique. Les Chemises brunes hurlèrent de joie et applaudirent. Les prisonniers regardaient, muets d'horreur.

Après le premier choc, Jörg essaya de se défendre. Il avait les mains liées et était aveuglé, mais il pouvait donner des coups de pied au hasard. Ses pieds nus n'avaient cependant guère d'effet sur les chiens affamés. Ils esquivaient et revenaient à l'attaque, déchirant sa chair de leurs dents acérées.

Il chercha alors à s'enfuir. Talonné par les chiens, il courut droit devant lui avant de s'écraser contre le grillage. Les Chemises brunes poussèrent de bruyantes acclamations. Un chien s'en prit aux fesses de Jörg, arrachant un lambeau de chair sous des hurlements de rire.

Debout à côté de Lloyd, un SA criait : « Sa queue ! Mords-lui la queue ! » Lloyd devina que « queue » en allemand – *der Schwanz* – était un mot d'argot désignant le sexe masculin. L'homme était fou d'excitation.

Le corps blanc de Jörg était rougi par le sang qui ruisselait de ses multiples blessures. Il se colla au grillage, le visage contre le fil de fer, protégeant son sexe, donnant des coups de pied en arrière et latéralement. Mais ses forces déclinaient. Ses coups faiblissaient. Il avait du mal à tenir debout. Les chiens s'enhardirent, déchiquetant sa chair, avalant des lambeaux sanguinolents.

Finalement, Jörg glissa à terre.

Les chiens se rassemblèrent autour de lui pour festoyer.

Les deux SA rentrèrent alors dans l'enclos. Avec des gestes expérimentés, ils remirent les laisses aux chiens, les écartèrent de Jörg et les emmenèrent.

Le spectacle était terminé, et les Chemises brunes commencèrent à s'éloigner, bavardant avec animation.

Robert se précipita dans l'enclos. Cette fois, personne ne l'en empêcha. Il se pencha, gémissant, au-dessus de Jörg.

Lloyd l'aida à détacher les mains de son compagnon et à le débarrasser du seau. Jörg était inconscient, mais il respirait encore. « On ne peut pas le laisser là, dit Lloyd. Prenez-le par les jambes. » Lloyd souleva Jörg par les aisselles et ensemble, ils le transportèrent dans le bâtiment où ils avaient passé la nuit. Ils le déposèrent sur un matelas. Les autres prisonniers firent cercle autour d'eux, terrifiés, sur leurs gardes. Lloyd espérait que l'un d'eux s'avancerait en déclarant qu'il était médecin, mais personne n'en fit rien.

Robert se débarrassa de sa veste et de son gilet, puis retira sa chemise dont il se servit pour éponger le sang. « Il nous faudrait de l'eau propre », murmura-t-il.

Lloyd avait repéré une colonne d'alimentation dans la cour. Il sortit, mais il n'avait pas de récipient. Il retourna vers l'enclos. Le seau était toujours par terre. Il le rinça et le remplit.

Quand il revint, la paillasse était imbibée de sang.

Robert plongea sa chemise dans le seau et, agenouillé à côté du matelas, entreprit de laver les plaies de Jörg. Sa chemise blanche fut bientôt écarlate.

Jörg bougea.

Robert lui parla tout bas : « Ne t'agite pas, mon chéri. Tout va bien. Je suis là. » Mais Jörg ne paraissait pas l'entendre.

Macke entra alors, suivi de quatre ou cinq Chemises brunes. Attrapant Robert par le bras, il le tira en arrière. « Alors ! grinça-t-il. Vous savez maintenant comment nous traitons les pervers de votre espèce. »

Lloyd ne put se retenir. Montrant Jörg du doigt, il lança, furieux : « Le vrai pervers, c'est l'homme qui est responsable de ça. » Et, rassemblant toute sa colère et tout son mépris, il ajouta : « L'inspecteur Macke. »

Macke adressa un léger signe de tête à l'une des Chemises brunes. D'un geste faussement décontracté, l'homme prit son fusil par le canon et en abattit la crosse sur la tête de Lloyd.

Celui-ci tomba par terre, les mains sur le crâne, souffrant le martyre.

Il entendit Robert supplier : « Je vous en prie, laissez-moi m'occuper de Jörg.

— Nous verrons, répliqua Macke. Venez d'abord par ici. »

Malgré la douleur, Lloyd entrouvrit les paupières et vit Macke entraîner Robert à l'autre bout de la pièce, vers une table de bois grossier. Il sortit de sa poche un document et un stylo plume. « Votre restaurant vaut aujourd'hui la moitié de ce que je vous ai offert l'autre fois : dix mille marks.

— Ce que vous voudrez, accepta Robert en larmes. Mais laissez-moi soigner Jörg.

— Signez ici. Ensuite, vous pourrez rentrer chez vous tous les trois. »

Robert signa.

« Ce monsieur servira de témoin », dit Macke. Il tendit le stylo à une des Chemises brunes. Parcourant la pièce des yeux, il croisa le regard de Lloyd. « Et peut-être notre intrépide invité britannique pourra-t-il faire office de second témoin.

— Fais ce qu'il dit, je t'en prie, Lloyd », intervint Robert.

Lloyd se releva tant bien que mal, frotta sa tête endolorie, prit le stylo et signa.

Macke, triomphant, mit le contrat dans sa poche et sortit.

Robert et Lloyd se précipitèrent vers Jörg.

Il était mort.

8.

Walter et Maud accompagnèrent Ethel et Lloyd à la gare de Lehrte, juste au nord du Reichstag incendié, pour leur faire leurs adieux. C'était un bâtiment de style néo-Renaissance, qui ressemblait à un château français. Comme ils étaient en avance, ils s'installèrent au buffet pour prendre un café.

Lloyd était content de partir. En six semaines, il avait appris beaucoup de choses, sur la langue et sur la politique allemandes, mais maintenant, il n'avait qu'une envie : rentrer chez lui, raconter à d'autres ce qu'il avait vu et les avertir que la même chose pouvait très bien se produire en Angleterre.

En même temps, son départ lui inspirait un étrange sentiment de culpabilité. Il allait retrouver un pays où régnait la loi, où la presse était libre et où être social-démocrate n'était pas considéré comme un délit. Il abandonnait la famille von Ulrich, condamnée à vivre sous le joug d'une dictature cruelle où un innocent pouvait être déchiqueté à mort par des chiens et où la justice ne demanderait jamais de comptes aux responsables de ce crime odieux.

Les von Ulrich avaient l'air terrassés, Walter plus encore que Maud. Ils étaient comme des gens à qui l'on vient d'annoncer une mauvaise nouvelle, ou qui ont perdu un être cher. Ils semblaient incapables de penser à autre chose qu'à la catastrophe qui s'était abattue sur eux.

Lloyd avait été libéré avec les excuses du ministère allemand des Affaires étrangères, assorties d'une déclaration justificative, tout à la fois abjecte et mensongère, selon laquelle il avait été mêlé à une bagarre du fait de sa propre imprudence puis avait été détenu à la suite d'une erreur administrative que les autorités regrettaient profondément.

« J'ai reçu un télégramme de Robert, dit Walter. Il est bien arrivé à Londres. »

En tant que citoyen autrichien, Robert avait pu quitter l'Allemagne sans trop de difficultés. Il avait eu plus de mal à faire sortir son argent. Walter avait demandé à Macke de lui verser la somme due sur un compte bancaire en Suisse. Macke avait commencé par prétendre que c'était impossible, mais Walter avait insisté, le menaçant de contester la vente devant les tribunaux et ajoutant que Lloyd était prêt à témoigner que le contrat avait été signé sous la contrainte. Finalement, Macke avait fait jouer ses relations.

« Je suis bigrement content que Robert ait pu partir », soupira Lloyd. Il serait plus heureux encore quand il aurait lui-même regagné Londres sain et sauf. Sa tête était encore meurtrie et ses côtes le faisaient souffrir chaque fois qu'il se retournait dans son lit.

« Et si vous veniez à Londres ? Tous les deux ? demanda Ethel à Maud. Enfin, toute la famille. »

Walter se tourna vers sa femme. « Ce serait peut-être une bonne idée. » Lloyd voyait bien pourtant qu'il n'en pensait pas un mot.

« Vous avez fait tout ce que vous pouviez, insista Ethel. Vous vous êtes battus courageusement. Malheureusement, c'est l'autre camp qui a gagné.

— Tout n'est pas encore fini, remarqua Maud.

— C'est possible, mais vous êtes en danger.

— L'Allemagne aussi.

— Si vous veniez vivre à Londres, Fitz se laisserait peut-être fléchir. Il pourrait vous aider. »

Lloyd savait que le comte Fitzherbert était à la tête de l'une des plus grosses fortunes de Grande-Bretagne grâce aux gisements de houille situés dans les profondeurs de ses terres galloises.

« Il ne m'aidera pas, soupira Maud. Fitz ne cède jamais. Vous le savez aussi bien que moi.

— C'est vrai », acquiesça Ethel. Lloyd se demanda d'où lui venait cette certitude, mais n'eut pas l'occasion de lui poser la question. Sa mère enchaîna : « Tout de même, avec votre expérience, vous trouveriez facilement un emploi dans un journal londonien.

— Et moi, que ferais-je à Londres ? demanda Walter.

— Je ne sais pas, reconnut Ethel. En même temps, qu'allez-vous faire ici ? À quoi bon être député dans un Parlement impuissant ? » Elle était d'une franchise brutale, songea Lloyd, mais comme d'habitude, ses paroles étaient justes.

Lloyd avait beau s'associer à leur épreuve, il estimait que le devoir des von Ulrich était de rester dans leur pays. « Ce sera dur, c'est sûr, intervint-il. Mais si tous les gens bien fuient le fascisme, il ne se répandra que plus vite.

— Il se répand de toute façon », objecta sa mère.

Maud s'écria alors d'un ton véhément qui les fit tous sursauter : « Je ne partirai pas. Je refuse catégoriquement de quitter l'Allemagne. »

Tous les yeux étaient fixés sur elle.

« Je suis allemande depuis près de quinze ans, expliqua-t-elle. C'est mon pays à présent.

— Vous êtes quand même anglaise de naissance, remarqua Ethel.

— Un pays, pour moi, c'est avant tout les gens qui l'habitent, poursuivit Maud. Je n'aime pas l'Angleterre. Mes parents sont morts depuis longtemps, et mon frère m'a reniée. J'aime l'Allemagne. Cette Allemagne, c'est mon merveilleux mari, Walter, mon fils fourvoyé, Erik, ma fille incroyablement compétente, Carla ; c'est aussi notre domestique, Ada, et son fils, le pauvre petit Kurt ; mon amie Monika et sa famille ; mes collègues journalistes… Je reste, pour me battre contre les nazis.

— Vous avez déjà fait plus que votre part », fit observer Ethel d'une voix douce.

La voix de Maud se chargea d'émotion. « Mon mari a voué son existence, son être tout entier, à faire de l'Allemagne un pays libre et prospère. Je ne veux pas être celle qui l'obligera à renoncer à l'œuvre de sa vie. S'il perd cela, il perd son âme. »

Ethel enfonça alors le clou comme seule une vieille amie pouvait se le permettre. « Et vos enfants ? Vous n'avez pas envie de les savoir en sécurité !

— Envie ? Ce n'est pas une envie, Ethel, c'est un désir déchirant, torturant ! » Elle fondit en larmes. « Carla fait des cauchemars à propos de Chemises brunes et Erik ne manque pas une occasion d'enfiler cet uniforme couleur de merde. » Sa véhémence laissa Lloyd pantois. Il n'avait jamais entendu une dame respectable dire « merde ». Elle poursuivit : « Bien sûr, j'ai envie de les sortir de là. » Lloyd avait sous les yeux une femme désespérée, qui se tordait les mains, tournait la tête d'un côté et de l'autre d'un air affolé et s'exprimait d'une voix qui tremblait sous l'effet d'un violent conflit intérieur. « Mais ce serait une mauvaise chose, pour eux comme pour nous. Je ne céderai pas ! Mieux vaut subir le mal que d'y assister de loin, sans pouvoir agir. »

Ethel posa la main sur le bras de Maud. « Pardon d'avoir posé cette question. J'ai eu tort. J'aurais dû savoir que vous ne prendriez jamais la fuite.

— Et moi, je vous remercie de l'avoir posée, cette question », répliqua Walter. Tendant le bras, il prit les longues mains de sa femme entre les siennes. « La question est en suspens entre Maud et moi depuis un moment, tacitement. Il était grand temps de mettre les choses au point. » Leurs mains jointes reposaient sur la table. Lloyd s'interrogeait rarement sur la vie sentimentale des membres de la génération de sa mère – c'étaient des adultes, mariés depuis longtemps, ce qui résumait tout pour lui –, mais il ne pouvait que constater l'existence entre Walter et Maud d'un lien d'une force sans commune mesure avec l'affection qui unissait habituellement un couple d'âge mûr. Ils ne se faisaient aucune illusion : ils savaient qu'en restant, ils risquaient leur vie, et celle de leurs enfants. Mais ils partageaient un engagement qui défiait la mort.

Lloyd se demanda s'il connaîtrait un jour pareil amour.

Ethel leva les yeux vers l'horloge. « Oh flûte ! s'écria-t-elle. Nous allons manquer notre train ! »

Lloyd ramassa précipitamment leurs bagages et ils coururent jusqu'au quai. Un coup de sifflet retentit. Ils sautèrent juste à temps dans un wagon et se penchèrent par la fenêtre alors que le train quittait la gare.

Walter et Maud restèrent sur le quai, agitant la main, leurs silhouettes s'amenuisant avant de se fondre dans le lointain.

II

1935

1.

« Il y a deux choses que tu dois absolument savoir sur les filles de Buffalo, dit Daisy Pechkov. Elles boivent comme des trous et ce sont d'affreuses snobinardes. »

Eva Rothmann pouffa de rire : « Je ne te crois pas. » Elle avait presque entièrement perdu son accent allemand.

« Et pourtant, c'est vrai », s'obstina Daisy. Elles se tenaient devant une grande psyché à trois pans dans sa chambre décorée de tons rose et blanc, en pleine séance d'essayages. « Du bleu marine et du blanc, ça devrait bien t'aller, poursuivit-elle. Qu'en penses-tu ? » Elle approcha un corsage du visage d'Eva pour en étudier l'effet. Le contraste de couleurs était plutôt seyant.

Daisy fouillait dans sa penderie à la recherche d'une tenue qu'Eva pourrait porter pour le pique-nique de la plage. Elle n'était pas jolie et avait l'air terriblement mal fagotée dans les tenues à volants et fanfreluches qu'affectionnait Daisy. Les rayures convenaient mieux à ses traits accusés.

Observant les cheveux noirs et les yeux brun sombre de son amie, Daisy ajouta : « Tu peux te permettre de porter des couleurs vives, tu sais. »

Eva n'avait pas une garde-robe très fournie. Son père, médecin juif à Berlin, avait dépensé toutes ses économies pour l'envoyer en Amérique, où elle était arrivée un an plus tôt presque sans bagages. Une œuvre de bienfaisance avait pris en charge ses frais de scolarité, lui permettant ainsi de fréquenter le même internat que Daisy – elles avaient dix-neuf ans, l'une comme l'autre. Mais Eva ne pouvait évidemment pas rentrer dans sa famille pour les vacances, et sur un coup de tête, Daisy l'avait invitée à passer l'été chez elle.

Sa mère n'avait pas été enchantée : « Tu es à l'école toute l'année : je me réjouissais tellement de t'avoir rien qu'à moi pendant quelques semaines.

— C'est une fille épatante, Maman, avait protesté Daisy. Elle est charmante, facile à vivre. Et puis on s'entend tellement bien !

— Je comprends que tu sois désolée pour elle parce qu'elle a dû fuir les nazis, mais tout de même…

— Je me fiche pas mal des nazis, c'est une bonne copine, voilà tout.

— Je veux bien, mais de là à l'accueillir chez nous !

— Maman ! Elle n'a aucun endroit où aller ! »

Comme d'habitude, Olga avait fini par céder.

« Des snobinardes ? répéta alors Eva. Ça m'étonnerait que quelqu'un ait l'idée d'être bêcheuse avec toi !

— Tu parles ! Bien sûr que si.

— Tu es si jolie, et toujours si pleine d'entrain. »

Daisy ne prit pas la peine de le nier. « C'est justement pour ça qu'elles me détestent.

— En plus, tu es riche. »

C'était vrai. Le père de Daisy roulait sur l'or, sa mère avait hérité d'une grosse fortune et Daisy elle-même devait toucher un petit pactole le jour de ses vingt et un ans.

« Ça ne veut rien dire, tu sais. Dans cette ville, ce qui compte, ce n'est pas que tu aies de l'argent, mais depuis combien de temps tu en as. Quelqu'un qui travaille est un moins que rien. Les gens vraiment chic sont ceux qui vivent des millions que leur ont laissés leurs arrière-grands-parents. » Elle cherchait à dissimuler sous l'enjouement railleur de son ton la rancœur que lui inspirait cette ségrégation.

« Mais ton père est célèbre ! insista Eva.

— Tout le monde le considère comme un gangster. »

Le grand-père de Daisy, Josef Vialov, avait tenu des bars et des hôtels. Son père, Lev Pechkov, avait investi les profits amassés par son beau-père dans l'achat de théâtres de music-hall en faillite qu'il avait transformés en cinémas. Il était même propriétaire d'un studio à Hollywood.

Eva était scandalisée. « Comment peuvent-ils dire une chose pareille ?

— On prétend qu'il a été bootlegger. Je pense que c'est vrai. Je ne vois pas comment ses bars auraient pu lui rapporter autant d'argent pendant la prohibition s'il n'avait pas vendu de l'alcool de contrebande. Toujours est-il que c'est pour cette raison que jamais on ne proposera à maman d'être membre de la Société des dames de Buffalo. »

Elles se tournèrent d'un même mouvement vers Olga, assise sur le lit de Daisy en train de lire le *Buffalo Sentinel.* Cette femme si belle et si svelte sur les photos de sa jeunesse s'était empâtée et avait perdu sa fraîcheur. Elle se désintéressait de son apparence, ce qui ne l'empêchait pas de courir les boutiques en compagnie de Daisy, prête à dépenser les yeux de la tête pour transformer sa fille en gravure de mode.

Olga leva les yeux de son journal : « Je ne crois pas que ce soit le passé de bootlegger de ton père qui les tracasse, ma chérie. Mais c'est un immigré russe, et les rares fois où il se décide à aller à la messe, c'est pour aller à l'église orthodoxe russe d'Ideal Street. Aux yeux de ces gens-là, c'est presque aussi répréhensible que d'être catholique.

— C'est vraiment injuste, se révolta Eva.

— Autant te prévenir tout de suite qu'ils n'adorent pas les Juifs non plus », dit Daisy. Eva n'était en réalité qu'à moitié juive. « Pardon d'être aussi franche.

— Tu peux l'être autant que tu veux : après l'Allemagne, ce pays me fait l'effet de la Terre promise, tu sais.

— Ne vous faites pas trop d'illusions, intervint Olga. À en croire le journal, beaucoup de chefs d'entreprise américains détestent le président Roosevelt et admirent Adolf Hitler. Je peux vous assurer que c'est vrai, parce que le père de Daisy est du nombre.

— Je déteste la politique, c'est tellement rasoir ! s'écria Daisy. Il n'y a rien de plus intéressant dans le *Sentinel* ?

— Si. Muffie Dixon va être présentée à la cour britannique.

— Tant mieux pour elle », lança Daisy d'un petit ton pincé.

Olga lut à haute voix : « Miss Muriel Dixon, fille du regretté Charles "Chuck" Dixon, tombé en France pendant la guerre, sera présentée à Buckingham Palace mardi prochain par l'épouse de l'ambassadeur des États-Unis, Mrs. Robert W. Bingham. »

N'ayant pas la moindre envie d'entendre parler de Muffie Dixon, Daisy se tourna vers Eva. « Je suis déjà allée à Paris, mais jamais à Londres. Et toi ?

— Moi non plus. La première fois que j'ai quitté l'Allemagne, c'était pour prendre le bateau pour l'Amérique. »

Olga s'écria soudain : « Oh, non !

— Qu'y a-t-il ? » demanda Daisy.

Sa mère roula le journal en boule. « Ton père est allé à la Maison Blanche avec Gladys Angelus.

— Quoi ! » Daisy eut l'impression d'avoir reçu une gifle. « Il avait promis de m'emmener ! »

Le président Roosevelt avait convié une centaine d'hommes d'affaires à une réception pour essayer de les gagner à la cause du New Deal. Aux yeux de Lev Pechkov, Frank D. Roosevelt était un communiste, ou peu s'en fallait, mais l'invitation l'avait flatté. Olga avait cependant refusé de l'accompagner. « Je n'ai pas l'intention de faire croire au Président que nous formons un couple normal », avait-elle lancé, furieuse.

Lev vivait officiellement là, dans la superbe demeure de style Prairie construite par le grand-père Vialov, mais il passait la plupart de ses nuits dans l'appartement huppé du centre-ville où il logeait sa maîtresse de longue date, Marga. De plus, la rumeur lui attribuait une liaison avec la plus grande vedette de son studio, Gladys Angelus. Daisy comprenait que sa mère se sente rejetée. Elle éprouvait le même sentiment quand son père partait passer la soirée avec sa deuxième famille.

Elle avait été folle de joie quand il lui avait proposé de l'accompagner à la Maison Blanche à la place de sa mère et s'était empressée de le raconter à tout le monde. Aucun de ses amis n'avait jamais rencontré le Président, sauf les fils Dewar, dont le père était sénateur.

Lev ne lui avait pas précisé la date de cette invitation, et elle avait pensé que fidèle à lui-même, il la préviendrait au dernier moment. Mais il avait dû changer d'avis, ou peut-être avait-il simplement oublié. En tout cas, il avait laissé Daisy en plan, une fois de plus.

« Je suis navrée, mon poussin, la consola sa mère. Mais tu sais ce que valent les promesses de ton père. »

Eva lui jeta un regard compatissant qui piqua Daisy au vif. Le père d'Eva était à des milliers de kilomètres et elle ne le reverrait peut-être jamais, mais elle semblait plus peinée pour son amie que pour elle-même.

Daisy serra les dents. Elle n'allait pas laisser cette histoire lui gâcher la journée. « Bien, bien, je serai donc la seule fille de Buffalo qui s'est fait poser un lapin à cause de Gladys Angelus, lança-t-elle. Bon. Alors, qu'est-ce que je vais mettre ? »

Les jupes étaient spectaculairement courtes cette année-là à Paris, mais la société conservatrice de Buffalo suivait la mode de loin. Daisy possédait pourtant une robe de tennis d'une teinte bleu layette assortie à ses yeux qui lui arrivait aux genoux. C'était peut-être le jour ou jamais de l'étrenner. Elle l'enfila à la place de celle qu'elle portait. « Qu'en pensez-vous ?

— Oh, Daisy, fit Eva, elle est superbe, mais…

— Ça va leur en boucher un coin », remarqua Olga. Elle aimait bien que Daisy fasse sensation. Ça lui rappelait sans doute sa jeunesse.

« Daisy, demanda alors Eva, si tu trouves ces gens tellement snobs, pourquoi tiens-tu à aller à ce pique-nique ?

— Charlie Farquharson y sera, et j'envisage de l'épouser, répondit Daisy.

— Tu es sérieuse ?

— C'est un excellent parti, approuva Olga énergiquement.

— Comment est-il ?

— Absolument adorable, répondit Daisy. Ce n'est pas le plus beau garçon de Buffalo, mais il est charmant et gentil. Plutôt timide.

— Très différent de toi, autrement dit.

— Appelons ça l'attraction des contraires.

— Les Farquharson sont l'une des plus vieilles familles de Buffalo », précisa Olga.

Eva haussa ses sourcils noirs. « Snobs ?

— Jusqu'au bout des ongles, confirma Daisy. Mais le père de Charlie a perdu tout son argent dans le krach de Wall Street, et il est mort très peu de temps après – certains prétendent qu'il s'est suicidé. Alors il faut bien qu'ils redorent leur blason. »

Eva eut l'air scandalisé. « Tu comptes te faire épouser pour ton argent ?

— Non. Il m'épousera parce que je vais le séduire. Mais sa mère m'acceptera à cause de mon argent.

— Tu dis que tu *vas* le séduire. Il est au courant de tes intentions ?

— Pas encore. Mais je me demande si je ne vais pas engager les manœuvres d'approche cet après-midi. Oui, cette robe sera parfaite, finalement. »

Daisy adopta donc le bleu layette et Eva les rayures bleu marine et blanc. Quand elles furent enfin prêtes, elles étaient déjà en retard.

La mère de Daisy refusait d'avoir un chauffeur. « J'ai épousé le chauffeur de mon père, et ça m'a gâché la vie », lui arrivait-il de dire. Elle était terrifiée à l'idée que Daisy suive son exemple : raison supplémentaire d'applaudir à deux mains le choix de Charlie Farquharson. Quand elle devait se rendre quelque part dans sa Stutz grinçante de 1925, elle demandait à Henry, le jardinier, de retirer ses bottes de caoutchouc et d'enfiler un complet noir. Mais Daisy avait sa propre voiture, un coupé sport Chevrolet rouge.

Elles se dirigèrent vers le sud de la ville. Daisy aimait conduire, cela lui donnait un sentiment de puissance et de vitesse qu'elle adorait. Elle regrettait presque que la plage ne soit pas à plus de dix kilomètres.

Au volant, elle imagina la vie qu'elle mènerait si elle épousait Charlie. Avec son argent à elle et son prestige social à lui, ils formeraient le couple le plus en vue de la société de Buffalo. Aux dîners qu'ils donneraient, le décor de table serait d'une telle élégance que tous les convives en resteraient bouche bée d'émerveillement. Ils auraient le plus grand yacht du port et y organiseraient des réceptions pour d'autres couples fortunés qui aimaient s'amuser. Les gens se battraient pour être invités par Mrs. Charles Farquharson. Aucun gala de bienfaisance ne serait réussi si Daisy et Charlie n'occupaient pas la table d'honneur. Elle se voyait comme dans un film, vêtue d'une ravissante robe parisienne, évoluer au milieu d'une foule d'hommes et de femmes figés d'admiration, accueillant leurs compliments d'un sourire gracieux.

Elle rêvait encore quand elles arrivèrent à destination.

La ville de Buffalo était située au nord de l'État de New York, près de la frontière canadienne, au bord du lac Érié. Woodlawn Beach, la plage où était organisé le pique-nique, était formée d'un kilomètre et demi de sable fin. Daisy rangea sa voiture et elles traversèrent les dunes.

Une cinquantaine ou une soixantaine de jeunes privilégiés, les enfants de l'élite de Buffalo, étaient déjà là. Ils passaient leurs étés à faire de la voile et du ski nautique le jour et à assister à des fêtes et à des bals la nuit. Daisy salua ceux qu'elle connaissait, c'est-à-dire presque tout le monde, et présenta Eva à la ronde, avant d'aller chercher un verre de punch. Elle y trempa prudemment les lèvres : certains garçons trouvaient hilarant de le corser en ajoutant plusieurs bouteilles de gin.

Cette fête était donnée en l'honneur de Dot Renshaw, une vraie langue de vipère que personne ne voulait épouser. Les Renshaw étaient une vieille famille de Buffalo, comme les Farquharson, mais leur fortune avait résisté au krach. Soucieuse des convenances, Daisy se dirigea immédiatement vers leur hôte, le père de Dot, pour le remercier. « Veuillez excuser notre retard, dit-elle. Je ne me suis pas rendu compte de l'heure qu'il était. »

Philip Renshaw la regarda de la tête aux pieds. « Vous portez une jupe bien courte », remarqua-t-il d'un ton où la désapprobation le disputait à la concupiscence.

« Je suis heureuse qu'elle vous plaise », répondit Daisy, feignant d'y voir un compliment sans ambiguïté.

« Quoi qu'il en soit, c'est une chance que vous soyez enfin arrivées, poursuivit-il. J'ai fait venir un reporter du *Sentinel* et il nous faut quelques jolies filles sur la photo. »

Daisy chuchota à Eva : « Voilà pourquoi j'ai été invitée. Trop aimable à lui de me le faire savoir. »

Elles virent approcher Dot, une jeune fille au visage étroit et au nez pointu. Daisy avait toujours l'impression qu'elle risquait à tout moment de donner un coup de bec. « Je croyais que tu devais accompagner ton père chez le Président ! » lança-t-elle.

Daisy eut du mal à ravaler son humiliation. Si seulement elle ne s'en était pas vantée devant tout le monde !

« Il paraît qu'il était accompagné de sa, hum..., de son actrice principale, poursuivit Dot. C'est inhabituel, quand on est invité à la Maison Blanche.

— Je crois savoir, riposta Daisy, que le Président prend plaisir à rencontrer des actrices de temps en temps. Ça met un peu de piment dans sa vie. Il le mérite bien, non ?

— Je serais surprise qu'Eleanor Roosevelt ait apprécié. Selon le *Sentinel*, tous les autres invités étaient accompagnés de leurs épouses.

— Quelle délicate attention de leur part ! » Daisy se détourna, cherchant désespérément à s'éclipser.

Elle aperçut Charlie Farquharson, qui s'évertuait à installer un filet de beach tennis. Lui au moins ne se moquerait pas de sa déconvenue. « Comment vas-tu, Charlie ? demanda-t-elle gaiement.

— Bien, me semble-t-il », répondit-il en se redressant. C'était un jeune homme d'environ vingt-cinq ans, grand, légèrement enrobé, toujours un peu voûté comme s'il craignait que sa haute taille n'intimide les autres.

Daisy lui présenta Eva. Charlie était délicieusement mal à l'aise en société, surtout avec les jeunes filles, mais il fit un effort et s'adressa à Eva, curieux de savoir si elle se plaisait en Amérique et si elle avait des nouvelles de sa famille, à Berlin.

Eva lui demanda s'il s'amusait bien.

« Pas beaucoup, avoua-t-il franchement. J'aurais préféré rester chez moi, avec mes chiens. »

Il devait certainement avoir moins de mal avec les animaux domestiques qu'avec les filles, songea Daisy. Mais la mention des chiens n'était pas inintéressante. « Ah, tu as des chiens ? De quelle race ?

— Des Jack Russel terriers. »

Daisy en prit note mentalement.

Une femme tout en os d'une cinquantaine d'années s'approcha. « Pour l'amour du ciel, Charlie, tu n'as pas encore fini d'installer ce filet ?

— Ça y est presque, Maman », répondit-il.

Nora Farquharson portait un bracelet maillon en or, des boucles d'oreilles en diamants et un collier de chez Tiffany ; plus de bijoux que nécessaire pour un pique-nique. Apparemment, les Farquharson n'étaient pas vraiment dans la misère, se dit Daisy. Ils prétendaient avoir tout perdu, mais Mrs. Farquharson avait encore une femme de chambre, un chauffeur et deux chevaux pour se promener au parc.

« Bonjour, madame, dit Daisy. Je vous présente mon amie Eva Rothmann. Elle vient de Berlin.

— Bonjour », fit Nora Farquharson sans leur tendre la main. Elle ne voyait aucune raison de faire preuve d'amabilité envers des parvenus russes, et moins encore envers leur invitée juive.

Mais une idée sembla soudain lui traverser l'esprit. « Ah Daisy, puisque vous êtes là, vous pourriez peut-être essayer de voir qui a envie de jouer au tennis. »

Tout en étant parfaitement consciente que la mère de Charlie la traitait comme une espèce de domestique, Daisy décida de se montrer accommodante. « Bien sûr, acquiesça-t-elle. Des doubles mixtes, par exemple ?

— Excellente idée. » Mrs. Farquharson lui tendit un bout de crayon et une feuille de papier. « Notez les noms, voulez-vous ? »

Daisy lui décocha son plus charmant sourire et sortit de son sac un stylo en or et un petit carnet de notes recouvert de cuir beige. « J'ai tout ce qu'il faut, merci ! »

Étant membre du Racquet-Club, un cercle un peu moins chic que le Yacht-Club, elle connaissait tous les joueurs de tennis, les bons comme les mauvais. Elle inscrivit Eva avec Chuck Dewar, le fils du sénateur, qui avait quatorze ans. Joanne Rouzrokh jouerait avec l'aîné des Dewar, Woody, qui n'avait que quinze ans mais était déjà aussi grand que son échalas de père. Quant à elle, elle serait, évidemment, la partenaire de Charlie.

Daisy aperçut alors un visage qui lui parut familier et reconnut avec stupéfaction son demi-frère, Greg, le fils de Marga. Ils ne se rencontraient pas souvent, et elle ne l'avait pas vu depuis un an. Elle le trouva très changé : il avait dû grandir de presque vingt centimètres et avait déjà une ombre de barbe alors qu'il n'avait que quinze ans. Quand il était petit, il avait toujours été débraillé, et n'avait fait aucun progrès dans ce domaine. Il portait ses vêtements de prix négligemment : les manches de son blazer retroussées, sa cravate à rayures pendillant lâchement à son cou, son pantalon de lin mouillé par la mer et couvert de sable aux revers.

Daisy était toujours gênée en présence de Greg. C'était le vivant rappel que son père les avait rejetées, sa mère et elle, en faveur de Greg et Marga. Beaucoup d'hommes mariés avaient des liaisons, elle le savait pertinemment ; mais l'indiscrétion de *son* père s'étalait aux yeux de tous. Il aurait tout de même pu avoir la décence d'installer Marga et Greg à New York, où personne ne se connaissait, ou bien en Californie, où l'adultère était entré dans les mœurs. Ici, leur présence était un scandale permanent et c'était en partie à cause de Greg que les gens regardaient Daisy de haut.

Il lui demanda poliment comment elle allait. « Je suis furax, si tu veux tout savoir, répondit-elle. Papa m'a laissée tomber, une fois de plus.

— Que s'est-il passé ? demanda Greg prudemment.

— Il m'a proposé de l'accompagner à la Maison Blanche, et en fait, il a emmené cette putain de Gladys Angelus. Maintenant, je suis la risée de tous, évidemment.

— Il cherchait sans doute à faire un peu de publicité pour *Passion*, le nouveau film dans lequel elle joue.

— Tu le défends toujours parce que tu es son chouchou. »

Greg eut l'air agacé. « Moi, au moins, je l'admire au lieu de passer mon temps à me plaindre de lui.

— Je ne… » Daisy, qui s'apprêtait à prétendre le contraire, dut convenir qu'il avait raison. « Oui, c'est vrai que je me plains beaucoup, mais quand même, il devrait tenir ses promesses, non ?

— Il est tellement occupé, tu sais.

— Dans ce cas, il ferait peut-être mieux de ne pas avoir deux maîtresses en plus d'une épouse. »

Greg haussa les épaules. « C'est une lourde charge pour un seul homme. »

Relevant soudain l'ambiguïté involontaire de ses propos, ils pouffèrent de rire en même temps.

« Après tout, je ne devrais pas t'en vouloir, admit Daisy. Tu n'as pas demandé à venir au monde.

— Et moi, je devrais sans doute te pardonner de m'avoir privé si longtemps de mon père trois nuits par semaine : j'avais beau pleurer et le supplier de rester, il rentrait chez vous. »

Daisy n'avait jamais vu les choses sous cet angle. Pour elle, Greg était l'usurpateur, l'enfant illégitime qui lui volait son père. Elle comprit alors qu'il avait été aussi malheureux qu'elle.

Elle le regarda plus attentivement. Il n'était pas si mal, après tout. Trop jeune pour Eva, pourtant. Et il deviendrait sûrement aussi égoïste et inconstant que leur père.

« Bon, reprit-elle. Est-ce que tu joues au tennis ? »

Il secoua la tête. « On n'admet pas les gens comme moi au Racquet-Club. » Il se força à afficher un sourire insouciant, et Daisy prit conscience que, comme elle, Greg souffrait d'être au ban de la bonne société de Buffalo.

« Mon sport préféré, c'est le hockey sur glace, ajouta-t-il.

— Dommage. » Elle poursuivit sa tournée.

Quand elle eut complété sa liste, elle rejoignit Charlie qui avait enfin réussi à installer le filet. Elle chargea Eva d'aller chercher les deux premiers couples avant de se tourner vers le jeune homme : « Tu veux bien m'aider à faire le plan des matchs, s'il te plaît ? »

Ils s'agenouillèrent côte à côte et dessinèrent un tableau dans le sable, prévoyant des éliminatoires, des demi-finales et une finale. Pendant qu'ils notaient les noms, Charlie lui demanda : « Tu aimes le cinéma ? »

Allait-il lui proposer un rendez-vous ? s'interrogea Daisy. « Bien sûr, répondit-elle.

— Tu as déjà vu *Passion* ?

— Non, Charlie, répondit-elle sèchement. La maîtresse de mon père y joue.

— Comment ça ? s'écria-t-il offusqué. Le journal les présente comme des amis, rien de plus.

— Et pourquoi crois-tu que miss Angelus, qui a à peine vingt ans, est tellement *amie* avec mon père qui a la quarantaine ? lança Daisy, sarcastique. Parce qu'elle adore sa calvitie naissante ? Ou son petit bedon ? Ou bien ses cinquante millions de dollars ?

— Oh, je vois, murmura Charlie, confus. Je suis navré.

— Il n'y a pas de quoi. Excuse-moi. C'est moi qui suis un peu vache. Tu n'es pas comme les autres, toi : tu ne vois pas le mal partout.

— C'est que je suis idiot, c'est tout.

— Mais non. C'est que tu es gentil. »

Charlie eut l'air embarrassé, mais flatté.

« Finissons-en, dit Daisy. Il faut organiser tout ça de manière à être sûrs que les meilleurs joueurs arrivent en finale. »

Nora Farquharson réapparut. Elle observa Charlie et Daisy agenouillés côte à côte dans le sable, puis étudia leur tableau.

« Pas mal, Maman, qu'est-ce que tu en penses ? » s'enquit Charlie. De toute évidence, il tenait beaucoup à avoir l'approbation de sa mère.

« Très bien. » Elle jeta à Daisy le regard inquisiteur d'une chienne qui voit un étranger s'approcher de ses petits.

« C'est Charlie qui a presque tout fait, affirma Daisy.

— Ça m'étonnerait », rétorqua Mrs. Farquharson d'un ton tranchant. Son regard se tourna vers Charlie avant de se reposer sur Daisy. « Vous êtes une jeune fille intelligente », reprit-elle. Elle fit mine de vouloir ajouter quelque chose, mais se ravisa.

« Oui ? demanda Daisy.

— Rien. » Elle se détourna.

Daisy se releva. « Je sais parfaitement ce qu'elle pensait, murmura-t-elle à Eva.

— Quoi donc ?

— Vous êtes une jeune fille intelligente – presque assez bien pour mon fils, si seulement vous veniez d'une meilleure famille. »

Eva prit l'air sceptique. « Tu n'en sais rien, voyons.

— Bien sûr que si. Et je l'épouserai, ne serait-ce que pour donner tort à sa mère.

— Oh Daisy, pourquoi te soucies-tu tellement de ce que pensent ces gens ?

— Allons les regarder jouer. »

Daisy s'assit sur le sable à côté de Charlie. Il n'était peut-être pas beau, mais c'était un homme qui adorerait sa femme et lui passerait tous ses caprices. Il faudrait évidemment supporter la belle-mère, mais elle pensait pouvoir l'amadouer.

Joanne Rouzrokh était au service. C'était une jeune fille élancée, dont la jupe blanche mettait les longues jambes en valeur. Son partenaire, Woody Dewar, très grand lui aussi, lui tendit une balle. Quelque chose dans sa façon de regarder Joanne retint l'attention de Daisy : il avait l'air très attiré par elle, peut-être même amoureux. Mais comme il avait quinze ans et elle dix-huit, c'était un béguin sans avenir.

Elle se tourna vers Charlie. « Après tout, je devrais peut-être aller voir *Passion* », lança-t-elle.

Il ne mordit pas à l'hameçon. « Oui, peut-être », fit-il avec indifférence. Elle se reprocha d'avoir laissé passer sa chance.

« Je me demande où je pourrais acheter un Jack Russel terrier », chuchota Daisy à Eva.

2.

Lev Pechkov était le meilleur père qu'un garçon pût imaginer – ou plus exactement, il l'aurait été s'il avait été plus souvent là. Il était riche et généreux, plus intelligent que n'importe qui, et même, mieux habillé que tout le monde. Il avait sans doute été très beau dans sa jeunesse, et maintenant encore, les femmes se jetaient à son cou. Greg Pechkov l'adorait, et son unique regret était de ne pas le voir suffisamment.

« J'aurais dû vendre cette saloperie de fonderie quand j'en ai eu l'occasion, maugréa Lev pendant qu'ils arpentaient l'usine silencieuse et déserte. Elle me faisait déjà perdre de l'argent avant cette foutue grève. Je ferais mieux de m'en tenir aux cinémas et aux bars. » Il agita l'index d'un geste sentencieux. « Les gens achèteront toujours de la gnôle, que les temps soient bons ou mauvais. Et ils vont au cinéma même quand ils n'ont plus un rond. N'oublie jamais ça. »

Greg était convaincu que son père était un homme d'affaires quasiment infaillible. « Alors pourquoi tu la gardes ?

— Par sentimentalisme, soupira Lev. Quand j'avais ton âge, je bossais dans un endroit de ce genre, l'usine de construction mécanique Poutilov, à Saint-Pétersbourg. » Il parcourut du regard les fourneaux, les gabarits, les treuils, les tours et les établis. « En fait, c'était bien pire. »

Les Buffalo Metal Works, les Ateliers métallurgiques de Buffalo, fabriquaient des hélices de toutes tailles, y compris d'énormes modèles destinés aux bateaux. Greg était fasciné par la précision mathématique de leurs pales incurvées. Il était premier de sa classe en maths. « Tu étais ingénieur ? » demanda-t-il.

Le visage de Lev se fendit d'un grand sourire. « Je dis ça pour impressionner les gens. En vrai, je m'occupais des chevaux. J'étais palefrenier. Je n'ai jamais rien compris aux machines. C'est mon frère Grigori qui était fort pour ça. Tu lui ressembles un peu. N'empêche. N'achète jamais de fonderie, tu m'entends ?

— D'accord. »

Il avait été prévu que Greg passe l'été à suivre son père dans toutes ses activités pour apprendre le métier. Lev rentrait à l'instant de Los Angeles et les travaux pratiques de Greg venaient donc de commencer. La fonderie ne l'intéressait pas. Il était bon en maths, certes, mais sa vraie passion, c'était le pouvoir. Il aurait voulu accompagner son père à Washington lorsqu'il allait faire du lobbying pour l'industrie cinématographique. C'était là que se prenaient les vraies décisions.

Il attendait le déjeuner avec impatience : ils devaient rencontrer le sénateur Gus Dewar et Greg avait l'intention de lui demander une faveur. Mais il n'avait pas encore réglé la chose avec son père. Comme il hésitait à lui en parler, il aborda un autre sujet : « Il t'arrive d'avoir des nouvelles de ton frère de Leningrad ? »

Lev secoua la tête. « Je n'en ai pas eu depuis la guerre. Ça ne m'étonnerait pas qu'il soit mort. Beaucoup de bolcheviks de la première heure ont disparu.

— Tiens, à propos de famille, j'ai vu ma demi-sœur samedi. Elle était au pique-nique de la plage.

— Vous vous êtes bien amusés ?

— Elle est furieuse contre toi, tu sais.

— Qu'est-ce que j'ai encore fait ?

— Tu avais promis de l'emmener à la Maison Blanche, et tu y es allé avec Gladys Angelus.

— C'est vrai. J'avais complètement oublié. Mais il fallait que je fasse un peu de réclame pour *Passion.* »

Ils furent abordés par un homme de grande taille vêtu d'un costume à rayures voyant, même pour la mode de l'époque. Il effleura le bord de son chapeau mou en disant : « Bonjour, patron.

— Joe Brekhounov est notre responsable de la sécurité, expliqua Lev à Greg. Joe, je te présente mon fils Greg.

— Enchanté », fit Brekhounov.

Greg lui serra la main. Comme la plupart des usines, la fonderie avait son propre service de sécurité. Mais Brekhounov avait plus l'allure d'un truand que d'un flic.

« Rien à signaler ? interrogea Lev.

— Juste un petit incident cette nuit, répondit Brekhounov. Deux machinistes ont voulu faucher une barre d'acier de quarante centimètres, qualité avion. On les a chopés au moment où ils cherchaient à la faire passer par-dessus la clôture.

— Vous avez appelé la police ? demanda Greg.

— Pas la peine, répliqua Brekhounov avec un sourire entendu. On leur a donné une petite leçon sur les notions de propriété privée puis on les a envoyés à l'hôpital pour y réfléchir tranquillement. »

Greg ne fut pas surpris d'apprendre que la police privée de son père rossait les voleurs. Lev n'avait jamais frappé sa mère, mais Greg sentait que la violence était constamment tapie sous les dehors avenants de son géniteur. C'était parce qu'il avait passé sa jeunesse dans les bas quartiers de Leningrad, supposait-il.

Un homme corpulent vêtu d'un costume bleu et coiffé d'une casquette d'ouvrier surgit de derrière un fourneau. « Notre responsable syndical, Brian Hall, dit Lev. Salut, Hall.

— Bonjour, Pechkov. »

Greg plissa le front. Les gens appelaient généralement son père monsieur Pechkov.

Lev se tenait jambes écartées, mains sur les hanches. « Alors, vous avez une réponse ? »

Le visage de Hall se durcit. « Les gars ne retourneront pas bosser si la réduction de salaire est maintenue. C'est ça que vous voulez savoir ?

— J'ai pourtant relevé mon offre !

— Ça n'en reste pas moins une baisse de salaire. »

Greg s'inquiéta : son père ne supportait pas la contradiction et risquait d'exploser.

« Le directeur me dit que nous n'avons pas de commandes parce qu'avec des salaires pareils, nos prix ne peuvent pas être compétitifs.

— C'est parce que vos machines sont dépassées, Pechkov. Certains de ces tours étaient déjà là avant la guerre ! Il faut investir dans un équipement plus moderne.

— En pleine crise ! Vous êtes cinglé ? J'ai déjà gaspillé assez d'argent comme ça.

— C'est exactement ce que pensent les gars, lança Hall de l'air de celui qui abat son atout. Ils n'ont pas l'intention de vous faire de cadeau, alors qu'ils n'ont même pas de quoi vivre. »

Greg ne comprenait pas que les ouvriers puissent se mettre en grève pendant une crise économique, et l'aplomb de Hall l'agaçait. Il ne s'adressait pas à Lev comme un employé mais d'égal à égal.

« À l'heure qu'il est, nous perdons tous de l'argent, remarqua Lev. Vous trouvez ça malin ?

— De toute façon, ça ne me concerne plus, répliqua Hall d'un ton que Greg jugea suffisant. Le syndicat nous envoie une équipe du siège pour prendre le relais. » Il sortit de sa poche de gilet une grosse montre en acier. « Leur train arrive dans une heure. »

Le visage de Lev s'assombrit. « Nous n'avons pas besoin de fauteurs de troubles venus de l'extérieur.

— Si vous ne voulez pas de troubles, n'en provoquez pas ! »

Lev serra le poing, mais Hall s'éloignait déjà.

Lev se tourna vers Brekhounov. « Tu étais au courant de cette histoire ? » demanda-t-il furieux.

Brekhounov avait l'air soucieux. « Je m'en occupe tout de suite, patron.

— Débrouille-toi pour savoir qui sont ces types du siège, et où ils logent.

— Ça ne sera pas difficile.

— Et qu'ils retournent à New York dans une putain d'ambulance !

— Vous pouvez compter sur moi, patron. »

Lev fit demi-tour et Greg lui emboîta le pas. Ça, au moins, c'est parlé, se dit Greg avec un certain respect. Il suffisait à son père de dire un mot pour que des responsables syndicaux se fassent tabasser.

Ils quittèrent l'usine et montèrent dans la voiture de Lev, une berline Cadillac à cinq places, un nouveau modèle bien caréné. Ses longues ailes incurvées ressemblaient, songea Greg, à des hanches de fille.

Lev s'engagea dans Porter Avenue pour rejoindre le lac et se rangea devant le Yacht-Club de Buffalo. Le soleil qui jouait sur les bateaux de la marina dessinait de jolis reflets dans l'eau. Greg était convaincu que, contrairement à Gus Dewar, son père n'appartenait pas à ce club très fermé.

Ils longèrent l'embarcadère. Le club-house était construit sur pilotis, au-dessus de l'eau. Lev et Greg poussèrent la porte et laissèrent leurs chapeaux au vestiaire. Être invité dans un club auquel il ne pourrait jamais espérer adhérer mettait Greg terriblement mal à l'aise. Ses membres estimaient sans doute qu'il devait considérer comme un privilège d'être autorisé à y mettre les pieds. Il enfonça ses mains dans ses poches et adopta une démarche nonchalante pour leur montrer qu'il n'était pas intimidé.

« J'ai fait partie de ce club, autrefois, lui raconta Lev. Mais en 1921, le président m'a prié de démissionner parce que j'étais bootlegger. Et ensuite, il m'a demandé de lui vendre une caisse de scotch.

— Pourquoi le sénateur Dewar veut-il déjeuner avec toi ?

— On ne va pas tarder à le savoir.

— Ça t'ennuierait beaucoup que je lui demande une faveur ? »

Lev fronça les sourcils. « Probablement pas. De quoi s'agit-il ? »

Mais sans laisser à Greg le temps de répondre, Lev se dirigea vers un homme d'une soixantaine d'années. « Je te présente Dave Rouzrokh, dit-il à Greg. C'est mon principal concurrent.

— Vous me flattez », répliqua l'autre.

Les Roseroque Theatres étaient une chaîne de cinémas délabrés de l'État de New York. Leur propriétaire, en revanche, était loin d'être décrépit. Grand, les cheveux blancs, un nez en cimeterre, il avait une allure patricienne ; il portait un blazer de cachemire bleu dont la poche de poitrine était ornée de l'insigne du club. « J'ai eu le plaisir de regarder votre fille Joanne jouer au tennis samedi, dit Greg.

— Elle n'est pas mauvaise, n'est-ce pas ? demanda Dave avec un plaisir manifeste.

— Elle joue même très bien.

— Je suis content de tomber sur vous, Dave, coupa Lev. J'avais justement l'intention de vous appeler.

— Pour quelle raison ?

— Vos cinémas ont grand besoin de rénovation. Franchement, ils ne sont plus dans le coup. »

Dave prit l'air amusé. « Vous aviez l'intention de me téléphoner pour m'annoncer ça ?

— Pourquoi les laissez-vous dans cet état? Vous devriez faire des travaux ! »

Dave haussa les épaules avec élégance. « À quoi bon? Je gagne assez d'argent. À mon âge, on a tendance à éviter les tracas, vous savez.

— Vous pourriez doubler vos profits.

— En augmentant le prix des billets? Non merci.

— Vous êtes fou.

— Tout le monde n'est pas obsédé par l'argent, remarqua Dave avec une once de mépris.

— Dans ce cas, vendez-les-moi », lança Lev.

Greg en resta interdit : il n'avait pas senti les choses venir.

« Je vous en donnerai un bon prix », ajouta-t-il.

Dave secoua la tête. « J'aime bien être propriétaire de cinémas. C'est une industrie qui donne du plaisir aux gens.

— Huit millions de dollars », insista Lev.

Greg en resta bouche bée. Est-ce que je me trompe, ou bien Papa vient-il effectivement de proposer à Dave huit millions de dollars? se demanda-t-il.

« C'est un bon prix, admit Dave. Mais je ne suis pas vendeur.

— Personne ne vous en offrira jamais autant, s'obstina Lev visiblement exaspéré.

— Je sais. » De toute évidence, Dave jugeait que la plaisanterie avait assez duré. Il vida son verre. « Je vous souhaite une bonne journée », dit-il et il sortit du bar en direction de la salle à manger.

Lev avait l'air écœuré. « Tout le monde n'est pas obsédé par l'argent, répéta-t-il. Quand je pense que l'arrière-grand-père de Dave est arrivé de Perse il y a un siècle avec pour tous bagages les nippes qu'il avait sur le dos et six tapis. Il n'aurait pas craché sur huit millions de dollars, lui.

— Je ne savais pas que tu avais autant d'argent, s'étonna Greg.

— Je n'ai pas cette somme en liquidités, évidemment. Mais les banques ne sont pas faites pour les chiens.

— Tu emprunterais pour pouvoir payer Dave, c'est ça? »

Lev agita à nouveau son index. « N'utilise jamais ton argent quand tu peux dépenser celui d'autrui. »

La haute silhouette surmontée de la grosse tête de Gus Dewar apparut alors. Il avait une bonne quarantaine d'années et ses cheveux châtains étaient saupoudrés de gris. Il les salua avec une politesse réservée, leur serrant la main et leur proposant un verre. Greg comprit immédiatement que Gus et Lev ne s'aimaient pas et craignit que cette antipathie ne dissuade le sénateur de lui accorder la faveur qu'il voulait lui demander. Il ferait peut-être mieux d'y renoncer.

Gus était un gros bonnet. Son père avait été sénateur avant lui, une succession dynastique que Greg jugeait antiaméricaine. Gus avait aidé Franklin Roosevelt à devenir gouverneur de l'État de New York, puis à accéder à la présidence. Il siégeait à présent à la puissante commission des Affaires étrangères du Sénat.

Ses fils, Woody et Chuck, fréquentaient le même lycée que Greg. Woody était un intello, Chuck un sportif.

« Le Président vous a-t-il demandé de régler cette histoire de grève, monsieur le sénateur ? demanda Lev.

— Non… pas encore, du moins », sourit Gus.

Lev se tourna vers Greg. « La dernière fois que la fonderie a été en grève, il y a vingt ans, le président Wilson a envoyé Gus me forcer la main pour que j'accorde une augmentation aux ouvriers.

— Je vous ai fait faire une économie, observa Gus avec bonhommie. Vos ouvriers réclamaient un dollar : je les ai convaincus d'accepter la moitié.

— C'est-à-dire exactement cinquante *cents* de plus que ce que j'avais l'intention de leur donner. »

Gus sourit encore et haussa les épaules. « Et si nous allions déjeuner ? »

Ils se rendirent dans la salle à manger. Une fois les commandes passées, Gus dit : « Le Président a été très heureux que vous puissiez assister à la réception à la Maison Blanche.

— Je n'aurais sans doute pas dû emmener Gladys, remarqua Lev. Mrs. Roosevelt a été un peu froide avec elle. Sans doute n'apprécie-t-elle pas beaucoup les actrices de cinéma. »

Elle n'apprécie sûrement pas beaucoup les actrices qui couchent avec des hommes mariés, songea Greg, mais il n'en dit rien.

Pendant le déjeuner, Gus causa de tout et de rien. Greg attendait l'occasion de pouvoir lui parler. Il avait envie de travailler à Washington un été, pour découvrir les coulisses du pouvoir et se faire des relations. Son père aurait pu lui obtenir un stage, mais auprès d'un républicain, et leur parti n'était pas au gouvernement. Greg voulait travailler dans le bureau du sénateur Dewar, un homme influent et respecté, ami personnel et allié du Président.

Il se demanda pourquoi il était si nerveux à l'idée de lui poser la question. Le pire qui pût arriver était que Dewar refuse.

Gus n'entra dans le vif du sujet qu'après le dessert. « Le Président m'a demandé de m'entretenir avec vous de la Liberty League », dit-il.

La Ligue américaine pour la liberté : Greg avait entendu parler de cette organisation, un groupe de droite hostile au New Deal.

« Le New Deal est la seule chose qui nous met à l'abri du cauchemar que vit l'Allemagne.

— Les membres de la Ligue ne sont pas des nazis.

— Ah bon ? Ils nourrissent pourtant le projet de lancer une insurrection armée pour renverser le Président. Ce n'est pas réaliste, bien sûr – enfin, pas encore.

— J'ai tout de même le droit d'avoir mes opinions personnelles, non ?

— Bien sûr, mais vous soutenez le mauvais camp. La Ligue n'a rien à voir avec la liberté, vous savez.

— Ne me parlez pas de liberté, lança Lev sans dissimuler sa colère. J'avais douze ans quand je me suis fait fouetter par la police de Leningrad parce que mes parents faisaient grève. »

Greg se demanda s'il avait bien entendu. La brutalité du régime tsariste plaidait, lui semblait-il, en faveur du socialisme, et non le contraire.

Gus reprit : « Roosevelt sait que vous financez la Ligue. Il veut que vous arrêtiez.

— Comment sait-il à qui je donne de l'argent ?

— Le FBI fait son travail. Il s'intéresse de près à cette organisation.

— Mais nous vivons dans un État policier, ma parole ! Moi qui vous prenais pour un libéral. »

Les arguments de Lev manquaient singulièrement de logique, songea Greg. Il faisait simplement feu de tout bois pour essayer de déconcerter Gus, quitte à se contredire largement.

« J'essaie seulement d'éviter que la police n'ait à intervenir, répliqua Gus sans se départir de son calme.

— Votre Président si bien informé sait-il aussi que je vous ai piqué votre fiancée ? » demanda Lev avec un sourire mauvais.

Première nouvelle, songea Greg ; mais c'était manifestement vrai car Lev avait enfin réussi à désarçonner Gus : ce dernier eut l'air outragé. Il détourna le regard et rougit. Un à zéro, avantage Pechkov, se dit Greg.

« C'est une vieille histoire, expliqua Lev en se tournant vers son fils. Figure-toi que Gus était fiancé à Olga, en 1915. Mais elle a changé d'avis, et c'est moi qu'elle a épousé. »

Gus avait retrouvé son sang-froid. « Nous étions tous si jeunes !

— Je dois reconnaître que vous avez rapidement oublié Olga », ajouta Lev.

Gus lui jeta un regard glacial. « Vous aussi. »

Cette fois-ci, c'était à son père d'être gêné, constata Greg. Un partout !

Il y eut un instant de silence embarrassé, que Gus finit par rompre. « Nous avons fait la guerre, vous et moi, Lev. J'étais dans un bataillon de mitrailleurs avec Chuck Dixon, un copain de classe. Dans une petite ville française qui s'appelle Château-Thierry, il s'est fait déchiqueter sous mes yeux. » Gus parlait sur un ton détaché, mais Greg retint son souffle. Gus poursuivit : « Je souhaite ardemment que mes fils ne connaissent jamais ce que nous avons connu. Voilà pourquoi des organisations comme la Ligue pour la liberté doivent être écrasées dans l'œuf. Il s'agit de l'avenir de nos enfants. »

Greg saisit la perche. « Je m'intéresse beaucoup à la politique, moi aussi, monsieur le sénateur. Et j'aimerais bien en savoir davantage. Pensez-vous que vous pourriez me prendre comme stagiaire un été ? » Il retint son souffle.

Gus eut l'air étonné, mais répondit : « Un jeune homme disposé à travailler en équipe peut toujours m'être utile. »

Ce n'était ni un oui, ni un non. « Je suis premier en maths, et capitaine de l'équipe de hockey sur glace, insista Greg, cherchant à se faire valoir. Vous pouvez demander à Woody ce qu'il pense de moi.

— Je n'y manquerai pas. » Gus se tourna vers Lev. « Acceptez-vous de réfléchir à la requête du Président ? C'est vraiment important. »

Gus lui proposait en quelque sorte un échange de bons procédés. Lev se laisserait-il fléchir ?

Son père hésita longuement, puis écrasa sa cigarette et lança : « Marché conclu. »

Gus se leva. « Parfait. Le Président sera satisfait », dit-il pendant que Greg songeait : c'est gagné !

Ils sortirent du club pour rejoindre leurs voitures.

Au moment où ils quittaient le parking, Greg remercia son père : « J'apprécie vraiment ce que tu as fait, tu sais.

— Tu as bien choisi ton moment, observa Lev. Ça me fait plaisir de voir que tu as quelque chose dans le crâne. »

Le compliment combla Greg. Il se savait plus intelligent que son père à maints égards – il était indéniablement plus fort en sciences et en maths –, mais craignait de ne pas être aussi astucieux ni aussi habile que lui.

« Tu dois savoir te servir de ta cervelle, poursuivit Lev. Pas comme tous ces crétins. » Greg ne savait absolument pas de qui il parlait. « Il faut toujours avoir une longueur d'avance sur les autres, c'est comme ça qu'on réussit dans la vie. »

Lev rangea sa Cadillac devant ses bureaux, un immeuble moderne du centre-ville. Ils traversaient le vestibule de marbre quand Lev annonça : « Et maintenant, je vais donner une bonne leçon à cet imbécile de Dave Rouzrokh. »

Dans l'ascenseur, Greg se demanda ce que son père allait faire.

Pechkov Pictures occupait l'étage supérieur du bâtiment. Greg suivit Lev dans un large couloir qui conduisait à la réception occupée par deux jeunes et charmantes secrétaires. « Appelez-moi Sol Starr, voulez-vous ? » demanda Lev alors qu'ils entraient dans son bureau.

« Solly est propriétaire d'un des plus grands studios d'Hollywood », expliqua Lev en se laissant tomber dans son fauteuil.

Le téléphone sonna et Lev décrocha. « Sol ! s'exclama-t-il. Comment ça va ? » Greg écouta une ou deux minutes de plaisanteries typiquement masculines, puis Lev redevint sérieux. « Un petit conseil, dit-il. Ici, dans l'État de New York, nous avons une chaîne merdique de cinémas pouilleux, les Roseroque Theatres… ouais, c'est ça… tu sais, tu ferais bien de ne pas leur envoyer tes exclusivités cet été : tu risquerais de ne pas être payé. » Greg comprit que le coup serait dur pour Dave : sans nouveautés à mettre à l'affiche, ses recettes allaient dégringoler. « Tiens-le-toi pour dit, hein ? Mais non, Solly, ne me remercie pas. Tu en ferais autant pour moi… Salut ! »

Une fois de plus, Greg fut impressionné par le pouvoir de son père. Il pouvait faire tabasser des gens. Il pouvait offrir huit millions de dollars qui ne lui appartenaient pas. Il pouvait faire peur à un Président. Il pouvait piquer sa fiancée à un autre homme. Et d'un coup de téléphone, il pouvait acculer un concurrent à la ruine.

« Tu vas voir, dit Lev. Dans un mois, Dave Rouzrokh me suppliera de racheter sa boîte, pour la moitié de ce que je lui ai proposé aujourd'hui. »

3.

« Je ne comprends pas ce qu'a ce chiot, se plaignit Daisy. Il ne fait rien de ce que je lui dis. Il me rend folle. » Sa voix tremblait et une larme brillait dans ses yeux. Elle exagérait à peine.

Charlie Farquharson observa le chien. « Il n'a rien. C'est un adorable petit bonhomme. Comment s'appelle-t-il ?

— Jack.

— Hmm. »

Ils étaient assis dans des fauteuils de jardin dans le vaste parc remarquablement entretenu qui entourait la maison de Daisy. Eva avait salué Charlie puis s'était retirée avec tact pour écrire à sa famille. Le jardinier, Henry, binait un parterre de pensées jaunes et violettes un peu plus loin. Sa femme, Ella, la domestique, apporta un pichet de limonade et des verres, qu'elle posa sur une table pliante.

Le chiot était un minuscule Jack Russel terrier blanc à taches fauves, une petite bête trapue et robuste. Le regard pétillant d'intelligence, il semblait comprendre tout ce qu'on lui disait, mais n'avait manifestement aucune envie d'obéir. Daisy le tenait sur ses genoux et lui caressait le museau de ses doigts délicats d'un geste – espérait-elle – éminemment troublant aux yeux de Charlie. « Ça te plaît, comme nom ?

— Tu ne trouves pas ça un peu banal ? » Charlie avait les yeux rivés sur sa main blanche posée sur la truffe du chien et se trémoussa sur sa chaise, visiblement mal à l'aise.

Daisy ne voulait pas en faire trop. Si elle dépassait les bornes, Charlie risquait de rentrer chez sa mère ventre à terre. Il était tellement coincé ! Cela expliquait qu'il soit encore célibataire à vingt-cinq ans : plusieurs filles de Buffalo, dont Dot Renshaw et Muffie Dixon, avaient fini par renoncer à lui mettre le grappin dessus. « Alors, trouve autre chose, si tu veux, proposa-t-elle.

— Les chiens reconnaissent mieux leurs noms quand il y a deux syllabes. Bonzo, par exemple. »

Daisy n'avait aucune expérience en la matière. « Pourquoi pas Rover ?

— Trop courant. Rusty me plairait mieux.

— Parfait ! approuva-t-elle avec enthousiasme. Va pour Rusty. »

Le chien se tortilla et sauta à terre, lui échappant sans effort.

Charlie le souleva du sol. Daisy remarqua qu'il avait de grandes mains. « Il faut montrer à Rusty que c'est toi le chef, expliqua-t-il. Tiens-le bien et ne le laisse pas descendre tant que tu ne lui en as pas donné la permission. » Il reposa le chien sur les genoux de Daisy.

« Mais il est costaud, tu sais ! En plus, j'ai peur de lui faire mal. »

Charlie sourit avec condescendance. « Tu n'arriverais probablement pas à lui faire mal, même si tu essayais. Tiens-le solidement par son collier – tords-le un peu au besoin pour le resserrer – et pose l'autre main fermement sur son dos. »

Daisy suivit les conseils de Charlie. Sous la pression de sa main, le chien s'immobilisa, comme s'il se demandait ce qu'on attendait de lui.

« Dis-lui "Assis", et appuie-lui sur les fesses.

— Assis, dit-elle.

— Plus fort. Et insiste sur le "ss". Puis appuie énergiquement.

— Assis, Rusty ! » répéta-t-elle en lui poussant la croupe vers le bas. Le chiot s'assit.

« Et voilà ! s'exclama Charlie.

— Tu es vraiment fort ! » admira Daisy.

Charlie se rengorgea. « Il faut simplement savoir comment faire, expliqua-t-il modestement. Avec les chiens, tu dois toujours être catégorique, ne jamais donner l'impression d'hésiter. C'est tout juste s'il ne faut pas aboyer pour leur parler. » Il se carra dans son fauteuil, visiblement satisfait. Il était plutôt corpulent et remplissait son siège. Parler d'un sujet qu'il maîtrisait l'avait détendu, ce qui était exactement ce qu'avait espéré Daisy.

Elle lui avait téléphoné le matin même. « Je suis au désespoir ! J'ai un chiot à la maison et je ne m'en sors pas du tout. Penses-tu que tu pourrais me donner quelques conseils ?

— De quelle race est-il ?

— C'est un Jack Russell.

— Ah ! C'est ma race préférée, j'en ai trois !

— Quelle coïncidence ! »

Comme l'avait escompté Daisy, Charlie avait proposé de passer chez elle l'aider à éduquer son chien.

Eva lui avait demandé, sceptique : « Tu crois vraiment que Charlie est le garçon qu'il te faut ?

— Tu plaisantes ? avait répondu Daisy. C'est un des meilleurs partis de Buffalo. »

« Je suis sûre que tu t'en sors aussi drôlement bien avec les enfants, dit-elle alors.

— Je n'en sais rien. » Il changea de sujet. « Tu entres à l'université en septembre ?

— Oui, à Oakland, probablement. C'est une université pour filles qui propose un cursus de deux ans. À moins que…

— À moins que quoi ? »

À moins que je ne me marie, voulait-elle dire, mais elle reprit : « Je ne sais pas… À moins qu'il ne se passe autre chose.

— De quel genre ?

— J'aimerais bien aller en Angleterre. Mon père est allé à Londres et il a rencontré le prince de Galles. Et toi ? Quels sont tes projets ?

— Il avait toujours été prévu que je reprendrais la banque de mon père, mais maintenant, il n'y a plus de banque. Ma mère a un peu d'argent qui lui vient de sa famille, et je m'occupe de sa gestion, mais pour le reste, je dois reconnaître que je suis plutôt en roue libre.

— Tu devrais te lancer dans l'élevage de chevaux, suggéra Daisy. Je suis sûre que tu réussirais très bien. » Elle était elle-même bonne cavalière et avait déjà remporté un certain nombre de prix. Elle se voyait déjà dans le parc avec Charlie, sur deux chevaux gris, leurs deux enfants les suivant sur des poneys. Cette vision lui fit monter le rouge aux joues.

« J'adore les chevaux, confirma Charlie.

— Moi aussi ! J'aimerais bien élever des chevaux de course. » Daisy n'eut pas à feindre l'enthousiasme. Élever une lignée de champions était son rêve le plus cher. À ses yeux, les propriétaires d'écuries de courses constituaient l'élite internationale par excellence.

« Les pur-sang coûtent un prix fou », remarqua Charlie tristement.

De l'argent, Daisy n'en manquait pas. Si Charlie l'épousait, ce ne serait plus jamais un souci pour lui. Elle n'en dit rien, évidemment, mais soupçonna Charlie d'y avoir pensé, et laissa cette idée planer dans l'air le plus longtemps possible.

Charlie finit par rompre le silence : « Ton père a vraiment fait passer à tabac deux responsables syndicaux comme on le raconte ?

— Quelle idée ! » Daisy ne savait rien de cette affaire, mais n'aurait pas été autrement surprise que ce soit vrai.

« Il paraît qu'ils sont venus de New York pour se charger de l'organisation de la grève, insista Charlie, et qu'ils se sont retrouvés à l'hôpital. Le *Sentinel* parle d'une rixe avec des responsables des syndicats locaux, mais tout le monde pense que ton père est derrière tout ça.

— La politique, ça m'assomme ! J'ai horreur de parler de ça, rétorqua Daisy gaiement. Quel âge avais-tu quand tu as eu ton premier chien ? »

Charlie se lança dans un long récit de ses souvenirs canins. Daisy se demandait comment poursuivre. Je suis arrivée à l'attirer ici, se dit-elle, je l'ai mis à l'aise ; maintenant, il s'agit de le séduire. Mais il avait été manifestement perturbé en la voyant caresser le chien de façon un peu trop sensuelle. Le mieux serait de provoquer un contact physique qui paraisse fortuit.

« Et Rusty ? Qu'est-ce que je peux lui apprendre d'autre ? demanda-t-elle quand Charlie eut fini son histoire.

— À marcher au pied, répondit Charlie immédiatement.

— Comment on fait ?

— Tu as des biscuits pour chien ?

— Bien sûr. » Les fenêtres de la cuisine étaient ouvertes et Daisy éleva la voix pour se faire entendre de la domestique. « Ella, est-ce que vous pourriez m'apporter la boîte de Milkbones s'il vous plaît ? »

Charlie cassa un des biscuits et prit le chiot sur ses genoux. Il dissimula un morceau de biscuit dans son poing fermé, le fit flairer à Rusty, puis ouvrit la main et laissa le chien le manger. Il en prit un autre bout, vérifia que le chien l'avait vu. Puis il se leva et posa le chien à ses pieds. Rusty avait les yeux fixés sur le poing fermé de Charlie. « Au pied, Rusty », commanda Charlie et il fit quelques pas. Le chien le suivit.

« C'est bien ! approuva Charlie et il donna le biscuit à Rusty.

— C'est incroyable ! fit Daisy, admirative.

— Au bout d'un moment, tu n'auras plus besoin du biscuit. Une caresse suffira. Et pour finir, il marchera à côté de toi automatiquement.

— Charlie, tu es un génie. »

Le jeune homme rougit de plaisir. Il avait de beaux yeux bruns, exactement comme ceux du chien, remarqua-t-elle. « À toi, maintenant », dit-il à Daisy.

Elle imita Charlie, et obtint le même résultat.

« Tu vois ? remarqua Charlie. Ce n'est pas bien sorcier. »

Daisy éclata de rire, ravie. « On devrait monter une société. Farquharson et Pechkov, éducateurs canins.

— C'est une bonne idée », dit-il. Il paraissait sincère.

Ça marche comme sur des roulettes, se félicita Daisy.

Elle se dirigea vers la table et remplit deux verres de limonade. Il s'était levé, lui aussi, et murmura : « En général, je suis un peu timide avec les filles. »

Sans blague, pensa-t-elle, sans desserrer les lèvres.

« Mais avec toi, c'est si facile de bavarder », poursuivit-il. Il n'y voyait apparemment qu'un heureux hasard.

Alors qu'elle lui tendait son verre, elle fit un geste maladroit et renversa la limonade sur lui. « Oh, pardon ! Je suis vraiment désolée ! s'exclama-t-elle.

— Ce n'est rien », la rassura-t-il, mais son blazer de lin et son pantalon de toile blanche étaient mouillés. Il sortit un mouchoir et entreprit de s'essuyer.

« Laisse-moi faire », fit Daisy en lui prenant le mouchoir des mains.

Elle s'approcha pour tamponner les revers de sa veste. Il se figea, et à ses narines frémissantes, elle sut qu'il humait son parfum Jean Naté – lavande en notes de tête, musc en notes de fond. Elle passa négligemment le mouchoir sur le devant du blazer, qui ne portait pas la moindre trace de limonade. « C'est presque fini », murmura-t-elle comme à regret.

Puis elle mit un genou en terre dans une sorte de geste d'adoration et entreprit d'éponger les taches humides de son pantalon, maniant le mouchoir avec une légèreté aérienne. Tout en lui effleurant la cuisse, elle afficha un air d'innocence naïve et leva les yeux. Il avait le regard fixé sur elle et respirait difficilement, bouche ouverte, hypnotisé.

4.

Woody Dewar inspecta d'un regard impatient le *Sprinter*, vérifiant que tout était bien rangé. C'était un ketch de course de quinze mètres, long et effilé comme un couteau, que Dave Rouzrokh prêtait aux Compagnons de bord. Cette association à laquelle appartenait Woody emmenait les fils des chômeurs de Buffalo sur le lac Érié pour leur apprendre les rudiments de la voile. Woody constata avec satisfaction que les amarres et les défenses étaient en place, les voiles ferlées, les drisses ramenées et tous les autres cordages soigneusement enroulés.

Son frère Chuck, son cadet d'un an, était déjà à quai, blaguant avec deux gamins de couleur. Chuck était facile à vivre et s'entendait avec tout le monde. Woody, qui souhaitait faire de la politique comme leur père, lui enviait ce charme naturel.

Les garçons ne portaient que des shorts et des sandales, et les trois qui plaisantaient sur le quai étaient l'image même de la force et de la vitalité juvéniles. Woody regretta de ne pas avoir emporté son appareil. La photographie était un de ses passe-temps préférés et il avait aménagé une chambre noire chez ses parents, pour pouvoir développer et tirer lui-même ses clichés.

Ayant constaté qu'ils laissaient le *Sprinter* dans l'état où ils l'avaient trouvé le matin, Woody sauta sur le quai. Une douzaine d'adolescents quittèrent le chantier naval ensemble, le visage tanné par le vent et le soleil, éprouvant dans tous leurs membres une plaisante lourdeur due à l'exercice physique, riant en se rappelant les bévues, les chutes et les blagues de la journée.

Le fossé qui séparait les deux frères issus d'une famille riche et le groupe de garçons pauvres se comblait dès qu'ils étaient sur l'eau, travaillant main dans la main pour maîtriser le yacht, mais il réapparut dans toute sa clarté au parking du Yacht-Club. Deux véhicules étaient rangés côte à côte : la Chrysler Airflox du sénateur Dewar, avec un chauffeur en uniforme au volant, qui attendait Woody et Chuck ; et un pick-up Chevrolet Roadster équipé de deux bancs de bois à l'arrière, pour les autres. Woody fut gêné quand le chauffeur lui ouvrit la portière, mais apparemment, les garçons n'y attachaient aucune importance. Ils le remercièrent et crièrent : « À samedi prochain ! »

En remontant la Delaware Avenue, Woody se tourna vers son frère : « C'était sympa, mais je ne sais pas très bien à quoi ça sert.

— Comment ça ? demanda Chuck surpris.

— On n'aide pas leurs pères à retrouver un emploi, et en fait, c'est la seule chose qui leur serait vraiment utile.

— Peut-être que leurs fils obtiendront plus facilement du boulot dans quelques années. » Buffalo était une ville portuaire : en temps normal, les navires marchands qui faisaient la navette entre les grands lacs et le canal de l'Érié, sans compter la navigation de plaisance, offraient des milliers d'emplois.

« À condition que le Président arrive à remettre l'économie sur les rails.

— Dans ce cas, va donc bosser pour Roosevelt, rétorqua Chuck en haussant les épaules.

— Et pourquoi pas ? Papa a bien travaillé pour Woodrow Wilson.

— Moi, je préfère la voile. »

Woody consulta sa montre-bracelet. « On a juste le temps de se changer pour le bal, il va falloir se grouiller. » Le Racquet-Club organisait un dîner dansant que Woody n'aurait manqué sous aucun prétexte. « Après une journée de bateau, j'aspire à la compagnie de créatures à la peau douce, qui parlent d'une voix flûtée et portent des robes roses.

— Hou ! fit Chuck moqueur. Joanne Rouzrokh n'a jamais porté de rose de sa vie. »

Woody en fut désarçonné. Cela faisait quinze jours qu'il rêvait effectivement de Joanne toute la journée et la moitié de la nuit, mais comment son frère pouvait-il le savoir ? « Qu'est-ce qui te fait croire…

— Oh, allons ! lança Chuck avec mépris. Quand elle est arrivée au pique-nique dans sa jupe de tennis, tu as failli tourner de l'œil. Tout le monde a bien vu que tu as le béguin pour elle. Heureusement, elle n'a pas eu l'air de le remarquer, elle.

— Pourquoi "heureusement" ?

— Arrête ton char, Woody ! Tu as quinze ans et elle dix-huit ! Mets-toi un peu à sa place ! C'est un mari qu'elle cherche, pas un collégien.

— Mince, c'est vrai ! Excuse-moi. J'avais oublié que tu es *le* spécialiste en matière de femmes. »

Chuck rougit. Il n'avait jamais eu de petite amie. « Pas besoin d'être spécialiste pour voir la réalité en face. »

Ils se parlaient tout le temps sur ce ton, mais il n'y avait aucune malveillance dans leurs propos : ils étaient simplement d'une franchise brutale. Étant frères, ils jugeaient inutile de prendre des gants.

La voiture se rangea devant un hôtel particulier de style pseudo-gothique construit par leur défunt grand-père, le sénateur Cameron Dewar. Ils se précipitèrent à l'intérieur pour se doucher et se changer.

Désormais aussi grand que leur père, Woody enfila un vieil habit de soirée de celui-ci. Il était un peu usé, mais cela n'avait pas d'importance. Les plus jeunes porteraient des uniformes d'école ou des blazers, mais les étudiants mettraient des smokings, et Woody tenait à se vieillir un peu. Ce soir, il danserait avec elle, songea-t-il, le cœur battant, en se lissant les cheveux à la brillantine. Il la tiendrait dans ses bras et sentirait sous ses paumes la chaleur de sa peau. Il la regarderait dans les yeux et elle lui sourirait. Ses seins effleureraient sa veste pendant qu'ils danseraient.

Dès qu'il fut prêt, il rejoignit ses parents au salon. Papa buvait un cocktail, Mama fumait une cigarette. Long et efflanqué, Papa avait l'air d'un cintre dans son smoking croisé. Mama était belle, malgré son œil fermé en permanence – une malformation de naissance. Elle était superbe ce soir-là dans une robe longue, dentelle noire sur soie rouge, recouverte d'une courte veste de soirée de velours noir.

La grand-mère de Woody arriva la dernière. À soixante-huit ans, elle était toujours élégante et pleine d'assurance, aussi mince que son fils, mais plus petite. Elle posa les yeux sur la robe de Mama et dit d'un ton élogieux : « Rosa, ma chère, vous êtes magnifique. » Elle se montrait toujours aimable avec sa bru. Avec tous les autres, elle était hargneuse.

Gus lui prépara un cocktail sans qu'elle le lui demande. Woody dissimula son impatience pendant qu'elle le buvait en prenant son temps. Il était parfaitement superflu d'essayer de presser Grandmama. Elle était intimement persuadée qu'aucun événement mondain ne pouvait commencer tant qu'elle n'était pas là : elle était la grande vieille dame de la haute société de Buffalo, veuve et mère de sénateur, la doyenne de l'une des familles les plus anciennes et les plus en vue de la ville.

Woody se demanda à quel moment il était tombé amoureux de Joanne. Il la connaissait depuis toujours, ou presque, mais avait longtemps tenu les filles pour des spectatrices insignifiantes des aventures passionnantes des garçons : tout avait changé pourtant deux ou trois ans auparavant, et elles étaient soudain devenues plus fascinantes à ses yeux que les voitures et les hors-bord. À l'époque, il s'intéressait davantage aux filles de son âge, un peu plus jeunes même. Joanne, quant à elle, le traitait en gamin – un gamin intelligent, certes, avec qui on pouvait discuter agréablement de temps en temps, mais certainement pas comme un petit ami potentiel. Et voilà que cet été, sans qu'il comprenne vraiment pourquoi, il s'était mis à la considérer comme la fille la plus séduisante du monde. Malheureusement, les sentiments de Joanne à son égard n'avaient pas évolué dans le même sens.

Pas encore.

Grandmama posait une question à son frère : « Comment ça marche en classe, Chuck ?

— Atrocement mal, Grandmama, vous le savez très bien. Je suis l'abruti de la famille, le vivant vestige de nos aïeux chimpanzés.

— Je n'ai jamais, me semble-t-il, entendu un abruti parler de ses "aïeux chimpanzés". Es-tu bien sûr que la paresse n'y est pour rien ? »

Rosa prit la défense de son fils : « Les professeurs de Chuck disent qu'il travaille dur en classe, Mère.

— En plus, il me bat aux échecs, ajouta Gus.

— Dans ce cas, je voudrais bien savoir ce qui ne va pas, insista Grandmama. S'il continue comme ça, il ne sera pas admis à Harvard.

— Je lis lentement, c'est tout, se justifia Chuck.

— Tu m'en diras tant. Mon beau-père, ton arrière-grand-père paternel était banquier et il a mieux réussi que tous les autres membres de sa génération. Or c'est à peine s'il savait lire et écrire.

— On ne m'avait jamais dit ça, remarqua Chuck.

— Et pourtant c'est vrai. Mais n'y trouve pas une excuse. Il faut que tu travailles plus dur. »

Gus regarda sa montre. « Si tu es prête, Mère, nous ferions mieux d'y aller. »

Ils montèrent enfin en voiture et prirent la direction du club. Papa avait réservé une table pour le dîner et invité les Renshaw et leurs enfants, Dot et George. Woody parcourut la salle du regard sans apercevoir Joanne, à sa grande déception. Il vérifia le plan de la salle, disposé sur un chevalet à l'entrée, et constata, consterné, qu'il n'y avait pas de table retenue pour les Rouzrokh. Auraient-ils décidé de ne pas venir ? Sa soirée serait gâchée.

Pendant le homard et le bifteck, la conversation porta exclusivement sur les événements qui se déroulaient en Allemagne. Philip Renshaw trouvait qu'Hitler faisait du bon travail. Le père de Woody objecta : « Si j'en crois le *Sentinel* d'aujourd'hui, un prêtre catholique s'est retrouvé en prison pour avoir critiqué Hitler.

— Vous êtes catholique ? s'étonna Mr. Renshaw.

— Non, épiscopalien.

— Voyons, Philip, ce n'est pas une question de religion, intervint Rosa sèchement. Il s'agit de liberté. » La mère de Woody avait été anarchiste dans sa jeunesse et restait libertaire dans l'âme.

Certains préféraient dîner chez eux et ne venir que pour le bal, et d'autres gens firent leur entrée au moment où l'on servait le dessert aux Dewar. Woody surveillait la porte du coin de l'œil, espérant toujours voir apparaître Joanne. Dans la salle contiguë, un orchestre se mit à jouer « The Continental », un grand succès de l'année précédente.

Il aurait été bien en peine de dire pourquoi Joanne lui plaisait tant. La plupart des gens ne l'auraient pas considérée comme une beauté, mais elle ne passait pas inaperçue. Elle ressemblait à une princesse aztèque avec ses pommettes hautes et le même nez en cimeterre que son père, Dave. Ses cheveux étaient noirs et épais et son teint légèrement bistre, en raison, bien sûr, de ses origines persanes. Il émanait d'elle une intense mélancolie qui donnait à Woody envie de mieux la connaître, de la rasséréner et de l'entendre lui parler tout bas de tout et de rien. Il avait le sentiment que sa présence remarquable était le signe d'un caractère terriblement passionné. Sa propre prétention à s'y connaître en femmes le fit sourire.

« Tu cherches quelqu'un, Woody ? » demanda Grandmama à qui rien n'échappait jamais.

Chuck rit sous cape d'un air entendu.

« Je me demandais simplement qui viendrait au bal », répondit Woody avec désinvolture, mais il ne put s'empêcher de rougir.

Il ne l'avait toujours pas aperçue quand sa mère se leva et qu'ils sortirent de table. Il errait comme une âme en peine dans la salle de bal aux accents de « Moonglow » de Benny Goodman, quand soudain, Joanne fut là : elle avait dû arriver alors qu'il regardait ailleurs. Son moral remonta en flèche.

Elle portait ce soir-là une robe de soie gris-vert d'une simplicité spectaculaire avec un profond décolleté en V qui mettait sa silhouette en valeur. Elle avait été sensationnelle dans sa jupe de tennis qui dévoilait ses longues jambes, mais cette tenue-là était encore plus séduisante. En la voyant évoluer à travers la salle, gracieuse et assurée, Woody en eut la gorge serrée.

Il s'avança vers elle, mais la salle de bal était comble désormais et il se découvrit d'un coup une popularité exaspérante : tout le monde voulait lui parler. Tandis qu'il se frayait laborieusement un passage à travers la foule, il s'étonna de voir ce vieux Charlie Farquharson, un type rasoir au possible, danser avec la pimpante Daisy Pechkov. Il ne se rappelait pas avoir jamais vu Charlie danser avec qui que ce fût, et certainement pas avec une fille aussi mignonne que Daisy. Par quel prodige était-elle arrivée à le faire sortir de sa coquille ?

Quand il rejoignit Joanne, elle était tout au fond de la salle, loin de l'orchestre. À sa vive contrariété, il la trouva en grande discussion avec un groupe de garçons de quatre ou cinq ans de plus que lui. Par bonheur, il était très grand, ce qui rendait la différence d'âge moins visible. Ils avaient tous un verre de Coca à la main, mais Woody huma une odeur de scotch : l'un d'eux devait avoir une flasque dans sa poche.

En arrivant à leur niveau, il entendit Victor Dixon affirmer d'un ton péremptoire : « Personne n'est favorable au lynchage, bien sûr, mais il faut comprendre les problèmes du Sud. »

Woody savait que le sénateur Wagner avait déposé un projet de loi visant à sanctionner les shérifs qui autorisaient les lynchages, et que le président Roosevelt avait refusé de soutenir ce texte.

Joanne était scandalisée. « Comment peux-tu dire une chose pareille, Victor ? C'est de l'assassinat pur et simple ! Il ne s'agit pas de comprendre leurs problèmes, il s'agit de les empêcher de tuer des gens ! »

Woody constata avec joie que Joanne partageait ses idées politiques. Mais de toute évidence, ce n'était malheureusement pas le bon moment pour l'inviter à danser.

« Tu ne comprends pas, mon chou, pérora Victor. Ces Nègres du Sud ne sont pas vraiment des êtres civilisés. »

Je suis peut-être jeune et inexpérimenté, songea Woody, mais je n'aurais jamais commis l'erreur de parler à Joanne sur un ton aussi condescendant.

« Ce sont ceux qui procèdent à des lynchages qui ne sont pas civilisés ! » lança-t-elle.

Woody décida que c'était le moment d'apporter sa pierre au débat. « Joanne a raison, dit-il en essayant de se vieillir en prenant un timbre plus grave que d'ordinaire. Il y a eu un lynchage dans la ville natale de nos gens de maison, Joe et Betty, qui se sont occupés de nous, mon frère et moi, depuis notre petite enfance. Le cousin de Betty a été déshabillé et brûlé avec une lampe à souder, sous les yeux de la foule. Puis ils l'ont pendu. » Victor lui jeta un regard furibond, irrité de voir un gamin détourner l'attention de Joanne ; mais les autres l'écoutaient avec un intérêt horrifié. « Peu importe quel délit il avait commis, poursuivit Woody. Les Blancs qui ont fait ça sont des sauvages.

— En attendant, ton cher président Roosevelt n'a pas soutenu la loi antilynchage, remarqua Victor.

— En effet, et ça me déçoit beaucoup, convint Woody. Mais je sais pourquoi il a pris cette décision : il a eu peur que des congressistes du Sud furieux ne sabotent le New Deal par représailles. N'empêche que j'aurais bien voulu qu'il leur dise d'aller se faire voir.

— Qu'est-ce que tu comprends à tout ça ? demanda Victor. Tu n'es qu'un gosse. » Il sortit une flasque d'argent de sa poche de veste et versa un peu de son contenu dans son verre.

« Woody a des idées politiques plus mûres que les tiennes, Victor », protesta Joanne.

Woody rougit de fierté : « La politique est une sorte d'affaire de famille. » À son grand agacement, il se sentit alors tiré par le coude. Trop bien élevé pour feindre de ne l'avoir pas remarqué, il se tourna et découvrit Charlie Farquharson, tout transpirant après s'être démené sur la piste de danse.

« Je peux te parler un instant ? » demanda Charlie.

Woody résista à la tentation de l'envoyer paître. Charlie était plutôt sympathique et ne faisait de mal à personne. On ne pouvait que compatir de le voir affligé d'une mère pareille. « Oui, Charlie, qu'y a-t-il ? » répondit-il avec toute la bonne volonté qu'il parvint à mobiliser.

« C'est à propos de Daisy.

— Je vous ai vus danser ensemble.

— Elle danse drôlement bien, n'est-ce pas ? »

Cela n'avait pas frappé Woody, mais il répondit gentiment : « Super !

— C'est vraiment une fille épatante.

— Charlie, chuchota Woody, essayant de bannir toute nuance d'incrédulité de sa voix, vous sortez ensemble, Daisy et toi ? »

Charlie prit l'air décontenancé. « On est allés faire du cheval au parc ensemble, deux ou trois fois, ce genre de chose.

— Donc, vous sortez ensemble. » Woody n'en revenait pas. On aurait eu peine à imaginer couple plus mal assorti : Charlie était un tel empoté, et Daisy était à croquer.

Charlie ajouta : « Elle n'est pas comme les autres filles, tu sais. C'est tellement facile de lui parler ! Et puis elle adore les chiens et les chevaux. Mais les gens disent que son père est un gangster.

— Je pense qu'ils ont raison, Charlie. Tout le monde lui achetait de l'alcool pendant la prohibition.

— C'est ce que prétend ma mère.

— Elle n'apprécie pas beaucoup Daisy, si je comprends bien.

— Oh, Daisy, ça va, elle l'aime bien. C'est sa famille qui ne lui plaît pas. »

Une idée encore plus extravagante traversa l'esprit de Woody. « Parce que tu envisages de l'*épouser* ?

— Eh oui, j'y songe, acquiesça Charlie. Et je suis presque sûr que si je lui faisais ma demande, elle accepterait. »

Après tout, se dit Woody, Charlie faisait partie de l'élite sociale mais n'avait pas d'argent, à l'inverse de Daisy. Peut-être se compléteraient-ils. « On a déjà vu des choses plus bizarres », observa-t-il. C'était captivant, mais il aurait préféré se concentrer sur sa propre vie sentimentale. Il jeta un coup d'œil autour de lui, vérifiant que Joanne était toujours dans les parages. « Pourquoi est-ce que tu me racontes ça ? » demanda-t-il à Charlie. Ils n'étaient pas vraiment amis, après tout.

« Ma mère changerait peut-être d'avis si Mrs. Pechkov était invitée à devenir membre de la Société des dames de Buffalo.

— Quoi, le cercle le plus snob de la ville ? s'étonna Woody, pris au dépourvu.

— Oui. Si Olga Pechkov en faisait partie, Maman ne pourrait rien trouver à redire à ce que j'épouse Daisy. Tu comprends ? »

Woody ignorait si le stratagème serait efficace, mais il ne pouvait douter de la chaleur et de la sincérité des sentiments de Charlie. « Tu as peut-être raison.

— Tu serais d'accord pour en parler à ta grand-mère ?

— Quoi ? Attends, Charlie, Grandmama Dewar est un dragon. Je ne lui demanderais jamais une faveur pour moi-même, alors pour quelqu'un d'autre, tu imagines !

— Woody, écoute-moi. Tu sais aussi bien que moi qu'elle fait la pluie et le beau temps dans cette petite clique. Si elle veut faire entrer quelqu'un, tout le monde s'inclinera. Dans le cas contraire, ce n'est même pas la peine d'y penser. »

C'était vrai. La Société avait une présidente, une secrétaire et une trésorière, mais Ursula Dewar administrait le club comme sa propriété privée. Woody n'en était pas moins réticent à lui réclamer une faveur. Elle risquait de le rembarrer brutalement. « Je ne sais pas trop, murmura-t-il contrit.

— Oh, voyons, Woody, s'il te plaît ! Tu ne comprends pas. » Charlie baissa le ton. « Tu ne sais pas ce que c'est d'aimer quelqu'un à ce point. »

Justement si, songea Woody, ce qui emporta sa décision. Si Charlie est aussi malheureux que moi, comment pourrais-je avoir le cœur de lui refuser ce service ? J'espère que quelqu'un en ferait autant pour moi, si cela pouvait me donner de meilleures chances auprès de Joanne. « D'accord, Charlie. Je lui parlerai.

— Merci ! C'est vraiment sympa. Dis-moi, elle est là ce soir, non ? Tu ne pourrais pas faire ça tout de suite ?

— Hé, arrête. J'ai d'autres chats à fouetter.

— Oui, bon, je comprends... Quand alors ? »

Woody haussa les épaules. « Demain.

— Tu es un vrai copain !

— Ne me remercie pas encore. Elle refusera certainement. »

Quand Woody se retourna pour parler à Joanne, elle avait disparu.

Il faillit se mettre à sa recherche, mais se ravisa. Il ne fallait pas donner l'impression de lui courir après. Un garçon collant n'avait rien de séduisant, c'était au moins une chose qu'il savait.

Il dansa consciencieusement avec plusieurs autres filles : Dot Renshaw, Daisy Pechkov et Eva, l'amie allemande de Daisy. Il alla chercher un Coca et sortit rejoindre un groupe de garçons qui fumaient dehors. George Renshaw versa un peu de scotch dans le Coca de Woody, ce qui en améliora le goût, mais il ne voulait pas s'enivrer. Cela lui était déjà arrivé, et il en gardait un mauvais souvenir.

Joanne choisirait certainement un homme qui partagerait ses intérêts intellectuels, pensait Woody – ce qui excluait Victor Dixon. Woody l'avait entendue citer un jour les noms de Karl Marx et de Sigmund Freud. Il était allé lire le *Manifeste du parti communiste* à la bibliothèque publique, mais n'y avait vu qu'une diatribe politique plutôt assommante. Les *Études sur l'hystérie* de Freud, qui présentaient la maladie mentale comme une sorte d'enquête policière, l'avaient plus intéressé. Il aurait bien voulu faire savoir à Joanne, en passant, qu'il avait lu ces livres.

Il n'avait pas renoncé à danser avec elle au moins une fois dans la soirée, et finit par essayer de la trouver. Elle n'était ni dans la salle de bal, ni au bar. Avait-il laissé passer sa chance ? En essayant de ne pas lui manifester trop d'intérêt, s'était-il montré trop passif ? L'idée que le bal puisse s'achever sans même qu'il ait posé la main sur son épaule était intolérable.

Il sortit. Il faisait noir, mais il l'aperçut presque tout de suite. Elle s'éloignait de Greg Pechkov, le teint un peu empourpré, comme si elle s'était disputée avec lui. « Quelle bande de foutus conservateurs ! lança-t-elle à Woody. Tu dois être le seul ici à ne pas penser comme eux. » Elle avait l'air un peu grise.

Woody sourit. « Merci pour le compliment – si c'en est un.

— Tu es au courant pour le défilé de demain ? »

Il savait que les grévistes de la fonderie de Buffalo avaient prévu de manifester pour protester contre le passage à tabac des syndicalistes new-yorkais. Woody devina qu'elle s'était querellée avec Greg à ce propos : son père était propriétaire de l'usine. « J'avais l'intention d'y aller, approuva-t-il. Je pourrais prendre quelques photos.

— Tu es un ange », dit-elle et elle l'embrassa.

Il fut tellement surpris qu'il faillit bien ne pas réagir. Pendant une seconde, il resta là, figé, pendant qu'elle écrasait sa bouche contre la sienne. Il sentait le goût du whisky sur ses lèvres.

Puis il se réveilla. Il la prit dans ses bras et serra son corps contre le sien, sentant avec émoi ses seins et ses hanches se presser contre lui. Une partie de son cerveau craignait qu'elle ne s'offusque, ne le repousse et ne lui reproche avec colère de lui manquer de respect ; mais un instinct plus profond lui disait qu'il était en terrain sûr.

Il n'avait pas une grande expérience des baisers – et n'en avait jamais échangé avec une femme mûre de dix-huit ans – mais le contact de sa bouche si douce était un tel délice qu'il frotta ses lèvres contre les siennes, la mordillant très délicatement, ce qui lui procura un plaisir extrême. Il en fut récompensé en l'entendant gémir tout bas.

Il était vaguement conscient que si un adulte passait par là, la situation pourrait être embarrassante, mais il était trop excité pour s'en préoccuper vraiment.

La bouche de Joanne s'entrouvrit et il sentit sa langue se glisser dans la sienne. C'était nouveau pour lui : les rares filles qu'il avait embrassées n'avaient pas fait ça. Mais il se dit qu'elle devait avoir de l'expérience, et d'ailleurs, c'était divin. Il imita les mouvements de sa langue avec la sienne. C'était d'une intimité incroyable, et terriblement émoustillant. Sans doute était-ce ce qu'il fallait faire, car elle recommença à gémir.

Prenant son courage à deux mains, il posa la main droite sur son sein gauche. Il était merveilleusement doux et renflé sous la soie de sa robe. Tout en le caressant, il sentit sous des doigts une légère protubérance et songea, avec un frémissement, qu'il devait s'agir de son mamelon. Il le frotta du bout du pouce.

Elle le repoussa brutalement. « Seigneur Dieu ! s'écria-t-elle. Mais qu'est-ce que je suis en train de faire ?

— De m'embrasser », répondit Woody au comble de la joie. Il posa les mains sur ses hanches arrondies, sentant la chaleur de sa peau à travers la robe de soie. « Recommençons, tu veux bien ? »

Elle détacha ses mains. « J'ai dû perdre la tête. Enfin, tout de même, nous sommes au Racquet-Club ! »

Le charme était rompu, constata Woody chagrin, il n'y aurait pas d'autre baiser ce soir-là. Il regarda autour de lui. « Ne t'en fais pas, chuchota-t-il. Personne ne nous a vus. » Cette atmosphère de conspiration l'enchantait.

« Je ferais mieux de rentrer chez moi avant de faire encore pire. »

Il essaya de ne pas se sentir blessé. « Je peux te raccompagner jusqu'à ta voiture ?

— Tu es fou ? Si nous rentrons ensemble, tout le monde se doutera de ce qui s'est passé : surtout si tu continues à sourire comme un idiot du village. »

Woody chercha à afficher une mine plus sévère. « Dans ce cas, tu n'as qu'à entrer la première. J'attendrai ici une minute ou deux.

— Bonne idée. » Elle s'éloigna.

« À demain ! » lui cria-t-il.

Elle ne se retourna pas.

5.

Ursula Dewar occupait un appartement personnel dans le vieil hôtel particulier victorien de Delaware Avenue. Elle disposait d'une chambre, d'une salle de bains et d'un dressing. Après la mort de son mari, elle avait transformé le dressing en petit salon. La plupart du temps néanmoins, elle avait toute la maison à elle : Gus et Rosa passaient beaucoup de temps à Washington, et Woody et Chuck étaient en pension. Mais quand ils étaient tous là, elle passait une bonne partie de la journée dans son logement particulier.

Woody vint lui parler le dimanche matin. Il était encore sur son petit nuage après le baiser de Joanne, bien qu'il eût passé la moitié de la nuit à se demander quelle conclusion en tirer. Authentique amour ou ivresse tout aussi authentique, il pouvait avoir de nombreuses significations. La seule chose dont il était sûr était qu'il mourait d'envie de revoir Joanne le plus vite possible.

Il entra dans la chambre de sa grand-mère derrière la servante, Betty, qui venait lui apporter son plateau du petit déjeuner. Il avait été heureux que Joanne soit scandalisée par la manière dont la famille de Betty, dans le Sud, avait été traitée. En politique, on privilégiait trop, selon lui, les débats dénués de passion. Il *fallait* se mettre en colère devant la cruauté et l'injustice.

Grandmama était déjà assise dans son lit, un châle de dentelle réchauffant sa chemise de nuit de soie couleur taupe. « Bonjour, Woodrow, fit-elle, surprise.

— J'aimerais bien prendre une tasse de café avec vous, Grandmama, si vous voulez bien. » Il avait déjà demandé à Betty d'apporter deux tasses.

« C'est un honneur pour moi », répondit Ursula.

Betty, une femme à cheveux gris d'une cinquantaine d'années dotée d'une silhouette que l'on aurait pu dire confortable, posa le plateau devant Ursula et Woody versa le café dans les tasses en porcelaine de Saxe.

Il avait un peu réfléchi à ce qu'il allait dire et avait passé en revue tous ses arguments. La prohibition appartenait au passé, et Lev Pechkov était désormais un homme d'affaires respectable, expliquerait-il à sa grand-mère. De plus, il n'était pas juste que Daisy subisse les conséquences des actes illicites de son père – d'autant plus que la plupart des familles respectables de Buffalo lui avaient acheté de l'alcool de contrebande.

« Vous connaissez Charlie Farquharson ? commença-t-il.

— Oui. »

Bien sûr. Elle connaissait toutes les familles du gotha de Buffalo.

« Veux-tu un morceau de toast ? proposa-t-elle.

— Non, merci, j'ai déjà pris mon petit déjeuner.

— Les garçons de ton âge ont toujours de l'appétit. » Elle lui jeta un regard perspicace. « Sauf quand ils sont amoureux. »

Elle était en forme ce matin.

« La mère de Charlie le mène un peu à la baguette », remarqua Woody.

« Elle en faisait autant avec son mari, fit Ursula d'un ton pince-sans-rire. Le malheureux n'a trouvé qu'une façon de se libérer : mourir. » Elle but une gorgée de café et commença à manger son pamplemousse à la fourchette.

« Charlie est venu me voir hier soir et m'a prié de vous demander une faveur. »

Elle haussa un sourcil mais resta muette.

Woody inspira profondément. « Il voudrait que vous invitiez Mrs. Pechkov à être membre de la Société des dames de Buffalo. »

Ursula laissa tomber sa fourchette, et l'argent tinta contre la porcelaine fine. Comme pour dissimuler son émoi, elle dit : « Ressers-moi un peu de café, veux-tu, Woody ? »

Il obtempéra, sans ajouter un mot. Il ne se rappelait pas l'avoir jamais vue aussi déconcertée.

Elle but une gorgée puis releva la tête : « Pourquoi diable Charles Farquharson, ou qui que ce soit d'autre au demeurant, souhaite-t-il qu'Olga Pechkov soit admise dans la Société ?

— Il veut épouser Daisy.

— Vraiment ?

— Et il a peur que sa mère ne s'y oppose.

— Sur ce point, il n'a sûrement pas tort.

— Mais il pense qu'il arriverait à la convaincre…

— Si je faisais admettre Olga dans la Société.

— Les gens oublieraient peut-être que son père a été un gangster.

— Un gangster ?

— Enfin, un bootlegger du moins.

— Oh, ça ! lança Ursula avec dédain. Ce n'est pas le problème.

— Ah bon ? » C'était au tour de Woody d'être étonné. « Mais alors, c'est quoi ? »

Ursula prit l'air pensif. Elle resta silencieuse si longtemps que Woody se demanda si elle n'avait pas oublié sa présence. « Ton père a été amoureux d'Olga Pechkov autrefois, dit-elle enfin.

— La vache !

— Je t'en prie, ne sois pas grossier.

— Excusez-moi, Grandmama, mais je ne m'attendais pas à ça.

— Ils étaient même fiancés.

— Fiancés ? » fit-il, médusé. Et après une minute de réflexion, il ajouta : « Je dois être le seul à Buffalo à ne pas être au courant, non ? »

Elle lui sourit. « Il y a un curieux mélange de sagesse et d'innocence typique des adolescents. Je m'en souviens très bien chez ton père et je le retrouve chez toi. Oui, tout le monde à Buffalo le sait, mais ta génération considère certainement cette information comme de l'histoire ancienne dénuée de tout intérêt.

— Et que s'est-il passé ? interrogea Woody. Je veux dire, qui a rompu ?

— Elle, quand elle est tombée enceinte. »

Woody en demeura bouche bée. « De Papa ?

— Mais non, de son chauffeur : Lev Pechkov.

— C'était son chauffeur ? » Woody resta muet un instant, cherchant à encaisser cette succession de coups. « Oh là là, Papa a dû se sentir drôlement bête.

— Ton père n'a jamais été bête, rétorqua sèchement Ursula. La seule bêtise qu'il ait commise dans sa vie a été de demander Olga en mariage. »

Woody se rappela alors sa mission. « Tout de même, Grandmama, ça remonte à sacré longtemps.

— Sacrément. Il faut un adverbe, mon chéri, pas un adjectif. Mais ton jugement est meilleur que ta grammaire. Ça *fait* longtemps, tu as raison. »

Tout espoir n'était peut-être pas perdu. « Alors vous voulez bien ?

— Comment ton père le prendrait-il, selon toi ? »

Woody réfléchit. Il était inutile d'essayer de noyer le poisson, sa grand-mère verrait immédiatement clair dans son jeu. « Ce qu'il en penserait ? J'imagine qu'il n'apprécierait pas beaucoup et que la présence d'Olga lui rappellerait un épisode humiliant de sa jeunesse.

— Tu imagines bien.

— D'un autre côté, il tient à faire preuve d'équité envers tous ceux qui l'entourent. Il a horreur de l'injustice. Il ne voudrait sûrement pas punir Daisy à la place de sa mère. Et encore moins punir Charlie. Papa a bon cœur.

— Contrairement à moi, c'est cela ? ironisa Ursula.

— Ce n'est pas ce que je voulais dire, Grandmama. Mais je suis presque sûr que si vous lui posiez la question, il ne s'opposerait pas à l'admission d'Olga dans la Société. »

Ursula hocha la tête. « Je suis de ton avis. Mais je me demande si tu t'es interrogé sur la véritable origine de cette initiative ? »

Woody comprit où elle voulait en venir. « Oh, vous pensez que c'est Daisy qui a suggéré ça à Charlie ? C'est bien possible. Mais est-ce que ça change quelque chose aux tenants et aux aboutissants de l'affaire ?

— Je pense que non.

— Alors, vous voulez bien ?

— Je suis heureuse d'avoir un petit-fils qui a bon cœur – même si je le soupçonne de se faire manipuler par une jeune fille maligne et ambitieuse. »

Woody sourit. « Ça veut dire oui, Grandmama ?

— Je ne peux rien te promettre, comprends-moi bien. Mais je soumettrai cette proposition au comité. »

La moindre suggestion d'Ursula était considérée par toutes ces dames comme une injonction royale, ce que Woody se garda bien de faire remarquer à sa grand-mère. « Merci, Grandmama. C'est vraiment gentil de votre part.

— Maintenant, embrasse-moi et va te préparer pour la messe. »

Woody s'esquiva.

Il oublia promptement Charlie et Daisy. Assis dans la cathédrale St Paul de Shelton Square, il n'écouta pas un mot du sermon – consacré à Noé et au Déluge – et n'eut de pensées que pour Joanne Rouzrokh. Ses parents étaient à l'église, mais elle ne les avait pas accompagnés. Se rendrait-elle vraiment à la manifestation ? Si elle y était, il lui demanderait un rendez-vous. Accepterait-elle ?

Elle était trop intelligente pour s'arrêter à leur différence d'âge, supposait-il. Elle savait forcément qu'elle partageait plus de points communs avec Woody qu'avec des abrutis comme Victor Dixon. Et ce baiser ! Il en avait encore des fourmillements sur les lèvres. Ce qu'elle avait fait avec sa langue… Est-ce que les autres filles faisaient pareil ? Il n'avait qu'une envie : réessayer, aussi tôt que possible.

Si elle acceptait de sortir avec lui, que se passerait-il en septembre ? Il savait qu'elle devait partir pour Vassar College, dans la ville de Poughkeepsie. Quant à lui, il retournerait au lycée et ne la verrait donc pas avant Noël. Vassar était une université réservée aux jeunes filles, mais il y avait forcément des hommes à Poughkeepsie. Et si elle sortait avec d'autres garçons ? Il était déjà jaloux.

Devant l'église, il annonça à ses parents qu'il ne rentrerait pas déjeuner parce qu'il allait à la manifestation.

« C'est bien », approuva sa mère qui avait été rédactrice en chef du *Buffalo Anarchist* dans sa jeunesse. Elle s'adressa ensuite à son mari. « Tu devrais y aller toi aussi, Gus.

— Le syndicat a engagé des poursuites, se justifia-t-il. Tu sais bien que je ne peux pas préjuger de l'issue d'un procès. »

Elle se tourna vers Woody. « Débrouille-toi simplement pour ne pas te faire tabasser par les sbires de Lev Pechkov. »

Woody prit son appareil photo dans le coffre de la voiture de son père. C'était un Leica III, d'assez petit format pour qu'il puisse le porter autour du cou avec une lanière, mais dont la vitesse d'obturation pouvait aller jusqu'à un cinq centièmes de seconde.

Il traversa quelques rues pour rejoindre Niagara Square, où les manifestants devaient se rassembler. Lev Pechkov avait cherché à convaincre la ville d'interdire la manifestation en alléguant le risque de violences, mais le syndicat avait souligné ses intentions pacifiques. Il avait apparemment eu gain de cause, car plusieurs centaines de personnes se bousculaient devant la mairie. Beaucoup brandissaient des banderoles portant des slogans, des drapeaux rouges et des pancartes disant NON AUX BRUTALITÉS PATRONALES. Woody fit le tour de la foule à la recherche de Joanne, en vain.

Il faisait beau et l'humeur des manifestants était à l'image du temps. Il prit quelques clichés : des ouvriers en chapeau et costume du dimanche, une voiture tout enrubannée de banderoles ; un jeune flic qui se rongeait les ongles. Toujours pas trace de Joanne, et il commença à se dire qu'elle ne viendrait pas. Elle avait peut-être eu mal à la tête en se réveillant.

Le départ avait été prévu à midi, mais ils ne se mirent en marche qu'un peu avant une heure. La présence policière était importante tout au long du parcours, observa Woody, qui s'était avancé jusqu'au centre du cortège.

Alors qu'ils se dirigeaient vers le sud en empruntant Washington Street pour gagner le cœur industriel de la ville, il vit Joanne rejoindre la manifestation deux ou trois mètres devant lui. Son cœur s'arrêta de battre. Elle portait un pantalon ajusté qui mettait ses formes en valeur. Il pressa le pas pour la rattraper. « Bonjour ! lança-t-il d'un ton enjoué.

— Tu as l'air de drôlement bonne humeur, dis-moi », remarqua-t-elle.

C'était peu dire. Il était fou de bonheur. « Tu as la gueule de bois ?

— Ça doit être ça, ou alors c'est la peste noire. À ton avis ?

— Si tu as une éruption, c'est sûrement la peste. Tu as des bubons ? » Woody savait à peine ce qu'il disait. « Je ne suis pas médecin, mais je veux bien t'examiner.

— Arrête un peu. Quelle agitation ! C'est peut-être charmant, mais franchement, tu m'épuises. »

Woody essaya de reprendre son calme. « Tu nous as manqué à l'église, dit-il très sérieusement. Il y a eu un sermon sur Noé. »

À sa grande consternation, elle éclata de rire. « Oh, Woody, lança-t-elle. Je t'adore quand tu es drôle, mais je t'en supplie, ne me fais pas rire aujourd'hui. »

Cette remarque était sans doute flatteuse, mais il était loin d'en être sûr.

Il repéra une épicerie ouverte dans une rue latérale. « Il faut que tu te réhydrates, affirma-t-il. Je reviens tout de suite. » Il courut jusqu'au magasin et acheta deux bouteilles de Coca, sorties du réfrigérateur. Il demanda à l'épicier de les ouvrir puis rejoignit le cortège. Quand il en tendit une à Joanne, elle s'écria : « Oh, tu me sauves la vie ! » Approchant la bouteille de ses lèvres, elle but à longs traits.

Pour le moment, Woody trouvait qu'il ne s'en sortait pas trop mal. La manifestation était bon enfant, malgré l'incident brutal à l'origine de son organisation. Un groupe d'hommes d'un certain âge chantait des hymnes révolutionnaires et des airs traditionnels. Plusieurs familles étaient même venues avec des enfants. Et il n'y avait pas un nuage dans le ciel.

« Tu as lu les *Études sur l'hystérie* ? demanda Woody pendant qu'ils marchaient.

— Jamais entendu parler.

— Oh ! C'est un bouquin de Sigmund Freud. Je croyais que tu étais une de ses grandes admiratrices.

— Je m'intéresse à ses idées. Mais je n'ai jamais rien lu de lui.

— Tu devrais. Les *Études sur l'hystérie* sont tout à fait passionnantes. »

Elle lui jeta un regard en coin. « Pourquoi est-ce que tu lis des trucs pareils ? On ne donne sûrement pas de cours de psychologie dans ton lycée de rupins. Les profs sont plutôt vieux jeu, non ?

— En fait, je ne sais pas vraiment. Il me semble t'avoir entendue parler de psychanalyse et je me suis dit que ça avait l'air drôlement chouette. Et effectivement, ça l'est.

— Comment ça ? »

Woody avait l'impression qu'elle le mettait à l'épreuve, qu'elle voulait voir s'il avait vraiment lu ce livre ou s'il ne faisait que frimer. « L'idée qu'une action cinglée à première vue, comme de renverser de l'encre sur une nappe de façon obsessionnelle, puisse répondre à une sorte de logique cachée. »

Elle hocha la tête. « Ouais, acquiesça-t-elle. C'est ça. »

Woody saisit intuitivement qu'elle ne comprenait rien à ce qu'il lui racontait. Il l'avait déjà dépassée dans sa connaissance de Freud et elle ne voulait pas l'admettre.

« Quel est ton passe-temps préféré ? lui demanda-t-il alors. Le théâtre ? La musique classique ? J'imagine qu'aller au cinéma n'a plus rien d'exceptionnel pour quelqu'un dont le père est propriétaire d'une centaine de salles.

— Pourquoi tu me demandes ça ?

— Eh bien… » Il se jeta à l'eau. « Je voudrais te proposer une sortie, alors autant te tenter avec quelque chose qui te fasse vraiment envie. Dis-moi quoi, et je t'invite. »

Elle lui sourit, mais ce n'était pas le sourire qu'il avait espéré. Il était amical, bienveillant, mais annonçait une mauvaise nouvelle. « Woody, ça me ferait très plaisir, mais je te rappelle que tu as quinze ans.

— Tu as dit toi-même hier soir que je suis plus mûr que Victor Dixon.

— Je n'accepterais pas non plus de sortir avec lui. »

La gorge de Woody se serra et il demanda d'une voix rauque : « Tu m'envoies balader, c'est ça ?

— Oui, exactement. Je ne veux pas sortir avec un garçon qui a trois ans de moins que moi.

— Je pourrai te reposer la question dans trois ans, alors ? On aura le même âge à ce moment-là. »

Elle rit, puis dit : « Arrête de blaguer, ça me fait mal à la tête. »

Woody décida de ne pas dissimuler sa peine. Qu'avait-il à perdre ? Au supplice, il demanda : « Et ce baiser alors, qu'est-ce qu'il voulait dire ?

— Rien du tout. »

Il secoua la tête, malheureux. « Pour moi, c'était drôlement important. C'est le meilleur baiser de ma vie.

— Oh, Woody, je n'aurais pas dû faire ça, je le savais. C'était juste pour m'amuser, tu sais. Ça m'a plu, à moi aussi : tu peux être flatté, je t'assure. Tu es vraiment mignon et sacrément intelligent, mais un baiser n'est pas une déclaration d'amour, Woody, même si tu y as pris beaucoup de plaisir. »

Ils étaient presque dans les premiers rangs du cortège et Woody apercevait déjà leur destination : la haute enceinte de la fonderie de Buffalo. La grille était fermée et gardée par une bonne dizaine d'agents de sécurité de l'usine, des costauds en chemises bleu pâle semblables à celles de la police.

« En plus, j'avais trop bu, se défendit Joanne.

— Ouais, moi aussi », renchérit Woody.

C'était une tentative pathétique pour préserver son amour-propre, et Joanne eut la bonne grâce de faire semblant d'y croire. « Dans ce cas, on s'est conduits comme des idiots tous les deux, et il vaudrait mieux oublier tout ça, dit-elle.

— Ouais », acquiesça Woody en détournant le regard.

Ils étaient arrivés à l'usine. Les manifestants qui étaient en tête du défilé s'arrêtèrent devant les grilles, et quelqu'un se mit à prononcer un discours dans un mégaphone. En observant l'orateur plus attentivement, Woody reconnut Brian Hall, le responsable syndical. Son père le connaissait et l'appréciait : dans un passé obscur, ils avaient coopéré pour mettre fin à une grève.

Ceux qui se trouvaient en fin de cortège avançaient toujours, provoquant une bousculade sur toute la largeur de la rue. Les gardiens de l'usine empêchaient toujours les manifestants d'approcher de l'entrée, même si les grilles devant lesquelles ils étaient postés étaient fermées. Woody remarqua alors qu'ils étaient armés de matraques du même genre que celles de la police. L'un d'eux cria : « N'approchez pas des portes ! C'est une propriété privée ! » Woody leva son appareil et prit une photo.

Mais ceux qui arrivaient par-derrière continuaient à pousser les premières rangées. Woody prit Joanne par le bras et essaya de l'écarter de la cohue. Ce n'était pas facile : la foule était dense à présent, et personne ne voulait leur céder le passage. Woody constata qu'à son corps défendant, il s'approchait des grilles de l'usine et des gardiens aux matraques. « Il risque d'y avoir du grabuge », murmura-t-il à Joanne.

Elle était rouge d'excitation. « Ces salauds ne nous empêcheront pas d'entrer ! » cria-t-elle.

Un homme qui se tenait près d'elle approuva bruyamment : « Elle a raison ! Bigrement raison ! »

La foule était encore à une dizaine de mètres des grilles, mais les gardiens entreprirent alors de repousser les manifestants. Woody prit une photo.

Brian Hall qui avait hurlé jusqu'à présent dans son mégaphone en dénonçant les brutalités patronales et en pointant un doigt accusateur vers la police privée changea alors de ton et se mit à appeler au calme. « Écartez-vous des grilles, s'il vous plaît, camarades, s'époumonait-il. Reculez, évitez les violences ! »

Woody vit une manifestante qu'un gardien bousculait si brutalement qu'elle en trébucha. Elle ne tomba pas cependant, mais jeta un cri et son compagnon lança au gardien : « Hé, mon gars, vas-y mollo, hein !

— Tu me cherches ? » demanda l'autre d'un ton provocant.

La femme lui hurla : « Arrêtez de me pousser !

— Reculez, reculez », vociféra l'agent de sécurité en brandissant sa matraque. La femme cria encore.

Au moment où la matraque s'abattit, Woody prit une photo.

« Ce salaud a frappé une femme », s'exclama Joanne en faisant un pas en avant.

Mais le gros du cortège commença à se déplacer en sens inverse, s'éloignant de l'usine. Les voyant faire demi-tour, les gardiens leur donnèrent la chasse, poussant, donnant des coups de pied et faisant pleuvoir des coups de matraque.

Brian Hall cria : « Pas de violence ! Gardiens, reculez ! N'utilisez pas vos matraques ! » Puis son mégaphone lui fut arraché des mains par un agent de sécurité.

Certains jeunes gens contre-attaquèrent. Une demi-douzaine de vrais policiers se frayèrent un chemin à travers la foule. Au lieu d'empêcher les gardiens de frapper, ils se mirent à arrêter ceux qui ripostaient.

Le gardien qui avait déclenché l'affrontement tomba à terre et deux manifestants commencèrent à le bourrer de coups de pied.

Woody prit une photo.

Joanne criait de fureur. Se jetant contre un gardien, elle le griffa au visage. L'homme tendit le bras pour l'écarter. Accidentellement ou non, le plat de sa main heurta brutalement le nez de Joanne. Celle-ci recula, du sang coulant de ses narines. Le gardien leva sa matraque. Woody attrapa Joanne par la taille et la tira en arrière. Le coup s'abattit dans le vide. « Viens, lui cria Woody. Il faut sortir d'ici ! »

La violence du choc l'avait désarçonnée et elle n'opposa aucune résistance tandis que Woody l'éloignait aussi rapidement qu'il le pouvait des grilles de l'usine, la poussant, la soutenant, son appareil photo se balançant autour de son cou au bout de sa lanière. La foule avait cédé à la panique, des manifestants tombaient et se faisaient piétiner par ceux qui prenaient la fuite.

Grâce à sa taille supérieure à la moyenne, Woody réussit à rester debout et à maintenir Joanne fermement sur ses pieds. Ils se frayèrent laborieusement un passage à travers la bousculade, à quelques mètres des matraques. Enfin, la foule s'éclaircit. Joanne se détacha de son étreinte et ils prirent leurs jambes à leur cou.

Le bruit de l'échauffourée diminua derrière eux. Ils s'engagèrent successivement dans plusieurs rues adjacentes et arrivèrent dans une ruelle déserte bordée d'usines et d'entrepôts, tous fermés en ce dimanche après-midi. Ils ralentirent et se mirent à marcher, reprenant leur souffle. Joanne éclata de rire. « C'était épatant ! » s'écria-t-elle.

Woody était loin de partager son enthousiasme. « C'était atroce, oui, répliqua-t-il. Et ça aurait pu être encore pire. » Il l'avait sauvée et espérait vaguement que cela l'inciterait à revenir sur son refus de sortir avec lui.

Manifestement, elle n'avait pas le sentiment de lui devoir grand-chose. « Allons, lança-t-elle d'un ton méprisant. Personne n'est mort !

— Ces brutes ont délibérément provoqué une émeute !

— Évidemment ! Pechkov cherche à discréditer les syndicalistes. »

Ils avaient parcouru moins d'un kilomètre quand Woody aperçut un taxi en maraude et le héla. Il donna au chauffeur l'adresse des Rouzrokh.

Tandis qu'ils étaient assis à l'arrière du taxi, il sortit un mouchoir de sa poche. « Je ne peux pas te ramener à ton père dans cet état », observa-t-il. Il déplia le carré de coton blanc et épongea doucement le sang qui maculait la lèvre supérieure de Joanne.

Ce geste intime l'émoustilla, mais elle ne le laissa pas en profiter bien longtemps. « Laisse, je vais le faire, protesta-t-elle presque aussitôt en lui prenant le mouchoir des mains. Ça va comme ça ?

— Il en reste un peu », mentit-il. Il reprit le mouchoir. Elle avait une grande bouche, des dents blanches et régulières, et des lèvres délicieusement pleines. Il fit semblant de voir une tache sous sa lèvre inférieure. Il l'essuya doucement avant de dire : « Voilà, c'est mieux.

— Merci. » Elle lui jeta un regard étrange, mi-tendre, mi-contrarié. Elle avait percé sa ruse à jour, se dit-il, et ne savait pas si elle devait lui en vouloir.

Le taxi s'arrêta devant sa maison. « N'entre pas, fit-elle. Je vais raconter des bobards à mes parents, et je n'ai pas envie que tu lâches le morceau par inadvertance. »

Tout en songeant qu'il saurait certainement se montrer plus discret qu'elle, il lança : « Je t'appelle plus tard.

— D'accord. » Elle sortit du taxi et remonta l'allée avec un geste nonchalant de la main.

« Chouette pépée, commenta le chauffeur. Mais trop vieille pour vous.

— Conduisez-moi Delaware Avenue », dit Woody en indiquant le numéro de la maison et le nom de la rue transversale. Il n'avait pas la moindre envie de discuter de Joanne avec un maudit chauffeur de taxi.

Le refus de Joanne de sortir avec lui lui trottait dans la tête. Il n'aurait pas dû en être surpris : tout le monde, depuis son frère jusqu'au chauffeur de taxi, le disait trop jeune pour elle. La rebuffade n'en était pas moins douloureuse. Il avait l'impression de ne plus savoir quoi faire de sa vie. Comment allait-il arriver jusqu'au bout de cette journée ?

Chez lui, ses parents faisaient leur sieste rituelle du dimanche après-midi. Chuck était convaincu que c'était le moment où ils couchaient ensemble. Betty lui annonça que son petit frère était parti nager avec des copains.

Woody se dirigea vers la chambre noire et développa la pellicule contenue dans son appareil. Il fit couler de l'eau chaude dans la cuvette pour que les produits chimiques soient à bonne température puis glissa le film dans un sac noir afin de le transférer dans une cuve étanche à la lumière.

C'était un travail de longue haleine qui exigeait beaucoup de patience, mais il était heureux, assis dans le noir, l'esprit occupé par Joanne. Si assister ensemble à une émeute ne l'avait pas conduite à tomber amoureuse de lui, cette aventure les avait indéniablement rapprochés. Il était convaincu qu'en tout cas, elle l'appréciait de plus en plus. Son refus n'était pas forcément définitif. Peut-être ferait-il bien de s'accrocher. De toute façon, aucune autre fille ne l'intéressait.

Quand le minuteur sonna, il transféra la pellicule dans un bain d'arrêt pour interrompre la réaction chimique, puis dans un bain de fixateur pour stabiliser l'image. Enfin, il lava et sécha le film et examina les photos noir et blanc en négatif sur le rouleau.

Il les trouva plutôt bonnes.

Il découpa le film, et posa la première vue dans l'agrandisseur. Il mit en place une feuille de papier photo de dix-huit centimètres sur vingt-quatre sur le socle de l'agrandisseur, alluma, et projeta l'image négative sur le papier en comptant les secondes. Puis il transféra la feuille dans un bain de révélateur. Lentement, des taches grises se dessinèrent sur le papier blanc, et la scène qu'il avait photographiée commença à apparaître. C'était le moment qu'il préférait, un instant magique. Le premier cliché montrait un Noir et un Blanc, tous les deux en chapeau et costume du dimanche, portant ensemble une banderole sur laquelle était écrit le mot FRATERNITÉ. Quand l'image fut nette, il plongea la feuille dans un bain de fixateur puis la rinça et la mit à sécher.

Il tira tous les clichés qu'il avait pris, les sortit de la chambre noire et les étala à la lumière sur la table de la salle à manger. Il était satisfait : c'étaient des photos vivantes, pleines d'action, qui montraient avec clarté une succession d'événements. Quand il entendit ses parents remuer à l'étage, il appela sa mère. Elle avait été journaliste avant son mariage et écrivait encore des livres et des articles de revues. « Qu'en penses-tu ? » lui demanda-t-il.

Elle les examina soigneusement de son œil unique avant de conclure : « Je les trouve bonnes. Tu devrais les proposer à un journal.

— Tu crois ? demanda-t-il avec un frisson d'excitation. Lequel ?

— Malheureusement, ils sont tous conservateurs. Essaie le *Buffalo Sentinel*. Le rédacteur en chef est Peter Hoyle – il y est depuis la nuit des temps. Il connaît bien ton père. Il te recevra probablement.

— Quand crois-tu que je devrais y aller ?

— Tout de suite. C'est de l'actualité brûlante. Tous les journaux de demain parleront de la manifestation. S'ils ont besoin de photos, c'est ce soir. »

Woody était regonflé à bloc. « Très bien. » Il ramassa les feuilles brillantes et en fit une pile bien ordonnée. Sa mère alla chercher une chemise cartonnée dans le bureau de son père. Sur un baiser, Woody sortit.

Il prit un bus pour le centre.

L'entrée principale des bureaux du *Sentinel* était fermée, et il resta désemparé l'espace de quelques secondes, avant de se dire qu'il fallait bien que les journalistes puissent entrer et sortir du bâtiment le dimanche s'ils voulaient publier le numéro du lundi matin, et il finit par trouver une entrée latérale. « J'ai des photographies pour Mr. Hoyle », annonça-t-il à l'employé assis de l'autre côté de la porte, et celui-ci lui indiqua l'escalier.

Il trouva le bureau du rédacteur en chef, une secrétaire prit son nom et une minute plus tard, il serrait la main de Peter Hoyle, un grand homme imposant, aux cheveux blancs et à la moustache noire. Il était en compagnie d'un collègue plus jeune et parlait fort, comme pour couvrir le bruit des rotatives. « L'article sur les chauffards et les délits de fuite est bon, Jack, mais le chapeau est dégueu », dit-il en posant la main sur l'épaule du journaliste en guise de congé et en le poussant vers la porte. « Trouve une autre accroche. Garde la déclaration du maire pour plus tard et commence par les gosses estropiés. » Jack s'éloigna et Hoyle se tourna vers Woody. « Qu'est-ce que tu m'apportes là, fiston ? demanda-t-il sans préambule.

— J'étais au défilé cet après-midi.

— Tu veux parler de l'émeute.

— Il n'y a pas eu d'émeute avant que les gardiens ne se mettent à matraquer les femmes.

— Il paraît que les manifestants ont voulu pénétrer de force dans l'usine et que les gardiens ont dû les repousser.

— Ce n'est pas exact, monsieur, et mes photos le prouvent.

— Montre-moi ça. »

Woody les avait mises en ordre pendant qu'il était dans le bus. Il posa la première sur le bureau du rédacteur en chef. « Tout a commencé pacifiquement. »

Hoyle écarta la photo : « Aucun intérêt. »

Woody présenta un cliché pris devant l'usine. « Le service de sécurité attendait aux grilles. Vous pouvez voir les matraques. » L'image suivante avait été prise au moment où la bousculade avait commencé. « Les manifestants étaient à une bonne dizaine de mètres des grilles. Les gardiens n'avaient absolument pas besoin de les repousser. Il s'est agi d'une provocation délibérée.

— Je vois », murmura Hoyle, et il n'écarta pas ces photos.

Woody sortit alors son meilleur cliché : un gardien qui frappait une femme à coups de matraque. « J'ai assisté à toute la scène, commenta-t-il. Cette femme lui avait simplement dit d'arrêter de la pousser, c'est tout, et il s'est mis à la cogner.

— C'est une bonne photo, approuva Hoyle. Tu en as d'autres ?

— Une seule, répondit Woody. La plupart des manifestants se sont dispersés quand la bagarre a commencé, mais quelques-uns ont riposté. » Il montra à Hoyle l'image de deux manifestants qui bourraient de coups de pied un gardien à terre. « Ces hommes ont rendu la monnaie de sa pièce à la brute qui avait frappé la manifestante.

— Tu as fait du bon boulot, jeune Dewar », dit Hoyle. Il s'assit à son bureau et sortit un formulaire d'une corbeille de rangement. « Vingt dollars, ça te va ?

— Vous voulez dire que vous allez publier mes photos ?

— Ce n'est pas pour ça que tu me les as apportées ?

— Si, bien sûr, monsieur, merci, vingt dollars, c'est entendu. Je veux dire, c'est très bien. Enfin, c'est beaucoup. »

Hoyle griffonna quelques mots sur le formulaire et le signa. « Apporte ça à la caisse. Ma secrétaire te montrera le chemin. »

Le téléphone posé sur son bureau sonna. Le rédacteur en chef souleva le combiné et aboya : « Hoyle. » Prenant cela pour un congé, Woody sortit.

Il était aux anges. Il ne s'attendait pas à être payé, mais surtout, il était ravi que le journal publie ses photos. Il suivit les indications de la secrétaire et arriva dans une petite pièce équipée d'un comptoir et d'un guichet où le caissier lui remit ses vingt dollars. Il rentra chez lui en taxi.

Ses parents furent enchantés de son succès, et son frère lui-même le félicita. Pendant le dîner, Grandmama remarqua : « J'espère tout de même que tu n'envisages pas de faire carrière dans le journalisme. Ce serait déchoir. »

De fait, Woody s'était demandé s'il ne ferait pas bien de se lancer dans la photographie de presse plutôt que dans la politique, et la désapprobation de sa grand-mère le prit au dépourvu.

Mais sa mère sourit : « Voyons, Ursula, ma chère, vous oubliez que j'ai été journaliste.

— Ce n'est pas la même chose, vous êtes une femme, répliqua Grandmama. Woodrow a une réputation à soutenir, comme son père et son grand-père avant lui. »

Mama ne s'en offusqua pas. Elle adorait Grandmama et c'était toujours avec une tolérance amusée qu'elle écoutait ses proclamations d'orthodoxie.

L'intérêt qui se concentrait, comme si souvent, sur son frère aîné finit par agacer Chuck qui lança : « Et moi, qu'est-ce que je suis censé devenir ? De la merde, c'est ça ?

— Je t'en prie, Charles, ne sois pas vulgaire », rétorqua Grandmama, ayant ainsi le dernier mot, comme à son habitude.

Cette nuit-là, Woody eut peine à trouver le sommeil. Il était tellement impatient de voir ses photos dans le journal ! Il éprouvait le même sentiment que le soir de Noël, quand il était enfant : il avait tellement hâte que ce soit le matin qu'il n'arrivait pas à fermer l'œil.

Il pensa à Joanne. Elle avait vraiment tort de le croire trop jeune pour elle. Il était juste bien. Elle l'appréciait, ils avaient beaucoup de points communs et son baiser lui avait plu. Il n'avait pas renoncé à gagner son cœur.

Il s'endormit enfin et quand il s'éveilla, il faisait grand jour. Il enfila un peignoir sur son pyjama et dévala l'escalier. Joe, le maître d'hôtel, sortait toujours de bonne heure pour acheter les journaux, lesquels étaient déjà posés sur la desserte dans la pièce où l'on servait le petit déjeuner. Les parents de Woody s'y trouvaient, son père mangeait des œufs brouillés, sa mère prenait un café.

Woody s'empara du *Sentinel*. Une de ses photos était à la une.

Il ne s'attendait pas à cela. Ils n'avaient publié qu'un de ses clichés : le dernier. Celle où l'on voyait un gardien de l'usine allongé à terre, molesté par deux ouvriers. L'article était intitulé : ÉMEUTE DES GRÉVISTES DE LA FONDERIE.

« Oh, non ! » gémit-il.

Il lut le texte avec incrédulité. On racontait que les manifestants avaient cherché à pénétrer dans l'usine et avaient été vaillamment repoussés par les agents de sécurité, dont plusieurs avaient été légèrement blessés. Le comportement des ouvriers avait été condamné par le maire, le chef de la police et Lev Pechkov. Tout à la fin de l'article, le journaliste avait ajouté quelques lignes, comme après coup, donnant la parole à Brian Hall, lequel niait cette version des faits et accusait les gardiens de violence gratuite.

Woody posa le journal devant sa mère. « J'ai expliqué à Hoyle que c'étaient les gardiens qui avaient déclenché l'échauffourée et je lui ai donné des photos qui le prouvaient ! lança-t-il furieux. Pourquoi publier des mensonges pareils ?

— Parce que c'est un conservateur.

— Les journaux sont censés dire la vérité ! s'obstina Woody d'une voix que l'indignation poussait dans les aigus. Ils ne peuvent quand même pas raconter des bobards pareils !

— Bien sûr que si.

— Mais ce n'est pas juste !

— Bienvenue dans le monde réel », dit sa mère.

6.

Greg Pechkov et son père croisèrent Dave Rouzrokh dans le hall d'entrée de l'hôtel Ritz-Carlton de Washington. Vêtu d'un costume blanc et coiffé d'un chapeau de paille, Dave les dévisagea avec répulsion. Lev le salua, mais l'autre se détourna avec mépris.

Greg savait pourquoi. Dave avait perdu de l'argent tout l'été parce que les Roseroque Theatres n'avaient pas pu obtenir de films en exclusivité. Et Dave se doutait forcément que Lev n'y était pas étranger.

La semaine précédente, Lev avait proposé à Dave quatre millions de dollars pour ses salles – la moitié de son offre initiale – et Dave avait refusé une nouvelle fois. « Le prix baisse, Dave », avait lancé Lev en guise d'avertissement.

« Je me demande ce qu'il vient faire ici, dit Greg.

— Il a rendez-vous avec Sol Starr. Il veut lui demander pourquoi il lui refuse tous ses bons films. » De toute évidence, Lev était parfaitement informé.

« Et que va faire Mr. Starr ?

— Le mener en bateau. »

Décidément, son père savait tout et était capable de maîtriser n'importe quelle situation, songea Greg avec admiration. Il avait toujours une longueur d'avance.

Ils prirent l'ascenseur. C'était la première fois que Greg se rendait dans la suite réservée de son père dans cet hôtel de luxe. Sa mère, Marga, n'y était jamais venue.

Les interventions intempestives du gouvernement dans l'industrie cinématographique obligeaient Lev à se rendre fréquemment à Washington. Des hommes qui se prenaient pour les garants de la moralité publique s'inquiétaient beaucoup de ce qu'on montrait sur les écrans et faisaient pression sur le gouvernement pour qu'il censure les films. Lev envisageait les choses sous l'angle de la transaction – pour lui, toute la vie se résumait à des transactions – et cherchait à éviter une censure en bonne et due forme en adhérant volontairement à un code de bonne conduite, une stratégie que soutenaient Sol Starr et la plupart des gros bonnets d'Hollywood.

Ils pénétrèrent dans un salon incroyablement fastueux, bien plus chic encore que le vaste appartement de Buffalo où Greg vivait avec sa mère. Greg s'extasia intérieurement sur le mobilier, certainement français se dit-il, sur les somptueuses tentures de velours brun qui ornaient les fenêtres et sur l'énorme gramophone.

Au milieu de la pièce, il découvrit avec stupéfaction l'actrice Gladys Angelus, assise sur un canapé de soie jaune.

Certains disaient que c'était la plus belle femme du monde et Greg comprit pourquoi en la voyant. Elle avait un sex-appeal torride, depuis ses yeux aguicheurs d'un bleu profond jusqu'à ses jambes interminables croisées sous sa jupe moulante. Lorsqu'elle lui tendit la main, ses lèvres écarlates esquissèrent un sourire et ses seins ronds se balancèrent de manière voluptueuse sous son pull-over moelleux.

Il hésita une fraction de seconde avant de lui tendre la main. Il avait l'impression de trahir sa mère. Marga ne prononçait jamais le nom de Gladys Angelus, ce qui montrait bien qu'elle savait ce qu'on racontait de ses relations avec Lev. Greg s'en voulait de se montrer cordial avec la rivale de sa mère. Si Mom le savait, elle pleurerait, se dit-il.

Mais il avait été pris par surprise. S'il avait été prévenu, s'il avait eu le temps de réfléchir à ce qu'il fallait faire, il aurait pu se préparer, mettre au point une dérobade courtoise. Il ne pouvait tout de même pas se montrer grossier avec cette femme incroyablement séduisante.

Il lui serra donc la main, croisa le regard de ses yeux envoûtants et esquissa un sourire contraint.

Elle garda sa main dans la sienne en disant : « Je suis si contente de vous rencontrer enfin ! Votre père m'a tellement parlé de vous – mais il m'avait caché que vous étiez aussi joli garçon ! »

Elle se comportait comme si son intimité avec son père était toute naturelle, et Greg trouva cela désagréable. Cette femme avait l'air de se prendre pour quelqu'un de la famille alors que ce n'était qu'une putain qui usurpait la place de sa mère. En même temps, il ne put s'empêcher de succomber à son charme. « J'adore vos films, murmura-t-il gauchement.

— Allons, allons, ne dites pas des choses pareilles », protesta-t-elle, mais Greg eut l'impression que le compliment ne la laissait pas indifférente. « Venez vous asseoir près de moi, poursuivit-elle. Il faut que nous fassions plus amplement connaissance. »

Il obtempéra. Comment résister ? Gladys lui demanda quelles études il faisait, et pendant qu'il parlait, le téléphone sonna. Il entendit vaguement son père répondre dans le combiné : « Je croyais que c'était prévu pour demain… bon, très bien, si le temps presse… comptez sur moi, je me débrouillerai. »

Lev raccrocha et interrompit Gladys. « Ta chambre est au bout du couloir, Greg, dit-il en lui tendant une clé. Tu y trouveras un cadeau de ma part. Tu devrais aller t'installer tranquillement. Nous nous retrouverons à sept heures pour le dîner. »

Le congé était un peu brutal et Gladys parut déconcertée, mais il arrivait à Lev d'être péremptoire, et mieux valait ne pas discuter. Greg prit la clé et sortit.

Il croisa dans le couloir un homme aux épaules de déménageur vêtu d'un complet bon marché. Il lui rappela Joe Brekhounov, le chef des services de sécurité de la fonderie de Buffalo. Greg esquissa un signe de tête en passant et l'homme le salua : « Bonjour, monsieur. » C'était probablement un employé de l'hôtel.

Greg entra dans sa chambre. Très agréable, elle était cependant moins luxueuse que la suite de son père. Il n'aperçut pas le cadeau mentionné par son père, mais sa valise était là et il commença à la défaire, tout en pensant à Gladys. Avait-il trahi sa mère en serrant la main de la maîtresse de Lev ? Après tout, Gladys ne faisait pas autre chose que ce qu'avait fait Marga : coucher avec un homme marié. Pourtant, la situation l'embarrassait. Dirait-il à sa mère qu'il avait fait la connaissance de Gladys ? Certainement pas.

Alors qu'il suspendait ses chemises, il entendit frapper à une porte qui semblait donner sur la chambre voisine. Un instant plus tard, le battant s'ouvrit et une jeune fille entra.

Elle semblait à peine plus âgée que Greg, et sa peau était de la couleur du chocolat noir. Elle était vêtue d'une robe à pois et portait une pochette à la main. Elle lui adressa un grand sourire qui révélait des dents parfaitement blanches et dit : « Bonjour, j'ai la chambre voisine de la vôtre.

— C'est ce que j'ai cru comprendre. Mais… Qui êtes-vous ?

— Jacky Jakes. » Elle lui tendit la main. « Je suis actrice. »

C'était la deuxième beauté à laquelle Greg serrait la main en moins d'une heure. Jacky avait un air mutin qu'il trouva plus attrayant que le magnétisme irrésistible de Gladys. Sa bouche dessinait un arc rose sombre. « Mon père m'a dit qu'il m'avait laissé un cadeau : c'est vous ? » s'étonna-t-il.

Elle pouffa. « Oui, sans doute. Il était sûr que vous me plairiez. Il a promis de m'aider à débuter au cinéma. »

Greg comprit. Son père s'était douté que la présence de Gladys mettrait son fils dans l'embarras. Jacky était là pour le remercier de ne pas faire d'histoires. Il devrait certainement refuser de se laisser acheter comme ça, mais elle était si charmante. « Vous êtes un bien joli cadeau, remarqua-t-il.

— Votre père est très généreux avec vous.

— Il est merveilleux. Vous aussi, d'ailleurs.

— Ça, c'est vraiment gentil. » Elle posa son sac sur la commode, s'approcha de Greg, se hissa sur la pointe des pieds et l'embrassa sur la bouche. Ses lèvres étaient douces et chaudes. « Vous me plaisez beaucoup », murmura-t-elle. Elle posa les mains sur ses épaules. « Vous êtes drôlement musclé.

— Je fais du hockey sur glace.

— J'aime bien ça, c'est tellement rassurant ! » Elle prit ses joues entre ses mains et l'embrassa encore, plus longuement, puis elle soupira : « Oh, j'ai l'impression que nous allons vraiment bien nous amuser.

— Ah oui ? » Washington était une ville du Sud, où la ségrégation n'avait pas disparu. À Buffalo, Blancs et Noirs pouvaient, en règle générale, fréquenter les mêmes restaurants et les mêmes bars, mais ici, c'était différent. Greg avait beau ignorer les détails de la loi, il était certain que dans les faits, un homme blanc accompagné d'une femme noire ne manquerait pas de s'attirer des ennuis. Il était même surprenant que Jacky puisse occuper une chambre dans un hôtel pareil : Lev avait dû arranger les choses. Mais il n'était certainement pas envisageable que Greg et Jacky se baladent tranquillement en ville en compagnie de Lev et Gladys comme deux couples. À quoi pensait Jacky en disant qu'ils allaient bien s'amuser ? Une idée surprenante lui vint à l'esprit : aurait-elle l'intention de coucher avec lui ?

Il posa les mains autour de sa taille pour l'attirer contre lui et l'embrasser, mais elle le repoussa : « Il faut que j'aille prendre une douche. J'en ai pour quelques minutes. » Elle pivota sur ses talons et disparut par la porte de communication qu'elle referma derrière elle.

Il s'assit sur le lit, essayant d'analyser la situation. Jacky voulait faire du cinéma et était apparemment prête à user de ses charmes pour favoriser sa carrière. Elle n'était certainement pas la première actrice, noire ou blanche, à recourir à ce stratagème. Gladys en faisait autant en couchant avec Lev. Greg et son père étaient les heureux bénéficiaires de cette stratégie éprouvée.

Il remarqua alors qu'elle avait oublié sa pochette. Il la prit et tourna la poignée de la porte de communication. Elle n'était pas fermée à clé. Il passa dans l'autre chambre.

Elle était au téléphone, vêtue d'un peignoir de bain rose. Elle dit : « Oui, au poil. Pas de problème. » Son timbre lui parut différent, plus mûr, et il se rendit compte qu'elle avait adopté pour lui parler un ton sexy de petite fille qui n'était pas sa voix naturelle. L'apercevant, elle lui sourit et reprit son gazouillis flûté : « Bloquez les appels s'il vous plaît. Je ne veux pas être dérangée. Merci. Au revoir.

— Vous avez oublié ça, dit Greg en lui tendant son sac.

— Vous vouliez simplement me voir en peignoir, voilà tout », répliqua-t-elle avec coquetterie. La ceinture n'était pas assez serrée pour dissimuler entièrement sa poitrine, et il distingua une ravissante courbe de peau brune sans défaut.

Il sourit. « Non, mais ce n'est pas pour me déplaire.

— Retournez vite dans votre chambre. Je vous ai dit que je voulais prendre une douche. Je vous laisserai peut-être en voir davantage tout à l'heure.

— Ça alors ! » bégaya-t-il.

Il regagna sa chambre interloqué. *Je vous laisserai peut-être en voir davantage tout à l'heure*, se répéta-t-il tout haut. Comment une fille pouvait-elle dire une chose pareille ?

Il bandait mais hésitait à se masturber alors que de toute évidence, il pourrait avoir mieux bientôt. Pour se changer les idées, il continua à défaire ses bagages. Il avait emporté un nécessaire de rasage de luxe que sa mère lui avait offert, un rasoir et un blaireau à manches de nacre. Il les disposa dans la salle de bains, espérant qu'ils impressionneraient Jacky si elle les voyait.

Les cloisons étaient minces, et il entendait le bruit de l'eau qui coulait dans la chambre voisine. L'image du corps nu et mouillé de la jeune fille l'obsédait. Il essaya de se concentrer sur le rangement de ses sous-vêtements et de ses chaussettes dans un tiroir.

Soudain, il l'entendit crier.

Il se figea, trop étonné pour bouger. Que se passait-il ? Pourquoi hurlait-elle ? Un nouveau cri le sortit de sa stupeur. Il poussa la porte de communication et entra dans sa chambre.

Elle était nue. C'était la première femme nue qu'il voyait de sa vie. Il remarqua ses seins pointus aux mamelons brun foncé. Une touffe de poils noirs bouclés masquait son entrejambe. Elle était recroquevillée contre un mur, cherchant vainement à cacher sa nudité de ses mains.

Il reconnut avec stupeur Dave Rouzrokh debout devant Jacky, sa joue aristocratique striée de deux griffures symétriques, probablement dues aux ongles vernis de rose de la jeune fille. Il y avait une minuscule tache de sang sur le revers de son élégante veste blanche croisée.

Jacky hurla : « Faites-le sortir d'ici ! »

Le poing de Greg partit tout seul. Dave était un peu plus grand que lui, mais c'était un homme âgé et Greg un adolescent athlétique. Le coup toucha Dave au menton – plus par hasard que délibérément ; il tituba et tomba à la renverse.

La porte donnant sur le couloir s'ouvrit et l'employé à épaules de déménageur que Greg avait croisé un peu plus tôt apparut. Il devait avoir un passe, se dit Greg. « Tom Cranmer, détective de l'hôtel, déclara l'homme. Que se passe-t-il ici ?

— J'ai entendu crier cette jeune fille, expliqua Greg, je suis entré et j'ai trouvé cet homme dans sa chambre.

— Il a essayé de me violer », gémit Jacky.

Dave se releva péniblement. « C'est faux, protesta-t-il. On m'a donné rendez-vous dans cette chambre pour y rencontrer Sol Starr. »

Jacky se mit à sangloter. « Et maintenant, il va m'accuser de mentir ! »

Cranmer se tourna vers elle : « Couvrez-vous, mademoiselle, je vous prie. »

Jacky enfila son peignoir de bain rose.

Le détective s'approcha du téléphone de la chambre et composa un numéro : « Pouvez-vous faire venir un policier dans le hall ? Il devrait y en avoir un au coin de la rue. »

Dave avait les yeux rivés sur Greg. « Vous êtes le bâtard de Pechkov ou je me trompe ? »

Greg serra le poing, prêt à frapper.

« Oh, Seigneur, c'est un coup monté ! » murmura Dave.

La remarque désarçonna Greg qui comprit intuitivement que Dave disait vrai. Il laissa retomber son bras. Le scénario avait dû être écrit par Lev : Dave Rouzrokh n'était pas un violeur, Jacky jouait un rôle et Greg lui-même n'était qu'un comparse. Il en avait la tête qui tournait.

« Veuillez m'accompagner, monsieur, fit Cranmer en prenant Dave fermement par le bras. Et vous deux, suivez-nous.

— Vous ne pouvez pas m'arrêter, protesta Dave.

— Bien sûr que si, monsieur, répliqua Cranmer. Je vais vous remettre entre les mains de la police. »

Greg se tourna vers Jacky : « Voulez-vous vous habiller ? »

Elle secoua la tête rapidement, l'air décidé. Greg comprit que le peignoir de bain était un accessoire de son numéro.

Il donna le bras à Jacky et ils suivirent Cranmer et Dave jusqu'au bout du couloir, puis dans l'ascenseur. Un policier attendait dans le hall de l'hôtel. Il devait faire partie du plan, lui aussi, comme le détective, supposa Greg.

« J'ai entendu crier dans la chambre de cette jeune personne, expliqua Cranmer, et j'ai trouvé le vieux à l'intérieur. Elle dit qu'il a essayé de la violer. Ce jeune homme est témoin. »

Dave avait l'air abasourdi et semblait se demander si c'était un cauchemar. Greg éprouva un élan de compassion à son égard. Il avait été victime d'un piège cruel. Son père était plus machiavélique encore qu'il ne l'aurait imaginé. Une partie de lui-même l'admirait, l'autre ne pouvait s'empêcher de réprouver ces méthodes.

Le policier passa les menottes à Dave et dit : « Très bien, allons-y.

— Où m'emmenez-vous ? demanda Dave.

— En ville, répondit le policier.

— Est-ce que nous devons venir, nous aussi ? s'inquiéta Greg.

— Ouais. »

Cranmer s'approcha de Greg et lui chuchota à l'oreille : « Ne t'en fais pas, fiston. Tu as fait du bon boulot. On va aller au commissariat, vous ferez votre déposition, et après, tu pourras la baiser tranquillement jusqu'à Noël. »

Le policier conduisit Dave jusqu'à la porte tandis que les autres suivaient.

Au moment où ils franchissaient le seuil, le flash d'un photographe les éblouit.

7.

Woody Dewar se fit envoyer un exemplaire des *Études sur l'hystérie* de Freud par un libraire de New York. Le soir du bal du Yacht-Club – le clou des mondanités de la saison estivale de Buffalo –, il l'emballa joliment dans un papier brun autour duquel il noua un ruban rouge. « Des chocolats pour une petite veinarde ? » demanda sa mère en le croisant dans le couloir. Elle n'avait qu'un œil, mais rien ne lui échappait.

« C'est un livre, rectifia-t-il. Pour Joanne Rouzrokh.

— Elle ne viendra pas au bal.

— Je sais. »

Mama s'arrêta et lui jeta un regard pénétrant. Après un instant de silence, elle remarqua : « Tu es drôlement mordu.

— Je crois que oui. Mais elle me trouve trop jeune.

— C'est sans doute une question d'amour propre. Ses amies lui demanderaient forcément pourquoi elle ne se trouve pas un garçon de son âge. Les filles peuvent être cruelles, tu sais.

— J'ai bien l'intention de m'obstiner jusqu'à ce qu'elle mûrisse. »

Mama sourit. « Je parie que tu la fais rire.

— Bien sûr. C'est mon plus grand atout.

— Et puis zut ! Si tu savais le temps qu'il m'a fallu pour séduire ton père !

— C'est vrai ?

— Je suis tombée amoureuse de lui au premier regard. Je me suis languie pendant des années. J'ai été condamnée à le voir s'enticher de cette godiche d'Olga Vialov, qui ne lui arrivait pas à la cheville mais qui avait deux yeux en bon état. Dieu merci, elle s'est fait sauter par son chauffeur. » Le vocabulaire de Mama pouvait être un peu vert, surtout quand Grandmama n'était pas dans les parages. Elle avait pris de mauvaises habitudes quand elle travaillait dans la presse. « Ensuite, il est parti à la guerre. Il a fallu que je le suive jusqu'en France pour arriver à mes fins ! »

Il n'échappa pas à Woody qu'elle évoquait ces souvenirs avec nostalgie mais aussi une certaine souffrance. « Mais il a fini par comprendre que tu étais la femme de sa vie.

— En définitive, oui.

— Il m'arrivera peut-être la même chose. »

Mama l'embrassa. « Bonne chance, mon fils », dit-elle.

La maison des Rouzrokh était à moins d'un kilomètre et Woody s'y rendit à pied. Aucun membre de la famille ne serait au Yacht-Club ce soir-là. Dave avait fait la une de la presse après un mystérieux incident survenu au Ritz-Carlton de Washington. Les manchettes reprenaient toutes le même refrain : UN MAGNAT DU CINÉMA ACCUSÉ PAR UNE STARLETTE. Woody avait appris récemment à se méfier des journaux. Mais les esprits crédules disaient qu'il n'y avait pas de fumée sans feu. S'il ne s'était rien passé, pourquoi la police aurait-elle arrêté Dave ?

Depuis, aucun membre de la famille n'avait plus assisté à un seul événement mondain.

Devant la maison des Rouzrokh, un gardien armé arrêta Woody. « La famille ne reçoit pas », annonça-t-il sans ménagement.

Songeant qu'il avait dû passer beaucoup de temps à éconduire les journalistes, Woody lui pardonna sa brutalité. Il se rappela le nom de la femme de chambre des Rouzrokh. « Pouvez-vous demander à miss Estella de dire à Joanne que Woody Dewar est venu lui apporter un livre ?

— Vous n'avez qu'à me le laisser », rétorqua le gardien en tendant la main.

Woody se cramponna à son paquet. « Merci, mais je préférerais le lui remettre personnellement. »

L'air contrarié, le gardien conduisit tout de même Woody jusqu'au bout de l'allée et sonna. Estella ouvrit et s'écria immédiatement : « Bonjour, monsieur Woody, entrez, Joanne sera ravie de vous voir ! » Woody s'autorisa un regard triomphant au gardien avant de franchir le seuil.

Estella le conduisit jusqu'à un salon désert. Elle lui proposa du lait et des biscuits, comme à un enfant, et il refusa poliment.

Joanne arriva presque immédiatement. Elle avait les traits tirés et son teint naturellement hâlé paraissait étrangement délavé, mais elle lui sourit gentiment et s'assit pour bavarder avec lui.

Elle découvrit avec plaisir le livre qu'il lui avait apporté. « Maintenant, je vais être obligée de lire ce cher docteur Freud au lieu de me contenter de débiter des fadaises à son sujet, remarqua-t-elle. Tu as une bonne influence sur moi, Woody.

— Je préférerais en avoir une mauvaise. »

Elle ne releva pas. « Tu ne vas pas au bal ?

— J'ai un billet, mais si tu n'y es pas, ça ne me dit rien. Veux-tu que nous allions au cinéma à la place ?

— Non, merci, sincèrement.

— Ou bien nous pourrions simplement aller dîner quelque part. Dans un endroit tranquille. Si ça ne te fait rien de prendre le bus.

— Oh, Woody, ce n'est pas une question de bus ! Tu es trop jeune pour moi, je te l'ai déjà dit. En plus, l'été est presque fini. Tu vas bientôt reprendre les cours, et moi, je pars pour Vassar.

— Où tu sortiras avec des garçons, évidemment.

— Je l'espère bien ! »

Woody se leva. « Bon, très bien. Je vais faire vœu de célibat et entrer au monastère. Je t'en prie, surtout, ne viens pas me rendre visite, tu troublerais les autres frères. »

Elle éclata de rire. « Tu es gentil de me faire oublier un moment les ennuis de ma famille. »

C'était la première fois qu'elle évoquait ce qui était arrivé à son père. Il n'avait pas eu l'intention d'aborder le sujet, mais puisqu'elle en avait pris l'initiative, il se permit de dire : « Tu sais que nous sommes tous de votre côté. Personne ne croit un mot de ce que raconte cette actrice. Tout le monde en ville sait parfaitement qu'il s'agit d'un traquenard monté par ce salaud de Lev Pechkov, et on est tous furieux contre lui.

— Je sais. Mais cette accusation en soi est tellement ignominieuse que mon père ne s'en remet pas. Je crois que mes parents vont aller s'installer en Floride.

— Je suis vraiment désolé.

— Merci. Et maintenant, va vite au bal.

— Oui, peut-être. »

Elle le raccompagna dans l'entrée.

« Je peux t'embrasser pour te dire au revoir ? »

Elle se pencha vers lui. Cela n'avait rien à voir avec leur baiser précédent, mais il eut la sagesse de ne pas la prendre dans ses bras pour presser sa bouche contre la sienne. C'était un baiser léger, leurs lèvres jointes l'espace d'un instant de douceur qui s'évanouit en un souffle. Puis elle s'écarta de lui et ouvrit la porte.

« Bonne nuit, dit Woody en sortant.

— Au revoir », répondit Joanne.

8.

Greg Pechkov était amoureux.

Il avait beau savoir que Jacky Jakes était payée par son père – sa manière de le remercier pour l'avoir aidé à piéger Dave Rouzrokh –, cela ne l'empêchait pas d'être vraiment amoureux.

Il avait perdu sa virginité quelques instants après leur retour du commissariat, et ils avaient passé le plus clair de la semaine au lit, au Ritz-Carlton. Greg n'avait pas besoin de prendre de précautions, lui avait dit Jacky, parce qu'elle avait « déjà fait le nécessaire ». Il n'avait qu'une très vague idée de ce qu'elle entendait par là, mais n'avait pas insisté.

Il n'avait jamais été aussi heureux de sa vie. Il adorait Jacky, surtout quand elle renonçait à jouer la petite fille pour révéler une intelligence aiguë et un sens de l'humour caustique. Elle avait reconnu avoir séduit Greg à la demande de son père, mais avoua que, contre son gré, elle était tombée amoureuse, elle aussi. Son vrai nom était Mabel Jakes et bien qu'elle prétendît avoir dix-neuf ans, elle n'en avait que seize ; elle était l'aînée de Greg de quelques mois seulement.

Lev lui avait promis de la faire jouer dans un film, mais prétendait chercher encore un rôle à sa mesure. Dans une imitation parfaite du léger accent russe persistant de Lev, elle avait ajouté : « Mais je ne crrrois pas qu'il cherrrche très durrr.

— Il n'y a sûrement pas beaucoup de rôles écrits pour des acteurs noirs, remarqua Greg.

— Je sais bien. Je vais finir par jouer la bonne et par rouler des yeux en disant “Oui, missié”. Il y a pourtant des Africains dans des pièces et des films – Cléopâtre, Hannibal, Othello, pour n'en citer que quelques-uns – mais ils sont généralement interprétés par des acteurs blancs. » Son père, décédé depuis, avait été professeur dans une université réservée aux Noirs et elle était plus forte en littérature que Greg. « Et d'ailleurs, pourquoi les Nègres devraient-ils uniquement jouer des rôles de Noirs ? Si Cléopâtre peut être interprétée par une actrice blanche, pourquoi Juliette ne pourrait-elle pas être noire ?

— Les gens trouveraient ça bizarre.

— Ils s'y feraient. Ils se font à tout. Faut-il obligatoirement être juif pour jouer le rôle de Jésus ? Tout le monde s'en fiche. »

Elle avait évidemment raison, songea Greg, et pourtant, cela n'arriverait jamais.

Quand Lev lui avait annoncé qu'ils rentraient à Buffalo – à la dernière minute, comme toujours –, Greg s'était effondré. Il avait supplié son père de pouvoir emmener Jacky, mais Lev s'était esclaffé : « Voyons mon fils, tu ne chies pas là où tu manges. Tu la retrouveras la prochaine fois que tu m'accompagneras à Washington. »

Jacky l'avait toutefois rejoint à Buffalo le lendemain de son départ et s'était installée dans un appartement bon marché, près de Canal Street.

Lev et Greg avaient eu fort à faire pendant les quinze jours qui avaient suivi le rachat des Roseroque Theatres. Dave s'était résigné à vendre ses salles pour deux millions, le quart de l'offre initiale, et l'admiration de Greg pour son père était encore montée d'un cran. Jacky avait retiré sa plainte et laissé entendre aux journaux qu'elle avait accepté une indemnité financière. Le sang-froid cynique de son père en imposait à Greg.

Et puis, il avait Jacky. Il racontait à sa mère qu'il sortait tous les soirs avec des copains, mais en réalité, il passait tout son temps libre avec la jeune fille. Il se promenait en ville avec elle, ils pique-niquaient ensemble sur la plage, et il réussit même à emprunter un hors-bord pour l'emmener faire un tour sur le lac. Personne ne fit le lien entre cette jeune Noire et la photo de presse un peu floue d'une fille sortant du Ritz-Carlton en peignoir de bain. Mais, le plus souvent, ces chaudes soirées d'été les virent s'adonner à des ébats amoureux délirants et moites, entortillant les draps usés sur l'étroit lit du petit appartement de Jacky. Ils avaient décidé de se marier dès qu'ils auraient atteint l'âge légal.

Ce soir-là, ils allaient au bal du Yacht-Club.

Greg avait eu un mal fou à obtenir des billets, mais avait fini par arriver à ses fins en versant une coquette somme à un camarade de classe.

Il avait acheté à Jacky une nouvelle robe de satin rose.

Marga ne le laissait manquer de rien et Lev adorait lui glisser cinquante dollars par-ci, par-là, de sorte qu'il avait plus d'argent qu'il ne lui en fallait.

Son cerveau tirait pourtant confusément la sonnette d'alarme. Jacky serait la seule Noire de la soirée à ne pas être une serveuse. Elle avait beaucoup hésité à y aller, et Greg avait peiné à la convaincre. Les jeunes l'envieraient, mais les vieux seraient peut-être hostiles, il le savait. Il s'attendait à ce qu'on chuchote dans leur dos. La beauté et le charme de Jacky surmonteraient bien des préjugés, pensait-il ; comment pouvait-on lui résister ? Néanmoins, si un crétin s'enivrait et l'insultait, Greg avait deux poings solides pour lui donner une bonne leçon.

À l'instant même où cette idée lui traversait l'esprit, il songea que sa mère lui reprocherait sûrement de se conduire comme un idiot… mais après tout, un homme ne pouvait pas passer sa vie à écouter sa mère.

Tout en longeant Canal Street en cravate blanche et en queue-de-pie, il se réjouissait à l'avance de la découvrir dans sa robe neuve. Peut-être la relèverait-elle assez haut pour lui faire voir sa culotte et son porte-jarretelles.

Il entra dans le bâtiment où elle habitait, une vieille demeure divisée en appartements. L'escalier était recouvert d'un tapis rouge élimé et une odeur de cuisine épicée planait dans l'air. Il pénétra dans l'appartement avec sa propre clé.

Elle n'était pas là.

C'était curieux. Où avait-elle pu aller sans lui ?

Le cœur serré d'angoisse, il ouvrit la penderie. La robe de bal de satin rose y était suspendue, seule. Tous ses autres vêtements avaient disparu.

« Non ! » cria-t-il tout haut. Que s'était-il passé ?

Il aperçut une enveloppe sur la table de pin branlante. Elle portait son nom et il reconnut, submergé par l'appréhension, l'écriture soignée et un peu scolaire de Jacky. Il déchira l'enveloppe de ses mains tremblantes et déchiffra le bref message.

Mon Greg chéri,

Ces trois dernières semaines ont été les plus heureuses de ma vie.

Je savais au fond de moi que nous ne pourrions jamais nous marier, mais c'était si bon de faire semblant.

Tu es un garçon adorable et tu deviendras un homme merveilleux si tu ne suis pas trop l'exemple de ton père.

Lev aurait-il découvert que Jacky vivait ici et l'aurait-il obligée à partir ? Non, il ne ferait jamais une chose aussi cruelle.

Au revoir, et ne m'oublie pas.

Ton cadeau,

Jacky.

Greg roula le papier en boule et fondit en larmes.

9.

« Tu es superbe, dit Eva Rothmann à Daisy Pechkov. Si j'étais un garçon, je tomberais amoureuse de toi immédiatement. »

Daisy sourit. Eva était déjà un tout petit peu amoureuse d'elle. Et Daisy était effectivement superbe, dans sa robe de bal en organdi de soie bleu métallique qui accentuait encore l'éclat de ses yeux. La jupe avait un ourlet à fanfreluches qui descendait jusqu'à la cheville sur l'avant, mais remontait de façon espiègle jusqu'à mi-mollet sur l'arrière, offrant une vision aguichante des jambes de Daisy en bas ultrafins.

Elle portait au cou un collier de saphirs appartenant à sa mère. « Ton père me l'avait acheté à l'époque où il lui arrivait encore d'être gentil, lui avait dit Olga. Mais dépêche-toi, Daisy, tu vas tous nous mettre en retard. »

Olga avait l'air d'une matrone dans sa robe bleu marine, tandis qu'Eva était fort à son avantage dans une tenue rouge qui faisait ressortir ses cheveux noirs et son teint mat.

Daisy, toute à son bonheur, descendit l'escalier sur un petit nuage.

Elles sortirent de la maison. Henry, le jardinier, qui faisait office de chauffeur pour la soirée, ouvrit les portières de la vieille Stutz noire rutilante.

C'était la grande nuit de Daisy. Ce soir, Charlie Farquharson lui ferait officiellement sa demande. Il lui offrirait une bague sertie d'un gros diamant, un bijou de famille – elle l'avait vue et approuvée, et l'anneau avait été ajusté à son doigt. Elle accepterait sa demande, et puis ils annonceraient leurs fiançailles à toute l'assistance.

Quand elle monta en voiture, elle avait l'impression d'être Cendrillon.

Eva était la seule à avoir exprimé quelques doutes : « J'aurais imaginé que tu craquerais pour quelqu'un avec qui tu serais mieux assortie.

— Tu veux dire un homme qui ne se laisserait pas mener par le bout du nez, c'est ça ? avait rétorqué Daisy.

— Non, mais quelqu'un qui te ressemblerait davantage, un homme séduisant, charmant, vraiment attirant, quoi. »

Il était rare qu'Eva s'exprime aussi franchement : cela sous-entendait que Charlie était ordinaire, dénué de charme et de séduction. Interloquée, Daisy était restée sans voix.

Sa mère s'était portée à son secours : « J'ai épousé un homme beau, charmant et attirant, qui m'a rendue affreusement malheureuse. »

Eva n'avait plus rien dit.

Comme la voiture approchait du Yacht-Club, Daisy se jura de contenir son allégresse. Son triomphe ne devait pas être trop flagrant. Elle devait faire comme s'il n'y avait rien d'étrange à ce que sa mère se soit vu proposer d'entrer dans la Société des dames de Buffalo. Et lorsqu'elle ferait voir son énorme diamant aux autres filles, elle aurait la grâce de déclarer qu'elle ne méritait vraiment pas un homme aussi merveilleux que Charlie.

Elle avait des projets pour le rendre encore plus merveilleux. Dès qu'ils seraient rentrés de voyage de noces, ils monteraient leur écurie de chevaux de course. Dans cinq ans, ils concourraient sur les plus prestigieux hippodromes du monde : Saratoga Springs, Longchamp, Ascot.

L'automne approchait et le jour déclinait déjà lorsque la voiture s'arrêta sur la jetée. « J'ai bien peur que nous ne rentrions très tard ce soir, Henry, lança Daisy gaiement.

— C'est parfait, miss Daisy », répondit-il. Il l'adorait. « Amusez-vous bien. »

À la porte, Daisy remarqua que Victor Dixon les suivait. Bien disposée à l'égard de tout le monde, elle se retourna : « Alors Victor, il paraît que ta sœur a rencontré le roi d'Angleterre ! Félicitations !

— Hum, oui », murmura-t-il d'un air gêné.

Elles entrèrent dans le club. La première personne qu'elles aperçurent fut Ursula Dewar, qui avait donné son accord à l'admission d'Olga dans son club de vieilles mondaines. Daisy lui adressa son sourire le plus chaleureux : « Bonsoir, madame. »

Ursula parut distraite. « Excusez-moi un instant », dit-elle et elle s'éloigna vers le fond du vestibule. Elle se prend pour une reine, songea Daisy, mais cela l'autorise-t-elle à faire fi des bonnes manières ? Un jour, ce serait à son tour de régner sur la haute société de Buffalo et elle se montrerait toujours aimable avec tout le monde, se jura-t-elle.

Olga, Eva et Daisy se dirigèrent vers les toilettes pour dames et s'examinèrent dans les miroirs, vérifiant que leur tenue n'avait pas souffert des vingt minutes de trajet. Dot Renshaw entra, les dévisagea et ressortit. « Quelle idiote, celle-là », murmura Daisy.

Mais sa mère était contrariée. « Que se passe-t-il ? demanda-t-elle. Nous sommes là depuis moins de cinq minutes et c'est la troisième personne qui nous snobe !

— Elles crèvent toutes de jalousie », répliqua Daisy, qui sortit la première.

Lorsqu'elle fit son entrée dans la salle de bal, Woody Dewar la salua. « Ah ! Enfin un gentleman », s'écria-t-elle.

Il lui dit tout bas : « Je tiens à ce que tu saches que je trouve vraiment injuste qu'on te reproche ce que ton père a pu faire.

— D'autant plus qu'ils se bousculaient tous pour lui acheter de l'alcool ! » répliqua-t-elle.

Elle aperçut alors sa future belle-mère dans une robe rose à ruchés peu faite pour flatter sa silhouette anguleuse. Nora

Farquharson n'était pas enchantée par la fiancée que son fils s'était choisie, mais elle avait accepté Daisy et s'était montrée charmante avec Olga quand elles s'étaient rendu réciproquement visite. « Madame Farquharson ! s'écria Daisy. Quelle jolie robe ! »

Nora Farquharson lui tourna le dos et s'éloigna.

Eva en resta bouche bée.

Un sentiment d'horreur envahit Daisy, qui se retourna vers Woody. « Ce n'est pas un problème d'alcool de contrebande, si ?

— En effet.

— Mais alors quoi ?

— Tu ferais mieux de demander à Charlie. Le voilà. »

Charlie transpirait, malgré la fraîcheur de l'air. « Que se passe-t-il ? lui demanda Daisy. Tout le monde me bat froid ! »

Il était affreusement nerveux. « Les gens sont furieux contre ta famille, dit-il.

— Mais pourquoi ? »

L'entendant élever la voix, plusieurs personnes s'arrêtèrent et tournèrent les yeux dans leur direction. Cela lui était bien égal.

« Ton père a ruiné Dave Rouzrokh, expliqua Charlie.

— Tu veux parler de cette histoire du Ritz-Carlton ? En quoi est-ce que ça me concerne ?

— Dave est très apprécié de tous, bien qu'il soit persan ou je ne sais quoi. Et personne ne le croit capable de violer qui que ce soit.

— Je n'ai jamais prétendu qu'il l'avait fait !

— Je sais bien », acquiesça Charlie, visiblement au supplice.

Les gens les regardaient sans se cacher, désormais : Victor Dixon, Dot Renshaw, Chuck Dewar.

Daisy reprit : « Mais on me le reproche quand même. C'est ça ?

— Ton père s'est affreusement mal conduit. »

Daisy sentit un frisson glacé lui parcourir l'échine. Son triomphe allait-il lui échapper au dernier moment ? « Charlie, qu'est-ce que tu veux me dire au juste ? Parle franchement, pour l'amour du ciel. »

Eva prit Daisy par la taille dans un geste de réconfort.

Charlie répondit : « Maman affirme que c'est impardonnable.

— Comment ça, impardonnable ? »

Incapable d'ajouter un mot, il lui jeta un regard désespéré.

Il en avait assez dit. Elle avait compris. « C'est fini, c'est ça ? Tu me laisses tomber ? »

Il hocha la tête.

Olga s'interposa : « Rentrons à la maison, Daisy. » Elle était en larmes.

Daisy parcourut la salle du regard. Relevant le menton, elle les toisa tous : Dot Renshaw avec sa petite moue malveillante et satisfaite, Victor Dixon pétri d'admiration, Chuck Dewar, la bouche ouverte de stupéfaction adolescente et son frère Woody, rempli de compassion.

« Allez vous faire voir, tous autant que vous êtes ! lança-t-elle d'une voix claironnante. Je pars à Londres danser avec le roi ! »

III

1936

1.

C'était un samedi après-midi ensoleillé de mai 1936 et l'année universitaire touchait à son terme quand le fascisme dressa sa tête hideuse parmi les pierres blanches des cloîtres de l'antique université de Cambridge.

Lloyd Williams était étudiant en lettres modernes à l'Emmanuel College – que tout le monde appelait l'« Emma ». Il s'était spécialisé en français et en allemand, une langue pour laquelle il avait une prédilection toute particulière. Plongé dans les chefs-d'œuvre de la culture germanique et dans la lecture de Goethe, Schiller, Heine et Thomas Mann, il levait de temps en temps les yeux de ses livres dans la paisible bibliothèque où il travaillait pour déplorer que l'Allemagne actuelle fût en train de sombrer dans la barbarie.

La section locale de l'Union des fascistes britanniques venait de faire savoir que leur chef, Sir Oswald Mosley, viendrait prononcer un discours à Cambridge. Cette nouvelle reporta Lloyd trois ans plus tôt, à Berlin. Il revit les brutes en chemise brune dévaster les locaux de la revue où travaillait Maud von Ulrich; il réentendit la voix haineuse et discordante d'Hitler s'adressant au Parlement et écrasant la démocratie de son mépris; et il frémit d'horreur en se rappelant les gueules ensanglantées des chiens déchiquetant Jörg coiffé d'un seau.

À présent, debout sur le quai de la gare de Cambridge, Lloyd attendait sa mère qui arrivait de Londres. Il était accompagné de Ruby Carter, une militante du parti travailliste local. Elle l'avait aidé à organiser un meeting intitulé « La vérité sur le fascisme », qui devait avoir lieu le jour même. La mère de Lloyd,

Ethel Leckwith, prendrait la parole. Après avoir écrit un livre sur l'Allemagne qui avait remporté un vif succès, elle s'était représentée aux législatives de 1935 et avait été réélue députée d'Aldgate.

Lloyd était nerveux. Le nouveau parti politique de Mosley comptait désormais plusieurs milliers d'adhérents, en partie grâce au soutien fanatique du *Daily Mail*, qui n'avait pas hésité à proclamer en manchette : HOURRAH POUR LES CHEMISES NOIRES ! Orateur charismatique, Mosley allait sûrement recruter de nouveaux membres ce jour-là. Il était indispensable que le phare de la raison brille pour dénoncer ses mensonges séducteurs.

Ruby, quant à elle, était d'humeur loquace. Elle se plaignait de la médiocrité de la vie sociale à Cambridge. « Les garçons d'ici m'assomment, bougonna-t-elle. Ils n'ont qu'une idée en tête : aller au pub et se saouler la gueule. »

Lloyd fut surpris. Il avait imaginé que Ruby sortait beaucoup. Elle portait des vêtements bon marché toujours un peu étroits, qui moulaient ses formes rebondies. La plupart des hommes devaient la trouver séduisante. « Qu'est-ce que tu aimes faire ? demanda-t-il. À part organiser des meetings du parti travailliste ?

— J'adore danser.

— Ce ne sont sûrement pas les cavaliers qui manquent ! Il y a plus de dix hommes pour une femme à la fac.

— Ne le prends pas mal, mais la plupart des étudiants sont des tapettes. »

Les homosexuels étaient nombreux à l'université de Cambridge, Lloyd ne l'ignorait pas, mais il ne s'attendait pas à ce qu'elle évoque le sujet. Ruby avait beau être connue pour son franc-parler, c'était un peu choquant, même dans sa bouche. Ne sachant comment réagir, il garda le silence.

« Ce n'est pas ton cas, quand même, si ? demanda Ruby.

— Mais non ! Ne sois pas idiote.

— N'y vois pas une insulte. À part ton nez cassé, tu es assez joli garçon pour être pédé. »

Il éclata de rire. « Voilà ce qu'on appelle un compliment équivoque.

— Sans blague. Tu ressembles à Douglas Fairbanks junior, je t'assure.

— Merci, c'est gentil, mais non, je ne suis pas pédé.

— Tu as une petite amie ? »

Son indiscrétion commençait à devenir pesante. « Non, pas pour le moment. » Il consulta sa montre ostensiblement, puis fit mine de chercher le train du regard.

« Pourquoi ?

— Je n'ai pas encore rencontré de fille qui me plaise.

— Oh, merci beaucoup. C'est vraiment sympa », rétorqua-t-elle mi-figue, mi-raisin.

Il la regarda, mortifié qu'elle ait pris la remarque pour elle. « Je ne voulais pas dire…

— Et pourtant, tu l'as dit. Voilà le train qui arrive. »

La locomotive entra en gare et s'arrêta dans un nuage de vapeur. Les portes s'ouvrirent et les passagers descendirent sur le quai : des étudiants en vestes de tweed, des femmes de cultivateurs venues en ville faire des courses, des ouvriers en casquette. Lloyd passa la foule en revue, cherchant sa mère du regard. « Elle doit être en troisième classe. Question de principe.

— Tu viendrais à la fête que je donne pour mes vingt et un ans ?

— Bien sûr, répondit Lloyd sans grande conviction.

— Mon amie a un petit appartement dans Market Street, et une logeuse dure d'oreille. On va bien s'amuser. »

La mère de Lloyd apparut alors, aussi jolie qu'un oiseau chanteur avec son manteau d'été rouge et son coquet petit chapeau. Elle le prit dans ses bras et l'embrassa. « Tu as l'air en pleine forme, mon chéri, dit-elle. Mais il faut absolument que je t'achète un nouveau costume pour le prochain trimestre.

— Celui-là va encore très bien, Mam. » Il avait une bourse qui couvrait ses droits universitaires et ses dépenses courantes, mais ses vêtements étaient évidemment à sa charge. Quand il était entré à Cambridge, sa mère avait puisé dans ses économies pour lui acheter un complet de tweed ordinaire et une tenue de soirée pour les dîners officiels. Il avait porté le complet de tweed tous les jours depuis, et cela se voyait. Soucieux de son apparence, il veillait à ce que sa chemise blanche soit toujours impeccable, sa cravate parfaitement nouée et n'oubliait jamais le mouchoir blanc plié dans sa poche de poitrine : il avait dû avoir un dandy parmi ses ancêtres. Son costume était soigneusement repassé, mais commençait à être élimé. En réalité, il aurait bien aimé en avoir un nouveau mais ne voulait pas que sa mère fasse de sacrifices pour lui.

« Nous verrons », conclut-elle. Elle se tourna vers Ruby, lui adressa un sourire chaleureux et lui tendit la main. « Je suis Eth Leckwith », dit-elle avec la grâce naturelle d'une duchesse en visite.

« Enchantée. Ruby Carter.

— Vous êtes étudiante, vous aussi, Ruby ?

— Non. Je suis femme de chambre à Chimbleigh, un grand domaine des environs. » Ruby paraissait un peu gênée de faire cet aveu. « C'est à huit kilomètres de la ville, mais généralement, j'emprunte un vélo.

— Alors ça ! s'écria Ethel. Quand j'avais votre âge, j'étais femme de chambre dans une propriété du pays de Galles. »

Ruby n'en revenait pas. « Vous, femme de chambre ? Et vous êtes devenue députée ?

— Les prodiges de la démocratie !

— Ruby et moi avons préparé la réunion d'aujourd'hui ensemble, intervint Lloyd.

— Et comment ça se présente ? demanda sa mère.

— C'est complet. Nous avons même dû changer de salle et en réserver une plus grande.

— Je t'avais bien dit que ça marcherait. »

C'était Ethel qui avait eu l'idée de ce rassemblement. Ruby Carter et d'autres membres du parti travailliste avaient eu l'intention d'organiser une manifestation de protestation, un défilé à travers la ville. Dans un premier temps, Lloyd avait approuvé cette initiative. « Il ne faut pas laisser passer une occasion de s'opposer au fascisme », avait-il affirmé.

Ethel était d'un autre avis. « Si nous défilons en criant des slogans, nous faisons exactement comme eux, avait-elle expliqué. Il faut montrer que nous sommes différents. Organiser un rassemblement calme et intelligent pour discuter de la réalité du fascisme. » Lloyd était sceptique. « Je viendrai prendre la parole si tu veux », avait-elle ajouté.

Lloyd avait présenté sa proposition à la branche locale du parti. Le débat avait été animé, Ruby prenant la tête de l'opposition au projet d'Ethel, mais finalement, la perspective de faire monter à la tribune une députée, célèbre féministe de surcroît, avait eu raison de toutes les objections.

Lloyd se demandait encore s'il était judicieux d'opter pour la solution plus modérée. Il n'avait pas oublié les paroles de Maud von Ulrich à Berlin : « Il ne faut *pas* répondre à la violence par la violence. » C'était la stratégie qu'avait adoptée le parti social-démocrate allemand. Et elle avait conduit la famille von Ulrich et l'Allemagne à la catastrophe.

Ils sortirent de la gare en passant sous les arcades romanes en brique jaune et empruntèrent Station Road, une rue bordée d'arbres et de prétentieuses demeures bourgeoises construites dans le même matériau. Ethel glissa son bras sous celui de Lloyd. « Alors, comment va mon petit étudiant ? »

L'adjectif le fit sourire. Il avait dix centimètres de plus que sa mère et faisait partie de l'équipe de boxe universitaire : il était si musclé qu'il aurait pu la soulever d'une main. Elle rayonnait d'orgueil. Peu de choses dans la vie lui avaient donné autant de satisfaction que l'admission de son fils à Cambridge. C'était sans doute pour cela qu'elle tenait tant à ce qu'il soit bien habillé.

« Je suis très heureux ici, tu le sais, dit-il. Et je le serai encore plus quand la fac sera pleine de fils d'ouvriers.

— Et de filles », intervint Ruby.

Ils s'engagèrent dans Hills Road, la principale artère menant au centre-ville. Depuis l'installation du chemin de fer, la ville s'était développée vers le sud en direction de la gare et l'on avait construit des églises le long de Hills Road pour les paroissiens du nouveau faubourg. Ils se dirigeaient vers un temple baptiste que le pasteur, un homme de gauche, avait mis gratuitement à leur disposition.

« J'ai passé un accord avec les fascistes, annonça Lloyd. Je leur ai fait savoir que nous nous abstiendrions de défiler s'ils s'engageaient à en faire autant.

— Ça m'étonne qu'ils aient accepté, dit Ethel. Les fascistes adorent les défilés.

— Ils ont été réticents, c'est sûr. Mais j'ai transmis ma proposition aux autorités universitaires et à la police et les fascistes ont été plus ou moins obligés de s'y résigner.

— C'était une bonne idée.

— Attends, Mam, tu ne devineras jamais qui est leur responsable local ? Le vicomte d'Aberowen, Boy Fitzherbert, le fils de ton ancien employeur, le comte d'Aberowen ! » Boy avait vingt et un ans, comme Lloyd. Il fréquentait Trinity College, une université aristocratique.

« Comment ? Alors ça ! »

Elle semblait plus ébranlée qu'il ne l'aurait pensé et il la regarda attentivement. Elle avait pâli. « Ça te choque ?

— Un peu, oui ! » Elle reprit contenance. « Tu sais que son père est secrétaire d'État au ministère des Affaires étrangères. » L'Angleterre avait un gouvernement de coalition dominé par les conservateurs. « Fitz doit être drôlement embarrassé.

— La plupart des conservateurs font preuve d'une indulgence coupable à l'égard du fascisme, non ? Ils ne voient pas grand mal à ce qu'on tue les communistes et qu'on persécute les Juifs.

— Certains, peut-être, mais je crois que tu exagères. » Elle jeta à Lloyd un regard oblique. « Alors comme ça, tu es allé voir Boy ?

— Oui. » Lloyd se rendit compte qu'Ethel attachait une importance particulière à leur rencontre, sans comprendre pourquoi. « Je l'ai trouvé parfaitement détestable. Il avait dans sa chambre de Trinity toute une caisse de scotch – tu te rends compte, douze bouteilles !

— Vous vous étiez déjà vus en fait, tu ne t'en souviens pas ?

— Non. Quand ça ?

— Tu n'avais pas tout à fait neuf ans. Je t'avais emmené au palais de Westminster peu après mon élection. Nous avons croisé Fitz et Boy dans l'escalier. »

Cela rappelait vaguement quelque chose à Lloyd. À l'époque comme aujourd'hui, la scène semblait avoir eu une mystérieuse signification pour sa mère. « C'était lui ? Tiens, c'est marrant.

— Je le connais, coupa Ruby. C'est un cochon. Il pelote les petites bonnes. »

Lloyd fut scandalisé, mais sa mère ne parut pas surprise. « Très déplaisant, j'en conviens, mais il n'est ni le premier ni le dernier. » La tolérance coupable de sa mère rendit ce comportement encore plus abominable aux yeux de Lloyd.

Ils arrivèrent au temple et entrèrent par la porte de derrière, qui donnait sur une sorte de sacristie où ils retrouvèrent Robert von Ulrich. Celui-ci avait une allure remarquablement britannique dans un audacieux costume à carreaux vert et brun qu'il portait avec une cravate à rayures. Il se leva et Ethel le serra dans ses bras. « Ma chère Ethel, ce chapeau est absolument ravissant », lui dit-il dans un anglais impeccable.

Lloyd présenta sa mère aux femmes de la section du parti travailliste qui préparaient de grandes bouilloires de thé et des assiettes de biscuits qui seraient servies après le rassemblement. Ayant entendu Ethel se plaindre à maintes reprises que les organisateurs des manifestations politiques semblaient avoir oublié qu'il pouvait arriver aux députés de devoir aller aux toilettes, il se tourna vers Ruby : « Ruby, avant que nous commencions, est-ce que tu veux bien montrer le petit coin à ma mère ? » Les deux femmes s'éloignèrent.

Lloyd s'assit à côté de Robert et demanda sur le ton de la conversation : « Comment vont les affaires ? »

Robert était à présent propriétaire d'un restaurant très fréquenté par les homosexuels dont se plaignait tant Ruby. Il avait dû apprendre que le Cambridge des années 1930 était un lieu où ces gens-là étaient plutôt bien vus, exactement comme le Berlin des années 1920. Son nouveau restaurant portait le même nom que l'ancien, Bistro Robert. « Bien, merci », répondit-il. Une ombre voila son visage, une expression fugitive mais intense d'effroi. « Cette fois, j'espère pouvoir conserver ce que j'ai construit.

— Nous faisons tout ce que nous pouvons pour résister au fascisme, et des réunions de ce genre sont certainement très utiles, assura Lloyd. Votre intervention sera précieuse, elle dessillera sûrement bien des yeux. » Robert devait parler de son expérience du régime fasciste. « Il y a tant de gens qui s'imaginent que ça ne peut pas arriver ici. J'ai bien peur qu'ils se trompent. »

Robert hocha la tête et approuva tristement : « Le fascisme est un mensonge, certes, mais un mensonge séduisant. »

Le séjour de Lloyd à Berlin trois ans auparavant était encore très présent à son esprit. « Je me demande souvent ce qu'est devenu l'ancien Bistro Robert, murmura-t-il.

— J'ai reçu une lettre d'un ami, dit Robert d'une voix profondément affectée. Aucun des habitués n'y va plus. Les frères Macke ont vendu la cave aux enchères. Maintenant, la clientèle se résume essentiellement à des flics et à des petits employés de bureau. » Sa mine s'assombrit encore lorsqu'il ajouta : « Il n'y a même plus de nappes sur les tables. » Il soupira avant de changer brusquement de sujet. « Ça te dirait, d'aller au bal de Trinity ? »

La plupart des universités organisaient des bals d'été pour fêter la fin des examens. Avec les réceptions et les pique-niques qui les accompagnaient, ces soirées dansantes constituaient May Week, la semaine de mai, qui sans la moindre logique avait lieu en juin. Le bal de Trinity était célèbre pour son faste. « J'aimerais bien, mais ce n'est pas dans mes moyens, se désola Lloyd. Il paraît que l'entrée est à deux guinées.

— On m'a offert un billet. Tu peux l'avoir. Ça ne me privera pas. Des centaines d'étudiants bourrés qui dansent au son d'un orchestre de jazz : voilà exactement ma vision de l'enfer. »

Lloyd était tenté. « Malheureusement, je n'ai rien à me mettre. » Les bals universitaires exigeaient cravate blanche et habit de soirée.

« Je peux te prêter un frac. Le pantalon sera trop large, mais la longueur devrait aller.

— Dans ce cas, volontiers. Merci ! »

Ruby réapparut. « Ta mère est sensass, lança-t-elle à Lloyd. Je ne savais pas qu'elle avait été femme de chambre !

— Je connais Ethel depuis plus de vingt ans, confirma Robert. C'est effectivement une femme extraordinaire.

— Je comprends pourquoi tu n'as pas trouvé chaussure à ton pied, reprit Ruby en s'adressant à Lloyd. Si tu cherches quelqu'un qui lui ressemble, tu vas avoir du mal.

— Tu as raison – en ce qui concerne ta deuxième phrase en tout cas –, reconnut Lloyd. Personne ne lui arrive à la cheville. »

Le visage de Ruby se crispa dans une grimace de douleur.

« Qu'est-ce que tu as ? demanda Lloyd.

— Mal aux dents.

— Tu devrais aller chez le dentiste. »

Elle le regarda comme s'il avait dit une ineptie et il se mordit les lèvres : un salaire de femme de chambre ne lui permettait évidemment pas de se payer des soins dentaires.

Il s'approcha de la porte pour jeter un coup d'œil dans la grande salle. Comme dans beaucoup d'églises non conformistes, c'était une pièce rectangulaire très sobre aux murs peints en blanc. Il faisait beau et les fenêtres de verre ordinaire étaient ouvertes. Toutes les rangées de chaises étaient occupées et le public attendait avec impatience.

Quand Ethel réapparut, Lloyd annonça : « Si tout le monde est d'accord, je vais ouvrir la séance. Robert racontera ensuite ce qui lui est arrivé, et ma mère en tirera les leçons politiques. »

Tous approuvèrent.

« Ruby, tu veux bien garder un œil sur les fascistes ? Préviens-moi s'il se passe quelque chose. »

Ethel fronça les sourcils. « Tu crois vraiment que c'est nécessaire ?

— Je me méfie. Je ne suis pas sûr qu'ils tiennent parole.

— Ils se réunissent plus haut dans la rue, à moins de cinq cents mètres, fit Ruby. Je peux aller y faire un saut de temps en temps. »

Elle sortit par la porte de derrière et Lloyd conduisit les autres dans l'église. Il n'y avait pas d'estrade, mais une table et trois chaises avaient été installées du côté le plus proche de la sacristie, avec un lutrin disposé latéralement. Tandis qu'Ethel et Robert s'asseyaient, Lloyd s'approcha du lutrin. De brefs applaudissements éclatèrent.

« Le fascisme est en marche, commença Lloyd. Et il est dangereusement attrayant. Il fait miroiter de faux espoirs aux chômeurs. Il affiche un patriotisme de façade, aussi caricatural que les uniformes militaires qu'endossent ses partisans. »

À la grande consternation de Lloyd, l'Angleterre s'était engagée dans une politique d'apaisement avec les régimes fascistes. Elle était gouvernée par une coalition dominée par les conservateurs qu'avaient rejoints une poignée de libéraux et quelques ministres travaillistes renégats qui avaient rompu avec leur parti. Quelques jours seulement après sa réélection au mois de novembre précédent, le ministre des Affaires étrangères avait proposé de céder une grande partie de l'Abyssinie aux Italiens conquérants et à leur dirigeant fasciste, Benito Mussolini.

Pis encore, l'Allemagne réarmait et se montrait belliqueuse. Hitler n'avait pas hésité à violer le traité de Versailles deux mois plus tôt en envoyant des troupes en Rhénanie, une zone démilitarisée, et Lloyd avait constaté avec effroi qu'aucun pays n'avait fait mine de l'en empêcher.

S'il avait espéré un temps que le fascisme ne serait qu'une aberration momentanée, il avait désormais perdu toute illusion. Lloyd estimait que les pays démocratiques comme la France et la Grande-Bretagne devaient être prêts à se battre. Il n'en dit rien, cependant, dans son discours de ce jour-là, car sa mère et la majorité du parti travailliste étaient hostiles à la course aux armements et espéraient encore que la Société des nations saurait tenir tête aux dictateurs. Ils voulaient à tout prix éviter que ne se reproduise l'affreux carnage de la Grande Guerre. Lloyd comprenait ce désir, qu'il jugeait cependant peu réaliste.

Lui-même se préparait à la guerre. Il avait suivi une préparation militaire quand il était au lycée et dès son arrivée à Cambridge, il s'était inscrit à l'Officer Training Corps, une école d'officiers réservée aux étudiants, où il était le seul élève à être issu de la classe ouvrière et certainement le seul à appartenir au parti travailliste.

Il s'assit sous des applaudissements mesurés. C'était un orateur clair et logique, mais il ne possédait pas, comme sa mère, la faculté de toucher les cœurs – pas encore en tout cas.

Robert s'approcha du lutrin. « Je suis autrichien, dit-il. J'ai été blessé pendant la guerre, je me suis fait prendre par les Russes et j'ai été envoyé dans un camp de prisonniers en Sibérie. Quand les bolcheviks ont fait la paix avec les puissances centrales, les gardiens ont ouvert les grilles et nous ont annoncé que nous pouvions rentrer chez nous. Par quel moyen ? Ça, c'était notre problème, pas le leur. La Sibérie est très loin de l'Autriche : près de cinq mille kilomètres. Je n'ai pas trouvé l'arrêt de bus, alors j'ai marché. »

Des rires étonnés parcoururent la salle, accompagnés de quelques applaudissements approbateurs. Robert les avait déjà charmés, constata Lloyd.

Ruby s'approcha de lui, l'air contrarié, et lui parla à l'oreille. « Les fascistes viennent de passer. Boy Fitzherbert raccompagnait Mosley à la gare et une bande d'excités en chemises noires courait derrière la voiture en les acclamant. »

Lloyd fronça les sourcils. « Ils avaient promis de ne pas défiler. Ils vont évidemment prétendre que courir derrière une voiture n'est pas la même chose.

— Tu peux m'expliquer la différence ?

— Il y a eu des violences ?

— Non.

— Continue à faire le guet, s'il te plaît. »

Ruby repartit. Lloyd était inquiet. Les fascistes avaient indéniablement violé l'esprit sinon la lettre de leur accord. Ils étaient sortis dans la rue en uniforme et n'avaient pas rencontré de contre-manifestation. Tous les socialistes étaient là, dans l'église, invisibles. Le seul signe manifeste de leur prise de position était la banderole qu'ils avaient tendue devant l'église et qui annonçait LA VÉRITÉ SUR LE FASCISME en grosses lettres rouges.

Robert parlait toujours : « Je suis heureux d'être ici, honoré d'avoir été invité à prendre la parole devant vous et ravi de reconnaître dans la salle plusieurs clients du Bistro Robert. Mais il faut que je vous prévienne que ce que j'ai à vous confier est extrêmement déplaisant, et même effroyable. »

Il leur raconta comment Jörg et lui avaient été arrêtés après avoir refusé de vendre leur restaurant berlinois à un nazi. Il présenta Jörg comme son cuisinier et son associé de longue date, sans rien dire de leurs relations plus personnelles, encore que les auditeurs les plus avisés aient sans doute pu deviner ce qu'il en était réellement.

Il régnait un silence de plomb lorsqu'il commença à décrire ce qui s'était passé au camp de concentration. Lloyd entendit des hoquets d'horreur quand Robert en arriva à l'apparition des chiens affamés. Il décrivit les tortures infligées à Jörg d'une voix grave et distincte qui portait jusqu'au fond de la salle. Quand il évoqua la mort de Jörg, plusieurs personnes étaient en larmes.

En revivant ainsi la cruauté et l'angoisse de ces moments, Lloyd ne décolérait pas contre des imbéciles comme Boy Fitzherbert dont l'engouement pour les chants de marche et les uniformes élégants menaçaient de plonger l'Angleterre dans les mêmes tourments.

Robert s'assit et Ethel s'avança vers le lutrin. Au moment où elle prenait la parole, Ruby réapparut, rouge de fureur. « Je t'avais bien dit que ça ne marcherait pas, glissa-t-elle à Lloyd. Mosley est parti, mais ces abrutis chantent "Rule Britannia" devant la gare. »

Cette fois, l'accord avait incontestablement été violé, se dit Lloyd rageur. Boy n'avait pas tenu ses promesses. Voilà ce que valait la parole d'un gentleman anglais.

Ethel expliquait que le fascisme proposait de fausses solutions, simplifiant des problèmes complexes comme le chômage et la délinquance en rejetant toute la faute sur des groupes tels que les Juifs et les communistes. Elle se moqua impitoyablement du concept de « triomphe de la volonté » – développé dans un film de propagande nazie du même nom – comparant le Führer et le Duce à des petites brutes de cour d'école. Ils revendiquaient le soutien du peuple, mais interdisaient toute opposition.

Lloyd songea soudain qu'en revenant de la gare pour rejoindre le centre-ville, les fascistes passeraient obligatoirement devant leur église. Il tendit l'oreille, attentif aux bruits qui lui parvenaient par les fenêtres ouvertes. Il entendait distinctement le grondement des voitures et des camions qui descendaient Hills Road, ponctué de temps à autre par le timbre d'une sonnette de bicyclette ou des pleurs d'enfant. Il lui sembla également percevoir des cris lointains, qui ressemblaient de façon inquiétante au bruit que ferait une bande de garçons bagarreurs, encore assez jeunes pour être fiers de leurs nouvelles voix graves. Il se crispa, aux aguets. D'autres cris lui parvinrent alors. Les fascistes défilaient.

Ethel haussa le ton pour couvrir les mugissements qui enflaient au-dehors. Elle expliqua que tous les travailleurs devaient se rassembler dans les syndicats et au sein du parti travailliste pour édifier pas à pas une société plus juste, dans le respect des règles de la démocratie, en évitant le genre de soulèvements violents qui avaient si mal tourné dans la Russie communiste et dans l'Allemagne nazie.

Ruby revint. « Ils remontent Hills Road, annonça-t-elle dans un chuchotement bas et pressant. Il faut sortir et les défier.

— Non ! répliqua Lloyd tout bas. Le parti a pris une décision collective : pas de manifestation. Il faut s'y tenir. Notre mouvement doit être discipliné ! » Il savait qu'elle serait sensible à l'argument de la discipline de parti.

Les fascistes étaient tout près maintenant et braillaient des slogans. Lloyd estima qu'ils devaient être une cinquantaine ou une soixantaine. Deux jeunes gens assis dans le fond de la salle se levèrent et s'approchèrent d'une fenêtre pour regarder à l'extérieur. Ethel les exhorta à la prudence. « Ne réagissez pas à ce comportement de voyous en vous transformant vous-mêmes en voyous, dit-elle. Cela ne fera que donner à la presse de bonnes raisons de renvoyer les deux camps dos à dos. »

On entendit un fracas de verre brisé : une pierre venait de casser une vitre. Une femme hurla, et plusieurs auditeurs bondirent sur leurs pieds. « Je vous en prie, restez assis, intervint Ethel. Ils vont s'en aller, j'en suis sûre. » Elle continua à parler d'une voix calme, rassurante. Rares étaient ceux qui l'écoutaient encore. Tout le monde se retournait vers la porte de l'église, pour mieux entendre les huées et les railleries des brutes qui se trouvaient à l'extérieur. Lloyd avait bien du mal à rester assis. Il avait les yeux rivés sur sa mère, le visage figé en un masque inexpressif. Tous ses muscles étaient tendus, et il mourait d'envie de se précipiter dans la rue pour boxer quelques têtes.

Le public finit par retrouver un semblant de calme et par reporter son attention sur Ethel. Mais la salle restait turbulente et tous passaient leur temps à regarder par-dessus leur épaule. Ruby murmura, la voix chargée de mépris : « On est comme une bande de lapins, tapis dans notre terrier pendant que les renards glapissent dehors. » Lloyd ne pouvait que lui donner raison.

Mais la prédiction de sa mère était exacte et il n'y eut pas d'autres jets de pierre. Les hurlements décrurent.

« Pourquoi les fascistes veulent-ils la violence ? demanda Ethel avec emphase. Ceux qui sont là, dans Hills Road, sont peut-être de simples voyous, mais il y a quelqu'un qui les dirige, et leur tactique répond à un objectif. Au moindre combat de rues, ils prétendront que l'ordre public va à vau-l'eau et qu'il faut absolument prendre des mesures énergiques pour rétablir le règne de la loi. Ces mesures d'urgence comprendront la mise hors la loi des partis politiques démocratiques comme le parti travailliste, l'interdiction de toute action syndicale et la possibilité d'emprisonner les gens sans procès – des gens comme nous, des hommes et des femmes pacifiques dont le seul crime est de ne pas être d'accord avec le gouvernement. Vous allez me dire que c'est impensable, invraisemblable, que ça n'arrivera jamais ? Voyez ce qui s'est passé en Allemagne : c'est cette tactique que les nazis ont employée, avec le succès que vous savez. »

Elle expliqua ensuite comment il était possible de résister au fascisme : en créant des groupes de discussion, en organisant des rassemblements comme celui-ci, en écrivant aux journaux, en exploitant toutes les occasions de mettre les gens en garde contre ce péril. Mais Ethel elle-même avait du mal à faire croire que pareilles méthodes puissent être courageuses et efficaces.

Piqué au vif par la remarque de Ruby sur les lapins, Lloyd avait honte de leur lâcheté. Il était tellement frustré qu'il lui en coûtait de rester assis.

Lentement, l'atmosphère qui régnait dans la salle s'apaisa. Lloyd se tourna vers Ruby : « On dirait que les lapins sont sauvés.

— Pour le moment. Mais le renard reviendra. »

2.

« Si un garçon te plaît, tu peux le laisser t'embrasser sur la bouche », affirma Lindy Westhampton, assise au soleil sur la pelouse.

— Et s'il te plaît vraiment, il peut te toucher les seins, renchérit sa sœur jumelle Lizzie.

— Mais pas au-dessous de la ceinture.

— Non. En tout cas pas avant que vous soyez fiancés. »

Daisy était perplexe. Elle qui s'était imaginée que les jeunes Anglaises étaient prudes ! Les jumelles Westhampton étaient littéralement obsédées.

Daisy était enchantée d'avoir été invitée à Chimbleigh, la propriété de Sir Bartholomew Westhampton, que tout le monde surnommait « Bing ». Elle se sentait admise dans la haute société britannique. Mais elle n'avait toujours pas rencontré le roi.

Elle se rappelait l'humiliation qu'elle avait essuyée au Yacht-Club de Buffalo, ce sentiment de honte qui l'avait comme marquée au fer rouge et continuait à lui infliger une terrible douleur alors que la brûlure était ancienne désormais. Dès que cette souffrance revenait, elle songeait à son intention bien arrêtée de danser avec le roi et les imaginait toutes – Dot Renshaw, Nora Farquharson, Ursula Dewar – penchées sur le *Buffalo Sentinel*, dévorant sa photographie des yeux, lisant attentivement chaque mot de l'article, consumées d'envie et regrettant de ne pas pouvoir dire en toute franchise qu'elles avaient toujours été ses amies.

Les choses n'avaient pas été faciles au départ. Cela faisait trois mois que Daisy était arrivée en Angleterre avec sa mère et son amie Eva. Son père leur avait donné quelques lettres de recommandation adressées à des personnes qui s'étaient révélées ne pas appartenir à proprement parler au gratin londonien. Daisy avait commencé à regretter sa sortie fracassante du bal du Yacht-Club : et si tout cela ne la menait nulle part ?

Mais Daisy était une jeune fille déterminée et ingénieuse, prête à profiter de la moindre porte entrebâillée pour s'introduire où elle voulait. Il suffisait de fréquenter des lieux de divertissement plus ou moins publics, les courses et l'Opéra par exemple, pour rencontrer des gens haut placés. Elle faisait la coquette avec les hommes et piquait la curiosité des mères en leur faisant comprendre qu'elle était riche et célibataire. De nombreuses familles de l'aristocratie anglaise avaient été ruinées par la Crise, et une héritière américaine eût été la bienvenue même si elle n'avait pas été jolie et charmante. Ils adoraient son accent, ils toléraient qu'elle tienne sa fourchette dans sa main droite et la regardaient prendre le volant avec une indulgence amusée – en Angleterre, c'étaient les hommes qui conduisaient. De nombreuses jeunes Anglaises montaient à cheval aussi bien que Daisy, mais peu faisaient preuve, en selle, d'une assurance aussi effrontée. Certaines femmes plus mûres continuaient à lui jeter des regards méfiants, mais elle finirait par les mettre dans sa poche elles aussi, elle en était certaine.

Elle n'avait pas eu grand mal à séduire Bing Westhampton. Cet homme aux traits délicats et au sourire charmeur avait l'œil pour les jolies filles et Daisy sut instinctivement que si la possibilité de quelques frôlements discrets dans la pénombre du jardin se présentait, il ne se contenterait pas de la dévorer des yeux. Ses filles tenaient de lui, de toute évidence.

La réception des Westhampton faisait partie des festivités organisées dans le Cambridgeshire à l'occasion de May Week. Tout le gotha y était invité, et notamment le comte Fitzherbert, que tout le monde appelait Fitz, et sa femme Bea. Comtesse Fitzherbert, celle-ci préférait néanmoins son titre russe de princesse. Leur fils aîné, Boy, fréquentait Trinity College.

La princesse Bea était l'une des dames de la haute société qui ne s'en laissait pas accroire par Daisy. Sans mentir à proprement parler, la jeune fille avait donné à entendre que son père était un aristocrate russe qui avait tout perdu pendant la Révolution, et non un simple ouvrier qui s'était enfui en Amérique pour échapper à la police. Bea n'avait pas été dupe. « Je ne me rappelle pas avoir connu de famille du nom de Pechkov à Saint-Pétersbourg ou à Moscou », avait-elle remarqué, feignant à peine la perplexité ; et Daisy s'était forcée à sourire comme si les souvenirs de la princesse étaient sans importance.

Il y avait trois jeunes filles du même âge que Daisy et Eva : les jumelles Westhampton et May Murray, la fille d'un général d'origine écossaise. Les bals se poursuivaient toute la nuit et tout le monde dormait jusqu'à midi, mais les après-midi étaient interminables. Les cinq filles paressaient dans le jardin ou flânaient dans les bois. Se redressant dans son hamac, Daisy demanda alors : « Et qu'est-ce qu'on peut faire *après* les fiançailles ?

— Frotter son machin, répondit immédiatement Lindy.

— Jusqu'à ce qu'il gicle, ajouta sa sœur.

— Oh, c'est répugnant ! » se récria May Murray, moins délurée que les jumelles.

Ces protestations ne firent que les encourager. « Ou alors, tu peux le sucer, renchérit Lindy. C'est ce qu'ils préfèrent.

— Arrêtez ! protesta May. Vous racontez n'importe quoi ! »

Elles cessèrent, estimant avoir suffisamment taquiné May. « Je m'ennuie à mourir, soupira Lindy. Que pourrions-nous faire ? »

Un petit démon espiègle poussa Daisy à suggérer : « Et si nous nous déguisions en hommes pour le dîner ? »

Elle le regretta immédiatement. Une farce de ce genre pouvait ruiner sa carrière mondaine qui venait à peine de débuter.

Sa proposition heurta du reste Eva et son sens germanique de la bienséance. « Daisy, tu n'es pas sérieuse !

— Bien sûr que non, dit-elle. C'est une idée idiote. »

Les jumelles avaient les jolis cheveux blonds de leur mère au lieu des boucles brunes de leur père, mais elles avaient hérité le caractère malicieux de celui-ci et le projet les séduisit d'emblée. « Ils seront tous en habit ce soir, nous pouvons donc leur emprunter leurs smokings, lança Lindy.

— Mais oui ! approuva sa jumelle. Nous ferons ça pendant qu'ils prendront le thé. »

Daisy comprit qu'il était trop tard pour reculer.

« Nous ne pouvons tout de même pas aller au bal dans cette tenue ! » protesta May Murray. Ils devaient tous assister au bal de Trinity College après le dîner.

« Nous nous changerons avant d'y aller », rétorqua Lizzie.

May était une petite créature timorée, sans doute intimidée par son militaire de père, et elle se rangeait toujours aux décisions des autres. Eva, la seule dissidente, ne put se faire entendre et la plaisanterie suivit son cours.

Quand vint l'heure de s'habiller pour le dîner, une femme de chambre apporta deux smokings dans la chambre que Daisy partageait avec Eva. La femme de chambre s'appelait Ruby. La veille, elle s'était plainte de maux de dents intolérables et Daisy lui avait donné de l'argent pour aller chez le dentiste, lequel lui avait arraché la dent coupable. Ruby, qui ne souffrait plus du tout, était rouge d'excitation. « Voilà, mesdemoiselles ! dit-elle. Le costume de Sir Bartholomew ne devrait pas être beaucoup trop grand pour vous, miss Pechkov, et celui du jeune monsieur Andrew Fitzherbert ira sûrement à miss Rothmann. »

Daisy retira sa robe et enfila la chemise. Ruby l'aida à fermer les boutons de col et de manchettes dont elle n'avait pas l'habitude. La jeune fille glissa ensuite les jambes dans le pantalon noir orné d'un galon de satin de Bing Westhampton. Elle y enfonça sa combinaison et fit passer les bretelles au-dessus de ses épaules. Elle frémit d'audace en boutonnant la braguette.

Aucune d'elles ne sachant faire de nœud de cravate, le résultat de leurs efforts fut franchement médiocre. C'est alors que

Daisy eut une idée de génie. Avec un crayon à sourcils, elle se dessina une moustache. « Magnifique ! s'écria Eva. Tu es encore plus jolie comme ça ! » Daisy agrémenta les joues d'Eva de favoris.

Les cinq filles se retrouvèrent dans la chambre des jumelles. Daisy y entra d'une démarche virile qui provoqua des fous rires hystériques.

May exprima tout haut l'inquiétude qui taraudait confusément Daisy. « J'espère que nous n'allons pas avoir d'ennuis.

— Oh, et après ? » lança Lindy.

Daisy décida d'oublier ses appréhensions et de ne penser qu'à s'amuser. Elle prit la tête du petit groupe pour descendre au salon. La pièce était encore déserte. Dans une parfaite imitation de Boy Fitzherbert s'adressant au majordome, Daisy prit une voix masculine et dit avec une nonchalance affectée : « Versez-moi un whisky, Grimshaw, c'est bien, mon brave – ce champagne est infect, on dirait de la pisse. » Les autres poussèrent des petits cris offusqués et ravis.

Bing et Fitz entrèrent ensemble. En apercevant Bing dans son gilet blanc, Daisy pensa à une bergeronnette, un petit oiseau effronté, noir et blanc. Fitz était un quinquagénaire au physique séduisant, dont la moustache très brune était striée de gris. Une blessure de guerre lui avait infligé une légère claudication et il avait une paupière tombante ; mais cette preuve de bravoure au combat ne faisait qu'ajouter à sa prestance.

En apercevant les jeunes filles, Fitz cilla et s'écria : « Grand Dieu ! » Son ton était indéniablement désapprobateur.

L'espace d'un instant, Daisy fut prise de panique. Avait-elle tout gâché ? Les Anglais pouvaient être terriblement collet monté, tout le monde le savait. Allait-on la chasser de la maison ? Ce serait abominable. Dot Renshaw et Nora Farquharson pavoiseraient si elle rentrait en Amérique couverte de honte. Plutôt mourir.

Mais Bing éclata de rire. « C'est excellent, vraiment ! Avez-vous vu ça, Grimshaw ? »

Le vieux majordome, qui entrait avec une bouteille de champagne dans un seau à glace en argent, observa les jeunes filles, la mine sombre. Puis sur un ton d'une hypocrisie cinglante, il murmura : « Très amusant, Sir Bartholomew, en effet. »

Bing continuait à les inspecter avec un ravissement teinté de concupiscence et Daisy se rendit compte – trop tard – que ce genre de travestissement pouvait, à tort, faire croire à certains hommes qu'elles étaient tentées par le libertinage et les expériences sexuelles nouvelles : une suggestion qui risquait évidemment d'être source d'embarras.

Lorsque tous furent rassemblés pour le dîner, la plupart des invités suivirent l'exemple de leur hôte en traitant la farce des jeunes filles comme une gaminerie divertissante, mais il n'échappa pas à Daisy qu'ils n'étaient pas tous aussi charmés que lui. Sa propre mère, Olga, pâlit d'effroi en les voyant et s'empressa de s'asseoir, comme si ses jambes ne la portaient plus. La princesse Bea, une femme étroitement corsetée d'une bonne quarantaine d'années qui avait sans doute été jolie un jour, plissa son front poudré dans un froncement de sourcils réprobateur. Mais Lady Westhampton était une femme enjouée qui accueillait la vie, ainsi que son mari volage, d'un sourire tolérant : elle rit de bon cœur et félicita Daisy pour sa jolie moustache.

Les garçons, qui arrivèrent les derniers, apprécièrent beaucoup la plaisanterie. Le fils du général Murray, le lieutenant Jimmy Murray, moins rigide que son père, hurla de rire. Les garçons Fitzherbert, Boy et Andy, entrèrent ensemble, et la réaction de Boy fut la plus remarquable de toutes. Comme hypnotisé, il ne détachait pas les yeux des jeunes filles. Il chercha à masquer sa fascination sous la gaieté, s'esclaffant comme les autres hommes, mais de toute évidence, il était singulièrement troublé.

Au dîner, les jumelles suivirent l'exemple de Daisy en s'exprimant comme des hommes, d'une voix grave et d'un ton exubérant qui fit rire tout le monde. Lindy leva son verre en disant : « Comment trouves-tu ce bordeaux, Liz ? »

— Un peu clairet, mon vieux, répondit Lizzie. À se demander si Bing ne l'aurait pas coupé. »

Daisy sentit le regard de Boy posé sur elle pendant tout le repas. Sans posséder la séduction de son père, il était plutôt joli garçon et avait les yeux bleus de sa mère. Elle finit par se sentir gênée ; c'était comme s'il lorgnait ses seins. Pour alléger la tension, elle lui demanda : « Alors, vous avez passé vos examens, Boy ?

— Mon Dieu, non, répondit-il.

— Il est bien trop occupé à piloter son avion pour se soucier de ses études », expliqua son père. La phrase était présentée comme une critique, mais quelque chose dans son ton donnait à penser qu'en réalité, Fitz était fier de son aîné.

Boy feignit d'être offusqué. « Pure calomnie ! »

Eva était perplexe. « Pourquoi êtes-vous à l'université si vous n'avez pas envie de faire des études ?

— Certains garçons se fichent pas mal d'avoir des diplômes, intervint Lindy, surtout si ce ne sont pas vraiment des intellectuels.

— Et surtout s'ils sont riches et paresseux, ajouta Lizzie.

— Mais je travaille ! protesta Boy. Évidemment, je n'ai pas l'intention de me présenter réellement aux examens. Je n'ai pas à me soucier de devoir gagner ma vie comme médecin ou je ne sais quoi. »

À la mort de Fitz, Boy hériterait de l'une des plus grandes fortunes d'Angleterre. Et son heureuse épouse deviendrait la comtesse Fitzherbert.

« Ai-je bien compris ? s'enquit Daisy. Vous avez vraiment un avion à vous ?

— Oui. Un Hornet Moth. Je suis membre de l'aéroclub de l'université. Nous avons un petit terrain d'aviation pas très loin de la ville.

— Oh ! Mais c'est merveilleux ! Il faut absolument que vous m'emmeniez faire un tour ! »

La mère de Daisy s'interposa : « Voyons, chérie, tu n'y penses pas !

— Vous n'auriez pas peur ? demanda Boy à Daisy.

— Pas le moins du monde !

— Dans ce cas, j'en serais ravi. » Il se tourna vers Olga. « Il n'y a aucun danger, madame. Je m'engage à vous la ramener entière. »

Daisy était folle de joie.

La conversation porta ensuite sur le sujet favori de l'été : le nouveau roi d'Angleterre, l'élégant Edward VIII, et son idylle avec Wallis Simpson, une Américaine séparée de son second mari. La presse londonienne ne faisait aucun commentaire, sinon pour signaler que Mrs. Simpson figurait sur la liste des invités à telle ou telle festivité royale ; mais la mère de Daisy se faisait envoyer les journaux américains, et tous se demandaient si Wallis allait divorcer de Mr. Simpson pour épouser le roi.

« C'est évidemment hors de question, déclara Fitz d'un ton sévère. Le roi est le chef de l'Église d'Angleterre. Il ne peut en aucun cas épouser une divorcée. »

Quand les dames se retirèrent en laissant les hommes à leur porto et à leurs cigares, les filles se hâtèrent d'aller se changer. Daisy décida d'accentuer le contraste avec sa tenue précédente en soulignant sa féminité, et choisit une robe de bal en soie rose avec un semis de fleurs, accompagnée d'une veste assortie à manches ballon.

Eva portait un fourreau de soie noire sans manches d'une simplicité spectaculaire. Elle avait perdu du poids l'année passée, avait changé de coiffure et adopté – sur les conseils de Daisy – un style vestimentaire sobre et près du corps qui la flattait. Eva faisait désormais vraiment partie de la famille. Daisy la considérait comme la sœur qu'elle n'avait jamais eue et Olga prenait plaisir à lui acheter des vêtements.

Il faisait encore jour quand ils montèrent dans les automobiles et les attelages qui devaient leur faire parcourir les huit kilomètres jusqu'à la ville.

Daisy n'avait jamais vu d'endroit aussi pittoresque que Cambridge, avec ses petites rues sinueuses et ses élégants bâtiments universitaires. Ils descendirent de voiture devant Trinity College et Daisy leva les yeux vers la statue de son fondateur, le roi Henry VIII. Quand ils dépassèrent la loge de brique datant du XVIe siècle, elle resta bouche bée de plaisir devant le spectacle qui s'offrait à elle : un vaste quadrilatère dont le gazon vert parfaitement tondu était traversé de sentiers pavés, avec une élégante fontaine de pierre au centre. Sur les quatre côtés, des bâtiments de pierre patinée par le temps formaient la toile de fond devant laquelle des jeunes gens en frac dansaient avec des jeunes filles en robes somptueuses, tandis que des dizaines de serveurs en tenue de soirée faisaient passer des plateaux couverts de coupes de champagne. Daisy frappa dans ses mains de joie : c'était exactement le genre de choses qu'elle adorait.

Elle dansa avec Boy, puis avec Jimmy Murray, puis avec Bing, qui la tint un peu trop serrée et laissa sa main droite s'égarer de ses reins jusqu'à la courbure de ses hanches. Elle préféra ne pas protester. L'orchestre anglais interprétait une imitation édulcorée de jazz américain, mais il jouait fort et vite, et connaissait les derniers succès.

La nuit tomba et des torches illuminèrent le rectangle de pelouse. Daisy s'interrompit un instant pour aller voir ce que faisait Eva, qui avait moins d'aplomb qu'elle et avait parfois du mal à se lier. Elle constata qu'elle n'avait aucun souci à se faire : son amie était en grande conversation avec un étudiant au physique d'acteur qui portait une queue-de-pie trop grande pour lui. Eva le lui présenta sous le nom de Lloyd Williams. « Nous parlions du fascisme en Allemagne », dit Lloyd, dans l'idée manifeste de faire participer Daisy à leur discussion.

« Oh ! La barbe ! » s'exclama Daisy.

Lloyd fit comme s'il ne l'avait pas entendue. « J'étais à Berlin il y a trois ans, au moment où Hitler est arrivé au pouvoir. Je n'y ai pas rencontré Eva à l'époque, mais il se trouve que nous avons des connaissances communes. »

Jimmy Murray surgit alors et proposa à Eva de danser. Visiblement déçu de la voir s'éloigner, Lloyd fit néanmoins appel à sa bonne éducation et invita aimablement Daisy. Ils se rapprochèrent de l'orchestre. « Votre amie Eva est une jeune fille vraiment intéressante, remarqua-t-il.

— En vérité, monsieur Williams, voilà exactement le genre de propos que toute jeune fille espère entendre dans la bouche de son cavalier », répliqua Daisy. Elle regretta immédiatement ses paroles, craignant de paraître grincheuse.

Mais il prit la chose avec bonne humeur. « Pardon. Vous avez raison et le reproche est mérité, convint-il avec un sourire. Il faut absolument que je m'efforce d'être plus galant. »

Il était manifestement capable de se moquer de lui-même, ce qui le rendit immédiatement sympathique aux yeux de Daisy. Cela prouvait qu'il ne manquait pas d'assurance.

« Vous logez à Chimbleigh, comme Eva ? demanda-t-il.

— Oui.

— Dans ce cas, vous êtes sûrement la jeune Américaine qui a donné à Ruby Carter de l'argent pour aller se faire arracher une dent.

— Comment diable savez-vous cela ?

— C'est une de mes amies.

— Y a-t-il beaucoup d'étudiants qui ont des femmes de chambre pour amies ? s'étonna Daisy.

— Seigneur, que vous êtes snob ! Ma mère était femme de chambre avant de devenir députée, vous savez. »

Daisy se sentit rougir. Elle détestait le snobisme et en accusait souvent les autres, surtout à Buffalo. Elle se croyait tout à fait exempte d'attitudes aussi indignes. « J'ai bien peur d'avoir pris un mauvais départ avec vous, remarqua-t-elle quand la danse s'acheva.

— Ne croyez pas cela. Vous trouvez barbant de parler du fascisme, mais vous accueillez une réfugiée allemande chez vous et vous l'invitez même à vous accompagner en Angleterre. Vous trouvez que les femmes de chambre n'ont pas à fréquenter les étudiants, mais vous donnez de l'argent à Ruby pour qu'elle puisse aller chez le dentiste. Je serais surpris qu'il y ait à cette soirée une seule fille à moitié aussi étonnante que vous.

— Je vais prendre cela pour un compliment.

— Voici votre ami fasciste, Boy Fitzherbert. Voulez-vous que je le fasse fuir ? »

Daisy sentit que Lloyd ne cherchait qu'une occasion de se quereller avec Boy.

« Certainement pas ! » dit-elle en se tournant vers Boy avec un sourire.

Boy adressa à Lloyd un petit signe de tête. « Bonsoir, Williams.

— Bonsoir, répondit Lloyd. J'ai été très déçu de voir vos fascistes défiler dans Hills Road samedi dernier.

— Ah oui, fit Boy. Ils se sont un peu emballés.

— Cela m'a surpris, car vous m'aviez donné votre parole qu'ils n'en feraient rien. » Daisy remarqua que Lloyd était furieux, sous son masque de froide courtoisie.

Boy refusa de prendre l'incident au sérieux. « Désolé, lança-t-il avec légèreté avant de se tourner vers Daisy. Venez, je vais vous montrer la bibliothèque. C'est Christopher Wren qui l'a construite.

— Volontiers ! » répondit Daisy. Avec un petit geste d'adieu à l'adresse de Lloyd, elle accepta le bras que lui offrait Boy. Elle constata avec plaisir que Lloyd la laissait partir à regret.

Sur la face ouest du quadrilatère, un passage conduisait à une cour dont l'extrémité était occupée par un unique bâtiment d'une grande élégance. Daisy admira le cloître du rez-de-chaussée pendant que Boy lui expliquait que les livres étaient rangés à l'étage supérieur parce qu'il arrivait à la rivière, la Cam, de déborder. « Et si nous allions faire un tour sur les berges, proposa-t-il. C'est très joli de nuit. »

Daisy avait vingt ans, et malgré son manque d'expérience, elle n'ignorait pas que ce n'était pas le charme nocturne des cours d'eau qui intéressait Boy. Toutefois, son étrange réaction devant les jeunes filles travesties l'avait conduite à se demander s'il ne préférait pas les garçons. Elle devina qu'elle en aurait bientôt le cœur net.

« Est-ce que vous connaissez vraiment le roi ? lui demanda-t-elle alors qu'il lui faisait traverser une seconde cour.

— Oui. Évidemment, c'est plutôt mon père qui le fréquente, mais il lui arrive de venir chez nous. Je peux même vous dire qu'il est drôlement attiré par certaines de mes idées politiques.

— J'aimerais tellement le rencontrer ! » Elle avait l'air naïve et en avait pleinement conscience, mais n'avait pas l'intention de laisser passer sa chance.

Ils franchirent une porte qui donnait sur une étendue de pelouse parfaitement entretenue descendant vers un étroit cours d'eau aux berges empierrées. « Ce coin-ci s'appelle les Backs, expliqua Boy. La plupart des plus anciens collèges sont propriétaires des champs qui se trouvent sur l'autre rive. » Il passa le bras autour de sa taille alors qu'ils approchaient d'un petit pont. Sa main glissa légèrement vers le haut, comme par accident, jusqu'à ce que son index repose sous la ligne inférieure de son sein.

À l'extrémité du petit pont, deux employés de l'université montaient la garde, sans doute pour refouler les éventuels resquilleurs. L'un d'eux murmura : « Bonsoir, monsieur le vicomte », tandis que l'autre réprimait un sourire. Boy répondit par un signe de tête presque imperceptible. Daisy se demanda à combien d'autres jeunes filles il avait déjà fait traverser le petit pont.

Elle ne s'était pas trompée sur les motivations de Boy : il s'arrêta dans la pénombre et posa ses mains sur ses épaules.

« Franchement, vous étiez incroyablement ravissante, dans cette tenue, au dîner. » Il avait la voix rauque d'excitation.

« Je suis contente que cela vous ait plu. » Elle savait que le baiser approchait et en était tout émoustillée. Mais elle n'était pas encore tout à fait prête. Elle posa la main sur le plastron de Boy, la paume à plat, le tenant à distance. « Je voudrais tellement être présentée à la cour, murmura-t-elle. Croyez-vous que ce soit très difficile à obtenir ?

— Mais non, pas le moins du monde. Pas pour ma famille en tout cas. Et pas pour une aussi jolie fille que vous. » Il inclina la tête vers la sienne avec ardeur.

Elle recula légèrement. « Vous feriez cela pour moi ? Vous feriez en sorte que je sois présentée ?

— Bien sûr ! »

Elle s'approcha de lui jusqu'à sentir le renflement de son érection. Non, se dit-elle, finalement, il ne préfère pas les garçons. « C'est promis ? demanda-t-elle.

— C'est promis, dit-il, le souffle court.

— Merci. » Elle se laissa embrasser.

3.

Ce samedi-là, à une heure de l'après-midi, ils étaient nombreux à se presser dans la petite maison de Wellington Row à Aberowen, en Galles du Sud. Le grand-père de Lloyd trônait à la table de la cuisine, entre son fils, Billy Williams, un mineur devenu député d'Aberowen, et son petit-fils, Lloyd, étudiant à l'université de Cambridge. Sa fille, elle aussi membre du Parlement, était absente. C'était la dynastie Williams. Personne n'aurait jamais dit une chose pareille – la notion de dynastie était antidémocratique, et ces gens-là croyaient en la démocratie comme le pape en Dieu –, mais Lloyd n'en soupçonnait pas moins Granda de le penser.

Le vieil ami et agent électoral d'oncle Billy, Tommy Griffiths, était assis avec eux. Lloyd était honoré de se trouver en compagnie de ces hommes. Granda était un ancien syndicaliste des houillères ; l'oncle Billy était passé en cour martiale en 1919 pour avoir dénoncé la guerre secrète que la Grande-Bretagne menait contre les bolcheviks ; quant à Tommy, il s'était battu au côté de Billy à la bataille de la Somme. C'était plus impressionnant que de dîner avec la famille royale.

La grand-mère de Lloyd, Cara Williams, leur avait servi du ragoût de bœuf avec du pain maison et, maintenant, ils buvaient du thé en fumant. Des amis et des voisins les avaient rejoints, comme ils le faisaient chaque fois que Billy était de passage, et ils étaient une demi-douzaine adossés aux murs, en train de fumer la pipe ou des cigarettes roulées, remplissant la petite cuisine d'une odeur d'hommes et de tabac.

Billy avait la stature courtaude et les épaules larges de nombreux mineurs, mais contrairement aux autres il était bien habillé, portant un complet bleu marine avec une chemise blanche propre et une cravate rouge. Lloyd remarqua que tous utilisaient fréquemment son prénom, comme pour lui rappeler qu'il était des leurs et devait son pouvoir à leurs voix. Quant à Lloyd, ils l'appelaient « p'tit gars », afin qu'il sache bien que son statut d'étudiant ne les impressionnait guère. Mais pour eux, Granda était toujours Mr. Williams : il était le seul à leur imposer vraiment le respect.

Par la porte de derrière laissée ouverte, Lloyd apercevait le crassier de la mine, une montagne qui ne cessait de prendre de l'ampleur et atteignait désormais la ruelle, à l'arrière de la maison.

Lloyd passait ses vacances d'été à travailler pour une paie très modique comme organisateur dans un camp de travail, un chantier destiné aux mineurs au chômage. Ils avaient pour projet de retaper la bibliothèque de l'Institut des mineurs. Le travail manuel du ponçage, de la peinture et de la fabrication d'étagères le changeait agréablement de la lecture de Schiller en allemand et de Molière en français. Il aimait les plaisanteries qu'échangeaient les hommes : il avait hérité le goût de sa mère pour le sens de l'humour gallois.

Tout cela était bien beau, mais pendant ce temps, il ne combattait pas le fascisme. Il tiquait chaque fois qu'il se rappelait le jour où il était resté tapi dans le temple baptiste pendant que Boy Fitzherbert et ses brutes défilaient dans la rue en criant et en jetant des pierres par la fenêtre. Il regrettait encore de n'être pas sorti pour en découdre. Cela aurait peut-être été idiot, mais il se serait senti mieux. Il y pensait tous les soirs avant de s'endormir.

Il pensait aussi à Daisy Pechkov dans sa veste de soie rose à manches ballon.

Il l'avait revue une fois pendant May Week. Il était allé assister à un concert donné dans la chapelle de King's College parce que son voisin de chambre à Emmanuel College jouait du violoncelle. Daisy se trouvait dans les rangs du public avec les Westhampton. Elle portait un chapeau de paille au bord retroussé qui lui donnait l'air d'une petite écolière indisciplinée. Il était allé la rejoindre après et l'avait interrogée sur l'Amérique, où il n'était jamais allé. Il aurait voulu avoir quelques informations sur l'administration du président Roosevelt et savoir si l'Angleterre avait des leçons à tirer des États-Unis, mais Daisy n'avait parlé que matchs de tennis ou de polo et clubs de yacht. Ce qui ne l'avait pas empêché de retomber sous le charme. Il appréciait d'autant plus son bavardage mutin qu'il était ponctué, çà et là, de reparties inattendues pleines d'un humour caustique. Quand il lui avait dit : « Je ne voudrais pas priver vos amis de votre présence, mais j'aimerais vous poser quelques questions sur le New Deal », elle avait répliqué : « Eh bien vous, on peut dire que vous savez parler aux filles. » Mais au moment de prendre congé, elle avait lancé : « Appelez-moi donc quand vous serez à Londres : Mayfair vingt-quatre trente-quatre. »

Aujourd'hui, il s'était arrêté pour déjeuner chez ses grands-parents, sur le chemin de la gare. Les responsables du chantier lui avaient accordé quelques jours de repos et il avait décidé de retourner à Londres pour profiter de ce bref congé. Il espérait vaguement tomber sur Daisy. Comme si on pouvait croiser les gens dans les rues de Londres aussi facilement qu'à Aberowen !

Il était responsable de l'éducation politique au camp de travail, et il expliqua à son grand-père qu'il avait persuadé plusieurs professeurs de Cambridge, des hommes de gauche, de venir donner une série de conférences pour les mineurs. « Je leur ai dit que c'était l'occasion ou jamais de descendre de leurs tours d'ivoire et d'être au contact de la classe ouvrière. Il leur aurait été difficile de refuser. »

Les yeux bleu pâle de Granda se tournèrent vers lui : « J'espère que tes gars leur apprendront deux ou trois choses sur le monde réel. »

Lloyd désigna du doigt le fils de Tommy Griffiths, debout sur le seuil, l'oreille tendue. À seize ans, Lenny avait déjà le visage ombré par la barbe noire typique des Griffiths qui ne disparaissait jamais, même quand ils étaient rasés de frais. « Lenny a polémiqué contre un conférencier marxiste.

— Bien joué, Len », lança Granda. Le marxisme était populaire en Galles du Sud, que l'on surnommait parfois la « petite Moscou » en manière de plaisanterie, mais Granda avait toujours été un anticommuniste farouche.

« Raconte à Granda ce que tu lui as dit, Lenny. »

Lenny sourit et répéta ses propos : « En 1872, le leader anarchiste Mikhaïl Bakounine a averti Karl Marx que s'ils arrivaient au pouvoir, les communistes se montreraient aussi tyranniques que l'aristocratie qu'ils remplaceraient. Après ce qui s'est passé en Russie, pouvez-vous honnêtement dire que Bakounine avait tort ? »

Granda applaudit. Un bon sujet de débat était toujours apprécié dans la cuisine des Williams.

La grand-mère de Lloyd se versa une nouvelle tasse de thé. Cara Williams avait les cheveux gris, le visage ridé et le dos voûté de toutes les femmes de son âge à Aberowen. Elle demanda à Lloyd : « Est-ce que tu as déjà une petite amie, mon joli ? »

Les hommes échangèrent sourires et clins d'œil.

Lloyd rougit. « Je suis trop occupé par mes études, Grandmam. » L'image de Daisy Pechkov surgit cependant dans son esprit, accompagnée de son numéro de téléphone : Mayfair vingt-quatre trente-quatre.

« Et cette Ruby Carter, qui est-ce alors ? » lança sa grand-mère.

Les hommes s'esclaffèrent et oncle Billy commenta : « Ha ha ! Te voilà joliment fait, p'tit gars ! »

De toute évidence, la mère de Lloyd avait parlé. « Ruby est responsable des adhésions à la section locale du parti travailliste de Cambridge, c'est tout, protesta Lloyd.

— Ouais, ouais, très convaincant, reprit Billy d'un ton sarcastique qui provoqua de nouveaux éclats de rire.

— Tu ne serais pas tellement contente que je sorte avec Ruby, Grandmam, remarqua Lloyd. Tu trouverais qu'elle porte des vêtements trop moulants.

— De toute façon, ce n'est pas une fille pour toi, jugea Cara. Tu es un universitaire maintenant. Tu peux trouver mieux. »

Elle n'était pas moins snob que Daisy, songea Lloyd. « Ruby Carter est très bien, protesta-t-il. Mais je ne suis pas amoureux d'elle.

— Il faut que tu te trouves une femme instruite, une institutrice, ou bien une infirmière diplômée. »

À son corps défendant, Lloyd ne pouvait que lui donner raison. Il aimait bien Ruby, et pourtant, cela n'irait jamais plus loin. Elle était plutôt jolie, intelligente aussi, et Lloyd était aussi sensible que n'importe quel homme à une fille bien roulée, mais il savait que ce n'était pas la femme qui lui convenait. Pire, Grandmam avait posé son doigt ridé sur la raison précise de son indifférence : les perspectives de Ruby étaient limitées, son horizon borné. Elle n'était pas excitante. Contrairement à Daisy.

« Les histoires de bonnes femmes, ça suffit, coupa Granda. Billy, explique-nous un peu ce qui se passe en Espagne.

— Ça va mal », dit Billy.

Toute l'Europe avait les yeux rivés sur ce pays. Le gouvernement de gauche élu au mois de février avait essuyé une tentative de putsch militaire soutenue par les fascistes et les conservateurs, et le général rebelle, Franco, avait obtenu l'appui de l'Église catholique. La nouvelle avait ébranlé tout le continent comme un tremblement de terre. Après l'Allemagne et l'Italie, l'Espagne tomberait-elle, elle aussi, sous le joug du fascisme ?

« Les insurgés étaient mal préparés, comme vous le savez sans doute, et leur tentative de coup d'État était à deux doigts d'échouer, poursuivit Billy. Mais Hitler et Mussolini se sont portés à leur secours et leur ont permis de l'emporter en assurant le transport en avion de renforts, plusieurs milliers de soldats rebelles, depuis l'Afrique du Nord.

— Quand même, les syndicats ont sauvé le gouvernement ! intervint Lenny.

— C'est vrai, acquiesça Billy. Le gouvernement a été lent à réagir, mais les syndicats n'ont pas attendu : ils ont organisé la résistance et distribué aux ouvriers des armes prises dans les arsenaux militaires, sur les navires, dans les armureries, partout où ils ont pu en trouver.

— Au moins, quelqu'un riposte, observa Granda. Ces salauds de fascistes, personne n'a encore eu le courage de leur mettre des bâtons dans les roues. En Rhénanie comme en Abyssinie, il leur a suffi de faire entrer des troupes pour s'emparer de ce qu'ils voulaient. Rendons grâce à Dieu d'avoir donné au peuple espagnol le courage de dire non. »

Les hommes adossés aux murs firent entendre un murmure d'assentiment.

Lloyd pensa une nouvelle fois à ce samedi après-midi, à Cambridge. Il avait, lui aussi, laissé les fascistes agir à leur guise. Il en frémissait encore de contrariété.

« Mais peuvent-ils l'emporter ? s'inquiéta Granda. Ça va être une question d'armement, non ?

— Oui, approuva Billy. Les Allemands et les Italiens fournissent des fusils et des munitions aux rebelles, et même des avions de combat et des pilotes. En revanche, personne n'aide le gouvernement espagnol légitime.

— Et pourquoi, bordel ? » demanda Lenny furieux.

Cara se retourna depuis le coin où elle faisait la cuisine. Ses yeux noirs de Méditerranéenne lancèrent des éclairs de désapprobation, et Lloyd eut l'impression d'apercevoir la superbe jeune fille qu'elle avait été un jour. « Je n'admets pas ce genre de langage dans ma cuisine ! s'écria-t-elle.

— Excusez-moi, madame Williams. »

Billy reprit la parole : « Je vais vous dire ce qui s'est vraiment passé. » Les hommes se turent, attentifs. « Le Premier ministre français, Léon Blum – un socialiste, comme vous le savez – aurait été tout prêt à donner un coup de main au gouvernement espagnol. Il a déjà une voisine fasciste, l'Allemagne, et la dernière chose dont il ait envie, c'est de se retrouver avec un régime fasciste de plus, sur sa frontière sud. Évidemment, en envoyant des armes au gouvernement espagnol, il aurait provoqué la colère de la droite française, et même des socialistes catholiques, mais Blum aurait pu faire face à cette opposition, surtout s'il avait eu le soutien des Britanniques et avait pu expliquer que l'aide apportée à l'Espagne relevait d'une initiative internationale.

— Dans ce cas, pourquoi est-ce que ça n'a pas marché ? s'étonna Granda.

— Notre gouvernement l'en a dissuadé. Blum est venu à Londres et notre ministre des Affaires étrangères, Anthony Eden, l'a averti qu'il ne fallait pas compter sur nous. »

Granda était furieux. « Pourquoi Blum a-t-il besoin de notre soutien ? Comment un Premier ministre socialiste peut-il se laisser intimider par le gouvernement conservateur d'un autre pays ?

— Parce qu'il y a aussi un risque de putsch militaire en France, expliqua Billy. La presse française est fanatiquement de droite et attise la fureur des fascistes locaux. Blum pourrait les affronter s'il avait le soutien britannique – mais peut-être pas sans.

— Autrement dit, notre gouvernement conservateur courbe l'échine devant le fascisme, comme d'habitude !

— Tous ces tories ont des investissements en Espagne – dans le vin, les textiles, le charbon, l'acier – et ils ont peur que le gouvernement de gauche ne les exproprie.

— Et les Américains ? Eux au moins, ils croient à la démocratie. Ils vont certainement envoyer des fusils en Espagne.

— Ça serait logique, bien sûr. Mais il y a là-bas un puissant groupe de pression catholique dirigé par un certain Joseph Kennedy – un millionnaire – qui s'oppose à toute aide en faveur du gouvernement espagnol. Or un président démocrate a besoin du soutien des catholiques. Roosevelt ne fera rien qui risque de compromettre le New Deal.

— Eh bien, il y a quand même une chose qu'on peut faire, nous autres », lança Lenny Griffiths, dont le visage se crispa dans une expression de défi adolescent.

« Et quoi donc, mon gars ? demanda Billy.

— Aller nous battre avec les Espagnols.

— Ne dis pas de bêtises, Lenny, grommela son père.

— Il y en a plein qui envisagent d'y aller, dans le monde entier, même en Amérique. Ils parlent de former des unités de volontaires pour combattre aux côtés de l'armée régulière. »

Lloyd se redressa sur sa chaise. « C'est vrai ? » Il n'en avait jamais entendu parler. « Comment tu sais ça, toi ?

— Je l'ai lu dans le *Daily Herald.* »

Lloyd était galvanisé. Des volontaires partaient en Espagne se battre contre les fascistes !

Tommy Griffiths s'adressa à Lenny : « Il n'est pas question que tu y ailles, c'est compris ?

— Tu as oublié tous ces gars qui ont menti sur leur âge pour aller se battre pendant la Grande Guerre ? Ils étaient des milliers.

— Parfaitement bons à rien, pour la plupart, objecta Tommy. Je me souviens de ce gosse qui pleurait avant la Somme. Comment s'appelait-il déjà, Billy ?

— Owen Bevin. Il a pris la tangente, non ?

— Ouais. Pour se retrouver devant un peloton d'exécution. Les salauds l'ont fusillé pour désertion. Quinze ans, qu'il avait, le pauvre môme.

— J'en ai seize, protesta Lenny.

— Ah ouais, fit son père. Ça fait une sacrée différence, c'est sûr ! »

Granda les coupa : « Lloyd n'a plus que dix minutes s'il ne veut pas rater son train pour Londres. »

Lloyd avait été tellement médusé par la révélation de Lenny qu'il n'avait pas vu l'heure passer. Il bondit sur ses pieds, embrassa sa grand-mère et ramassa sa petite valise.

« Je t'accompagne à la gare », dit Lenny.

Lloyd fit ses adieux à tout le monde et descendit la rue à grands pas. Lenny était silencieux, manifestement préoccupé. Quant à Lloyd, il préférait ne pas avoir à parler : il avait le cerveau en ébullition.

Le train était déjà en gare et Lloyd se précipita au guichet où il acheta un billet de troisième classe pour Londres. Il allait monter sur le marchepied quand Lenny lui demanda : « Dis-moi, Lloyd, comment on fait pour avoir un passeport ?

— Tu n'envisages pas sérieusement d'aller en Espagne, quand même ?

— Allez, quoi, grouille-toi, il faut que je sache. »

Le chef de gare siffla. Lloyd monta dans le wagon, ferma la portière et baissa la vitre. « Il faut demander un formulaire à la poste, dit-il.

— Si je vais à la poste d'Aberowen pour une histoire de passeport, soupira Lenny découragé, ma mère le saura trente secondes plus tard.

— Dans ce cas, va à Cardiff », conseilla Lloyd. Le train démarra.

Il rejoignit sa place et sortit de sa poche un exemplaire en français du *Rouge et le Noir* de Stendhal. Ses yeux restaient posés sur la page, mais il ne comprenait pas un mot. Il n'avait qu'une idée en tête : aller en Espagne.

Il aurait dû avoir peur, il le savait mais éprouvait une immense exaltation à l'idée de se battre – se battre pour de bon, au lieu de se contenter d'organiser des meetings – contre des hommes de l'espèce de ceux qui avaient déchaîné les chiens contre Jörg. La peur viendrait plus tard, sûrement. Avant un match de boxe, il ne ressentait aucune appréhension aussi longtemps qu'il était dans les vestiaires. Mais quand il montait sur le ring, qu'il voyait l'homme qui était décidé à le mettre K.-O., qu'il découvrait ses épaules musclées, ses poings impitoyables et son visage haineux, il avait la bouche sèche et le cœur qui battait la chamade, et devait réprimer l'instinct qui le poussait à faire demi-tour et à prendre la fuite.

Pour le moment, c'était surtout pour ses parents qu'il se faisait du souci. Bernie, qui était si fier d'avoir un beau-fils à Cambridge – il l'avait raconté à une bonne moitié de l'East End –, serait consterné si Lloyd quittait l'université avant d'avoir obtenu son dernier diplôme. Quant à Ethel, elle serait morte d'inquiétude à l'idée que son fils puisse être blessé ou tué. Ils seraient dans tous leurs états, l'un comme l'autre.

Ce n'était pas le seul problème. Comment irait-il en Espagne ? Dans quelle ville ? Comment paierait-il son voyage ? Mais en toute franchise, il n'y avait qu'un obstacle qui l'arrêtait réellement.

Daisy Pechkov.

C'était ridicule, il en avait douloureusement conscience. Il ne l'avait rencontrée que deux fois et elle ne s'intéressait pas à lui. Elle faisait bien du reste, car ils étaient on ne peut plus mal assortis. C'était la fille d'un millionnaire, une mondaine superficielle que les discussions politiques ennuyaient. Elle aimait les hommes du genre de Boy Fitzherbert : cela suffisait à prouver qu'elle n'avait rien à faire avec Lloyd. Pourtant, il n'arrivait pas à la chasser de son esprit, et la perspective de partir en Espagne et de renoncer à toute chance de la revoir l'anéantissait.

Mayfair vingt-quatre trente-quatre.

Il s'en voulait d'hésiter, surtout en songeant à la détermination de Lenny. Cela faisait des années qu'il parlait de se battre contre le fascisme. Il avait enfin l'occasion de le faire. Comment pouvait-il tergiverser ?

Il arriva à la gare londonienne de Paddington, prit le métro pour Aldgate et rejoignit à pied Nutley Street, la rue bordée de maisons contiguës, toutes identiques, où il était né. Il entra avec sa propre clé. Les lieux n'avaient pas beaucoup changé depuis son enfance, à une innovation près : le téléphone posé sur une petite table, à côté du portemanteau. C'était le seul de la rue, et les voisins le considéraient comme un service public. À côté de l'appareil, il y avait une boîte où chacun mettait l'argent des appels qu'il passait.

Sa mère était à la cuisine. Elle avait son chapeau sur la tête et était sur le point de se rendre à une réunion du parti travailliste – où d'autre aurait-elle pu aller –, mais elle mit tout de même la bouilloire à chauffer pour lui faire du thé. « Alors, quelles sont les nouvelles d'Aberowen ? demanda-t-elle.

— Oncle Billy est venu pour le week-end. Tous les voisins étaient rassemblés dans la cuisine de Granda. Une vraie cour médiévale.

— Tes grands-parents vont bien ?

— Granda est toujours le même. Grandmam a un peu vieilli, je trouve. » Il s'interrompit. « Lenny Griffiths veut aller en Espagne combattre les fascistes. »

Les lèvres de sa mère se pincèrent dans une moue de désapprobation. « Ah oui, vraiment ?

— J'ai assez envie de partir avec lui. Qu'est-ce que tu en penses ? »

Il s'attendait à ce qu'elle proteste, mais sa réaction le prit de court. « Nom de Dieu, tu ne vas pas faire une connerie pareille ! » lança-t-elle d'une voix farouche. Elle ne partageait pas l'aversion de Grandmam pour les jurons. « Ne remets plus jamais ça sur le tapis, c'est compris ? » Elle posa brutalement la théière sur la table. « Je t'ai donné naissance dans la douleur et la souffrance, je t'ai élevé, nourri, habillé, chaussé, envoyé à l'école. Je n'ai pas fait tout ça pour que tu bousilles ta vie dans une guerre de merde !

— Il n'est pas question de bousiller ma vie, répondit-il un peu désarçonné. Mais je pourrais la risquer pour défendre une cause en laquelle tu m'as appris à croire. »

À sa stupéfaction, elle fondit en larmes. Cela lui arrivait rarement – en fait, Lloyd ne se rappelait pas l'avoir vue pleurer un jour.

« Mam, arrête. » Il posa le bras autour de ses épaules agitées de tremblements. « Tout va bien, je ne suis pas encore parti. »

Bernie, un homme d'âge mûr, trapu, au crâne dégarni, entra dans la cuisine. « Que se passe-t-il ici ? demanda-t-il, l'air soucieux.

— Je suis navré, Dad, répondit Lloyd. C'est ma faute. » Il s'écarta, et Bernie prit Ethel dans ses bras.

Elle sanglotait. « Il va partir en Espagne ! Il va se faire tuer !

— Allons, calmons-nous et discutons de tout ça avec un peu de bon sens », suggéra Bernie. C'était un homme de bon sens, qui portait en toutes circonstances un costume noir fonctionnel et des chaussures à épaisses semelles tout aussi fonctionnelles, réparées à maintes reprises. C'était évidemment à cause de son bon sens que les gens votaient pour lui : il exerçait en effet des responsabilités politiques locales et représentait Aldgate au Conseil régional de Londres. Lloyd n'avait jamais connu son propre père, mais n'imaginait pas qu'il aurait pu l'aimer plus qu'il n'aimait Bernie, lequel avait été un beau-père d'une grande douceur, prompt à consoler et à conseiller, lent à commander ou à punir. Il ne faisait aucune différence entre Lloyd et sa propre fille, Millie.

Bernie convainquit Ethel de s'asseoir avec eux, et Lloyd lui servit une tasse de thé.

« Autrefois, il y a bien longtemps, j'ai cru que mon frère était mort, balbutia Ethel, dont les larmes ruisselaient toujours. Les télégrammes adressés aux habitants de Wellington Row affluaient, et le malheureux postier devait passer d'une maison à l'autre, distribuant à tous des bouts de papier leur annonçant la mort de leur fils ou de leur mari. Pauvre facteur, comment s'appelait-il ? Geraint, je crois. Mais il n'avait pas de télégramme pour nous et, malheureuse que je suis, j'ai remercié Dieu que d'autres soient morts et que Billy soit sain et sauf !

— Tu n'as pas de reproches à te faire », la rassura Bernie en lui tapotant le dos.

La demi-sœur de Lloyd, Millie, descendit du premier étage. Elle avait seize ans, mais faisait plus que son âge, surtout habillée comme elle l'était ce soir-là, dans une tenue noire très chic agrémentée de petites boucles d'oreilles dorées. Elle avait travaillé deux ans dans une boutique de confection féminine d'Aldgate, mais étant aussi intelligente qu'ambitieuse, elle venait de trouver un nouvel emploi dans un grand magasin huppé du West End. « Mam, que se passe-t-il ? » demanda-t-elle avec un léger accent cockney en voyant le visage rougi de pleurs d'Ethel.

« Ton frère veut aller en Espagne pour se faire tuer ! » sanglota Ethel.

Millie jeta un regard furieux à son frère. « Qu'est-ce que tu es encore allé lui raconter ? » Millie était toujours prête à critiquer son grand frère, outrageusement choyé par ses parents, selon elle.

Lloyd réagit avec une tolérance affectueuse. « Lenny Griffiths d'Aberowen part se battre contre les fascistes, et j'ai annoncé à Mam que j'envisage de l'accompagner.

— C'est bien ton genre, lança Millie écœurée.

— Il faudrait déjà que tu arrives jusque-là, objecta Bernie, toujours pragmatique. Après tout, le pays est plongé dans la guerre civile.

— Je peux prendre le train jusqu'à Marseille. Barcelone n'est pas très loin de la frontière française.

— Cent trente, cent cinquante kilomètres, tout de même. Et il peut faire sacrément froid dans les Pyrénées.

— Il y a sûrement des bateaux qui partent de Marseille pour Barcelone. Par la mer, c'est moins long.

— C'est vrai.

— Arrête, Bernie ! cria Ethel. On dirait que tu discutes du chemin le plus court pour aller à Piccadilly Circus. Il est question de guerre ! Je ne le laisserai jamais faire ça !

— Je te rappelle qu'il a vingt et un ans, remarqua Bernie. Nous ne pouvons pas l'en empêcher.

— Je sais quel âge il a tout de même, nom de Dieu ! »

Bernie regarda sa montre. « Il faut qu'on y aille, Eth. Tu es la principale oratrice de la réunion. Et rassure-toi, Lloyd ne partira pas pour l'Espagne ce soir.

— Qu'est-ce que tu en sais ? demanda-t-elle. Peut-être que quand on rentrera tout à l'heure, on trouvera un mot nous annonçant qu'il a pris le train-ferry pour Paris !

— Écoutez-moi tous les deux, reprit Bernie. Lloyd, tu vas promettre à ta mère de ne pas partir avant un mois, au plus tôt. De toute façon, ça me paraît raisonnable : il faut que tu étudies la situation au lieu de te lancer comme ça, tête baissée, dans l'aventure. Tranquillise-la, pour le moment. Nous en reparlerons plus tard. »

C'était un compromis typique de Bernie, qui permettait à chacun de reculer sans céder. Lloyd hésitait pourtant à promettre quoi que ce soit. Évidemment, il ne pouvait pas sauter dans le train sur un coup de tête. Il fallait qu'il se renseigne sur les dispositions que le gouvernement espagnol avait prises pour accueillir les volontaires. Le mieux serait de partir en même temps que Lenny et d'autres jeunes qu'il connaissait. Il allait lui falloir des visas, de l'argent étranger, de bonnes chaussures… « Entendu, finit-il par dire. Je ne partirai pas avant un mois.

— Promets-le, insista sa mère.

— Je te le promets. »

Ethel se calma. Quelques instants plus tard, elle se poudra le visage et redevint elle-même. Elle but son thé.

Elle enfila ensuite son manteau et partit avec Bernie.

« Bon, j'y vais, moi aussi, annonça Millie.

— Où ça ? lui demanda Lloyd.

— Au Gaiety. »

C'était un music-hall de l'East End. « Ils laissent entrer les filles de seize ans, maintenant ? »

Elle lui jeta un regard malicieux. « Seize ans ? Qui a seize ans ici ? Pas moi. En plus, Dave y va, lui aussi, et il n'en a que quinze. » Elle parlait de leur cousin David Williams, le fils de l'oncle Billy et de la tante Mildred.

« Alors, amuse-toi bien. »

Elle était déjà à la porte quand elle revint sur ses pas. « Débrouille-toi pour ne pas te faire tuer en Espagne, espèce d'idiot. » Elle se jeta à son cou et le serra de toutes ses forces, puis partit sans un mot.

Il fonça sur le téléphone dès qu'il entendit la porte d'entrée claquer.

Il n'eut pas à se creuser la tête pour retrouver le numéro. Il revoyait Daisy se tourner vers lui au moment de partir et lui adresser un sourire aguichant sous son chapeau de paille en disant : « Mayfair vingt-quatre trente-quatre. »

Il prit le combiné et composa le numéro.

Qu'allait-il dire ? « Vous m'avez demandé de vous appeler, alors me voilà. » Un peu faible, comme entrée en matière. La vérité ? « Je n'ai aucune estime pour vous, mais je ne peux pas m'empêcher de penser à vous. » Il devrait l'inviter quelque part, mais où ? À une réunion du parti travailliste ?

Une voix d'homme répondit. « Ici la résidence de madame Pechkov. Bonsoir. » Son ton déférent donnait à penser qu'il s'agissait d'un majordome. La mère de Daisy avait dû louer une maison avec tout son personnel.

« Bonsoir, ici Lloyd Williams. » Il voulait ajouter une précision qui expliquerait ou justifierait son appel et dit la première chose qui lui vint à l'esprit : « … d'Emmanuel College. » Cela n'avait pas grand sens, mais il espérait impressionner son interlocuteur. « Pourrais-je parler à miss Daisy Pechkov ?

— Je regrette, professeur, répondit le majordome, prenant Lloyd pour un enseignant. Ces dames sont à l'Opéra. »

Évidemment, se dit Lloyd, déçu. Aucune mondaine n'était chez elle à cette heure de la soirée, surtout un samedi. « C'est vrai, je m'en souviens, improvisa-t-il. Elle me l'avait dit et j'ai complètement oublié. À Covent Garden, n'est-ce pas ? » Il retint son souffle.

Le majordome n'éprouva aucun soupçon. « Oui, monsieur. Je crois qu'on donne *La Flûte enchantée*.

— Merci infiniment. » Lloyd raccrocha.

Il monta dans sa chambre pour se changer. Dans le West End, la plupart des gens se mettaient en tenue de soirée même pour aller au cinéma. Mais que ferait-il une fois sur place ? Il n'avait pas de quoi se payer un billet d'opéra, et de toute façon, le spectacle devait toucher à sa fin.

Il prit le métro. Le Royal Opera House était situé de façon incongrue juste à côté de Covent Garden, le grand marché de fruits et légumes de Londres. Les deux établissements coexistaient sans heurt, grâce à leurs horaires différents : les activités du marché commençaient à trois ou quatre heures du matin, au moment où les fêtards invétérés commençaient à rentrer chez eux ; et il fermait avant les représentations en matinée.

Lloyd passa devant les étals fermés et s'approcha des portes vitrées de l'Opéra pour jeter un coup d'œil à l'intérieur. Le hall brillamment éclairé était désert et il entendait du Mozart en sourdine. Il entra. Adoptant l'attitude dégagée d'un représentant de la haute société, il demanda à l'employé : « À quelle heure le spectacle se termine-t-il ? »

S'il avait porté son costume de tweed, on lui aurait probablement rétorqué que cela ne le regardait pas, mais grâce à l'autorité que conférait le port du smoking, il s'entendit répondre : « Dans cinq minutes environ, monsieur. »

Lloyd hocha la tête sèchement. Dire merci l'aurait trahi.

Il sortit du bâtiment et fit le tour du pâté de maisons. Tout était calme. Les clients des restaurants en étaient au café ; dans les cinémas, le grand film approchait de son point culminant et mélodramatique. Dans quelques instants, en revanche, les rues grouilleraient de gens hélant des taxis, se dirigeant vers les boîtes de nuit, s'embrassant pour se dire bonsoir aux arrêts de bus et se hâtant d'aller attraper le dernier train de banlieue.

Il retourna à l'Opéra et entra. L'orchestre s'était tu et le public commençait tout juste à sortir de la salle. Libérés de leur longue claustration, les spectateurs bavardaient avec animation, ne tarissant pas d'éloges sur les chanteurs, critiquant les costumes et se demandant où ils allaient souper.

Il aperçut Daisy presque immédiatement.

Elle était ravissante dans sa robe lavande, une petite cape de vison couleur champagne réchauffant ses épaules dénudées. Elle était accompagnée d'un groupe de jeunes gens parmi lesquels Lloyd reconnut non sans contrariété Boy Fitzherbert. Ils descendaient l'escalier côte à côte et il entendit Daisy rire gaiement aux propos que Boy lui chuchotait à l'oreille. Ils étaient suivis par cette jeune Allemande si intéressante, Eva Rothmann, escortée d'un grand jeune homme vêtu d'une tenue de soirée militaire, ce qu'on appelait une tenue de mess.

Eva reconnut Lloyd et lui sourit. Il s'adressa à elle en allemand : « Bonsoir, mademoiselle. J'espère que vous avez passé une bonne soirée.

— Oui, excellente, merci, répondit-elle dans la même langue. Je ne savais pas que vous étiez là. »

Boy lança d'un ton affable : « Eh, vous deux, parlez donc anglais. » Il avait l'air légèrement ivre. Il était séduisant dans le genre dissolu, comme un adolescent maussade, ou un chien de luxe trop gâté. D'un commerce agréable, il pouvait certainement exercer un charme ravageur quand il s'en donnait la peine.

Eva se tourna vers Boy : « Monsieur le vicomte, fit-elle en anglais, permettez-moi de vous présenter monsieur Williams.

— Nous nous connaissons déjà, répondit Boy. Il est à Emma.

— Bonsoir, Lloyd, dit alors Daisy. Nous avons l'intention d'aller nous encanailler. »

Lloyd avait déjà entendu cette expression qui voulait dire aller dans l'East End prendre un verre dans des pubs de bas étage et assister à des divertissements populaires, tels que des combats de chiens.

« Je parie que Williams ne manque pas d'endroits à nous conseiller », lança Boy.

Lloyd n'hésita qu'une fraction de seconde. Était-il prêt à supporter Boy pour avoir le plaisir d'être avec Daisy ? Bien sûr ! « En effet, acquiesça-t-il. Voulez-vous que je vous serve de guide ?

— Ce serait épatant ! »

Une dame plus âgée s'approcha et agita un index réprobateur devant Boy. « Ces jeunes filles doivent impérativement être rentrées à minuit, dit-elle avec un accent américain. Pas une seconde plus tard, n'est-ce pas ? »

Lloyd devina que c'était la mère de Daisy.

Le grand jeune homme en tenue militaire répondit : « Vous pouvez faire confiance à l'armée, madame. Nous serons à l'heure. »

Mrs. Pechkov était suivie du comte Fitzherbert, accompagné d'une femme corpulente qui devait être son épouse. Lloyd aurait bien aimé interroger le comte sur la politique espagnole de son gouvernement, mais le moment était évidemment mal choisi.

Deux voitures les attendaient devant l'Opéra. Le comte, sa femme et la mère de Daisy montèrent dans une Rolls-Royce Phantom III noir et crème. Boy et sa bande s'entassèrent dans l'autre véhicule, une limousine Daimler E20 bleu foncé, la voiture préférée de la famille royale. Ils étaient sept jeunes, Lloyd compris. Eva semblait être très liée au soldat, qui se présenta à Lloyd comme le lieutenant Jimmy Murray. La troisième fille était sa sœur, May, et l'autre garçon – une version plus mince, moins exubérante de Boy – n'était autre qu'Andy Fitzherbert.

Lloyd indiqua au chauffeur comment se rendre au Gaiety.

Il remarqua que Jimmy Murray glissait discrètement son bras autour de la taille d'Eva, qui se rapprocha légèrement de lui : de toute évidence, l'attirance était réciproque. Ce n'était pas une très jolie fille, mais elle était intelligente et charmante. Il l'appréciait beaucoup et était heureux qu'elle se soit trouvé un grand et sympathique soldat. Il se demanda tout de même comment l'entourage de Jimmy réagirait s'il annonçait son intention d'épouser une Allemande à moitié juive.

Il songea alors que les autres formaient eux aussi des couples : Andy et May et – chose infiniment plus fâcheuse – Boy et Daisy. Lloyd était en surnombre. Ne voulant pas donner l'impression de les épier, il porta son attention sur les encadrements des vitres en acajou brillant.

La voiture remonta Ludgate Hill en direction de la cathédrale St Paul. « Prenez par Cheapside », dit Lloyd au chauffeur.

Boy sortit de sa poche une flasque d'argent dont il but une longue gorgée. S'essuyant les lèvres, il remarqua : « Vous avez l'air de bien connaître le coin, Williams.

— C'est ici que j'habite, expliqua Lloyd. Je suis né dans l'East End.

— Tout à fait épatant », lança Boy, et Lloyd n'aurait su dire s'il était maladroitement poli ou désagréablement sarcastique.

Au Gaiety, tous les sièges étaient occupés, mais les places debout étaient nombreuses et le public se déplaçait constamment pour saluer des amis et s'approcher du bar. Tout le monde était sur son trente et un, les femmes en robes de couleurs vives, les hommes dans leurs plus beaux costumes. L'atmosphère était chaude et enfumée, et il régnait une odeur tenace de bière renversée. Lloyd conduisit son groupe vers le fond de la salle. Leurs vêtements trahissaient des visiteurs du West End, mais ils n'étaient pas les seuls : les music-halls étaient populaires dans toutes les classes sociales.

Sur scène, une actrice un peu mûre en robe rouge et en perruque blonde faisait un numéro rempli de phrases à double sens : « "N'crois pas que j'vais t'laisser entrer dans mon p'tit couloir", que j'lui dis. » Le public hurla de rire. « Il me fait : "J'vois ça d'ici, chérie." J'lui réponds : "Tu vas sortir ton nez d'là, oui ?" » Elle feignait l'indignation. « Et voilà-t-i pas qu'il me fait : "On dirait qu'un bon nettoyage ne serait pas d'trop." Non mais, j'vous jure ! Quel toupet ! »

Lloyd remarqua que Daisy souriait franchement. Il se pencha vers elle et lui chuchota à l'oreille : « Vous avez remarqué que c'est un homme ?

— Non ! Je ne vous crois pas !

— Regardez ses mains.

— Oh mon Dieu, dit-elle, vous avez raison. »

Le cousin de Lloyd, David, passa devant eux. Apercevant Lloyd, il revint sur ses pas. « Pourquoi est-ce que vous êtes tous fringués comme ça ? » demanda-t-il avec un accent cockney. Il portait une écharpe nouée autour du cou et une casquette en tissu.

« Salut, Dave, comment ça va ?

— Je pars en Espagne avec Lenny Griffiths et toi, lui annonça Dave.

— Tu n'y penses pas ! protesta Lloyd. Tu n'as que quinze ans.

— Il y a des garçons de mon âge qui se sont battus pendant la Grande Guerre.

— Ils n'étaient bons à rien, tu sais – tu n'as qu'à demander à ton père. Et puis qui t'a dit que je partais ?

— Ta sœur, Millie », répondit Dave et il poursuivit son chemin.

Boy se tourna vers Lloyd : « Que boit-on ici d'ordinaire, Williams ? »

Tout en songeant que Boy avait son compte, Lloyd répondit : « Des pintes de *best bitter* pour les hommes et pour les dames du porto-citron.

— Du porto-citron ?
— Du porto allongé de citronnade.
— Quelle abomination ! » Boy s'éclipsa.

Sur scène, on en arrivait à la chute du sketch. « Alors j'lui dis : "Espèce d'idiot, tu t'es fourré dans l'*autre* couloir !" » Le comédien – ou la comédienne – sortit de scène sous une tempête d'applaudissements.

Millie surgit alors devant Lloyd. « Salut », dit-elle. Elle regarda Daisy. « Tu me présentes ton amie ? »

Lloyd était fier de Millie, si jolie dans son élégante robe noire, avec une rangée de fausses perles et un maquillage discret. « Miss Pechkov, permettez-moi de vous présenter ma sœur, Millie Leckwith. Millie, je te présente Daisy. »

Les deux jeunes filles se serrèrent la main. Daisy dit : « Je suis très heureuse de rencontrer la sœur de Lloyd.

— Sa demi-sœur, plus exactement », précisa Millie.

Lloyd expliqua : « Mon père s'est fait tuer à la guerre. Je ne l'ai jamais connu. Ma mère s'est remariée quand j'étais tout petit.

— Amusez-vous bien », lança Millie en repartant ; juste avant de s'éloigner, elle ajouta à l'adresse de Lloyd : « Je comprends maintenant pourquoi Ruby Carter n'a aucune chance. »

Lloyd gémit intérieurement. Sa mère avait manifestement raconté à toute la famille qu'il faisait la cour à Ruby.

« Qui est Ruby Carter ? demanda Daisy.

— Une femme de chambre de Chimbleigh. Vous savez bien, celle à qui vous avez donné de l'argent pour aller chez le dentiste.

— Ah oui, je m'en souviens. Si je comprends bien, il y a quelque chose entre vous.

— Dans l'imagination de ma mère, oui, mais c'est bien tout. »

Daisy rit de son embarras. « Vous n'avez pas l'intention d'épouser une femme de chambre, c'est ça ?

— Disons plutôt que je n'ai pas l'intention d'épouser Ruby.

— Elle vous conviendrait peut-être très bien. »

Lloyd la regarda droit dans les yeux. « On ne tombe pas forcément amoureux de la personne qui vous conviendrait le mieux. »

Elle se tourna vers la scène. La soirée touchait à sa fin et toute la distribution entonna en chœur une rengaine populaire. Le public se joignit aux acteurs avec enthousiasme. Les clients debout au fond de la salle se prirent par le bras et se balancèrent en mesure, et le petit groupe du West End en fit autant.

Boy n'était toujours pas revenu quand le rideau retomba. « Je vais aller le chercher, proposa Lloyd. Je pense savoir où il est. » Le Gaiety avait des toilettes pour dames, mais celles des hommes se trouvaient dans la cour et se réduisaient à une fosse d'aisances et à plusieurs bidons d'huile coupés en deux. Lloyd trouva Boy en train de vomir dans un des bidons.

Il lui tendit un mouchoir pour qu'il s'essuie la bouche, puis le prit par le bras et lui fit traverser la salle déjà presque vide pour rejoindre la Daimler, où les autres les attendaient. Ils montèrent tous en voiture et Boy s'assoupit immédiatement.

Quand ils eurent regagné le West End, Andy Fitzherbert demanda au chauffeur de se rendre d'abord chez les Murray, dans une rue modeste, proche de Trafalgar Square. Sortant de la voiture avec May, il dit : « Continuez vous autres. Je vais raccompagner May jusqu'à sa porte. Je rentrerai à pied. » Andy avait manifestement l'intention de prendre son temps pour dire un bonsoir romantique à May sur son seuil.

Ils se rendirent ensuite à Mayfair. Alors que la voiture approchait de Grosvenor Square où logeaient Daisy et Eva, Jimmy se pencha vers le chauffeur. « Arrêtez-vous juste à l'angle s'il vous plaît. » Il se tourna ensuite vers Lloyd : « Dites-moi, Williams, est-ce que ça vous ennuierait de raccompagner miss Pechkov jusqu'à sa porte ? Je vous suis dans quelques secondes avec Fräulein Rothmann.

— Bien sûr. » Jimmy voulait embrasser Eva dans la voiture, évidemment. Boy n'en saurait rien : il ronflait. Quant au chauffeur, il ferait l'aveugle en espérant un pourboire.

Lloyd sortit de la Daimler et tendit la main à Daisy. Quand elle la saisit, il sentit un frisson lui parcourir tout le corps, comme une légère décharge électrique. Il lui prit le bras et ils remontèrent lentement le trottoir. À mi-chemin entre deux réverbères, à l'endroit où la lumière était la plus tamisée, Daisy s'arrêta. « Laissons-leur un peu de temps, murmura-t-elle.

— Je suis si content qu'Eva ait un amoureux.

— Moi aussi. »

Il prit une profonde inspiration.

« Je ne saurais en dire autant de Boy Fitzherbert et vous.

— J'ai été présentée à la cour grâce à lui ! s'enthousiasma Daisy. Et j'ai dansé avec le roi dans un night-club – tous les journaux américains en ont parlé !

— C'est pour ça que vous sortez avec lui ? demanda Lloyd, incrédule.

— Pas seulement. Nous avons les mêmes goûts, tous les deux : il aime les fêtes, les courses de chevaux, les vêtements. Et puis il est tellement amusant ! Il a même un avion à lui.

— Ça ne veut rien dire du tout, protesta Lloyd. Laissez-le tomber. Sortez plutôt avec moi. »

Elle prit l'air flattée et étouffa un petit rire. « Vous êtes fou, dit-elle. Mais je vous aime bien quand même.

— Je suis parfaitement sérieux, insista-t-il au désespoir. Je n'arrive pas à m'empêcher de penser à vous, alors que vous êtes, en toute logique, la dernière personne au monde dont je devrais tomber amoureux. »

Elle éclata de rire : « Vous êtes vraiment impossible ! Je me demande pourquoi je vous adresse encore la parole. J'imagine sans doute que votre impolitesse et votre maladresse dissimulent une grande gentillesse.

— Je ne suis pas vraiment maladroit : seulement avec vous.

— Je vous crois. Mais je n'ai aucune intention de sortir avec un socialiste sans le sou. »

Lloyd lui avait ouvert son cœur et s'était fait gentiment remettre à sa place. Inconsolable, il se retourna vers la Daimler. « Je me demande quand ils vont venir.

— Encore que je pourrais peut-être envisager d'embrasser un socialiste, juste pour voir quel effet ça fait. »

Il ne réagit pas tout de suite, prenant cela pour des paroles en l'air. Mais il se ravisa promptement : c'était une invitation, évidemment, et il avait failli être assez bête pour la laisser passer.

Il s'approcha d'elle et posa les mains autour de sa taille fine. Elle leva le visage vers lui, et sa beauté lui coupa le souffle. Il s'inclina et l'embrassa doucement sur la bouche. Elle ne baissa pas les paupières, lui non plus. Il était grisé, le regard perdu dans ses yeux bleus, effleurant ses lèvres des siennes. Elle entrouvrit la bouche et il caressa ses lèvres écartées du bout de sa langue. Un instant plus tard, il sentit sa langue répondre à la sienne. Elle le regardait toujours. Il était au septième ciel et aurait voulu que cette étreinte dure éternellement. Physiquement plus ému qu'il ne l'aurait souhaité, il craignit qu'elle ne s'en offusque et s'écarta légèrement… mais elle se pressa contre lui de plus belle et il comprit à son regard qu'elle avait envie de sentir son sexe durci contre son corps tendre. Cette pensée l'excita au-delà de toute mesure. Il était au bord de l'éjaculation, et il lui traversa l'esprit que peut-être, cela ne lui déplairait pas.

Il entendit alors la portière de la Daimler s'ouvrir et Jimmy Murray parler d'une voix exagérément sonore, comme pour les avertir. Lloyd desserra son étreinte.

« Eh bien, murmura Daisy d'un ton surpris. C'était un plaisir inattendu.

— Davantage qu'un plaisir », dit Lloyd d'une voix rauque.

Jimmy et Eva les rejoignirent et ils se dirigèrent tous les quatre vers la porte de la maison de Mrs. Pechkov. C'était une grande bâtisse précédée de quelques marches conduisant à un porche couvert. Lloyd se demanda s'il ne pourrait pas servir d'abri à un autre baiser, mais au moment même où ils gravissaient les marches, la porte s'ouvrit de l'intérieur sur un homme en tenue de soirée, sans doute le majordome auquel Lloyd avait parlé quelques heures plus tôt au téléphone. Quelle bonne idée il avait eue d'appeler !

Les deux jeunes filles prirent congé de leurs cavaliers d'un air innocent, et nul n'aurait pu soupçonner en les voyant que quelques secondes auparavant seulement, elles échangeaient, l'une et l'autre, des étreintes passionnées. La porte se referma sur elles.

Lloyd et Jimmy redescendirent les marches.

« Je vais rentrer à pied, annonça Jimmy. Voulez-vous que je demande au chauffeur de vous reconduire dans l'East End ? Nous sommes bien à cinq kilomètres de chez vous. Boy n'y verra certainement aucun inconvénient : à mon avis, il ne se réveillera pas avant l'heure du petit déjeuner.

— C'est très attentionné de votre part, Murray, et j'y suis très sensible. Mais sincèrement, je préfère marcher. Il y a beaucoup de choses auxquelles il faut que je réfléchisse.

— Comme vous voudrez. Bonsoir, dans ce cas.

— Bonsoir », dit Lloyd. L'esprit en ébullition et le sexe encore légèrement en érection, il se tourna vers l'est et prit la direction de Nutley Street.

4.

La saison londonienne s'achevait à la mi-août, et Boy Fitzherbert n'avait toujours pas demandé la main de Daisy Pechkov.

Daisy était blessée et perplexe. L'intimité de leurs relations n'était un secret pour personne. Ils se voyaient presque un jour sur deux. Le comte Fitzherbert s'adressait à Daisy comme à sa fille, et la soupçonneuse princesse Bea elle-même s'était prise d'affection pour elle. Boy ne manquait pas une occasion de l'embrasser, sans pour autant faire de projets d'avenir.

La longue succession de déjeuners et de dîners somptueux, de fêtes et de bals resplendissants, de manifestations sportives traditionnelles et de pique-niques au champagne qui avait jalonné la saison londonienne s'acheva brutalement. Un grand nombre des nouveaux amis que s'était faits Daisy quittèrent la ville du jour au lendemain. La plupart partaient pour leurs domaines où, d'après ce qu'elle avait compris, ils passeraient leur temps à chasser le renard, à traquer le cerf et à tirer des oiseaux.

Daisy et Olga restèrent à Londres pour le mariage d'Eva Rothmann. Jimmy Murray avait hâte d'épouser la femme qu'il aimait, et la cérémonie eut lieu à l'église de Chelsea, la paroisse de ses parents.

Daisy se félicitait du bonheur d'Eva. C'est elle qui avait appris à son amie à choisir des vêtements seyants, des tenues élégantes sans chichis, dans des teintes soutenues et unies qui mettaient en valeur ses cheveux noirs et ses yeux bruns. Prenant de l'assurance à son contact, Eva avait découvert comment séduire hommes et femmes grâce à sa chaleur naturelle et à sa vive intelligence. Et Jimmy était tombé amoureux d'elle. Ce n'était pas un Apollon, mais il était grand et plutôt séduisant avec son visage taillé à la serpe. De plus, il était issu d'une famille de militaires dotée d'une fortune modeste, de sorte que sans être riche, Eva pouvait être assurée de vivre dans le confort.

Les Britanniques n'avaient pas moins de préjugés que d'autres et au départ, le général et Mrs. Murray n'avaient pas été ravis à l'idée que leur fils épouse une réfugiée allemande à moitié juive. Si Eva avait rapidement fait leur conquête, un certain nombre de leurs amis continuaient à exprimer leurs réserves à mots couverts. Lors du mariage, Daisy avait ainsi entendu dire qu'Eva était « exotique », Jimmy « courageux », les Murray « remarquablement larges d'esprit », autant de façons de faire comprendre sans le dire que l'on jugeait cette union inappropriée.

Jimmy avait écrit officiellement au docteur Rothmann à Berlin et obtenu son feu vert pour demander sa main à Eva; mais les autorités allemandes avaient refusé de laisser la famille Rothmann venir à Londres assister au mariage. Eva en avait pleuré : « Ils détestent tellement les Juifs, avait-elle lancé, qu'on pourrait imaginer qu'ils seraient heureux de les voir quitter le pays ! »

Le père de Boy, Fitz, avait surpris cette réflexion et avait abordé le sujet avec Daisy. « Vous devriez dire à votre amie Eva de ne pas trop parler de Juifs, si elle peut l'éviter, avait-il dit sur le ton de celui qui donne un conseil amical. Avoir une femme à demi juive ne va pas aider Jimmy dans sa carrière militaire, vous savez. » Daisy s'était bien gardée de transmettre à Eva ce déplaisant avertissement.

Le jeune couple partit en voyage de noces à Nice et Daisy prit conscience avec une pointe de remords qu'elle était soulagée d'être débarrassée d'Eva. Boy et ses amis politiques détestaient tant les Juifs que son intimité avec elle commençait à lui poser des problèmes. L'amitié entre Boy et Jimmy en avait déjà pâti : Boy avait refusé d'être le témoin de Jimmy.

Après le mariage, les Fitzherbert invitèrent Daisy et Olga à une partie de chasse dans leur propriété du pays de Galles. Daisy reprit espoir. Maintenant que l'obstacle d'Eva était levé, rien ne s'opposait plus à ce que Boy lui fasse sa demande. Le comte et la princesse s'y attendaient certainement. Peut-être même avaient-ils prévu qu'il profiterait de ce week-end pour se déclarer.

Un vendredi matin, Daisy et Olga se rendirent à la gare de Paddington et prirent un train pour l'ouest. Elles traversèrent le cœur de l'Angleterre, admirant ses riches terres cultivées, ses vallons verdoyants émaillés de hameaux, ponctués par une flèche d'église en pierre qui s'élevait depuis un bosquet d'arbres centenaires. Elles étaient seules dans leur compartiment de première classe et Olga interrogea Daisy sur les intentions de Boy. « Il sait forcément que j'ai beaucoup d'affection pour lui, répondit-elle. Je l'ai laissé m'embrasser assez souvent pour qu'il n'en ignore rien.

— Aurais-tu manifesté de l'intérêt pour quelqu'un d'autre ? » demanda sa mère, fine mouche.

Daisy réprima le souvenir coupable de ce bref instant de folie dans les bras de Lloyd Williams. Boy ne pouvait en aucun cas en avoir été informé et d'ailleurs, elle n'avait pas revu Lloyd ni répondu aux trois lettres qu'il lui avait adressées. « Non, non, pas le moins du monde, protesta-t-elle.

— Alors c'est à cause d'Eva, conclut Olga. Heureusement qu'elle est partie. »

Le train traversa un long tunnel sous l'estuaire de la Severn, et ressortit au pays de Galles. Des moutons hirsutes paissaient sur les collines coupées par des vallées occupées par de petites villes minières, reconnaissables aux tours de chevalement qui se dressaient sur le carreau de mine, au-dessus de quelques affreuses bâtisses industrielles.

La Rolls-Royce noir et crème du comte Fitzherbert les attendait devant la gare d'Aberowen. Daisy trouva la ville lugubre, avec ses modestes maisons de pierre grise alignées le long des versants escarpés. Ils parcourent un peu plus d'un kilomètre depuis la sortie de la ville avant d'arriver à Tŷ Gwyn.

Tŷ Gwyn était une immense demeure, fort élégante avec sa façade d'un classicisme parfait percée de longues rangées de hautes fenêtres. Elle était entourée d'un parc de toute beauté, planté de fleurs, de buissons et d'arbres rares qui faisaient certainement l'orgueil du comte lui-même. Quel plaisir ce serait que d'être la maîtresse de maison d'une telle propriété, songea Daisy. L'aristocratie anglaise ne gouvernait peut-être plus le monde, mais elle avait porté l'art de vivre à un degré de raffinement extrême et Daisy aspirait à faire partie de ce monde.

Tŷ Gwyn voulait dire « maison blanche ». Pourtant, tout était gris et Daisy comprit pourquoi quand, posant la main sur la pierre, elle vit ses doigts maculés de poussière de charbon.

On lui avait attribué une chambre appelée la chambre des gardénias.

Ce soir-là, avant le dîner, elle passa un long moment assise sur la terrasse en compagnie de Boy, à admirer le coucher du soleil derrière le sommet violet des montagnes. Boy fumait un cigare et Daisy sirotait du champagne. Ils étaient seuls, mais Boy ne parla pas mariage.

Au fil du week-end, l'inquiétude de Daisy grandit. Boy eut maintes occasions de lui parler en tête à tête – elle y avait veillé. Le samedi, les hommes allèrent à la chasse, et Daisy partit à leur rencontre en fin d'après-midi, ce qui lui permit de rentrer avec Boy à travers bois. Le dimanche matin, les Fitzherbert et la plupart de leurs invités se rendirent à l'église anglicane de la ville. Après la messe, Boy invita Daisy au pub des Deux Couronnes, où des mineurs trapus, aux épaules larges, coiffés de casquettes la dévisagèrent dans son manteau de cachemire lavande avec autant d'étonnement que si Boy leur avait amené un léopard en laisse.

Elle lui annonça qu'il allait bientôt falloir qu'elles rentrent à Buffalo, sa mère et elle. Il ne réagit pas.

Peut-être l'appréciait-il après tout, mais pas au point de l'épouser ?

Au déjeuner dominical, elle était prête à baisser les bras. Le lendemain, sa mère et elle regagneraient Londres. Si Boy ne lui avait pas fait sa demande avant leur départ, ses parents en déduiraient que ses intentions n'étaient pas sérieuses, et c'en serait fini des invitations à Tŷ Gwyn.

Cette perspective la faisait frémir d'horreur : elle était bien décidée à épouser Boy. Elle voulait être la vicomtesse d'Aberowen, et un jour la comtesse Fitzherbert. Elle avait toujours été riche, mais aspirait à jouir du respect et des égards réservés aux grands de ce monde. Elle mourait d'envie qu'on l'appelle « madame la comtesse » et couvait d'un regard plein de convoitise le diadème de diamants de la princesse Bea. Elle voulait côtoyer la famille royale.

Elle savait que Boy l'aimait bien, et quand il l'embrassait, elle ne pouvait pas douter du désir qu'elle lui inspirait. « Il faut que tu trouves un moyen de l'accrocher pour de bon », lui murmura Olga dans le petit salon où elles prenaient le café avec les autres dames après le déjeuner.

« Mais comment ?

— Il y a une chose qui marche toujours avec les hommes. »

Daisy haussa les sourcils. « Le sexe ? » Elle avait beau parler de presque tout avec sa mère, elles évitaient généralement ce sujet-là.

« Tu pourrais tomber enceinte, dit Olga. Malheureusement, ces choses-là n'arrivent que quand on ne le veut pas.

— Quoi alors ?

— Il faut lui donner un aperçu de la terre promise, sans l'y laisser entrer. »

Daisy secoua la tête. « Je n'en mettrais pas ma main au feu, mais j'ai bien l'impression qu'il a déjà découvert la terre promise avec une autre.

— Qui donc ?

— Je n'en sais rien : une domestique, une actrice, une veuve… Ce n'est qu'une hypothèse, mais il n'a pas à franchement parler l'air d'un puceau.

— Tu as raison. Il va donc falloir que tu lui offres quelque chose que les autres ne lui donnent pas. Quelque chose qui lui tienne tellement à cœur qu'il soit prêt à tout pour l'obtenir. »

Daisy se demanda un instant d'où sa mère tenait sa science, elle qui avait passé toute son existence dans une union conjugale insatisfaisante. Peut-être avait-elle réfléchi aux moyens qu'avait employés la maîtresse de Lev, Marga, pour lui voler son mari. Quoi qu'il en soit, Daisy était bien en peine d'imaginer ce qu'elle pourrait offrir à Boy qu'une autre lui refuserait.

Les dames avaient terminé leur café et rejoignaient leurs chambres pour faire la sieste. Les messieurs étaient toujours dans la salle à manger à fumer le cigare, mais ils leur emboîteraient le pas un quart d'heure après. Daisy se leva.

« Que vas-tu faire ? demanda Olga.

— Je ne sais pas. Je vais bien trouver quelque chose », répondit-elle en sortant de la pièce.

Elle avait l'intention de monter dans la chambre de Boy, mais ne voulait pas le dire à sa mère pour éviter tout risque d'objection. Quand il viendrait se reposer, il la trouverait là. À cette heure de la journée, les domestiques avaient quartier libre et il était donc peu probable que qui que ce fût entre dans la chambre.

Elle aurait Boy tout à elle. Que dirait-elle ? Que ferait-elle ? Elle n'en savait rien. Il faudrait improviser.

Elle rejoignit la chambre des gardénias, se brossa les dents, tapota de l'eau de Cologne Jean Naté sur son cou et longea à pas de loup le couloir jusqu'à la chambre de Boy.

Elle ne croisa personne.

Il avait une chambre spacieuse dont les fenêtres donnaient sur les sommets brumeux et qu'il occupait apparemment depuis de longues années. Elle était meublée de fauteuils de cuir très masculins et ses murs étaient décorés de photos d'avions et de chevaux de course. Une boîte à cigares en cèdre pleine de havanes odorants ainsi que plusieurs carafes de whisky et de brandy étaient posées sur une desserte, à côté d'un plateau de verres en cristal.

Ouvrant un tiroir, elle y trouva du papier à lettres de Tŷ Gwyn, une bouteille d'encre, des stylos et des crayons. Le papier était bleu, et orné des armoiries des Fitzherbert. Seraient-elles un jour les siennes ?

Elle se demanda ce que dirait Boy en la trouvant ici. Serait-il délicieusement surpris, la prendrait-il dans ses bras pour l'embrasser ? Ou serait-il furieux de cette intrusion et l'accuserait-il d'être venue fouiller dans ses affaires ? Le jeu en valait bien la chandelle, sans doute.

Elle se glissa dans le cabinet de toilette contigu. Le matériel de rasage de Boy était posé sur la bordure de marbre d'un petit lavabo surmonté d'un miroir. Daisy songea qu'elle aimerait bien apprendre à raser son mari. Ce serait tellement intime !

Ouvrant les portes de la penderie, elle passa sa garde-robe en revue : jaquette et pantalon rayé, tenues d'équitation, un blouson de pilote en cuir doublé de fourrure et deux fracs.

Cela lui donna une idée.

Elle n'avait pas oublié l'émoi manifeste de Boy en juin, chez Bing Westhampton, quand il avait découvert les jeunes filles déguisées en hommes. C'était ce soir-là qu'il l'avait embrassée pour la première fois. Elle ne savait pas exactement ce qui l'avait tellement émoustillé – ce genre de choses était le plus souvent inexplicable. Lizzie Westhampton prétendait même que certains hommes aimaient se faire donner la fessée. Franchement, cela dépassait l'entendement.

Et si elle enfilait les vêtements de Boy ?

Quelque chose qui lui tienne tellement à cœur qu'il soit prêt à tout pour l'obtenir, avait dit sa mère. Pourquoi pas ça ?

Elle contempla la rangée de costumes sur leurs cintres, la pile de chemises blanches soigneusement pliées, les chaussures de cuir cirées avec leurs embauchoirs en bois. Était-ce une bonne idée ? Avait-elle le temps ?

Qu'avait-elle à perdre après tout ?

Elle pouvait prendre la tenue qu'il lui fallait, l'emporter dans la chambre des gardénias, se changer puis revenir le plus vite possible, en espérant que personne ne la surprendrait en chemin…

Non. Cela prendrait trop longtemps. Boy n'allait pas mettre des heures à fumer son cigare. Elle devrait se changer ici, tout de suite – ou pas du tout.

Elle respira un grand coup et retira sa robe.

Maintenant, elle était vraiment en danger. Jusque-là, elle aurait pu justifier sa présence, de façon plus ou moins plausible, en prétendant s'être égarée dans les dédales de corridors de Tŷ Gwyn et être entrée par mégarde dans la mauvaise chambre. En revanche, une jeune fille surprise en sous-vêtements dans la chambre d'un homme était perdue de réputation.

Elle prit la première chemise de la pile. Le col devait s'attacher par un bouton, constata-t-elle avec un gémissement. Elle trouva une douzaine de cols amidonnés dans un tiroir, à côté d'une boîte de boutons, en fixa un, puis enfila la chemise par la tête.

Elle entendit les pas lourds d'un homme dans le couloir et se figea, le cœur battant ; ils s'éloignèrent.

Elle se décida pour une jaquette et un pantalon à rayures. Le pantalon n'avait pas de bretelles, mais elle en dénicha dans un autre tiroir. Elle comprit comment boutonner les bretelles au pantalon, et enfila celui-ci. La taille était assez large pour deux filles minces comme elle.

Elle glissa ses pieds couverts de bas dans une paire de chaussures noires brillantes et les laça.

Elle boutonna la chemise et choisit une cravate argent. Le nœud était de travers, mais tant pis. Ne sachant pas le faire correctement, elle le laissa tel quel.

Elle passa un gilet croisé couleur fauve et une queue-de-pie noire, puis se regarda dans le miroir en pied qui se trouvait à l'intérieur de la penderie.

Elle flottait dans ces vêtements, évidemment, mais elle était tout de même mignonne.

Puisqu'il lui restait un peu de temps, elle enfila des boutons de manchettes en or aux poignets de la chemise et glissa un mouchoir blanc dans la poche de poitrine.

Il manquait quelque chose, mais quoi ? Elle s'examina attentivement dans le miroir.

Un chapeau.

Elle ouvrit un autre placard et aperçut une rangée de cartons à chapeaux sur l'étagère supérieure. Elle trouva un haut-de-forme gris qu'elle posa très en arrière sur sa tête.

Puis elle se rappela la moustache.

Elle n'avait pas son crayon à sourcils sur elle. Elle retourna dans la chambre de Boy et se pencha au-dessus de l'âtre. On était encore en été, et il n'y avait pas de feu. Elle racla un peu de suie du bout de l'index, revint devant le miroir et dessina soigneusement une moustache sur sa lèvre supérieure.

Elle était prête.

Elle s'assit dans un des fauteuils de cuir pour l'attendre.

Son instinct lui disait qu'elle agissait finement, et pourtant, d'un point de vue rationnel, c'était saugrenu. Après tout, le désir ne s'expliquait pas. Elle-même s'était sentie tout humide quand Boy l'avait fait monter dans son avion. Il ne fallait évidemment pas penser à se peloter pendant qu'il se concentrait sur le pilotage du petit appareil, et c'était tant mieux, car l'altitude l'avait tellement excitée qu'elle l'aurait sans doute laissé faire tout ce qu'il voulait.

Elle n'ignorait cependant pas que les garçons pouvaient se montrer imprévisibles, et elle redoutait la colère de Boy. Dans ces cas-là, ses traits séduisants se crispaient dans une affreuse grimace, il tapait du pied et pouvait faire preuve d'une vraie cruauté. Un jour, un serveur boiteux s'était trompé dans sa commande et Boy l'avait rembarré vertement : « Clopinez donc jusqu'au bar et apportez-moi le scotch que je vous ai demandé : ce n'est pas parce que vous êtes infirme que vous êtes sourd, si ? » Le malheureux avait rougi d'humiliation.

Elle se demandait ce que Boy lui dirait s'il était fâché de la trouver dans sa chambre.

Il arriva cinq minutes plus tard.

L'entendant approcher, elle se rendit compte qu'elle le connaissait déjà suffisamment bien pour reconnaître son pas.

La porte s'ouvrit et il entra sans la voir.

Prenant une grosse voix, elle lança : « Salut, mon vieux, comment ça va ? »

Il sursauta : « Grands dieux ! » Puis il regarda plus attentivement : « Daisy ! »

Elle se leva. « En personne », dit-elle en reprenant son timbre habituel. Il la contemplait toujours, médusé. Elle retira son chapeau, esquissa une petite révérence et dit : « À votre service. » Elle remit le chapeau sur sa tête en l'inclinant légèrement.

Boy mit un certain temps à se remettre de sa stupéfaction, mais son visage s'épanouit alors dans un grand sourire.

Ouf ! songea-t-elle.

« Je dois avouer que ce gibus vous va à ravir », remarqua-t-il.

Elle s'approcha de lui. « Je l'ai mis pour vous plaire.

— Très sympa de votre part, franchement. »

Elle leva le visage d'un air aguicheur. Elle aimait l'embrasser. En vérité, elle aimait embrasser la plupart des hommes. Elle était presque gênée d'aimer cela à ce point. Elle avait même pris plaisir à embrasser des filles au pensionnat, où elles ne voyaient pas un garçon pendant des semaines d'affilée.

Il inclina la tête et posa ses lèvres sur les siennes. Son chapeau tomba et ils pouffèrent. Prestement, il enfonça sa langue dans sa bouche. Elle se détendit, savourant cet instant. Il mettait une grande passion dans tous les plaisirs des sens, et son empressement émoustillait Daisy.

Elle se rappela son objectif. Tout se passait fort bien, mais elle voulait qu'il lui fasse sa demande. Se contenterait-il d'un baiser ? Il fallait l'inciter à en vouloir davantage. À plusieurs reprises, quand ils avaient disposé de plus que de quelques instants dérobés, il lui avait caressé les seins.

La suite dépendait largement de la quantité de vin qu'il avait ingurgitée avec son déjeuner. Il tenait bien l'alcool, mais arrivait un moment où son appétit déclinait.

Elle se trémoussa, se pressant contre lui. Il posa la main sur sa poitrine, mais son gilet de lainage était trop grand et engloutissait ses petits seins. Il grogna de frustration.

Sa main s'égara alors sur son ventre et se glissa à l'intérieur de la ceinture très ample du pantalon.

Elle ne l'avait encore jamais laissé la toucher aussi bas.

Elle portait toujours un jupon de soie et une culotte de coton assez épaisse, de sorte qu'il ne pouvait probablement pas sentir grand-chose, mais sa main s'arrêta sur son entrejambe et appuya fermement à travers les couches de tissu. Elle éprouva un élancement de plaisir.

Elle s'écarta.

Il hésita, haletant : « Je suis allé trop loin ?

— Il vaudrait mieux fermer à clé, murmura-t-elle.

— Oh, mon Dieu ! » Il se dirigea vers la porte, donna un tour de clé et revint. Ils s'enlacèrent à nouveau, et il reprit là où il s'était interrompu. Elle posa la main sur sa braguette, sentit son sexe érigé à travers le tissu et l'empoigna fermement. Il gémit de plaisir.

Elle s'écarta encore.

Un nuage d'irritation voila son visage et un souvenir déplaisant revint à l'esprit de Daisy. Un jour où elle avait obligé un garçon, un certain Theo Coffman, à retirer la main de ses seins, il s'était emporté et l'avait traitée d'allumeuse. Elle ne l'avait plus jamais revu, mais cette insulte l'avait mortifiée plus que de raison. Elle craignit un instant que Boy ne lui adresse la même accusation.

Mais son expression s'adoucit et il balbutia : « Je suis vraiment fou de vous, vous savez. »

C'était le moment ou jamais. Lance-toi à l'eau, s'exhorta-t-elle. « Nous ne devrions pas faire ça », chuchota-t-elle d'un ton contrit qui n'était pas entièrement feint.

« Et pourquoi ?

— Nous ne sommes même pas fiancés. »

Le mot demeura un long moment en suspens. Dans la bouche d'une jeune fille, pareils propos équivalaient à une offre de mariage. Elle ne quittait pas son visage des yeux, terrifiée à l'idée qu'il ne s'effarouche, ne se détourne, ne marmonne quelques mots d'excuses et ne lui demande de partir.

Il resta silencieux.

« Je voudrais tellement vous rendre heureux, ajouta-t-elle. Mais…

— Je vous aime, Daisy », dit-il.

Ce n'était pas suffisant. Elle lui sourit : « C'est vrai ?

— Oh oui, je vous aime tant. »

Elle garda le silence, mais le dévisagea, le regard plein d'espoir.

Enfin, il se décida : « Daisy, voulez-vous m'épouser ?

— Oh, oui ! » s'écria-t-elle et elle l'embrassa encore. La bouche contre la sienne, elle déboutonna sa braguette, glissa la main à travers ses sous-vêtements, trouva son sexe et le dégagea. La peau était soyeuse et tiède. Elle le caressa, se rappelant l'après-midi qu'elle avait passée avec les jumelles Westhampton. « Tu peux frotter son machin », avait dit Lindy et Lizzie avait ajouté : « Jusqu'à ce qu'il gicle. » Daisy était intriguée et excitée à l'idée de conduire un homme à faire une chose pareille. Elle serra un peu plus fort.

Puis elle se rappela la remarque suivante de Lindy : « Ou alors, tu peux le sucer : c'est ce qu'ils préfèrent. »

Elle écarta ses lèvres de celles de Boy et lui chuchota à l'oreille : « Je ferais n'importe quoi pour mon mari. »

Et elle s'agenouilla.

5.

C'était le mariage de l'année. Daisy et Boy s'unirent en l'église St Margaret de Westminster le samedi 3 octobre 1936. Daisy aurait bien voulu se marier à l'abbaye de Westminster, mais on lui avait expliqué que ce privilège était réservé à la famille royale.

Elle avait commandé sa robe chez Coco Chanel. En ces temps de crise économique, la mode était aux lignes simples et à la sobriété. La longue jupe de satin coupée dans le biais était surmontée d'un corsage agrémenté de ravissantes manches papillon et la courte traîne pouvait être portée par un unique petit garçon d'honneur.

Le père de Daisy, Lev Pechkov, traversa l'Atlantique pour assister à la cérémonie. Soucieuse de sauver les apparences, sa mère, Olga, accepta de s'asseoir à côté de lui à l'église et de tout faire pour donner l'impression qu'ils formaient un couple plus ou moins heureux. Daisy avait fait des cauchemars dans lesquels elle voyait Marga surgir avec Greg à son bras, mais ses inquiétudes étaient infondées.

Les jumelles Westhampton et May Murray étaient demoiselles d'honneur et Eva Murray dame d'honneur. Boy avait renâclé parce qu'Eva était à moitié juive – au départ, il ne voulait même pas l'inviter – mais Daisy avait tenu bon.

Debout sous les hautes voûtes de cette église ancienne, consciente de sa beauté enchanteresse, Daisy se donna avec bonheur, corps et âme, à Boy Fitzherbert.

Elle signa le registre « Daisy Fitzherbert, vicomtesse d'Aberowen ». Cela faisait des semaines qu'elle s'exerçait, déchirant ensuite méticuleusement en fragments illisibles les bouts de papiers noircis de signatures. Maintenant, elle en avait le droit. C'était son nom.

En sortant de l'église, Fitz prit courtoisement le bras d'Olga, mais la princesse Bea laissa un bon mètre de distance entre Lev et elle.

La princesse Bea était loin d'être sympathique. Elle se montrait à peu près aimable avec la mère de Daisy, et comme Olga ne remarquait pas la lourde condescendance de son ton, leurs relations étaient cordiales. Mais Bea n'aimait pas Lev.

Daisy se rendit compte que son père était dépourvu de tout vernis de respectabilité et détonnait dans ce milieu. Il marchait et parlait, mangeait et buvait, fumait, riait et se comportait comme un gangster, se moquant éperdument de ce que les autres pensaient. Il agissait à sa guise, fort de sa position de millionnaire américain, de même que Fitz agissait à sa guise, fort de son rang de comte anglais. Daisy l'avait toujours su, mais elle en prit une conscience plus aiguë en voyant son père au milieu de tous ces aristocrates britanniques au lunch de mariage qui se tint dans la grande salle de bal du Dorchester Hotel.

Peu importait désormais. Elle était Lady Aberowen, et personne ne pourrait plus la priver de ce titre.

Néanmoins, l'hostilité opiniâtre de Bea à l'égard de Lev était embarrassante, comme une odeur légèrement nauséabonde ou un bourdonnement lointain, qui venait un peu gâcher le triomphe de Daisy. Assise près de Lev à la table d'honneur, Bea prenait soin de se détourner légèrement de lui. Quand il lui adressait la parole, elle lui répondait brièvement, sans croiser son regard. Il semblait ne pas s'en apercevoir, continuant à sourire et à boire du champagne comme si de rien n'était, mais Daisy, assise de l'autre côté de son père, savait que cela ne lui avait pas échappé. Il était fruste, mais pas idiot.

Quand les toasts furent terminés et que les hommes sortirent leurs cigares, Lev qui, en qualité de père de la jeune épouse, payait l'addition, contempla la longue table et lança : « Alors, Fitz, j'espère que vous avez bien mangé. Les vins étaient-ils à votre goût ?

— Excellents, merci.

— Personnellement, j'ai trouvé que c'était un foutrement bon repas. »

Bea émit un petit hoquet désapprobateur.

Lev se tourna vers elle, tout sourire, mais Daisy connaissait bien ce petit regard dangereux. « Oh, Princesse, vous aurais-je offusquée ? »

Elle regimbait à répondre, mais il la regardait d'un air insistant, sans détourner les yeux. Elle finit par céder : « Je n'aime pas les propos grossiers », déclara-t-elle.

Lev prit un cigare dans son étui. Il ne l'alluma pas tout de suite, mais le huma et le fit rouler entre ses doigts. « Permettez-moi de vous raconter une histoire », dit-il et il parcourut la table du regard pour s'assurer qu'il avait l'attention de tous. « Quand j'étais petit, mon père a été accusé d'avoir fait paître des bêtes sur les terres d'autrui. Une vétille, penserez-vous, même s'il était effectivement coupable. Mais voyez-vous, il a été arrêté et le régisseur du domaine a fait dresser un échafaud sur la prairie nord. Puis les soldats sont venus. Ils nous ont empoignés, mon frère, ma mère et moi, et nous ont conduits là-bas. Mon père était déjà sur l'échafaud, la corde autour du cou. C'est alors que le maître du domaine est arrivé. »

Daisy n'avait jamais entendu cette histoire. Elle se tourna vers sa mère. Olga avait l'air tout aussi surprise qu'elle.

Autour de la table, tout le monde se taisait.

« On nous a obligés à assister à la pendaison de mon père, poursuivit Lev, qui se tourna alors vers Bea. Et vous savez quoi ? La sœur du propriétaire était là, elle aussi. » Il approcha le cigare de ses lèvres, en humecta l'extrémité, puis le ressortit de sa bouche.

Daisy constata que Bea avait pâli. Son père parlait-il d'elle ?

« C'était encore une enfant, et elle était princesse », poursuivit Lev sans quitter son cigare des yeux. Daisy entendit Bea émettre un léger cri, et comprit qu'il s'agissait bien d'elle. « Elle est restée là, elle a assisté à la pendaison, froide comme la glace. »

Lev se tourna alors vers Bea et la regarda bien en face. « Si quelque chose mérite le qualificatif de grossier, c'est, me semble-t-il, une telle attitude. »

Il y eut un long moment de silence.

Puis Lev enfonça le cigare entre ses lèvres et demanda : « Quelqu'un aurait-il du feu ? »

6.

Lloyd Williams était assis à la table de la cuisine chez sa mère, à Aldgate, et étudiait attentivement un plan de Londres.

C'était le dimanche 4 octobre 1936, et la journée promettait d'être mouvementée.

La vieille ville romaine de Londres, construite sur une colline proche de la Tamise, abritait désormais le quartier financier que l'on appelait la Cité. À l'ouest de cette hauteur se trouvaient les grandes demeures des riches, ainsi que leurs théâtres, leurs boutiques et leurs cathédrales. La maison où habitait Lloyd était à gauche de la colline, à proximité des quais et des bas quartiers. C'était là que pendant des siècles, des vagues successives d'émigrants avaient débarqué, prêts à s'échiner au travail pour que leurs petits-enfants puissent un jour quitter l'East End et gagner le West End.

Le plan que Lloyd observait avec une telle attention figurait dans une édition spéciale du *Daily Worker*, le journal du parti communiste, et montrait l'itinéraire que devait emprunter ce jour-là la manifestation de l'Union des fascistes britanniques. Ceux-ci avaient l'intention de se rassembler devant la Tour de Londres – à la limite entre la Cité et l'East End – puis de marcher vers l'est.

Droit sur l'arrondissement majoritairement juif de Stepney.

À moins que Lloyd et tous ceux qui partageaient ses idées ne réussissent à les en empêcher.

Il y avait trois cent trente mille Juifs en Grande-Bretagne, à en croire le journal, et la moitié d'entre eux habitaient l'East End. La plupart étaient des réfugiés venus de Russie, de Pologne et d'Allemagne, où ils avaient vécu dans la crainte de voir la police, l'armée ou les cosaques faire un jour irruption dans leur bourgade, pillant les maigres biens de leurs familles, rossant les personnes âgées et violant les jeunes femmes, alignant pères et frères le long des murs pour les fusiller.

Ici, dans les quartiers pauvres de Londres, ces Juifs avaient enfin trouvé un lieu où ils avaient le droit de vivre comme les autres. Qu'éprouveraient-ils si, en regardant par la fenêtre, ils découvraient, défilant dans leurs propres rues, une bande de voyous en uniforme qui avaient juré de les exterminer ? Pour Lloyd, c'était tout bonnement inacceptable.

Le *Worker* indiquait que depuis la Tour, il n'y avait que deux itinéraires possibles. L'un passait par Gardiner's Corner, un carrefour situé à la croisée de cinq rues et que l'on surnommait la Porte de l'East End : l'autre longeait la Royal Mint Street et l'étroite Cable Street. Un individu isolé avait évidemment de nombreuses rues latérales à sa disposition, mais il était impossible d'y faire passer tout un cortège. St George Street menait à Wapping, un quartier catholique, et non à Stepney, et ne pouvait donc pas intéresser les fascistes.

Le *Worker* invitait tous ses lecteurs à former un mur humain afin de fermer Gardiner's Corner et Cable Street et d'arrêter ainsi le défilé.

Ce journal faisait souvent des propositions qui ne débouchaient sur rien : il avait déjà appelé à la grève, à la révolution ou – plus récemment – à une alliance de tous les partis de gauche pour constituer un Front populaire. L'idée d'un mur humain était peut-être une nouvelle utopie du même genre. Il faudrait que plusieurs milliers de personnes se mobilisent pour empêcher les fascistes d'accéder à l'East End et Lloyd n'était pas sûr que les volontaires soient assez nombreux.

Il y avait en revanche une chose dont il était certain : il y aurait du grabuge.

Ses parents, Bernie et Ethel, sa sœur, Millie, ainsi que Lenny Griffiths d'Aberowen, en costume du dimanche, étaient assis avec Lloyd autour de la table. Lenny faisait partie d'un petit contingent de mineurs gallois venus à Londres participer à la contre-manifestation.

Bernie leva les yeux de son journal et s'adressa à Lenny : « Les fascistes prétendent que vos billets de train pour venir du pays de Galles à Londres ont été payés par les nababs juifs, les gros Juifs, comme ils disent. »

Lenny planta sa fourchette dans son œuf au plat. « Je ne connais pas de gros Juif, dit-il. Sauf peut-être Mrs. Levy la Confiserie, qui est plutôt grosse, c'est vrai. En plus, je suis arrivé à Londres à l'arrière d'un camion avec soixante agneaux gallois qu'on conduisait au marché aux bestiaux de Smithfield.

— Ça explique l'odeur, lança Millie.

— Millie ! s'écria Ethel. Tu devrais avoir honte ! »

Lenny, qui partageait la chambre de Lloyd, lui avait confié qu'il n'avait pas l'intention de retourner à Aberowen après la manifestation. Dave Williams et lui partaient pour l'Espagne rejoindre les Brigades internationales qui se constituaient pour combattre l'insurrection fasciste.

« Tu as eu ton passeport ? » lui avait demandé Lloyd. Ce document n'était pas très difficile à obtenir, mais comme il fallait fournir une recommandation d'un ecclésiastique, d'un médecin, d'un avocat ou d'un autre notable, un jeune avait du mal à garder ses intentions secrètes.

« Pas besoin, avait répliqué Lenny. On va à la gare Victoria et on prend un aller-retour pour un week-end à Paris. On peut l'avoir sans passeport. »

Lloyd avait vaguement entendu parler de cela. Ces dispositions avaient été initialement mises en place pour faciliter les loisirs de la riche bourgeoisie. Les antifascistes n'hésitaient pas à en profiter. « Combien coûte le billet ?

— Trois livres et vingt-cinq schillings. »

Lloyd avait levé les sourcils. Aucun mineur au chômage ne pouvait disposer d'une somme pareille.

Lenny avait ajouté : « Mais le parti travailliste indépendant paye mon billet et le parti communiste celui de Dave. »

Ils avaient dû mentir sur leur âge. « Et quand vous serez à Paris, comment vous ferez ? avait demandé Lloyd.

— Des communistes français doivent venir nous chercher à la gare du Nord. » Il avait prononcé « gair douh nowd ». Il ne parlait pas un mot de français. « De là, on nous accompagnera jusqu'à la frontière espagnole. »

Lloyd avait retardé son propre départ. Il expliquait qu'il voulait apaiser les inquiétudes de ses parents, mais la vérité était qu'il n'arrivait pas à renoncer à Daisy. Il rêvait encore qu'elle finirait par plaquer Boy. Il n'y croyait pas vraiment – elle n'avait même pas répondu à ses lettres –, et pourtant, il ne parvenait pas à l'oublier.

Pendant ce temps, la Grande-Bretagne, la France et les États-Unis avaient décidé, en accord avec l'Allemagne et l'Italie, d'adopter une politique de non-intervention en Espagne, ce qui voulait dire qu'aucun de ces pays ne livrerait d'armes à l'un ou l'autre des deux camps. En soi, cela suffisait à exaspérer Lloyd : les démocraties n'avaient-elles pas pour devoir de soutenir le gouvernement élu ? Mais le pire était que l'Allemagne et l'Italie violaient quotidiennement cette convention ; la mère de Lloyd et l'oncle Billy l'avaient souligné lors des nombreux rassemblements publics organisés cet automne-là en Angleterre pour évoquer la situation espagnole. Le comte Fitzherbert, chargé de cette question au sein du cabinet britannique, défendait résolument sa politique, affirmant qu'il ne fallait pas armer le gouvernement espagnol, de crainte qu'il ne tombe aux mains des communistes.

C'était le meilleur moyen pour que cette prédiction se réalise, avait affirmé Ethel dans un discours cinglant. L'unique nation prête à soutenir le gouvernement espagnol était l'Union soviétique, et l'Espagne ne pourrait qu'être attirée dans l'orbite du seul pays au monde qui l'aurait aidée.

La vérité était que les conservateurs anglais estimaient que le gouvernement que l'Espagne avait élu était dangereusement de gauche. Des hommes comme Fitzherbert ne verseraient pas une larme si des extrémistes de droite le renversaient par la force. Cela mettait Lloyd en rage.

Toutefois, il avait enfin l'occasion de combattre le fascisme dans son propre pays.

« C'est ridicule, avait lancé Bernie une semaine auparavant quand on avait annoncé cette manifestation. La police de Londres doit les obliger à changer d'itinéraire. Ils ont le droit de défiler, d'accord. Mais pas dans Stepney. » Pourtant, la police avait prétendu que cette manifestation étant parfaitement légale, elle ne pouvait pas intervenir.

Bernie, Ethel et les maires de huit arrondissements de Londres avaient formé une délégation qui était allée supplier le ministre de l'Intérieur, Sir John Simon, d'interdire le défilé ou au moins de le faire passer par un autre quartier ; il avait affirmé, lui aussi, n'avoir pas le pouvoir d'agir.

Que faire ? La question avait divisé le parti travailliste, la communauté juive et la famille Williams.

Le Jewish People's Council against Fascism and Anti-Semitism, le Conseil du peuple juif contre le fascisme et l'antisémitisme fondé par Bernie et d'autres trois mois plus tôt, avait appelé à une contre-manifestation massive qui empêcherait les fascistes d'entrer dans les rues juives. Ils avaient adopté le slogan espagnol *No pasarán*, « Ils ne passeront pas », le cri des défenseurs antifascistes de Madrid. Malgré son nom grandiloquent, le Conseil était une organisation modeste qui occupait deux pièces à l'étage d'un bâtiment de Commercial Road et possédait pour tout équipement une ronéo et deux vieilles machines à écrire. En revanche, il disposait d'un important soutien dans l'ensemble de l'East End. En quarante-huit heures, il avait rassemblé un nombre impressionnant de signatures – cent mille ! – au bas d'une pétition réclamant l'interdiction du défilé fasciste. Le gouvernement n'avait toujours pas réagi.

Un seul grand parti politique, les communistes, soutenait la contre-manifestation. Il fallait y ajouter le parti travailliste indépendant, une formation marginale à laquelle appartenait Lenny. Tous les autres mouvements y étaient hostiles.

« J'ai vu que le *Jewish Chronicle* a conseillé à ses lecteurs d'éviter de sortir aujourd'hui », annonça Ethel.

C'était bien le problème, selon Lloyd. Beaucoup de gens préféraient éviter les ennuis, laissant ainsi le champ libre aux fascistes.

Bernie, juif mais non pratiquant, répondit vertement à Ethel : « Comment peux-tu citer le *Jewish Chronicle* en ma présence ? Ce journal est convaincu que les Juifs ne doivent pas s'opposer au fascisme, mais uniquement à l'antisémitisme. Tu peux m'expliquer le sens politique d'une telle attitude ?

— Il paraît que le Board of Deputies of British Jews, qui est pourtant un organe représentatif des principales associations juives d'Angleterre, ne dit pas autre chose que le *Chronicle*, insista Ethel. Il semblerait qu'une proclamation en ce sens ait été lue hier dans toutes les synagogues.

— Ces soi-disant représentants des Juifs sont tous des richards de Golders Green, lança Bernie avec mépris. Ils ne se sont jamais fait insulter dans la rue par des voyous fascistes.

— Tu es membre du parti travailliste, lui rappela Ethel d'un ton accusateur. Nous avons pour politique d'éviter tout affrontement physique avec les fascistes. Que fais-tu de la solidarité de parti ?

— Et ma solidarité avec les Juifs ? demanda Bernie.

— Tu es juif quand ça t'arrange, un point c'est tout. Et personne ne t'a jamais insulté dans la rue, à ma connaissance.

— N'empêche que le parti travailliste a commis une erreur politique.

— Rappelle-toi, si tu cèdes aux provocations fascistes, la presse reprochera toutes les violences à la gauche, quels que soient les vrais responsables. »

Lenny lança imprudemment : « Si les gars de Mosley cherchent la bagarre, ils vont voir ce qu'ils vont voir. »

Ethel soupira : « Réfléchis un peu, Lenny : qui dans ce pays a le plus de fusils ? Toi, Lloyd et le parti travailliste, ou bien les conservateurs soutenus par l'armée et la police ?

— Oh », fit Lenny. Manifestement, il n'y avait pas pensé.

Lloyd se tourna vers sa mère, furieux. « Comment peux-tu dire des choses pareilles ? Tu étais à Berlin il y a trois ans, tu as été témoin de ce qui se passait. La gauche allemande a essayé de s'opposer pacifiquement au fascisme. Tu as vu ce que ça a donné. »

Bernie intervint : « Les sociaux-démocrates allemands ont été incapables de constituer un Front populaire avec les communistes. Ce qui a permis aux nazis de les écraser séparément. Ensemble, ils l'auraient peut-être emporté. »

Bernie avait été furieux que la branche locale du parti travailliste refuse la proposition des communistes suggérant de constituer une coalition contre le défilé.

« Toute alliance avec les communistes est dangereuse », observa Ethel.

Bernie et elle n'étaient pas d'accord sur ce point. En réalité, c'était une question qui déchirait le parti travailliste. Lloyd donnait raison à Bernie contre Ethel. « Tous les moyens sont bons pour écraser le fascisme », déclara-t-il avant d'ajouter diplomatiquement : « Mais Mam a raison, il serait préférable pour nous que la journée d'aujourd'hui se passe sans violences.

— Il vaudrait mieux que vous restiez à la maison, oui, et que vous vous opposiez aux fascistes par les procédures normales de la démocratie, ajouta Ethel.

— Tu as essayé d'obtenir la parité des salaires pour les femmes par les procédures normales de la démocratie, lui rappela Lloyd, et tu as échoué. » Au mois d'avril précédent, des députées travaillistes avaient présenté un projet de loi garantissant aux employées du gouvernement un salaire égal à travail égal. Il avait été repoussé par la Chambre des communes, majoritairement masculine.

« On ne renonce pas à la démocratie chaque fois qu'on essuie un échec », lança Ethel sèchement.

Le problème, Lloyd le savait, était que ces divisions risquaient d'affaiblir gravement les forces antifascistes, comme cela s'était produit en Allemagne. La journée à venir ferait figure de test. Les partis politiques pouvaient donner des directives, mais ce serait le peuple qui choisirait ce qu'il déciderait de faire. Les gens resteraient-ils chez eux, comme les y exhortaient le timide parti travailliste et le *Jewish Chronicle* ? Ou descendraient-ils dans la rue par milliers pour dire « non au fascisme » ? Ils auraient la réponse à la fin de la journée.

Ils entendirent frapper à la porte de derrière et leur voisin, Sean Dolan, entra en habits du dimanche. « Je vous rejoindrai après la messe, annonça-t-il à Bernie. Où est-ce qu'on se retrouve ?

— Gardiner's Corner, avant deux heures, répondit Bernie. Nous espérons qu'il y aura assez de monde pour empêcher les fascistes d'aller plus loin.

— Tu auras avec toi tous les dockers de l'East End, lança Sean avec enthousiasme.

— Et pourquoi ? demanda Millie. Les fascistes n'ont rien contre vous, si ?

— Tu es trop jeune pour t'en souvenir, ma petite, mais les Juifs ont toujours été de notre côté, expliqua Sean. En 1912, au moment de la grève des dockers, je n'avais que neuf ans à l'époque, et mon père n'avait plus de quoi nous nourrir. Nous avons été recueillis, mon frère et moi, par Mrs. Isaacs, la femme du boulanger de New Road, que Dieu bénisse cette âme généreuse. Plusieurs centaines d'enfants de dockers ont été pris en charge par des familles juives. Pareil en 1926. Nous n'allons certainement pas laisser ces salauds de fascistes défiler dans nos rues : pardon pour le gros mot, madame Leckwith. »

Lloyd était rasséréné. L'East End abritait des milliers de dockers : leur présence massive gonflerait de façon appréciable les rangs des contre-manifestants.

Une voix masculine amplifiée par un haut-parleur leur parvint du dehors : « Mosley, hors de Stepney. Rendez-vous tous Gardiner's Corner à deux heures. »

Lloyd but son thé et repoussa sa chaise. Il avait été chargé de jouer les espions, de vérifier la position des fascistes et d'en informer régulièrement le Conseil du peuple juif de Bernie. Il avait les poches remplies de gros pennies bruns pour les téléphones publics. « Je ferais bien d'y aller, dit-il. Les fascistes doivent déjà être en train de se rassembler. »

Sa mère se leva et l'accompagna jusqu'à la porte. « Surtout, ne te laisse pas entraîner dans une bagarre, le supplia-t-elle. Rappelle-toi ce qui s'est passé à Berlin.

— Je serai prudent, promit Lloyd.

— Ta riche Américaine t'aimera moins si tu n'as plus de dents, ajouta-t-elle pour alléger la tension.

— De toute façon, elle ne m'aime pas.

— Je n'en crois pas un mot. Quelle fille pourrait te résister ?

— Ça va aller, Mam, la rassura Lloyd, ne t'en fais pas.

— Après tout, je devrais m'estimer heureuse que tu ne partes pas pour cette satanée Espagne.

— Pas aujourd'hui, en tout cas. » Lloyd embrassa sa mère et sortit.

C'était un beau matin d'automne, et le soleil était inhabituellement chaud pour la saison. Au milieu de Nutley Street, une estrade provisoire avait été dressée par un groupe d'hommes, dont l'un parlait dans un mégaphone. « Habitants de l'East End, rien ne nous oblige à regarder sans réagir une foule d'antisémites se pavaner et nous insulter ! » Lloyd reconnut dans l'orateur un responsable local du mouvement national des ouvriers au chômage. À cause de la Crise, des milliers de tailleurs juifs étaient sans emploi et pointaient tous les jours à la Bourse du travail de Settle Street.

Lloyd n'avait pas parcouru dix mètres quand Bernie le rattrapa et lui tendit un sachet en papier rempli de billes. « J'ai assisté à de nombreuses manifestations, lui dit-il. Si la police montée charge, balance ça sous les sabots des chevaux. »

Lloyd sourit. Si son beau-père était indéniablement un homme conciliant, ce n'était pas un dégonflé.

L'idée des billes était pourtant loin de le séduire. Lloyd ne connaissait pas grand-chose aux chevaux, mais ils lui faisaient l'effet de bêtes patientes et inoffensives, qu'il n'avait pas du tout envie de faire trébucher et tomber.

Son expression n'échappa pas à Bernie qui expliqua : « Je préfère voir un cheval à terre plutôt que mon garçon piétiné sous ses sabots. »

Lloyd fourra les billes dans sa poche, en se disant que rien ne l'obligeait à s'en servir.

Il constata avec satisfaction qu'il y avait déjà beaucoup de monde dans les rues et releva un autre signe encourageant. Partout où son regard se portait, le slogan « Ils ne passeront pas » avait été écrit à la craie sur les murs, en anglais et en espagnol. Les communistes étaient sortis en masse pour distribuer des tracts. De nombreuses fenêtres étaient tendues de drapeaux rouges. Un groupe d'hommes à la poitrine bardée de médailles de la Grande Guerre portait une banderole sur laquelle on pouvait lire : « Association des anciens combattants juifs ». Les fascistes détestaient qu'on leur rappelle combien de Juifs s'étaient battus pour l'Angleterre. Cinq soldats juifs avaient même été décorés de la Victoria Cross, la plus haute distinction militaire britannique récompensant les actes de bravoure.

Lloyd commençait à se dire que finalement, ils seraient peut-être assez nombreux pour empêcher le défilé.

Gardiner's Corner, un vaste carrefour situé au débouché de cinq rues, devait son nom au magasin de vêtements écossais – Gardiner and Company – qui occupait un bâtiment d'angle surmonté d'un clocher caractéristique. Le spectacle que Lloyd découvrit à son arrivée révélait qu'on s'attendait à des échauffourées. Plusieurs postes de secours avaient été installés et des volontaires de l'organisation de secouristes St John's Ambulance s'étaient rassemblés par centaines. Des ambulances étaient rangées dans toutes les rues latérales. Lloyd espérait qu'il n'y aurait pas de bagarre. C'était pourtant un risque à courir : on ne pouvait pas laisser les fascistes défiler dans les rues à leur guise.

Faisant un détour, il arriva au voisinage de la Tour de Londres depuis le nord-ouest, pour éviter de se faire repérer à la sortie de l'East End. Bientôt, il entendit les premiers accents des fanfares.

La Tour, un palais situé au bord de la Tamise, avait symbolisé l'autorité et la répression pendant huit cents ans. Elle était entourée d'un long mur de vieilles pierres de couleur pâle, comme délavée par de longs siècles de pluie londonienne. À l'extérieur de cette enceinte, du côté terre, s'étendait un parc appelé Tower Gardens, les jardins de la Tour. C'était là que les fascistes s'étaient donné rendez-vous. Lloyd estima qu'ils étaient déjà près de deux mille, formant une ligne qui se prolongeait vers l'ouest jusqu'à l'intérieur du quartier de la finance. De temps à autre, ils entonnaient un chant scandé :

Un, deux, trois, quatre, cinq,
Dehors les youpins !
Les youpins ! Les youpins !
Dehors les youpins !

Ils brandissaient tous des drapeaux de l'Union Jack. Pourquoi, se demanda Lloyd, ceux qui s'acharnaient à détruire tout ce qu'il y avait de bon dans leur pays étaient-ils les plus prompts à brandir le drapeau national ?

Leurs larges ceinturons de cuir noir et leurs chemises noires les paraient d'une impressionnante allure martiale. Ils se rangeaient en colonnes sur la pelouse devant des officiers vêtus d'un uniforme élégant : une veste de coupe militaire, une culotte de cheval grise, des bottes cavalières, une casquette noire munie d'une visière brillante et un brassard rouge et blanc. Plusieurs motocyclistes, en uniforme eux aussi, tournaient autour en faisant vrombir leurs engins, livrant des messages assortis de saluts fascistes. D'autres manifestants arrivaient encore, dont certains dans des fourgons blindés aux vitres grillagées.

Ce n'était pas un parti politique. C'était une armée.

Sans doute cette parade avait-elle pour objectif de leur conférer une autorité de façade, songea Lloyd. Ils voulaient donner l'impression d'être habilités à interrompre les réunions et à faire évacuer des bâtiments, à faire irruption dans les foyers et les bureaux pour arrêter des gens, à les traîner en prison et dans des camps et à les tabasser, les interroger et les torturer comme les Chemises brunes le faisaient en Allemagne sous le régime nazi qu'admiraient tant Mosley et le propriétaire du *Daily Mail*, Lord Rothermere.

Ils terroriseraient la population de l'East End, des hommes et des femmes dont les parents et les grands-parents avaient fui la répression et les pogroms d'Irlande, de Pologne et de Russie.

Les habitants de l'East End descendraient-ils dans la rue pour les combattre ? S'ils y renonçaient – et si le défilé d'aujourd'hui se poursuivait comme prévu –, jusqu'où irait demain l'audace des fascistes ?

Il fit le tour du parc par l'extérieur, se fondant parmi la centaine de badauds qui s'était rassemblée. Plusieurs rues rayonnaient depuis les jardins. Dans l'une d'elles, il vit approcher une Rolls-Royce noir et crème qu'il connaissait bien. Le chauffeur ouvrit la portière arrière et Lloyd, atterré, vit Daisy Pechkov en sortir.

Les raisons de sa présence en ces lieux ne pouvaient faire aucun doute. Elle portait une version féminine admirablement coupée de l'uniforme fasciste, avec une longue jupe grise au lieu de la culotte de cheval, ses boucles blondes s'échappant de la casquette noire. Lloyd avait beau abhorrer cette tenue, il ne put s'empêcher de trouver Daisy irrésistible.

Il s'arrêta pour la contempler. Il n'aurait pas dû être surpris : Daisy lui avait avoué qu'elle appréciait beaucoup Boy Fitzherbert, et manifestement, les idées politiques de celui-ci ne la heurtaient pas. Mais de là à soutenir ostensiblement les fascistes dans leur agression contre les Juifs de Londres ! Décidément, elle était étrangère à tout ce qui comptait pour lui.

Il aurait dû s'éloigner, mais c'était au-dessus de ses forces. Alors qu'elle longeait le trottoir d'un pas vif, il lui bloqua le passage. « Que diable venez-vous faire ici ? » lui demanda-t-il brutalement.

Elle ne se démonta pas. « Je pourrais vous poser la même question, monsieur Williams, répliqua-t-elle. Auriez-vous l'intention de défiler avec nous ? J'en serais fort surprise !

— Vous ne comprenez donc pas qui sont ces gens ? Ils se permettent de disperser les rassemblements politiques, d'intimider les journalistes, d'emprisonner leurs adversaires politiques. Vous êtes américaine – comment pouvez-vous être hostile à la démocratie ?

— La démocratie n'est peut-être pas le régime le mieux adapté à tous les pays, ni à toutes les époques. » Elle citait sûrement la propagande de Mosley, se dit Lloyd.

« Mais les fascistes torturent et assassinent tous ceux qui ne partagent pas leurs idées ! » protesta-t-il. Il pensa à Jörg. « Je l'ai vu de mes propres yeux, à Berlin. J'ai été interné dans un de leurs camps, pendant quelques heures seulement, il est vrai, mais assez longtemps pour assister au spectacle effroyable d'un homme nu, déchiqueté à mort par des chiens affamés. Voilà le genre de choses que font vos amis fascistes.

— Pouvez-vous me dire qui a été tué par les fascistes, ici, en Angleterre, récemment ? demanda-t-elle avec aplomb.

— Les fascistes anglais ne sont pas encore au pouvoir, mais votre cher Mosley est un grand admirateur d'Hitler. Dès qu'ils en auront l'occasion, ils se conduiront exactement comme les nazis.

— Vous voulez probablement dire qu'ils élimineront le chômage et rendront au peuple fierté et espoir. »

Lloyd éprouvait pour elle une telle attirance qu'il avait le cœur brisé de l'entendre débiter de telles âneries. « Vous savez tout de même comment les nazis ont traité la famille de votre amie Eva !

— À propos d'Eva, elle s'est mariée, le saviez-vous ? enchaîna Daisy avec tout l'enjouement appuyé d'une maîtresse de maison qui cherche à détourner la conversation pour aborder un sujet plus plaisant. Avec ce charmant Jimmy Murray, vous vous souvenez certainement de lui. Elle est anglaise maintenant.

— Et ses parents ? »

Daisy baissa les yeux. « Je ne les connais pas.

— Mais vous savez ce que les nazis leur ont fait subir. » Eva lui en avait parlé au bal de Trinity College. « Son père n'a plus le droit d'exercer la médecine. Il travaille comme assistant dans une pharmacie. Il ne peut plus mettre les pieds dans un parc, ni dans une bibliothèque publique. Le nom du grand-père d'Eva a été effacé du monument aux morts de son village natal ! » Lloyd se rendit compte qu'il avait haussé le ton. Il poursuivit plus bas : « Comment pouvez-vous faire cause commune avec des gens qui commettent de tels actes ? »

Elle eut l'air troublée mais ne répondit pas à sa question. « Je suis déjà en retard. Excusez-moi, je vous prie, murmura-t-elle.

— Ce que vous faites est inexcusable. »

Le chauffeur intervint. « C'est bon, fiston, ça suffit. »

C'était un homme d'âge mur, lourdaud, qui manquait manifestement d'exercice. Lloyd ne fut pas le moins du monde intimidé, mais il ne voulait pas provoquer de bagarre. « Je m'en vais, fit-il calmement. Rien ne vous autorise pourtant à m'appeler fiston. »

Le chauffeur le prit par le bras.

« Lâchez-moi, dit Lloyd, si vous ne voulez pas que je vous flanque par terre avant de m'en aller. » Il regarda le chauffeur droit dans les yeux.

L'homme hésita. Lloyd se contracta, prêt à réagir, guettant son adversaire comme sur un ring de boxe. Si le chauffeur essayait le frapper, ce serait un grand uppercut, facile à esquiver.

L'autre dut se rendre compte qu'il avait affaire à forte partie, ou sentit le solide biceps du bras qu'il tenait : quoi qu'il en soit, il recula et desserra son étreinte en maugréant : « Pas la peine de me menacer. »

Daisy s'éloigna.

Lloyd la suivit du regard, contemplant son dos dans son uniforme parfaitement coupé alors qu'elle rejoignait les rangs des fascistes. Avec un profond soupir de contrariété, il fit demi-tour et partit en sens inverse.

Il chercha à se concentrer sur sa mission. Quel imbécile il était d'avoir joué les matamores avec le chauffeur ! S'ils s'étaient battus, il aurait probablement été arrêté et aurait passé la journée au fond d'une cellule : en quoi cela aurait-il servi la cause antifasciste ?

Il était midi et demi. Il quitta Tower Hill, trouva une cabine téléphonique, appela le Conseil du peuple juif et parla à Bernie. Après avoir entendu le compte rendu de ses observations, Bernie lui demanda d'essayer d'évaluer l'importance des effectifs de police déployés entre la Tour et Gardiner's Corner.

Lloyd rejoignit le côté est du parc et explora les rues adjacentes. Ce qu'il vit le laissa sans voix.

Il s'était attendu à trouver une centaine de policiers. Ils étaient des milliers.

Certains se tenaient en rangs sur les trottoirs, d'autres attendaient dans plusieurs dizaines de cars à l'arrêt, d'autres encore, montés sur d'énormes chevaux, formaient des lignes parfaitement droites. Il ne restait qu'un étroit passage pour les piétons. Les policiers étaient plus nombreux que les fascistes.

De l'intérieur d'un car, un agent en uniforme lui adressa le salut hitlérien.

Lloyd était désemparé. Si tous ces policiers se rangeaient aux côtés des fascistes, comment les contre-manifestants pourraient-ils leur résister ?

C'était bien pire qu'un défilé fasciste : c'était un défilé fasciste soutenu par la police. Quelle conclusion les Juifs de l'East End devaient-ils en tirer ?

Dans Mansell Street, il aperçut Henry Clarke, un agent de police qu'il connaissait. « Salut, Nobby ! » dit-il. Tous les Clarke étaient surnommés Nobby, sans que personne sache vraiment pourquoi. « Tu sais quoi ? Il y a un flic qui vient de me faire le salut hitlérien.

— Ils ne sont pas d'ici, lui chuchota Nobby, comme s'il lui révélait un secret. Ils ne vivent pas au milieu des Juifs comme moi. J'ai beau leur dire qu'ils sont comme tout le monde, que ce sont pour l'essentiel des gens respectueux de la loi, malgré la présence, comme partout, d'un petit nombre de délinquants et de fauteurs de troubles, ils ne me croient pas.

— Mais tout de même… le salut hitlérien ?

— C'était peut-être une blague. »

Lloyd fit une moue dubitative.

Il quitta Nobby et, poursuivant sa route, constata que les policiers formaient des cordons partout où les rues latérales débouchaient aux environs de Gardiner's Corner.

Il entra dans un pub équipé du téléphone – il avait repéré la veille tous les appareils disponibles – et annonça à Bernie qu'il y avait au moins cinq mille policiers dans le quartier. « Nous ne pourrons jamais résister à autant de flics, remarqua-t-il d'un ton lugubre.

— N'en sois pas si sûr, répondit Bernie. Va jeter un coup d'œil du côté de Gardiner's Corner, tu veux ? »

Lloyd réussit à contourner le cordon de police et à rejoindre la contre-manifestation. Ce ne fut que lorsqu'il eut atteint le milieu d'une des rues donnant sur Gardiner's Corner qu'il put prendre toute la mesure de l'affluence.

C'était le plus grand rassemblement qu'il ait jamais vu.

Le carrefour était noir de monde, mais ce n'était qu'une infime partie de la foule qui s'étendait vers l'est, tout le long de Whitechapel High Street, aussi loin que portait le regard. Commercial Road, en direction du sud-est, grouillait de manifestants, elle aussi. Quant à Leman Street, où se trouvait le commissariat de police, elle était inaccessible.

À vue de nez, il devait y avoir une centaine de milliers de personnes. Il faillit jeter son chapeau en l'air et pousser un cri de joie. Les habitants de l'East End étaient venus en force pour repousser les fascistes. À présent, il ne pouvait plus y avoir le moindre doute sur leurs sentiments.

Au milieu du carrefour, il aperçut un tram immobilisé, abandonné par son conducteur et ses passagers.

Rien ne pourrait passer à travers pareille multitude, se dit Lloyd avec un optimisme croissant.

Il vit son voisin Sean Dolan grimper sur un réverbère et y accrocher un ruban rouge. La fanfare de la Jewish Lads' Brigade, la Brigade des jeunes Juifs, jouait, à l'insu sans doute des responsables de ce mouvement de jeunesse d'un conservatisme bon teint. Un appareil de l'armée passa dans le ciel, une sorte d'autogire, se dit Lloyd.

Près des vitrines du magasin Gardiner, il tomba sur sa sœur Millie, accompagnée de son amie, Naomi Avery. La simple idée que Millie puisse être prise dans une bagarre le fit frémir. « Dad sait que tu es ici ? lui demanda-t-il d'un ton sévère.

— Tu rigoles ? » répondit-elle avec insouciance.

Il était surpris de la trouver là. « Tu ne te passionnes pas pour la politique, d'habitude, lui dit-il. J'avais cru comprendre que ce qui t'intéressait le plus, c'était de gagner de l'argent.

— C'est vrai, acquiesça-t-elle. Mais aujourd'hui, ce n'est pas pareil. »

Lloyd imagina le chagrin de Bernie s'il arrivait quelque chose à Millie. « Tu ferais mieux de rentrer à la maison, crois-moi.

— Pourquoi ? »

Il regarda autour de lui. La foule était détendue et bon enfant. Les forces de police se trouvaient à une certaine distance, les fascistes étaient invisibles. Ils ne défileraient pas aujourd'hui, il fallait se rendre à l'évidence. Jamais les partisans de Mosley n'arriveraient à se frayer un passage à travers une masse compacte de cent mille individus bien décidés à les en empêcher, et la police ne commettrait pas la folie de les laisser essayer. Millie ne risquait probablement rien.

À l'instant même où il se faisait cette réflexion, la situation changea.

Plusieurs coups de sifflet stridents retentirent. Tournant la tête en direction du son, Lloyd vit la police montée approcher en formant une ligne menaçante. Les chevaux piaffaient et s'ébrouaient, nerveux. Les policiers tenaient de longues matraques en forme d'épées.

S'apprêtaient-ils à attaquer ? Mais non, c'était impossible !

Une seconde après, ils chargeaient.

Des cris de colère et des hurlements terrifiés s'élevèrent tandis que tout le monde se bousculait pour échapper aux immenses chevaux. La foule formait une masse compacte, mais ceux qui se trouvaient sur les bords tombèrent sous les sabots qui martelaient le sol. Les policiers frappaient à gauche et à droite avec leurs longues matraques. Lloyd se sentit poussé en arrière sans pouvoir résister.

Il était furieux. Pourquoi la police intervenait-elle ? Avait-elle la stupidité de croire qu'elle réussirait à dégager un passage pour les amis de Mosley ? Qui pouvait raisonnablement imaginer que deux ou trois mille fascistes hurlant des insultes pourraient défiler au milieu de cent mille de leurs victimes désignées sans provoquer d'émeute ? La police était-elle dirigée par des imbéciles, ou avait-elle échappé à tout contrôle ? Il ne savait pas quelle réponse était la plus effrayante.

Les cavaliers reculèrent, faisant faire volte-face à leurs montures haletantes, et se regroupèrent sur une ligne irrégulière. Sur un nouveau coup de sifflet, ils serrèrent les talons, menant leurs chevaux dans une deuxième charge téméraire.

Millie avait oublié toutes ses rodomontades. Elle n'avait que seize ans et était terrifiée. Elle hurla de frayeur quand la foule l'accula contre la vitrine de Gardiner and Company. Les mannequins en costumes bon marché et en manteaux d'hiver jetaient des regards vides sur la foule horrifiée et sur les cavaliers belliqueux. Lloyd était assourdi par les vociférations de milliers de voix qui protestaient et criaient d'effroi. Se glissant devant Millie, il repoussa la masse de toutes ses forces, cherchant vainement à protéger sa sœur. Malgré tous ses efforts, il s'écrasa contre elle. Quarante ou cinquante personnes étaient coincées, le dos contre la vitrine, et la pression augmentait dangereusement.

Lloyd comprit avec colère que la police était bien décidée à dégager un passage, coûte que coûte.

Un instant plus tard, on entendit un épouvantable fracas de verre brisé. La vitrine avait cédé. Lloyd tomba sur Millie, et Naomi s'étala sur lui. Plusieurs dizaines de personnes criaient de douleur et de panique.

Lloyd réussit à se relever. Miraculeusement, il était indemne. Il regarda fébrilement autour de lui, cherchant sa sœur. Les êtres humains se confondaient avec les mannequins renversés.

Il repéra enfin Millie au milieu d'un amas d'éclats de verre. Il la prit par les bras et la hissa sur ses pieds. Elle pleurait : « Mon dos ! »

Il la retourna. Son manteau était en lambeaux et elle était couverte de sang. Fou d'angoisse, il la prit par les épaules d'un geste protecteur. « Il y a une ambulance au coin de la rue. Tu peux marcher ? »

Ils n'avaient parcouru que quelques mètres quand les sifflets retentirent à nouveau. Terrifié à l'idée d'être repoussé avec Millie dans la vitrine du magasin, Lloyd se rappela les billes que Bernie lui avait données. Il sortit le sac de sa poche.

La police chargea.

Levant bien haut le bras au-dessus des têtes, Lloyd balança le sachet qui tomba juste devant les chevaux. Il n'était pas le seul à avoir réagi. Alors que la police montée s'approchait, on entendit un bruit de pétards. Un cheval glissa sur les billes et tomba. D'autres s'arrêtèrent net et ruèrent en entendant la pétarade. La charge tourna au chaos. Naomi Avery avait réussi à passer devant la foule, et il la vit qui faisait éclater un sac de poivre sous les naseaux d'un cheval. Celui-ci fit un écart, secouant la tête en tous sens.

La pression diminua, et Lloyd conduisit Millie jusqu'à l'angle de la rue. Elle souffrait toujours, mais ne pleurait plus.

Une queue s'était formée devant le poste de la St John's Ambulance : une fille en larmes, qui avait apparemment la main écrasée, plusieurs jeunes gens dont la tête et le visage ruisselaient de sang, une femme d'âge mûr assise par terre, tenant entre ses mains son genou enflé. Au moment où Lloyd et Millie arrivèrent, Sean Dolan s'éloignait, la tête bandée. Il replongea immédiatement dans la cohue.

Une infirmière examina le dos de Millie. « Ce n'est pas joli, dit-elle. Il faut que vous alliez à l'hôpital de Whitechapel Street. Une ambulance va vous y conduire. » Elle se tourna vers Lloyd. « Voulez-vous l'accompagner ? »

Lloyd en avait grande envie, mais il était censé téléphoner régulièrement à Bernie et hésita.

Millie résolut son dilemme avec son cran habituel. « Tu n'as pas intérêt, Lloyd. Tu ne peux rien pour moi et tu as des choses importantes à faire ici. »

Elle avait raison. Il l'aida à monter dans une ambulance. « Tu ne veux pas que je vienne ? Sûr ?

— Sûr de sûr. Tâche seulement de ne pas te retrouver à l'hosto, toi aussi. »

Il se rassura en songeant qu'il la laissait en de bonnes mains. Il lui déposa un baiser sur la joue et retourna dans la mêlée.

La police avait changé de tactique. Les manifestants avaient repoussé les charges de chevaux, mais les policiers étaient toujours décidés à dégager un passage. Alors que Lloyd jouait des coudes pour rejoindre les premiers rangs, ils chargèrent à pied, brandissant leurs matraques. Les manifestants sans armes se recroquevillaient pour éviter les coups, comme des feuilles sous le vent, avant de réapparaître dans une autre partie de la rangée.

La police commença à procéder à des interpellations, espérant peut-être affaiblir la détermination de la foule en s'emparant des meneurs. Dans l'East End, une arrestation n'était pas une simple formalité juridique. Peu de gens s'en sortaient sans un œil poché ou quelques brèches dans leur denture. Le commissariat de Leman Street avait particulièrement mauvaise réputation.

Lloyd se retrouva derrière une jeune femme véhémente qui brandissait un drapeau rouge. Il reconnut Olive Bishop, une voisine de Nutley Street. Un policier abattit sa matraque sur sa tête : « Putain juive ! » Elle n'était pas juive, et encore moins putain : elle tenait l'harmonium à la chapelle évangélique du Calvaire. Mais elle avait sans doute oublié l'exhortation de Jésus à tendre l'autre joue et griffa le flic, dessinant plusieurs lignes rouges parallèles sur son visage. Deux autres agents l'empoignèrent alors par les bras et la ceinturèrent tandis que le premier recommençait à la frapper sur la tête.

Devant l'image de trois hommes solides s'attaquant à une jeune femme, Lloyd sentit la moutarde lui monter au nez. Il s'avança et envoya à l'agresseur d'Olive Bishop un crochet du droit dans lequel il mit toute sa fureur. Le coup toucha le policier à la tempe. Étourdi, il trébucha et tomba.

D'autres policiers affluèrent sur les lieux, abattant leurs matraques au hasard, frappant bras, jambes, têtes, mains. Quatre d'entre eux ramassèrent Olive, chacun la prenant par un bras ou une jambe. Elle eut beau hurler et se débattre vigoureusement, elle n'arriva pas à leur échapper.

Les spectateurs ne restèrent pas passifs. Ils se jetèrent contre les policiers qui prétendaient embarquer Olive, cherchant à écarter les hommes en uniforme. La police se précipita contre eux en hurlant « salauds de Juifs », alors que tous n'étaient pas juifs et qu'il y avait même parmi eux un marin somali à peau noire.

La police lâcha Olive, la laissant tomber brutalement sur le pavé, et entreprit de se défendre. Olive se glissa au milieu de la foule et disparut. Les flics reculèrent, sans cesser de frapper tous ceux que leurs matraques pouvaient atteindre.

Lloyd constata avec un frémissement de joie l'inefficacité de la stratégie policière. Malgré leur brutalité, les charges avaient échoué à dégager un passage. Les policiers repassèrent à l'offensive, matraque à la main, mais la foule déchaînée se précipita en avant, impatiente désormais d'en découdre.

Décidant qu'il était temps de transmettre à Bernie un nouveau communiqué, il se faufila tant bien que mal jusqu'à l'arrière de la marée humaine et trouva une cabine téléphonique. « Je ne crois pas qu'ils vont y arriver, Dad, dit-il à Bernie, plein d'enthousiasme. La police essaie de dégager un passage, mais elle n'avance pas. Nous sommes trop nombreux.

— Nous redirigeons les gens vers Cable Street, lui annonça Bernie. La police va peut-être faire une tentative de ce côté-là en espérant avoir plus de chance, alors nous envoyons des renforts. Va voir ce qui se passe et préviens-moi.

— Entendu. » Lloyd raccrocha avant de se rendre compte qu'il n'avait pas annoncé à son beau-père que Millie avait été conduite à l'hôpital. Après tout, autant ne pas l'inquiéter pour le moment.

Il risquait d'avoir du mal à rejoindre Cable Street. Depuis Gardiner's Corner, Leman Street conduisait directement au sud, vers l'extrémité la plus proche de Cable Street, à moins de huit cents mètres, mais la voie était bloquée par les manifestants qui se battaient contre la police. Lloyd dut prendre un itinéraire plus détourné. Il joua des coudes pour gagner Commercial Road, où il se trouva bloqué. Il n'y avait pas de policiers, donc pas de violences, mais la foule était presque aussi dense. Contrarié, Lloyd se consola en se disant que jamais la police ne réussirait à percer de brèche dans pareille marée humaine.

Il se demanda ce que faisait Daisy Pechkov. Elle devait être assise dans la voiture, attendant que le défilé commence, tapotant impatiemment du pied dans sa chaussure de luxe le tapis de la Rolls-Royce. L'idée qu'il contribuait à l'empêcher d'arriver à ses fins lui inspira un sentiment de satisfaction étrangement malveillant.

Avec opiniâtreté, n'hésitant pas à bousculer ceux qui se mettaient en travers de son chemin, Lloyd finit par avancer. Le chemin de fer qui longeait la partie nord de Cable Street lui barrait le passage, et il dut aller un peu plus loin pour trouver une rue latérale qui passait sous la voie ferrée. Il ressortit du tunnel et s'engagea dans Cable Street.

La foule était moins dense, mais la rue était étroite et tout aussi impraticable. Tant mieux : la police aurait plus de mal à circuler. Il releva la présence d'un autre obstacle : un camion avait été arrêté en travers de la rue et renversé sur le côté. À chaque extrémité du véhicule, on avait empilé sur toute la largeur de la rue et jusqu'à une hauteur respectable des vieilles tables et des chaises cassées, des morceaux de poutres et autre bric-à-brac.

Une barricade! Lloyd pensa à la Révolution française. Ce n'était pourtant pas une révolution. La population de l'East End ne cherchait pas à renverser le gouvernement britannique. Elle était au contraire profondément attachée à ses élections, à ses conseils d'arrondissement et à son Parlement, au point d'être prête à défendre son système de gouvernement contre le fascisme, même s'il n'était pas prêt à le faire lui-même.

Lloyd était arrivé derrière la barrière et s'approcha pour comprendre ce qui se passait. Montant sur un mur pour mieux voir, il découvrit une scène animée. Du côté le plus éloigné de lui, les policiers s'efforçaient de démonter la barricade en soulevant les vieux meubles et en traînant les matelas éventrés. Ce n'était pas facile. Une pluie de projectiles tombait sur leurs casques, certains lancés par-dessus la barricade, d'autres depuis les fenêtres des immeubles serrés de part et d'autre de la rue : des pierres, des bouteilles de lait, des pots cassés et des briques provenant, remarqua Lloyd, d'un chantier voisin. Quelques jeunes audacieux se tenaient au sommet de la barricade, attaquant leurs adversaires avec des bâtons ; une échauffourée éclatait de temps en temps quand les policiers arrivaient à en attraper un et cherchaient à le faire tomber pour le rouer de coups de pied. Avec un sursaut d'étonnement, Lloyd reconnut deux des silhouettes qui se tenaient sur la barricade : c'étaient Dave Williams, son cousin, et Lenny Griffiths, d'Aberowen. Côte à côte, ils repoussaient les forces de l'ordre à coups de pelle.

Les minutes passant, Lloyd ne put que se rendre à l'évidence : les policiers allaient l'emporter. Ils travaillaient avec méthode, dégageant un par un les éléments composant la barricade. Du côté où se trouvait Lloyd, quelques habitants renforçaient la muraille, remplaçant au fur et à mesure ce que la police retirait, mais ils étaient moins bien organisés et ne disposaient pas d'une réserve de matériaux infinie. Lloyd avait l'impression que la police n'allait pas tarder à l'emporter. Si elle arrivait à dégager Cable Street, elle ferait passer les fascistes par là et ils défileraient devant une succession de boutiques juives.

Mais en se retournant, il vit que les organisateurs de la défense de Cable Street avaient été prévoyants. Alors même que la police démontait la première barricade, une autre commençait à s'élever une centaine de mètres plus bas dans la rue.

Lloyd recula et entreprit avec enthousiasme de participer à la construction de ce deuxième obstacle. Des dockers armés de pioches soulevaient des pavés, des ménagères allaient chercher des poubelles dans leurs cours et des boutiquiers apportaient des caisses et des cartons vides. Avec d'autres, Lloyd porta un banc de parc, avant d'arracher un panneau d'affichage devant un bâtiment municipal. Ayant tiré les leçons de l'expérience, les bâtisseurs firent du meilleur travail, utilisant leurs matériaux avec économie et veillant à la solidité de leur édifice.

Regardant encore derrière lui, Lloyd constata qu'une troisième barricade commençait à se dresser un peu plus à l'est.

Les défenseurs se retirèrent progressivement de la barricade d'origine pour se regrouper derrière la deuxième. Quelques minutes plus tard, la police perça une brèche dans la première et se précipita en avant, poursuivant les quelques jeunes gens restés sur place. Lloyd vit Dave et Lenny s'enfuir dans une ruelle dont toutes les maisons se fermèrent promptement dans des claquements de portes et de fenêtres.

Les policiers se trouvèrent ensuite bien embarrassés. Ils n'avaient pris une barricade que pour devoir en affronter une autre, plus solide, et n'avaient visiblement pas le courage de commencer à la démanteler. Ils se regroupèrent au milieu de Cable Street, échangeant des propos décousus et jetant des regards pleins de rancœur aux habitants qui les narguaient depuis les étages.

Il était encore trop tôt pour chanter victoire, mais Lloyd ne put réprimer un intense sentiment de joie : les antifascistes allaient peut-être l'emporter.

Il resta à son poste pendant un quart d'heure, mais comme la police ne bougeait pas, il finit par quitter les lieux ; il trouva une cabine et appela Bernie.

Celui-ci restait prudent. « Nous ignorons ce qui se passe, admit-il. Il semble y avoir une accalmie, mais il faut absolument que nous sachions ce que les fascistes mijotent. Penses-tu pouvoir retourner jusqu'à la Tour ? »

Il ne fallait pas songer à traverser la masse de policiers, mais Lloyd pensa à un autre moyen. « Je pourrais essayer de passer par St George Street, dit-il sans grande conviction.

— Fais de ton mieux. Je voudrais bien connaître leurs intentions. »

Lloyd se dirigea vers le sud par un dédale de ruelles. Il espérait ne pas s'être trompé à propos de St George Street. La rue se trouvait hors du secteur disputé, mais la foule avait pu s'y éparpiller.

Il constata avec soulagement que bien qu'il fût encore à portée d'oreille de la contre-manifestation et pût entendre les cris et les sifflets de la police, il n'y avait pas grand monde. Quelques ménagères bavardaient sur le trottoir et des petites filles jouaient à la corde à sauter au milieu de la rue. Lloyd se dirigea vers l'ouest au pas de gymnastique, s'attendant à apercevoir des masses de manifestants ou de policiers à chaque coin de rue. Il croisa quelques personnes qui avaient manifestement fui la mêlée – deux hommes à la tête bandée, une femme au manteau déchiré, un ancien combattant médaillé au bras en écharpe – mais pas de foule. Il courut jusqu'à l'endroit où la rue débouchait sur la Tour et put pénétrer sans difficulté dans Tower Gardens.

Les fascistes y étaient toujours.

En soi, c'était déjà un succès, se dit-il. Il était maintenant trois heures et demie : ils avaient été obligés de rester plantés là des heures durant, sans pouvoir défiler. Ils avaient perdu beaucoup de leur ardeur. Ils avaient cessé de chanter et de crier des slogans, ils étaient silencieux, sans ressort, toujours alignés mais un peu moins impeccablement, leurs banderoles pendantes, leurs fanfares muettes. Ils avaient déjà l'air vaincus.

Un changement se produisit pourtant quelques minutes plus tard. Une voiture découverte surgit d'une rue adjacente et longea les rangées fascistes. Des acclamations s'élevèrent. Les lignes se reformèrent, les officiers saluèrent, les fascistes se mirent au garde-à-vous. Lloyd reconnut sur la banquette arrière du véhicule leur chef, Sir Oswald Mosley, un homme séduisant à la moustache conquérante, portant l'uniforme fasciste au grand complet, casquette comprise. Droit comme un I, il salua à plusieurs reprises, tel un monarque passant ses troupes en revue tandis que sa voiture avançait au pas.

Sa présence revigora ses partisans et inquiéta Lloyd. Sans doute allaient-ils tout de même défiler comme prévu : pourquoi serait-il venu si telle n'était pas leur intention ? L'automobile longea les lignes fascistes jusque dans une rue latérale qui rejoignait le quartier financier. Lloyd attendit. Une demi-heure plus tard, Mosley revint, à pied cette fois, saluant toujours ses troupes et hochant la tête sous les acclamations.

Arrivé au premier rang, il bifurqua dans une rue voisine, accompagné d'un de ses officiers.

Lloyd les suivit.

Mosley s'approcha d'un groupe d'hommes plus âgés groupés sur le trottoir. Lloyd reconnut avec surprise Sir Philip Game, le préfet de police, en nœud papillon et chapeau mou. Les deux hommes s'engagèrent dans une conversation animée. Sans doute Sir Philip annonçait-il à Sir Oswald que les contre-manifestants étaient trop nombreux pour qu'on puisse les disperser. Que conseillerait-il aux fascistes ? Lloyd mourait d'envie de s'approcher suffisamment pour entendre leur discussion, mais il ne pouvait pas courir le risque de se faire arrêter et préféra donc rester à distance respectueuse.

Le préfet de police semblait monopoliser la parole, le leader fasciste se contentant de ponctuer ses propos en hochant la tête et de poser quelques questions. Les deux hommes échangèrent ensuite une poignée de main et Mosley s'éloigna.

Il regagna le parc pour s'entretenir avec ses officiers. Lloyd reconnut parmi eux Boy Fitzherbert, vêtu du même uniforme que Mosley. Il ne lui allait pas très bien : cette tenue martiale seyait mal à son corps un peu mou et à la sensualité nonchalante de son attitude.

Mosley semblait donner des ordres. Les autres saluèrent et s'éloignèrent, sans doute pour transmettre ses directives à leurs troupes. Qu'avait-il décidé ? La seule solution raisonnable était de renoncer et de rentrer chez eux. Mais s'ils avaient été raisonnables, ils n'auraient pas été fascistes.

Des coups de sifflet retentirent, des commandements résonnèrent, des fanfares éclatèrent et les hommes se mirent au garde-à-vous. Lloyd comprit qu'ils allaient se mettre en marche. La police avait dû leur indiquer un itinéraire. Lequel ?

Le défilé commença alors – en sens inverse. Au lieu de se diriger vers l'East End, ils marchèrent vers l'ouest, s'engageant dans le quartier des finances, désert en ce dimanche après-midi.

Lloyd n'en croyait pas ses yeux. « Ils se dégonflent ! » s'écria-t-il tout haut et un homme, debout à côté de lui, renchérit : « On dirait bien, ma foi ! »

Il resta cinq minutes à suivre du regard les colonnes qui se mettaient progressivement en branle. Quand il n'y eut plus aucun doute possible, il se précipita vers une cabine et appela Bernie. « Ils s'en vont !

— Ils entrent dans l'East End ?

— Non, dans l'autre sens ! Ils partent vers l'ouest, vers la Cité. Nous avons gagné !

— Bon sang ! » Bernie s'adressa à ceux qui l'entouraient. « Écoutez tous ! Les fascistes se dirigent vers l'ouest. Ils ont laissé tomber ! »

Lloyd entendit des acclamations enthousiastes s'élever dans la pièce.

Quelques instants plus tard, Bernie lui dit : « Continue à les surveiller, et préviens-nous quand ils auront tous quitté Tower Gardens.

— Entendu. » Lloyd raccrocha.

Il fit tout le tour du parc, jubilant. Chaque minute qui passait rendait la défaite des fascistes encore plus évidente. Leurs fanfares jouaient et ils avançaient au pas, mais leur démarche manquait de ressort et ils ne scandaient plus qu'ils allaient se débarrasser des youpins. C'étaient les youpins qui s'étaient débarrassés d'eux.

En arrivant à l'extrémité de Byward Street, il aperçut Daisy.

Elle se dirigeait vers la Rolls-Royce noir et crème familière et fut obligée de passer devant lui. Lloyd ne put résister à la tentation de plastronner. « Les habitants de l'East End vous ont repoussés, vous et vos idées nauséabondes », exulta-t-il.

Elle s'arrêta et le regarda, impassible. « Une bande de voyous nous a empêchés de passer, lança-t-elle avec dédain.

— En attendant, vous défilez dans l'autre sens.

— Une bataille ne fait pas une guerre. »

Elle avait peut-être raison, se dit Lloyd, mais tout de même, c'était une sacrée bataille. « Vous ne rentrez pas à pied avec votre petit ami ?

— Je préfère la voiture, répondit-elle. Et d'ailleurs, ce n'est pas mon petit ami. »

L'espoir fit bondir le cœur de Lloyd.

« C'est mon mari », acheva-t-elle.

Lloyd la regarda fixement. Il n'aurait jamais imaginé qu'elle puisse être aussi sotte. Il en resta sans voix.

« C'est vrai, insista-t-elle en voyant son expression incrédule. Vous n'avez pas vu l'annonce de nos fiançailles dans le journal ?

— Je ne lis pas les échos mondains. »

Elle lui tendit sa main gauche, ornée d'une bague de fiançailles en diamants et d'une alliance en or. « Nous nous sommes mariés hier et nous avons retardé notre voyage de noces pour pouvoir participer au défilé d'aujourd'hui. Nous partons demain pour Deauville dans l'avion de Boy. »

Elle franchit les quelques mètres qui la séparaient de la voiture et le chauffeur lui ouvrit la portière. « À la maison, je vous prie », dit-elle.

« Très bien, madame. »

Lloyd était tellement furieux qu'il aurait volontiers frappé quelqu'un.

Daisy lui jeta un coup d'œil par-dessus son épaule : « Au revoir, monsieur Williams. »

Il retrouva alors sa voix. « Au revoir, miss Pechkov.

— Mais non ! le reprit-elle. Je suis la vicomtesse d'Aberowen à présent. »

Elle s'en gargarisait, constata Lloyd désespéré. Elle avait obtenu un titre de noblesse et, pour elle, c'était le bout du monde.

Elle monta en voiture et le chauffeur referma la portière.

Lloyd se détourna. Il constata avec humiliation qu'il avait les yeux humides. « Et puis merde ! » fit-il tout haut.

Il renifla, ravalant ses larmes. Il redressa les épaules et reprit la direction de l'East End d'un pas vif. Le triomphe d'aujourd'hui était désormais teinté d'amertume. Il savait qu'il n'aurait pas dû se soucier de Daisy – de toute évidence, elle ne se souciait pas de lui –, mais n'en avait pas moins le cœur brisé de savoir qu'elle était désormais la femme de Boy Fitzherbert. Quel gâchis !

Il essaya de la chasser de son esprit.

Les policiers regagnaient leurs cars et quittaient les lieux. Si Lloyd n'avait pas été surpris par leur brutalité – il avait toujours vécu dans l'East End et c'était un quartier dur –, leur antisémitisme l'avait scandalisé. Ils s'étaient permis de traiter toutes les femmes de putains juives, tous les hommes de salauds de Juifs. En Allemagne, la police avait soutenu les nazis et fait cause commune avec les Chemises brunes. En ferait-elle autant ici ? C'était impensable !

Il rejoignit Gardiner's Corner où la foule avait commencé à faire la fête. La fanfare de la Brigade des jeunes Juifs jouait un air de jazz, tandis que les hommes et les femmes dansaient et que les bouteilles de whisky et de gin passaient de main en main. Lloyd décida d'aller à l'hôpital prendre des nouvelles de Millie. Ensuite, il faudrait sans doute qu'il regagne le siège du Conseil pour annoncer à Bernie que Millie avait été blessée.

Mais avant d'aller plus loin, il tomba sur Lenny Griffiths « On a envoyé ces connards se faire foutre ! lança Lenny tout excité.

— Tu l'as dit », acquiesça Lloyd avec un grand sourire.

Lenny baissa la voix : « On a battu les fascistes ici et, maintenant, on va leur foutre une pile en Espagne, tu vas voir.

— Quand pars-tu ?

— Demain matin. Dave et moi, on prend le train pour Paris. »

Lloyd posa le bras sur les épaules de Lenny. « Je pars avec vous », dit-il.

IV
1937

1.

Volodia Pechkov traversa le pont qui enjambait la Moskova, tête baissée pour se protéger de la neige cinglante. Avec son épais manteau, sa chapka et ses solides bottes de cuir, il était bien équipé. Une chance qui n'était pas donnée à beaucoup de Moscovites.

Lui-même avait toujours porté des chaussures de qualité. Son père, Grigori, héros de la révolution bolchevique, était commandant dans l'armée et connaissait Staline personnellement. Pour autant, ce n'était pas une personnalité en vue. Son ascension dans la carrière militaire s'était brutalement interrompue à une certaine époque, dans les années 1920. Quoi qu'il en soit, la famille n'avait jamais manqué de rien.

Volodia, quant à lui, évoluait dans les plus hautes sphères. Après l'université, il était entré à la prestigieuse Académie militaire, section Renseignement, et, dès l'année suivante, avait été affecté aux services de renseignement de l'armée Rouge, à l'état-major.

La chance de sa vie avait été de rencontrer Werner Franck à Berlin – où son père était attaché militaire à l'ambassade soviétique – et de se lier d'amitié avec lui. Le jeune Allemand fréquentait alors la même école que lui, quelques classes en dessous. Découvrant sa haine du fascisme, Volodia lui avait suggéré de travailler pour le compte de l'Union soviétique, moyen le plus efficace, selon lui, pour barrer la route au nazisme.

Werner n'avait que quatorze ans à l'époque. Âgé désormais de dix-huit ans, il était employé au ministère de l'Air et sa haine pour les nazis s'y était encore renforcée. Il possédait un puissant émetteur radio et un manuel de chiffrage. Inventif et courageux, il prenait des risques incroyables, et les renseignements qu'il faisait parvenir étaient inestimables. Son contact à Moscou était Volodia.

Les deux jeunes gens ne s'étaient pas vus depuis quatre ans, mais Volodia gardait un vif souvenir de Werner adolescent, de sa haute taille et de sa chevelure d'un remarquable blond vénitien. À quatorze ans, il faisait déjà beaucoup plus mûr, physiquement et mentalement, et faisait battre bien des cœurs.

Récemment, il avait fait savoir à Volodia qu'un certain Markus, diplomate de l'ambassade d'Allemagne à Moscou, appartenait secrètement au parti communiste. Volodia avait réussi à le recruter et, depuis plusieurs mois maintenant, il recevait de lui quantité de rapports qu'il transmettait à son chef après les avoir traduits en russe. Le dernier en date, tout à fait passionnant, expliquait comment procédaient des chefs d'entreprise américains pronazis pour contourner l'embargo décrété par le président Roosevelt et approvisionner les rebelles espagnols d'extrême droite en camions, pneumatiques et gasoil. Torkild Rieber, par exemple, PDG de Texaco et fervent admirateur d'Hitler, utilisait les pétroliers de sa compagnie pour fournir de l'essence aux partisans de Franco.

Cet après-midi-là, Volodia avait justement rendez-vous avec Markus. Avenue Koutouzov, il tourna en direction de la gare de Kiev. Ils étaient convenus de se retrouver dans un bar fréquenté par les ouvriers, situé tout près de là. Les deux hommes ne se rencontraient jamais deux fois au même endroit et décidaient des modalités du contact suivant à la fin de chaque entrevue. C'était toujours une gargote où Markus ne risquait pas de tomber sur un collègue et où Volodia n'aurait aucun mal à repérer un agent du contre-espionnage allemand, dans l'éventualité où Markus aurait éveillé les soupçons de ses supérieurs berlinois.

L'Ukraine, le bar choisi pour le rendez-vous de ce jour-là, était une bâtisse en bois comme il en existait des milliers à Moscou. À en juger par ses fenêtres recouvertes de buée, il devait y régner une douce chaleur. C'était toujours ça ! Volodia se garda d'y entrer tout de suite. Réfugié dans l'entrée glacée d'un immeuble de l'autre côté de la rue, il fit le guet par une étroite fenêtre.

Markus viendrait-il ? Jusque-là il n'avait manqué aucun rendez-vous, mais rien n'était jamais certain. Qu'allait-il apporter comme information ? Sur la scène internationale, la question du jour était l'Espagne, mais le Renseignement soviétique s'intéressait à d'autres sujets, notamment à celui du réarmement allemand. Combien de chars d'assaut l'Allemagne produisait-elle par mois ? Combien de mitrailleuses Mauser M34 par jour ? Quelles étaient les qualités du nouveau bombardier Heinkel He 111 ? Volodia rêvait de transmettre ces renseignements à son supérieur, le commandant Lemitov.

Une demi-heure s'était écoulée et l'Allemand n'avait toujours pas montré le bout de son nez. Volodia commença à s'inquiéter. Avait-il été démasqué ? En tant qu'assistant de l'ambassadeur, Markus était au courant de tout ce qui passait par le bureau de son supérieur. Mais Volodia lui avait récemment demandé de lui fournir d'autres documents, en particulier la correspondance des attachés militaires. C'était peut-être une erreur, car Markus pouvait avoir été surpris en train de fouiller dans des dépêches auxquelles il n'était pas censé avoir accès.

Il aperçut enfin au bout de la rue une silhouette en loden vert, blanchissant sous les flocons de neige. Avec son nez chaussé de lunettes, Markus avait tout du professeur. Il pénétra dans le café. Volodia laissa passer un moment, continuant à scruter la rue. Il vit entrer un autre homme derrière lui : une tête de fouine, un manteau élimé et des bottes entourées de chiffons. Un agent du contre-espionnage allemand ? Non, décida Volodia. Ce type qui s'essuyait le nez sur sa manche était le type même de l'ouvrier soviétique.

Volodia traversa la rue et poussa à son tour la porte de l'établissement.

La salle était enfumée, d'une propreté douteuse et il y régnait une odeur d'hommes qui ne se lavent pas souvent. Aux murs, de vieilles aquarelles dans des cadres bon marché représentant des paysages ukrainiens. En cette heure de l'après-midi, il n'y avait pas foule. La seule femme, d'un certain âge, sans doute une prostituée, semblait mal remise d'une gueule de bois.

Markus était assis au fond de la salle, penché sur un boc de bière auquel il n'avait pas touché. Il avait la trentaine, mais sa barbe et sa moustache blondes bien taillées le faisaient paraître plus vieux. Son manteau ouvert laissait voir une doublure en fourrure. À deux tables de lui, le Russe à tête de fouine faisait rouler l'embout cartonné d'une cigarette entre ses doigts.

Dès qu'il aperçut Volodia, Markus bondit sur ses pieds et le frappa au visage en hurlant : « Espèce de porc. Salopard ! »

Abasourdi, Volodia ne réagit pas tout de suite. Il avait un goût de sang dans la bouche, la lèvre tuméfiée. Instinctivement, il s'apprêta à rendre le coup, mais se contint.

Markus se jeta à nouveau sur lui violemment. Sur ses gardes cette fois, Volodia esquiva facilement.

« Pourquoi tu as fait ça ? braillait Markus. Pourquoi ? » Puis, tout aussi soudainement, il se ratatina et se laissa tomber sur son siège. Le visage enfoui dans ses mains, il se mit à sangloter.

« La ferme, espèce d'idiot ! » jeta Volodia, les lèvres en sang. Et il lança à la cantonade : « Ce n'est rien, il est bouleversé, c'est tout. »

Les clients détournèrent le regard, l'un d'eux préféra quitter les lieux. Ne jamais se mêler des affaires d'autrui, c'était la règle à Moscou. Le simple fait d'intervenir dans une bagarre d'ivrognes pouvait être dangereux. Comment savoir si l'un des combattants n'était pas haut placé dans le Parti ? Et ces deux-là étaient évidemment des hommes puissants. Il suffisait de voir leurs manteaux.

Volodia se retourna vers Markus avec colère. « Je peux savoir ce qui me vaut ça ? » lança-t-il à mi-voix. Il s'était exprimé en allemand car Markus parlait très mal le russe.

« Salopard ! Espèce d'ordure ! Tu as fait arrêter Irina ! On lui a brûlé les seins avec des cigarettes », expliqua Markus à travers ses larmes.

Volodia tressaillit. Ce qui avait pu arriver à une jeune Russe qui fréquentait un étranger était facile à imaginer. Saisi d'un affreux pressentiment, il s'assit en face de Markus.

« Je ne suis pour rien dans cette arrestation. Et je suis désolé d'apprendre qu'on lui a fait du mal. Raconte-moi ce qui s'est passé.

— Ils sont venus la cueillir au beau milieu de la nuit, c'est sa mère qui me l'a raconté. Des types qui n'ont pas dit à quels services ils appartenaient. Ce n'était pas la police, ils étaient trop bien habillés. Irina elle-même ne sait pas où elle a été emmenée. Ils lui ont posé des questions à mon sujet, ils l'ont accusée d'espionnage. Ils l'ont torturée, violée et ensuite, ils l'ont jetée à la rue.

— C'est affreux ! Je n'en reviens pas.

— Tu n'en reviens pas ? Et c'est toi qui dis ça, toi qui as tout manigancé ? Qui veux-tu que ce soit d'autre ?

— Le Renseignement militaire n'est pour rien dans cette affaire, je te le jure !

— Je m'en fous, c'est pareil ! Désormais tu peux faire une croix sur moi, et moi je fais une croix sur le communisme.

— Il n'y a pas de guerre sans victimes, et nous sommes en guerre contre le capitalisme », expliqua Volodia, se rendant compte que l'argument était faible au moment même où il prononçait ces mots.

« Imbécile, tu es vraiment bouché ! Tu ne comprends donc pas que le socialisme devrait justement permettre d'en finir avec ces saloperies ? »

Volodia releva les yeux. Un homme massif sanglé dans un manteau de cuir venait de franchir la porte, et ce n'était pas dans l'intention de s'offrir un verre, Volodia le comprit d'instinct.

Il se tramait quelque chose. Mais quoi ? Il ne pratiquait pas ce petit jeu depuis longtemps et souffrait de son inexpérience comme on peut souffrir d'un membre amputé. L'idée que sa propre vie était peut-être en danger lui traversa l'esprit. Que devait-il faire ? Il n'en savait rien non plus.

Le nouveau venu s'approcha de la table qu'il occupait avec Markus.

L'ouvrier à la mine chafouine se leva pour le rejoindre : un type de son âge à peu de choses près et qui, curieusement, s'exprima du ton d'un homme instruit.

« Vous êtes tous les deux en état d'arrestation ! »

Volodia laissa échapper un juron.

Markus avait bondi sur ses pieds. « Je suis attaché à l'ambassade d'Allemagne ! s'écria-t-il dans un russe approximatif. Vous ne pouvez pas m'arrêter ! Immunité diplomatique ! »

En un clin d'œil, le café se vida de tous ses clients qui se bousculèrent vers la sortie. Seuls demeurèrent le serveur et la prostituée. Le premier se mit à astiquer frénétiquement son comptoir à l'aide d'un chiffon sale, la seconde continua à tirer sur sa cigarette, les yeux fixés sur son verre de vodka vide.

« Vous ne pouvez pas m'arrêter non plus, déclara Volodia calmement, et il sortit ses papiers de sa poche. Lieutenant Pechkov, du Renseignement militaire. Et vous êtes ?

— Dvorkine, du NKVD.

— Bérézovski. Du NKVD, moi aussi », intervint l'homme en manteau de cuir.

La police secrète ! Il aurait dû s'en douter. Chargés de fonctions analogues, le NKVD et le Renseignement militaire se marchaient souvent sur les pieds. Volodia en avait été averti, mais c'était la première fois qu'il en faisait directement l'expérience. Il s'adressa à Dvorkine : « Je suppose que ce sont vos services qui se sont occupés de l'amie de cet homme. »

Dvorkine s'essuya le nez sur sa manche, une manie qui, finalement, ne devait pas faire partie de sa couverture. « Elle n'avait aucune information.

— Autrement dit : des seins brûlés pour rien !

— Tant mieux pour elle. Sinon, elle aurait connu pire.

— Et vous n'avez pas eu l'idée de vérifier auprès de nos services ?

— Parce que vous vérifiez, vous ?

— Bon, je m'en vais ! lança Markus.

— Non, reste ! supplia Volodia, accablé à l'idée de perdre un précieux atout. On va faire quelque chose pour Irina, on le lui doit bien. La faire soigner dans le meilleur hôpital…

— Va te faire foutre ! répliqua Markus. Tu n'es pas près de me revoir ! » Sur ces mots, il sortit.

De toute évidence, Dvorkine ne savait que faire : laisser filer l'Allemand ne lui plaisait pas, mais il était difficile de l'arrêter sans avoir l'air stupide. Il s'en prit alors à Volodia.

« Vous devriez vous faire respecter. Permettre qu'on vous parle sur ce ton, c'est donner de vous l'image d'un faible.

— Abruti ! Vous n'avez pas idée de ce que vous venez de faire. Un type qui nous livrait des tuyaux essentiels ! Maintenant tout est foutu à cause de votre connerie. »

Dvorkine haussa les épaules.

« Comme vous le lui avez dit tout à l'heure : il n'y a pas de guerre sans victimes.

— Ça suffit ! » explosa Volodia et il partit à son tour.

Il retraversa le pont dans un état nauséeux : écœuré que le NKVD puisse faire subir pareille ignominie à une innocente, abattu d'avoir perdu une source d'informations inestimable. De rang trop modeste pour avoir une voiture à disposition, il rentra à son bureau en tram. Tout au long du trajet à travers un Moscou enneigé, il ressassa la situation : comment rapporter l'incident à Lemitov de la meilleure façon ? Comment lui démontrer dans le même temps qu'il n'était pour rien dans cette affaire et ne se cherchait pas de fausses excuses ?

La sûreté militaire avait son commandement à l'aérodrome de Khodynka où la piste était dégagée en permanence grâce à l'incessante activité d'un chasse-neige. Sur le plan architectural, c'était un bâtiment de deux étages dont les façades sur la rue étaient dépourvues de fenêtres, construit en carré autour d'une cour au centre de laquelle s'élevait un immeuble en brique de neuf étages. Cet agencement très particulier évoquait un doigt dressé en l'air au-dessus d'un poing serré. Les briquets et les stylos individuels n'étaient pas autorisés à pénétrer à l'intérieur de ces murs, pour éviter que les détecteurs de métaux placés à l'entrée ne se déclenchent de façon intempestive. L'armée se chargeait de fournir ces deux objets à tous les employés de la base, à raison d'un exemplaire par personne. Les boucles de ceinturon posaient elles aussi un problème que la majorité des gens réglaient en portant des bretelles. Ces mesures de sécurité étaient superflues, bien sûr : aucun Moscovite sain d'esprit n'aurait eu l'idée de s'introduire dans ce bâtiment. Il aurait plutôt fait des pieds et des mains pour éviter de s'en approcher.

Volodia partageait une pièce exiguë avec trois officiers subalternes. Ils disposaient chacun d'un bureau en acier poussé contre l'un des murs. Celui de Volodia bloquait en partie l'ouverture de la porte.

« Ben dis donc, c'est le mari qui est rentré du boulot plus tôt que prévu ? s'esclaffa Kamen, le blagueur de service, en voyant la lèvre tuméfiée de Volodia.

— Ne m'en parle pas ! »

Une transcription émanant de la section radio l'attendait sur son bureau : un texte en allemand, écrit au crayon, les lettres bien séparées les unes des autres et surmontées de leur équivalent codé.

Le message était de Werner.

Volodia s'inquiéta immédiatement. Markus avait-il déjà fait part à Werner de l'arrestation d'Irina et l'avait-il persuadé d'abandonner l'espionnage lui aussi ? La journée avait déjà été assez riche en déconvenues sans qu'un désastre de cette ampleur ne vienne la couronner.

Ses craintes étaient infondées. Werner expliquait que l'armée allemande s'apprêtait à envoyer en Espagne des espions se faisant passer pour des antifascistes désireux de combattre au côté des forces gouvernementales, mais qui, en réalité, enverraient en secret des rapports aux stations d'écoute allemandes situées dans le camp des rebelles.

En soi, c'était déjà une information capitale, mais Werner faisait encore mieux : il donnait les noms des individus en question.

Volodia dut se retenir pour ne pas crier de joie. Pareille chance n'arrivait qu'une fois dans la vie d'un agent du Renseignement. Cela compensait bien la perte de Markus. Werner était une mine d'or. La seule idée des risques que son ami avait dû prendre pour obtenir cette liste et la faire sortir clandestinement du ministère de l'Air à Berlin le fit frémir. Il faillit se précipiter sur-le-champ dans le bureau de Lemitov.

Les quatre officiers ne disposaient que d'une seule machine à écrire qui était pour l'heure posée sur le bureau de Kamen. Volodia alla la prendre et l'installa sur le sien. Le jour commençait à tomber. Il entreprit de recopier la traduction définitive du message de Werner, la tapant avec deux doigts seulement. Les puissantes lumières extérieures étaient déjà allumées quand il rangea une copie carbone du texte dans son tiroir. Muni de la première page, il monta chez son chef.

Lemitov était dans son bureau. C'était un bel homme d'une quarantaine d'années, aux cheveux noirs lissés à la brillantine. D'une grande perspicacité, il avait le chic pour avoir toujours une longueur d'avance sur les déductions de Volodia, un don d'anticipation que le jeune homme s'efforçait d'acquérir. Loin de partager la conviction bien ancrée chez les militaires que les cris et l'intimidation sont les deux fondements d'une bonne organisation, il n'en était pas moins impitoyable avec les gens incompétents. Volodia le respectait et le craignait.

« En effet, déclara Lemitov après avoir pris connaissance du document, ce renseignement pourrait être d'une extrême utilité.

— Pourrait ? s'étonna Volodia.

— Et si c'était de la désinformation ? »

La question le désarçonna, mais il devait se rendre à l'évidence : on ne pouvait écarter l'éventualité que Werner se soit fait prendre et soit devenu un agent double. Il demanda d'un ton abattu :

« De faux noms, pour nous lancer sur une mauvaise piste ?

— Par exemple. Ou bien les noms de bons et loyaux communistes et socialistes qui ont fui le nazisme pour aller se battre en Espagne au nom de la liberté. Dans ce cas-là, nous arrêterions nous-mêmes d'authentiques antifascistes.

— Sacrebleu ! »

Lemitov sourit.

« Remets-toi ! C'est quand même un tuyau tout à fait intéressant. Quoi qu'il en soit, nous avons déjà des espions là-bas : de jeunes soldats et officiers russes "désignés volontaires" pour partir en Espagne rejoindre les Brigades internationales. Ils mèneront l'enquête. »

De sa petite écriture précise, le commandant écrivit quelques mots au crayon rouge sur la feuille de papier.

« C'est bien », dit-il encore.

Prenant ces derniers mots pour un congé, Volodia se dirigea vers la porte.

« Tu ne devais pas rencontrer Markus aujourd'hui ? »

Volodia se retourna.

« Il y a eu un problème.

— Je m'en suis douté. À voir l'état de ta lèvre. »

Volodia rapporta les faits.

« J'ai perdu une source parfaitement fiable, conclut-il. Mais je ne vois pas comment j'aurais pu faire autrement. Est-ce que j'aurais dû prévenir le NKVD, à propos de Markus, pour éviter qu'ils interviennent ?

— Sûrement pas ! On ne peut avoir aucune confiance en eux. Il ne faut jamais rien leur dire. Ne t'inquiète pas, Markus n'est pas perdu. Tu le récupéreras facilement.

— Et comment ? Il ne veut plus entendre parler de nous.

— En arrêtant de nouveau Irina.

— Quoi ? s'écria Volodia horrifié. Ce sera encore pire !

— Donnant-donnant : ou il coopère, ou elle subit d'autres interrogatoires. »

Volodia fit de son mieux pour dissimuler son dégoût. Il ne fallait surtout pas avoir l'air trop délicat. D'autant que le plan de Lemitov avait toutes les chances d'être efficace. « Oui, réussit-il à prononcer.

— Et dis-lui bien que la prochaine fois, c'est dans la chatte qu'on lui enfoncera des cigarettes allumées. »

Volodia réprima un haut-le-cœur. Il déglutit péniblement :

« Très bien, fit-il. Je m'en occupe sur-le-champ.

— Rien ne presse, tu peux attendre demain. Quatre heures du matin, c'est le meilleur moment pour créer un effet de surprise.

— Compris, camarade commandant. »

Volodia sortit. Dans le couloir, il resta planté devant la porte, désorienté. Comme un employé qui passait le regardait étrangement, il se reprit et s'éloigna.

Il allait donc devoir régler le problème lui-même. Oh, il ne ferait rien à Irina, évidemment, il se contenterait de la menacer. Elle ne s'attendrait pas moins au pire et serait terrifiée. À la place d'Irina, je deviendrais fou, songea-t-il. Quand il avait rejoint les rangs de l'armée Rouge, il n'avait jamais imaginé qu'il aurait à commettre de telles horreurs. Embrasser la carrière militaire, cela pouvait vous obliger à tuer des gens, certes. Mais de là à torturer des jeunes filles !

Le bâtiment commençait à se vider. Dans les bureaux, les lumières s'éteignaient et les couloirs se remplissaient d'hommes, la chapka vissée sur la tête.

De retour dans son bureau, Volodia appela la police militaire pour organiser l'arrestation d'Irina. Il convint qu'une petite escouade le retrouverait à trois heures et demie du matin. Après quoi, il enfila son manteau et rentra chez lui.

Il habitait chez ses parents, Grigori et Katerina, tout comme Ania, sa sœur de dix-neuf ans, qui était encore étudiante. Dans le tramway, il se demanda si cela valait la peine d'évoquer cette affaire avec son père. Il pouvait toujours lui demander si la torture était admissible dans une société communiste, mais il connaissait déjà la réponse : « C'est une nécessité provisoire. Pour le moment, il faut défendre la révolution contre les espions et autres éléments subversifs à la solde du capitalisme et de l'impérialisme. » Et s'il insistait pour savoir combien de temps on continuerait d'appliquer ces méthodes d'un autre âge, ni son père ni personne ne serait capable de lui indiquer une date précise.

À leur retour de Berlin, les Pechkov avaient emménagé dans la Maison du gouvernement, un grand immeuble de style constructiviste qui abritait plus de cinq cents appartements réservés à l'élite. Ce bâtiment était aussi surnommé la « maison sur le quai », car il était situé en face du Kremlin, de l'autre côté de la Moskova.

Volodia salua de la tête l'agent de la police militaire en faction à la porte et se dirigea vers l'ascenseur, à l'autre bout du hall d'entrée, tellement vaste que l'on y donnait parfois des soirées dansantes au son d'un orchestre de jazz. Leur appartement avait l'eau chaude et le téléphone, un luxe selon les normes soviétiques, mais il n'était pas aussi agréable que celui qu'ils avaient occupé à Berlin.

Sa mère, Katerina, était à la cuisine. Ce n'était pas un cordon bleu ni une maîtresse de maison accomplie, mais son père l'adorait. Il était tombé amoureux d'elle ce jour de 1914 où il l'avait arrachée aux griffes d'un policier malintentionné à Petrograd. À quarante-trois ans, elle était encore attirante, pensait Volodia, et plus élégante que la plupart des femmes russes. Il devinait que pendant ces années passées à l'étranger au sein du corps diplomatique, elle avait appris à s'habiller, tout en veillant à ne pas avoir l'air trop occidentale – un délit dans le Moscou des années 1930.

« Volodia, ta bouche ! Mais qu'est-ce qui t'est arrivé ? s'exclama-t-elle après avoir embrassé son fils.

— Oh, ce n'est rien. On attend quelqu'un à dîner ? s'enquit Volodia en humant une odeur de poulet.

— Ania a invité un ami.

— Un camarade de fac ?

— Je ne crois pas. Je ne sais pas trop ce qu'il fait. »

Volodia, qui aimait profondément sa sœur, se réjouit. Ania était loin d'être une beauté. Petite et boulotte, toujours mal fagotée dans des vêtements de couleurs ternes, elle n'avait pas beaucoup d'admirateurs. Qu'un garçon la trouve assez sympathique pour venir dîner chez elle, c'était déjà une bonne nouvelle.

Volodia se rendit dans sa chambre et retira sa veste. Puis il se lava le visage et les mains. Sa lèvre avait presque retrouvé son aspect normal : Markus ne l'avait pas frappé très fort. Il s'essuyait les mains quand un bruit de voix lui parvint : Ania et son ami étaient arrivés.

Il passa un chandail tricoté à la main pour être plus à l'aise et retourna à la cuisine. Ania était assise à table avec un petit jeune homme au visage de fouine que Volodia reconnut aussitôt.

Ilia Dvorkine ! L'agent du NKVD qui avait arrêté Irina ! Il avait quitté son déguisement d'ouvrier et était vêtu et chaussé normalement.

« Pechkov, bien sûr ! s'exclama Ilia, étonné. Je n'avais pas fait le rapprochement. »

Volodia se tourna vers sa sœur. « Ne me dis pas que ce type est ton petit ami !

— Comment ? Qu'est-ce qu'il y a ? s'écria Ania, consternée.

— Figure-toi que nous nous sommes rencontrés cet après-midi. Il a fait capoter une opération militaire de la plus haute importance en fourrant son nez dans des affaires qui ne le regardaient pas.

— Je faisais mon boulot, répliqua Dvorkine, et il s'essuya le nez sur sa manche.

— Joli boulot, en vérité !

— Ah non ! s'interposa Katerina. Vous n'allez pas nous assommer avec vos histoires de travail ! Volodia, sers à boire à notre invité, veux-tu ?

— Vraiment ?

— Vraiment ! » Les yeux de Katerina étincelèrent de colère.

À contrecœur, Volodia alla prendre la bouteille de vodka sur l'étagère, tandis qu'Ania sortait des petits verres d'un placard. Volodia les remplit. Katerina s'empara du sien.

« Recommençons selon les règles. Ilia, je vous présente mon fils Vladimir. Volodia, Ilia est l'ami d'Ania. Il va dîner avec nous. Serrez-vous la main ! »

Il ne restait à Volodia qu'à obtempérer.

Katerina déposa les zakouskis sur la table : poisson fumé, concombre mariné, charcuterie.

« L'été, nous avons la salade de la datcha, mais en cette saison, bien sûr, rien ne pousse », expliqua-t-elle d'un ton contrit. Volodia comprit qu'elle cherchait à impressionner Ilia. Sa mère voulait-elle vraiment qu'Ania épouse ce sale type ? Probablement, se dit-il.

Grigori fit alors son entrée, tout sourire, en se frottant les mains à la perspective du bon dîner qui l'attendait. Il était en uniforme de l'armée. À quarante-huit ans, il était corpulent et avait un visage rubicond. On avait du mal à se le représenter en train de prendre d'assaut le palais d'Hiver en 1917.

Il embrassa sa femme avec un plaisir manifeste. Elle avait l'air de lui être reconnaissante du désir sans bornes qu'il lui témoignait, sans pour autant le partager, songea Volodia : elle souriait quand il lui tapotait les fesses, l'étreignait quand il la serrait dans ses bras et lui rendait chacun de ses baisers, mais ce n'était jamais elle qui en prenait l'initiative. À l'évidence, elle l'aimait, le respectait, était heureuse de l'avoir pour époux, mais ne brûlait pas d'une passion dévorante pour lui.

« Ce n'est pas ce que j'attends du mariage », se dit Volodia. Le sujet n'était pas vraiment d'actualité car si le jeune homme avait eu une bonne dizaine de petites amies, il n'avait pas encore rencontré la femme qu'il souhaitait épouser.

Il remplit le verre de son père. Grigori but sa vodka d'un trait, avec bonheur, puis se servit en poisson fumé.

« Alors, Ilia, que faites-vous dans la vie ?

— Je suis au NKVD, répondit celui-ci avec fierté.

— Ah, vous avez bien de la chance de travailler pour cette remarquable institution ! »

Pure politesse, soupçonna Volodia. Son père n'en pensait certainement pas un mot. Néanmoins il aurait préféré que les siens se montrent franchement revêches envers Ilia pour le faire fuir.

« Je suppose que lorsque le reste du monde aura imité l'Union soviétique et adopté le communisme, Papa, on n'aura plus besoin de police secrète. Le NKVD n'aura plus de raison d'être. »

Grigori choisit de traiter ses propos avec désinvolture.

« Plus de police du tout ! lança-t-il d'un ton jovial. Plus de procès pour juger les criminels, plus de prisons. Plus de service de contre-espionnage, puisqu'il n'y aura plus d'espions, et plus d'armée non plus puisque tous les ennemis auront disparu de la surface de la terre ! Mais alors, de quoi vivrons-nous ? s'esclaffa-t-il de bon cœur. Enfin… ce n'est sûrement pas pour demain. »

Ilia avait pris l'air méfiant de celui qui subodore des sous-entendus subversifs sans pouvoir mettre le doigt dessus.

Katerina posa sur la table une assiette de pain noir et cinq bols fumants. Tout le monde commença à manger.

« Ah, le bortsch ! s'exclama Grigori. Quand j'étais petit, à la campagne, ma mère conservait tout l'hiver les épluchures de légumes, les trognons de pommes, les feuilles de chou trop dures pour être mangées, les pelures d'oignon, ce genre de choses, et elle mettait le tout dans un vieux tonneau qui restait à geler dehors. Au printemps, quand la neige avait fondu, elle en faisait du bortsch. Parce que c'est ça, le vrai bortsch, vous savez : de la soupe à base d'épluchures de légumes. Vous, les jeunes, vous n'avez pas idée de la chance que vous avez. »

On frappa à la porte. Comme Grigori s'étonnait, Katerina s'écria : « Ah, la fille de Konstantin devait passer ! J'avais complètement oublié !

— Zoïa Vorotsintseva ? demanda Grigori. Volodia, tu te souviens sûrement de sa mère Magda, la sage-femme ?

— Oui, bien sûr, et de Zoïa aussi. C'était une petite gamine blonde maigrichonne, non ? Toute bouclée. Je m'en souviens très bien.

— Ce n'est plus une gamine maintenant, elle a vingt-quatre ans, répliqua Katerina. C'est une scientifique. »

Elle se leva de table pour aller ouvrir.

« On ne l'a pas vue depuis la mort de sa mère, s'ébahit Grigori. Qu'est-ce qui la pousse à renouer avec nous aujourd'hui ?

— Elle veut te parler, répondit sa femme.

— À moi ? Et de quoi ?

— De physique. »

Katerina sortit sur le palier et Grigori enchaîna fièrement : « En 1917, son père et moi, on était tous les deux délégués au soviet de Petrograd. C'est nous qui avons eu l'idée du fameux décret numéro un. Malheureusement, ajouta-t-il avec tristesse, Konstantin est mort à la fin des années révolutionnaires.

— Si jeune ? Et de quoi ? » s'étonna Volodia.

Grigori jeta un bref coup d'œil en direction d'Ilia. « De pneumonie », et Volodia comprit qu'il mentait.

Katerina revint, suivie d'une femme qui laissa Volodia sans voix. Une beauté russe classique : un corps mince et élancé, des cheveux blond pâle, les yeux d'un bleu si clair qu'ils en semblaient presque incolores et la peau d'une blancheur immaculée. Elle portait une robe vert d'eau dont la simplicité attirait encore l'attention sur ses formes parfaites. Elle salua l'assemblée et accepta sans façon de partager leur repas.

« Alors comme ça, Zoïa, déclara Grigori, il paraît que tu travailles pour la science ?

— Je prépare mon doctorat et je donne des cours aux étudiants de premier cycle.

— Notre Volodia travaille dans les services de renseignement de l'armée Rouge, indiqua Grigori avec orgueil.

— Oh, comme c'est intéressant ! » répondit la jeune fille qui, de toute évidence, n'en pensait pas un mot.

Devinant que son père voyait déjà en elle une belle-fille en puissance, Volodia espéra de tout cœur qu'il n'en ferait pas trop. Il n'avait besoin de personne pour séduire Zoïa, et certainement pas de ses parents qui risquaient plutôt de la rebuter en vantant lourdement ses mérites. Il avait déjà décidé de lui demander un rendez-vous le soir même.

« La soupe te plaît ? demanda Katerina.

— Elle est délicieuse, merci. »

Volodia apprécia le naturel de cette splendide jeune fille. Fascinant mélange que cette simplicité et cette beauté qui n'abusait pas de son pouvoir de séduction.

Ania rassembla les bols et Katerina apporta le plat de résistance : un ragoût de poulet aux pommes de terre. Zoïa se servit. Elle enfournait une bouchée, la mâchait, l'avalait et recommençait aussitôt. Comme la majorité de la population, elle ne devait pas goûter souvent une nourriture de cette qualité.

« Dans quelle branche de la science t'es-tu spécialisée, Zoïa ? » s'enquit Volodia.

La jeune femme suspendit son geste avec un regret évident.

« La physique. On essaie de percer le mystère de l'atome, de découvrir de quoi il est constitué, ce qui assure la cohésion de ses différents éléments.

— Et c'est intéressant ?

— Absolument passionnant. » Elle reposa sa fourchette. « On saura bientôt de quoi est vraiment fait l'univers. Peut-on imaginer quelque chose de plus fascinant ? »

Son regard s'illumina. Visiblement, la physique était le seul sujet capable de l'arracher à son dîner.

« Je me demande bien en quoi toutes ces théories font avancer la révolution », lâcha Ilia, prenant la parole pour la première fois.

Les yeux de Zoïa flambèrent de colère, et Volodia la trouva encore plus belle.

« Certains camarades sous-estiment la recherche fondamentale et placent la pratique au-dessus de tout, répliqua la jeune fille. C'est une erreur. En effet, tous les progrès techniques, ceux de l'aviation par exemple, reposent sur des découvertes théoriques. »

Volodia dissimula un sourire : d'une seule phrase, Zoïa avait mouché Ilia. Mais elle n'avait pas fini.

« C'est pour ça que je voulais vous voir, camarade. Nous, les physiciens, nous lisons tout ce qui est publié en Occident dans notre domaine. Figurez-vous qu'ils ont la bêtise de divulguer leurs résultats au monde entier. Nous avons constaté récemment qu'ils sont en train de faire des avancées spectaculaires et alarmantes dans la compréhension de l'atome. La science soviétique risque d'être dépassée. C'est un grave danger. Je me demande si le camarade Staline en a conscience. »

Le silence s'abattit sur la pièce. La moindre critique à l'égard du secrétaire général du Parti était un sacrilège.

« Il est au courant de la plupart des choses, déclara Grigori.

— Oh, je n'en doute pas un instant, réagit Zoïa par pur automatisme. Mais peut-être serait-il bon, de temps à autre, que de loyaux camarades tels que vous attirent son attention sur certains points importants.

— Assurément.

— Il ne fait aucun doute pour moi, intervint Ilia, que le camarade Staline considère que la science doit être compatible avec l'idéologie marxiste-léniniste. »

Volodia surprit un éclair de défi dans les prunelles de Zoïa, mais elle baissa tout de suite les yeux et ajouta humblement : « Ce en quoi il a tout à fait raison, cela va sans dire. Comme il va sans dire que notre communauté scientifique doit redoubler d'efforts. »

Bel exemple de langue de bois. Toute la tablée s'en rendit compte, mais personne ne pipa mot. Les convenances devaient être respectées.

« Assurément, répéta Grigori. J'en toucherai un mot au Secrétaire général la prochaine fois que j'aurai l'occasion de m'entretenir avec lui. Il souhaitera peut-être approfondir cette question.

— Je l'espère vivement, s'écria Zoïa. Nous tenons tant à devancer l'Occident !

— Et en dehors de ton travail, qu'est-ce que tu fais de beau, Zoïa ? lança Grigori gaiement. Tu as un ami ? Un fiancé peut-être ?

— Papa ! protesta Ania. Cela ne nous regarde pas !

— Ni fiancé, ni petit ami, avoua gentiment Zoïa, sans paraître le moins du monde gênée par la question.

— Tu ne vaux pas mieux que mon fils, alors ! Volodia non plus n'a personne dans sa vie. Grand et beau comme il est, et avec tous ses diplômes, pas la moindre fiancée à l'horizon, à vingt-deux ans passés ! »

L'intéressé se tortilla sur sa chaise.

« J'ai du mal à le croire ! » renchérit Zoïa, et comme elle se tournait vers lui, Volodia vit que son regard pétillait d'humour.

« Assez, protesta Katerina en posant la main sur le bras de son mari. Tu embarrasses notre invitée. »

On frappa à nouveau à la porte.

« Encore ! s'exclama Grigori.

— Cette fois, je ne sais vraiment pas qui c'est », dit Katerina. Elle quitta la pièce pour revenir un instant plus tard, accompagnée du commandant Lemitov.

À la vue de son supérieur, Volodia bondit sur ses pieds, abasourdi. « Bonsoir, camarade commandant. Permettez que je vous présente mon père, Grigori Pechkov. Papa, le commandant Lemitov. »

Le nouveau venu esquissa un salut militaire.

« Repos, dit Grigori. Prenez un siège, Lemitov. Vous mangerez bien un peu de poulet avec nous. Mon fils aurait-il fait des siennes ? ajouta-t-il, exprimant à haute voix les craintes secrètes de Volodia.

— Non, camarade, au contraire. Je voudrais seulement m'entretenir avec vous deux. »

Volodia fut un peu rassuré. Peut-être n'y avait-il rien de grave, après tout.

« Eh bien, passons dans mon bureau, proposa Grigori en se levant. Nous avions pour ainsi dire fini de dîner.

— Vous ne seriez pas au NKVD, par hasard ? lança subitement Lemitov en dévisageant Ilia.

— Si, camarade, et fier de l'être ! Je me présente : Ilia Dvorkine.

— Ah ! L'agent qui a voulu arrêter Volodia cet après-midi.

— Il se comportait comme un espion. Et je ne me trompais pas, semble-t-il.

— Vous devriez apprendre à arrêter les espions ennemis, pas les nôtres. » Sur cette réplique, Lemitov tourna les talons.

Volodia sourit, ravi que Dvorkine se soit fait remettre à sa place pour la deuxième fois de la soirée. Il rejoignit son père et le commandant dans le bureau de Grigori, de l'autre côté du couloir. C'était une petite pièce chichement meublée. Grigori s'installa dans l'unique fauteuil. Lemitov s'assit à une petite table. Volodia resta debout à côté de la porte, après l'avoir fermée derrière eux. Lemitov s'adressa à Volodia :

« Tu as mis ton père au courant du message que nous avons reçu de Berlin cet après-midi ?

— Non, camarade commandant.

— Tu devrais lui raconter ça. »

Volodia s'exécuta. En apprenant la nouvelle, Grigori se frotta les mains. « Sensationnel, ce tuyau. À condition, bien sûr, que ce ne soit pas une manipulation. Mais j'en doute. Les nazis manquent d'imagination. Ce qui n'est pas notre cas : parce que nous, nous allons pouvoir arrêter ces espions allemands et transmettre de faux messages aux rebelles de la droite espagnole en utilisant leurs radios ! »

Volodia n'y avait pas songé un instant. Papa peut jouer les idiots devant Zoïa autant qu'il veut, se dit-il, il a encore l'esprit assez vif pour travailler dans le Renseignement.

« Exactement ! renchérit Lemitov.

— Drôlement courageux ce Werner, ton ancien copain de collège ! Et vous, Lemitov, comment comptez-vous régler ça ?

— L'idéal serait d'avoir en Espagne quelques gars très compétents pour enquêter sur ces Allemands. Des types du Renseignement, bien sûr. Ça ne devrait pas être trop difficile à mettre en place. Si les noms qui figurent sur cette liste sont vraiment ceux d'espions, on en trouvera bien la preuve : manuel de chiffrage, émetteurs radio, ne serait-ce que cela. » Il laissa sa phrase en suspens avant de poursuivre. « En fait, je suis venu vous trouver parce que j'ai l'intention d'envoyer votre fils là-bas. »

Volodia en resta bouche bée tandis que Grigori se rembrunissait. « Ah, lâcha-t-il d'un ton pensif. J'avoue que cette perspective m'inquiète, il va tellement nous manquer… Enfin, la défense de la révolution passe avant tout, bien sûr ! conclut-il avec résignation.

— De plus, il est bon qu'un agent du Renseignement ait l'expérience du terrain, ajouta Lemitov. Nous l'avons l'un comme l'autre, camarade Pechkov, mais la jeune génération n'a pas connu le feu.

— C'est vrai, c'est vrai… Dans combien de temps doit-il partir ?

— Dans trois jours. »

Volodia regarda son père : à l'évidence, Grigori cherchait désespérément un motif valable pour le garder auprès de lui. Volodia, pour sa part, était ravi. L'Espagne ! Du vin rouge comme le sang, des filles aux cheveux noirs et aux solides jambes brunes et un soleil radieux à la place de la neige de Moscou. Ce serait dangereux, bien sûr, mais il n'avait pas choisi l'armée pour vivre dans un nid douillet.

« Qu'est-ce que tu en dis, Volodia ? »

Son père espérait évidemment qu'il présenterait une objection recevable, mais la seule qui lui venait à l'esprit pour le moment était qu'il n'aurait pas le temps de faire la cour à cette fabuleuse Zoïa. « C'est une chance remarquable, un grand honneur pour moi que d'avoir été choisi pour une telle mission.

— Dans ce cas, tout est réglé, lança Grigori.

— Un dernier détail, reprit Lemitov. Il a été décidé en haut lieu que le Renseignement militaire aurait toute autorité pour mener les enquêtes. En revanche, les arrestations seront du ressort du NKVD. » Et il précisa avec un sourire dénué d'humour : « J'ai bien peur que tu ne sois obligé de travailler avec ton cher ami Dvorkine. »

2.

Incroyable, la rapidité avec laquelle on pouvait se mettre à aimer un lieu ! se dit Lloyd Williams. Cela ne faisait que dix mois qu'il était en Espagne et il éprouvait déjà pour cette contrée une passion presque aussi forte que pour son pays de Galles natal. Il aimait ces paysages calcinés où surgissait soudain une fleur, il prenait plaisir à faire la sieste, il appréciait le vin, toujours abondant même quand il n'y avait rien à manger. Il avait découvert ici des saveurs insoupçonnées : olives, poivrons, chorizo, pour ne rien dire de cet alcool qui vous brûlait la gorge et que les Espagnols appelaient *orujo*.

Carte à la main, il scrutait les alentours du haut d'un promontoire. Quelques prairies le long d'une rivière et des arbres à flanc de coteaux dans le lointain. Entre les deux, un désert aride et sans relief fait de poussière et de rochers. « Comme couverture, on a vu mieux ! dit-il d'une voix teintée d'anxiété.

— Ouais, renchérit Lenny Griffiths, debout à côté de lui. Ça ne va pas être du gâteau. »

Lloyd consulta sa carte : la ville de Saragosse, à cheval sur l'Èbre, se trouvait à environ cent cinquante kilomètres de l'endroit où le fleuve se jetait dans la Méditerranée. Situé à la jonction de trois cours d'eau, c'était un important carrefour de communications, le point où convergeaient toutes les voies routières et ferroviaires d'Aragon. Surtout, c'était là que s'affrontaient l'armée gouvernementale espagnole et les forces rebelles antidémocratiques, séparées l'une de l'autre par un no man's land aride.

Certains désignaient les forces gouvernementales sous le nom de « républicains », et les rebelles sous celui de « nationalistes ». Mais ces dénominations étaient trompeuses à deux titres : d'une part, bien des gens dans un camp comme dans l'autre étaient favorables à la République, en ce sens qu'ils ne voulaient plus être gouvernés par un roi ; d'autre part, des deux côtés, les combattants étaient nationalistes dans l'âme, en ce sens qu'ils aimaient leur pays et étaient prêts à mourir pour lui. Voilà pourquoi Lloyd préférait parler d'armée du gouvernement et de rebelles.

Saragosse était alors aux mains des rebelles de Franco et c'était d'un point situé quatre-vingts kilomètres plus au sud que Lloyd regardait en direction de cette ville. « Si on prend Saragosse, on bloquera l'ennemi au nord pendant tout l'hiver, dit-il.

— Si… », laissa tomber Lenny.

Il était difficile d'être optimiste, songea Lloyd lugubrement. Le mieux qu'on pût espérer était d'arrêter la progression des rebelles. Aucune avancée réelle ne se dessinait cette année-là pour les forces du gouvernement.

Lloyd aspirait pourtant à se battre. Ce serait sa première bataille depuis son arrivée en Espagne. Jusque-là, il était resté confiné au camp de base avec pour mission d'instruire les nouvelles recrues. On l'avait affecté là dès que l'on avait su qu'il avait suivi une formation d'officier à Cambridge. Les Espagnols avaient réduit d'emblée la durée de ses classes, et il avait été promu lieutenant. Sa tâche d'instructeur consistait à entraîner les gars jusqu'à ce que l'obéissance aux ordres devienne une seconde nature, à les faire marcher jusqu'à ce que leurs pieds cessent de saigner et que leurs ampoules se transforment en durillons, à leur apprendre à démonter et nettoyer les rares fusils qu'ils avaient à leur disposition.

Mais à présent, le flot de volontaires avait considérablement diminué, et les instructeurs avaient été versés dans les unités combattantes.

Lloyd avait reçu un béret, un blouson à fermeture Éclair avec un insigne indiquant son rang grossièrement cousu sur la manche et un pantalon en velours côtelé. Il était armé d'un fusil Mauser à canon court de fabrication espagnole et de munitions de 7 mm sans doute volées dans un arsenal de la Garde civile.

Il avait été séparé de Lenny et de Dave pendant un certain temps, mais ils avaient été regroupés ensuite au sein du bataillon britannique de la 15e Brigade internationale pour la bataille à venir. Avec sa barbe noire, Lenny paraissait maintenant dix ans de plus que ses dix-sept ans. Il avait été promu sergent. Il ne portait pas l'uniforme, mais une salopette bleue et un bandana rayé qui le faisaient ressembler à un pirate.

« Cette bataille n'a pas du tout pour objectif de coincer les rebelles dans le nord, dit-il. C'est politique. Cette région a toujours été acquise aux idées anarchistes. »

L'anarchisme en action… Lloyd avait pu s'en faire une idée pendant un court séjour à Barcelone. C'était le communisme à l'état pur, sous une forme joyeuse et conviviale. Même salaire pour les officiers et la troupe. Les salles à manger des grands hôtels étaient transformées en cantines pour les ouvriers ; les serveurs refusaient les pourboires en expliquant gentiment que c'était une pratique humiliante. À tous les coins de rue, des affiches dénonçaient la prostitution, exploitation inadmissible des camarades de sexe féminin. Tout cela dans une merveilleuse atmosphère de libération et de camaraderie, qui n'était pas du goût des Soviétiques, loin s'en faut.

Lenny reprit : « Et maintenant, le gouvernement a fait venir les troupes communistes de la région de Madrid et nous a tous incorporés dans la nouvelle armée de l'Est – sous commandement communiste, bien évidemment. »

Ce genre de discours plongeait toujours Lloyd dans le désespoir. Si la gauche voulait remporter la victoire, elle n'avait qu'une solution, il en était convaincu : rassembler toutes les factions. À Londres, c'est ce qui avait fini par se passer, au tout dernier moment, dans Cable Street. Mais anarchistes et communistes continuaient à se battre les uns contre les autres dans les rues de Barcelone. Il fit remarquer : « Negrín, le Premier ministre, n'est pas communiste, que je sache.

— Il pourrait tout aussi bien l'être.

— Il a simplement compris que, sans le soutien de l'Union soviétique, c'en est fini de nous.

— On devrait donc abandonner la démocratie ? Laisser les communistes s'emparer du pouvoir sans réagir ? »

Lloyd hocha la tête. Les discussions sur le gouvernement s'achevaient toujours sur cette même question : faut-il souscrire à toutes les exigences des Soviétiques sous prétexte qu'ils sont les seuls à nous vendre des armes ?

Ils redescendirent de leur promontoire. « Tu sais quoi ? lança Lenny. Je ne serais pas contre une bonne tasse de thé.

— Moi non plus ! Pour ma part, ce sera avec deux sucres. »

C'était une petite blague rituelle, car ni l'un ni l'autre n'avaient bu une goutte de thé depuis des mois.

Ils regagnèrent le camp près de la rivière. La section de Lenny avait investi un petit groupe de cabanons en pierre sèche, qui avaient dû servir d'étables autrefois, avant que les fermiers n'en aient été chassés par la guerre. Un peu plus loin en amont, un hangar à bateaux était occupé par des Allemands de la 11e Brigade internationale.

Dave Williams, le cousin de Lloyd, s'avança à leur rencontre. Comme Lenny, il avait vieilli de dix ans au cours de cette seule année. La maigreur durcissait ses traits, sa peau tannée était noire de poussière et des rides s'étaient creusées autour de ses yeux à force de plisser les paupières contre le soleil. Il portait la tenue réglementaire que bien peu de soldats possédaient au complet : tunique et pantalon kaki, ceinturon et gibecière en cuir, godillots fermés à la cheville. Il arborait un foulard en coton rouge autour du cou et tenait à la main un Moisin-Nagant, un vieux modèle de fusil russe à baïonnette à ressort, ce qui rendait l'arme plus maniable. À sa taille pendait un Luger 9 mm allemand, sans doute récupéré sur le cadavre d'un officier ennemi. De toute évidence, il était aussi précis avec un fusil qu'avec un pistolet.

« On a de la visite, leur annonça-t-il avec enthousiasme.

— Qui donc ?

— Une fille ! »

À l'ombre d'un peuplier noir difforme, une dizaine de soldats britanniques et allemands entouraient une femme d'une beauté inouïe.

« Oh, *Duw* ! lâcha Lenny, passant au gallois pour invoquer le Seigneur. Je dois avoir la berlue. »

Petite, avec de grands yeux et une masse de cheveux noirs remontés sous son calot, elle devait avoir dans les vingt-cinq ans, jugea Lloyd. Son uniforme, bien trop grand pour elle, l'habillait avec autant d'élégance qu'une robe du soir.

Un volontaire du nom de Heinz interpella Lloyd en allemand, sachant qu'il comprenait sa langue : « C'est Teresa, mon lieutenant. On nous l'envoie dans le cadre de la campagne d'alphabétisation. »

Lloyd lui indiqua d'un signe de tête qu'il avait compris. Les Brigades internationales étaient composées de volontaires étrangers, mais aussi de soldats espagnols souvent illettrés. Bien que l'Église catholique leur ait fait chanter des cantiques dans leurs écoles de village, nombreux étaient les curés qui préféraient ne pas apprendre à lire aux enfants, de peur qu'ils ne se plongent plus tard dans la lecture de textes socialistes. Sous la monarchie, la moitié seulement de la population espagnole savait lire et écrire. Avec la République, proclamée en 1931, la situation s'était un peu améliorée, mais des millions d'Espagnols étaient encore analphabètes. Raison pour laquelle on avait instauré sur le front ces cours destinés aux soldats.

« Je suis illettré, mentit Dave.

— Moi aussi ! renchérit Joe Eli, qui était professeur de littérature espagnole à l'université Columbia de New York. »

À quoi Teresa répliqua d'une chaude voix de gorge : « Vous savez combien de fois j'ai déjà entendu cette blague ? » Mais elle n'avait pas l'air vraiment fâchée.

Lenny s'approcha. « Sergent Griffiths. Je ferai tout ce qui est en mon pouvoir pour vous être utile, naturellement. »

La phrase, qui pouvait s'entendre d'un point de vue strictement pratique, avait été prononcée de façon telle qu'elle parut équivoque.

Teresa le gratifia d'un sourire radieux. « Cela me sera d'un grand secours, j'en suis sûre.

— Votre présence ici me ravit, señorita », intervint Lloyd à son tour dans son meilleur espagnol. Ces dix derniers mois, il avait passé une bonne partie de son temps à étudier cette langue. « Lieutenant Williams. Je peux vous indiquer exactement qui dans notre groupe a besoin de leçons… et qui peut s'en passer.

— Sauf que le lieutenant doit aller à Bujaraloz y recevoir des ordres », intervint Lenny sur un ton sans réplique. C'était la petite ville dont ils faisaient le siège. « Pendant ce temps, je peux vous faire faire le tour du camp. Pour choisir l'endroit où se tiendront les cours. » On aurait pu croire qu'il lui proposait une balade au clair de lune.

Lloyd signifia son assentiment en souriant. De toute façon, il n'était pas d'humeur à flirter alors que Lenny était déjà sous le charme. Et pour Lloyd, il n'avait aucune chance. En face de cette jeune femme de vingt-cinq ans, belle et instruite, qui devait collectionner les succès, ce gamin de dix-sept ans qui ne s'était pas lavé depuis un mois et ne connaissait du monde que sa mine de charbon ne faisait pas le poids. Mais il n'en dit rien. L'Espagnole n'était sûrement pas née de la dernière pluie.

Quelqu'un d'autre s'avança, un jeune homme de son âge que Lloyd eut l'impression d'avoir déjà rencontré. Mieux vêtu que les soldats, il portait un pantalon de laine et une chemise en coton, et avait à la ceinture un pistolet dans un étui fermé par un bouton. Il avait le crâne tondu à ras, selon la mode en vigueur chez les Russes. Il n'était que lieutenant et pourtant, il se dégageait de lui un air d'autorité, pour ne pas dire de puissance. « Je suis à la recherche du lieutenant Garcia, dit-il dans un excellent allemand.

— Il n'est pas ici, répondit Lloyd dans la même langue. Mais je vous connais ! »

Le Russe parut à la fois surpris et méfiant, comme s'il venait de découvrir un serpent dans son sac de couchage. « Vous vous trompez, déclara-t-il fermement. Je ne vous ai jamais rencontré.

— Si, si… je vous assure », insista Lloyd. Il claqua des doigts. « Mais oui, bien sûr ! À Berlin, en 1933. On s'est fait attaquer par des Chemises brunes ! »

Le visage du Russe exprima le soulagement. À croire qu'il s'était attendu à bien pire. « Mais oui. J'étais effectivement à Berlin à cette époque-là. Vladimir Pechkov.

— C'est ça ! Volodia… Au moment de cette bagarre, vous étiez accompagné d'un certain Werner Franck. »

L'espace d'un instant, Volodia sembla saisi de panique. Non sans mal il parvint à reprendre contenance. « Non, vous devez vous tromper. Je ne connais personne de ce nom. »

Voyant son embarras, Lloyd préféra ne pas insister, devinant pourquoi Volodia était aussi nerveux. Le NKVD, la police secrète soviétique, opérait en Espagne et s'y était fait une réputation de brutalité qui terrifiait tout le monde, Russes compris. Aux yeux de ces agents, tout Soviétique un tant soit peu aimable avec un étranger était considéré comme un traître potentiel.

« Je m'appelle Lloyd Williams.

— Ah, je me souviens ! dit Volodia en laissant peser sur lui le regard pénétrant de ses yeux bleus. Comme c'est bizarre de se retrouver ici.

— Pourquoi ? Nous luttons contre les nazis partout où nous le pouvons.

— Puis-je vous dire un mot en particulier ?

— Certainement. »

Ils s'éloignèrent de quelques mètres et Pechkov murmura : « Il y a un espion dans la section de Garcia.

— Un espion ? répéta Lloyd éberlué. Qui ça ?

— Un certain Heinz Bauer, un Allemand.

— Heinz ? C'est ce type, là-bas. En chemise rouge. Un espion ? Vous en êtes sûr ? »

Pechkov ne se donna pas la peine de répondre. « Je voudrais que vous le fassiez venir dans votre casemate si vous en avez une. Ou bien ailleurs, mais dans un lieu discret… Dans une heure, ajouta-t-il en consultant sa montre, une unité spéciale doit venir l'arrêter. »

Lloyd désigna du doigt un petit hangar : « J'utilise cet endroit comme bureau. Mais je dois d'abord en référer à mon supérieur. »

Son chef de bataillon, un communiste, n'aurait certainement pas envie de se mêler de cette affaire, Lloyd le savait, mais il voulait avoir un peu de temps pour réfléchir.

« Comme vous voudrez, répondit Volodia, qui de toute évidence se moquait bien de l'opinion du commandant. L'important, c'est que cet espion soit arrêté sans que ça fasse d'histoires. J'y tiens beaucoup. Je l'ai bien expliqué à l'unité chargée de l'arrêter : il est capital d'agir en toute discrétion. » Visiblement, il avait des doutes sur la façon dont ses ordres seraient respectés. « Moins il y aura de gens au courant, mieux cela vaudra.

— Pourquoi ? s'étonna Lloyd, mais il comprit immédiatement. Vous espérez le retourner, c'est ça ? En faire un agent double, pour qu'il transmette de faux renseignements à l'ennemi ? Et si trop de monde est au courant de son arrestation, d'autres espions risquent de prévenir les rebelles et, alors, adieu la désinformation !

— Il vaudrait mieux garder vos hypothèses pour vous ! répliqua Pechkov sèchement. Allons plutôt dans votre hangar.

— Une minute, se rebiffa Lloyd. Comment savez-vous que c'est un espion ?

— Je ne peux pas vous le dire. Raison de sécurité.

— C'est un peu mince, comme explication. »

À voir son exaspération, il était clair que Pechkov n'avait pas l'habitude qu'on lui demande de se justifier. La manie de discuter les ordres, si répandue parmi les combattants, était une des caractéristiques de cette guerre civile espagnole que les Russes avaient le plus de mal à supporter.

Avant que leur conversation n'ait pu se prolonger, deux hommes apparurent et s'avancèrent vers le groupe resté sous l'arbre. Le premier arborait une veste en cuir malgré la chaleur ; le second, apparemment le chef, se distinguait par sa maigreur, son long nez et son menton fuyant.

« C'est bien trop tôt ! » rugit Pechkov à l'adresse des nouveaux arrivants et il se lança dans une violente diatribe en russe.

Le maigre fit un geste dédaigneux et lança à la cantonade dans un espagnol approximatif : « Qui de vous est Heinz Bauer ? »

Personne ne répondit. Il s'essuya le nez avec sa manche.

Soudain, Heinz esquissa un mouvement. Rapide comme l'éclair, il se jeta sur l'homme en veste de cuir, le renversa au sol et détala. Le maigre tendit la jambe. Heinz trébucha et s'affala lourdement. Il roula et dérapa sur la terre sèche où il resta allongé un instant, étourdi. Délai fatal, car les deux Russes se précipitèrent sur lui au moment précis où il cherchait à se relever et le plaquèrent au sol.

L'Allemand ne se débattit pas, ce qui n'empêcha pas les Russes de le rouer de coups. Ils avaient sorti des matraques et se relayaient pour le frapper sur la tête et le corps, leurs bras se levant et s'abaissant selon une chorégraphie horrible. En l'espace de quelques secondes, Heinz eut le visage en sang. Cherchant désespérément à s'échapper, il se redressa sur les genoux. Ils le repoussèrent à terre. Il y resta, recroquevillé, gémissant : il avait son compte, de toute évidence. Mais les deux Russes n'en avaient pas fini avec lui, et continuèrent à le matraquer encore et encore.

Lloyd entreprit de ceinturer le maigrichon en lui hurlant d'arrêter, tandis que de l'autre côté, Lenny faisait de même avec le type en veste de cuir. Lloyd souleva son homme du sol dans une étreinte irrésistible ; Lenny envoya l'autre à terre d'un coup de poing. Soudain, ils entendirent crier en anglais : « Plus un geste, ou je tire ! »

Lloyd lâcha prise et se retourna, ébahi : Volodia avait dégainé son revolver, un Nagant M1895, l'arme de poing des Russes, et était en train de l'armer. « Ça ne se passera pas comme ça, Volodia. Menacer d'une arme un officier est une infraction qui relève de la cour martiale dans toutes les armées du monde, protesta Lloyd.

— Ne soyez pas idiot ! Depuis quand juge-t-on les Russes dans cette armée ? » Il abaissa tout de même son canon.

Le type à la veste en cuir leva sa matraque comme pour en frapper Lenny. Volodia aboya : « Bas les pattes, Bérézovski ! » Le Russe obéit.

D'autres soldats s'étaient précipités sur les lieux, attirés par ce mystérieux magnétisme qui incite les hommes à se rassembler dès qu'il y a une rixe. Ils étaient bien une vingtaine à présent.

Le maigrichon pointa le doigt sur Lloyd. « Vous vous mêlez de choses qui ne vous regardent pas ! dit-il dans un anglais teinté d'un fort accent.

— De quel droit débarquez-vous ici pour tabasser les gens ? rétorqua Lloyd tout en aidant l'Allemand ensanglanté à se remettre sur ses pieds.

— Ce type est un espion trotsko-fasciste, grinça le maigrichon entre ses dents.

— La ferme, Ilia ! » lança Volodia.

Mais l'autre n'en démordait pas. « Il a photographié des documents !

— Vous avez des preuves ? » demanda Lloyd calmement.

À l'évidence, Ilia n'en avait aucune. Ou se moquait bien d'en posséder.

Volodia soupira : « Qu'on fouille son barda !

— Toi ! » fit Lloyd en adressant un signe de tête à Mario Rivera, un caporal.

Mario courut au hangar à bateaux et disparut à l'intérieur.

Lloyd eut l'affreux pressentiment que Volodia disait vrai. Il se tourna vers Ilia : « Même si vous avez raison, cela ne vous dispense pas d'y mettre les formes !

— Les formes ? Nous sommes en guerre ! Pas en train de prendre le thé à l'anglaise.

— Ça vous épargnerait peut-être des affrontements inutiles. »

Ilia lâcha en russe une repartie méprisante.

Rivera ressortit du bâtiment. Il avait en main un appareil photo miniaturisé qui devait valoir une fortune ainsi qu'une liasse de documents officiels. Il remit le tout à Lloyd. Au sommet de la pile, se trouvait l'ordre du général daté de la veille, concernant le déploiement des troupes lors du prochain assaut. À la tache de vin qui maculait le papier, Lloyd reconnut avec ahurissement l'exemplaire qui lui en avait été remis personnellement. Heinz avait dû le dérober dans son abri. Il releva les yeux sur l'Allemand.

Heinz se raidit et claqua des talons. « *Heil Hitler !* » brailla-t-il en tendant le bras.

Ilia se rengorgea.

« Félicitations, Ilia, lâcha tout bas Volodia en russe. Belle victoire du NKVD. Grâce à toi, nous n'avons plus aucune chance de retourner ce prisonnier ! » Et il s'éloigna.

3.

Le mardi 24 août, Lloyd participa à son tout premier combat depuis qu'il avait posé le pied en Espagne.

Son camp, celui du gouvernement légitime, disposait de quatre-vingt mille hommes ; les rebelles antidémocratiques en avaient moins de la moitié. Les forces gouvernementales pouvaient également compter sur le soutien de deux cents avions, contre quinze du côté des rebelles.

Pour tirer le meilleur parti de leur avantage numérique et empêcher les rebelles de concentrer leurs effectifs limités sur un seul point, les forces gouvernementales s'étaient déployées sur un vaste front : une ligne nord-sud s'étirant sur cent kilomètres.

Sur le plan stratégique, c'était judicieux. Alors pourquoi était-ce inefficace ? se demanda Lloyd deux jours plus tard.

Tout avait plutôt bien commencé. Le premier jour, les forces gouvernementales avaient pris quatre villages, deux au nord de Saragosse et deux au sud. Le groupe de Lloyd, déployé au sud, avait réussi à s'emparer de Codo, malgré une résistance farouche. Le seul endroit où les républicains avaient essuyé un échec était au centre, en amont de la vallée de l'Èbre. Là, leur progression avait été jugulée à Fuentes de Ebro.

À Codo, avant la bataille, Lloyd avait connu la peur. Il n'avait pas fermé l'œil de la nuit, essayant, comme souvent avant un match de boxe, d'imaginer ce qui allait se passer. Mais quand le combat avait commencé, son angoisse s'était dissipée, parce qu'il avait été trop occupé pour y penser. À un moment, le pire sans doute, ils avaient dû traverser une garrigue sous le feu de défenseurs retranchés dans des bâtiments en pierre, alors qu'eux-mêmes avaient pour toute couverture des buissons rabougris. Mais pendant qu'il courait en zigzags, qu'il roulait à terre ou rampait sous des rafales meurtrières, pendant qu'il se relevait et recommençait à courir sur quelques mètres seulement, plié en deux, ce n'était plus de la peur qu'il avait ressentie mais plutôt une sorte de volonté désespérée de survivre.

Le plus grave problème était le manque de munitions : il fallait que chaque balle touche sa cible. S'ils avaient fini par prendre Codo, c'était grâce à leur supériorité numérique. Ce jour-là, ni Lloyd, ni Lenny, ni Dave n'avaient été blessés.

Les rebelles étaient résistants et courageux, tout comme les soldats des forces gouvernementales. Quant aux brigades étrangères, leur intrépidité n'était plus à démontrer : elles étaient constituées de volontaires venus spécialement en Espagne pour défendre un idéal, et ils étaient pleinement conscients qu'ils risquaient d'y laisser leur vie. Leur réputation de bravoure leur valait d'être souvent désignées pour monter à l'assaut en première ligne.

C'était le second jour que les choses s'étaient gâtées. Au nord, les forces gouvernementales n'avaient pas poursuivi leur progression, hésitant à s'avancer sous prétexte qu'elles manquaient de renseignements sur les défenses ennemies – piètre excuse, selon Lloyd. Le groupe du centre n'avait pas réussi à briser la résistance des défenseurs de Fuentes de Ebro, malgré les renforts reçus le troisième jour, et presque tous les chars engagés dans la bataille avaient été détruits, à la grande consternation de Lloyd. Quant à son propre groupe, il avait reçu l'ordre d'effectuer un mouvement tournant en direction de Quinto, un village situé au bord du fleuve, au lieu de continuer sa poussée en avant. Là encore, ils avaient dû faire face à une défense acharnée dans des combats de rues. Quand enfin l'ennemi s'était rendu, le groupe de Lloyd avait fait un millier de prisonniers.

Maintenant, dans la lumière du soir, Lloyd était assis sur le parvis d'une église détruite par les tirs d'artillerie, au milieu de ruines fumantes et de corps étrangement immobiles : les soldats morts au combat. Un groupe d'hommes épuisés s'était rassemblé autour de lui : Lenny, Dave, Joe Eli, le caporal Rivera, et aussi un Gallois, un certain Muggsy Morgan. Les Gallois étaient si nombreux en Espagne qu'on avait composé une chansonnette pour railler le fait qu'ils portaient presque tous les mêmes noms.

Y avait un gars qui s'appelait Price
Un autre gars du nom de Price
Un troisième gars du nom de Roberts
Un quatrième qui s'appelait Roberts
Et un cinquième, encore un Price.

Les hommes attendaient patiemment de voir s'ils auraient à dîner ce soir-là. Ils fumaient en silence, trop exténués pour plaisanter avec Teresa. La jeune femme était restée à leurs côtés, faute de moyen de transport pour regagner l'arrière. On entendait encore des tirs sporadiques : l'opération de nettoyage se poursuivait à quelques rues de là.

« Qu'est-ce qu'on a gagné, dans tout ça ? demanda Lloyd, s'adressant à Dave. On a utilisé nos rares munitions, on a perdu quantité d'hommes et on n'a pas bougé d'un pouce. Pire, on a donné aux fascistes le temps de faire venir des renforts.

— Une belle connerie, et je vais te dire pourquoi », répondit Dave avec son accent de l'East End. Son âme s'était encore plus endurcie que son corps, il était devenu cynique et méprisant. « C'est parce que nos officiers ont plus peur de leurs commissaires politiques que de ces salauds d'ennemis. Pour un oui ou pour un non, ils se font cataloguer comme espions trotskistes à la solde du fascisme et torturer à mort. Du coup, plus une tête ne dépasse et personne n'a le courage de tenter quelque chose. L'immobilité, ils ne jurent que par ça ! Surtout, pas d'initiative, ne pas prendre de risques. Combien tu paries qu'ils n'osent même pas aller chier sans un ordre en trois exemplaires ? »

Cette analyse cinglante était-elle juste ? se demanda Lloyd. Il est vrai que les communistes réclamaient à longueur de temps plus de discipline et de sens de la hiérarchie. Autrement dit, une armée aux ordres des Russes. Malgré tout, ils n'avaient pas complètement tort, estimait Lloyd. D'un autre côté, une discipline trop stricte finissait par étouffer toute réflexion. Était-ce la raison de leur échec ? Non, Lloyd se refusait à le croire.

Tout de même, tous ces communistes, ces anarchistes et ces sociaux-démocrates devaient pouvoir se battre pour la même cause sans se tirer dans les pattes. Ils détestaient tous le fascisme et croyaient en l'avènement d'une société plus juste pour tout le monde.

Il aurait bien voulu savoir ce qu'en pensait Lenny. Mais celui-ci, assis à l'écart avec Teresa, s'entretenait avec la jeune femme à voix basse, et Lloyd la vit rire à ses propos. Les affaires de Lenny semblaient en bonne voie : faire rire une fille, c'était toujours bon signe. L'Espagnole posa la main sur le bras de Lenny et lui murmura quelques mots avant de se lever. « Reviens vite », répondit-il et elle lui sourit par-dessus son épaule.

Il en avait de la chance, ce Lenny ! pensa Lloyd sans jalousie. Les amourettes, ce n'était pas pour lui, ça ne l'intéressait pas. Probablement était-il trop entier. La seule fille qui l'ait jamais vraiment attiré était Daisy, et elle avait épousé Boy Fitzherbert ! À ce jour, il n'avait pas encore rencontré celle qui la remplacerait dans son cœur. Cela viendrait sûrement, mais en attendant, il n'avait pas très envie de se trouver une remplaçante de fortune, fût-elle aussi séduisante que Teresa.

« Voilà les Russes qui rappliquent ! » s'exclama Jasper Johnson, un Noir de Chicago, électricien de son état. Lloyd tourna la tête. Une dizaine de conseillers militaires traversaient le village d'un pas conquérant. On reconnaissait les Russes à leurs vestes de cuir et à leurs étuis de revolver à bouton. « C'est bizarre, on ne les a pas vus pendant le combat, continua Jasper sur un ton sarcastique. Probable qu'ils étaient dans un autre coin du champ de bataille. »

Lloyd regarda autour de lui pour s'assurer qu'aucun commissaire politique ne traînait dans les parages et n'avait surpris cette remarque subversive.

Parmi les Russes qui traversaient le cimetière de l'église bombardée, Lloyd repéra Ilia Dvorkine, cette fouine de la police secrète avec qui il s'était accroché la semaine précédente. Il le vit s'arrêter à hauteur de Teresa, et baragouiner quelque chose dans son mauvais espagnol à propos d'un dîner.

Elle répondit. Il insista. Elle secoua la tête, refusant manifestement sa proposition. Alors qu'elle faisait mine de s'éloigner, il la rattrapa par le bras.

Lloyd vit Lenny se redresser d'un air inquiet, les yeux fixés sur les deux silhouettes encadrées par une arche de pierre qui ne menait plus nulle part.

« Et merde ! » marmonna Lloyd.

Teresa tenta encore de se dégager mais Ilia ne la lâchait pas.

Lenny fit un geste pour se lever. Lloyd posa la main sur son épaule pour le forcer à se rasseoir. « Laisse, je vais régler ça.

— Fais gaffe, mon pote, souffla Dave tout bas. Ces salauds du NKVD, mieux vaut ne pas se frotter à eux. »

Lloyd s'approcha de Teresa et d'Ilia.

« Dégage, toi ! lui lança le Russe en espagnol en l'apercevant.

— Salut Teresa ! fit Lloyd.

— Ça va, je peux me débrouiller toute seule.

— Mais je te connais, toi ! s'écria Ilia en scrutant plus attentivement les traits de Lloyd. La semaine dernière, déjà, tu as prétendu m'empêcher d'arrêter un dangereux espion trotskiste à la solde des fascistes !

— Et cette jeune femme est une dangereuse espionne, elle aussi ? Je croyais que vous vouliez juste l'inviter à dîner ? »

L'air mauvais, Bérézovski, l'acolyte d'Ilia, vint se planter à côté de Lloyd.

Du coin de l'œil, Lloyd vit Dave porter la main au Luger suspendu à sa ceinture. Ça commençait à partir en vrille.

« Señorita, le colonel Bobrov veut vous voir au QG immédiatement. Suivez-moi, s'il vous plaît, je vais vous escorter. »

Bobrov était un « conseiller » militaire russe. Il n'avait pas convoqué Teresa, mais Ilia ne pouvait pas le savoir.

L'espace d'un moment, Lloyd se demanda comment les choses allaient tourner. Mais un coup de fusil retentit tout près, peut-être dans la rue voisine, et le bruit ramena le Russe à la réalité. Teresa s'écarta et cette fois, Ilia la laissa partir. « Je te retrouverai, toi ! » dit-il à Lloyd en pointant sur lui un index belliqueux et en le quittant de façon théâtrale, avec Bérézovski qui le suivait comme un petit chien.

« Connard ! » grogna Dave.

Ilia fit celui qui n'avait pas entendu.

Tout le monde se rassit et Dave déclara : « Tu ne t'es pas fait un copain, Lloyd.

— Je n'avais pas vraiment le choix.

— Méfie-toi quand même dorénavant.

— Des disputes à cause d'une fille, il y en a des milliers par jour », répliqua Lloyd sur un ton désinvolte.

Comme la nuit tombait, une cloche appela les soldats. La cuisine roulante servit à Lloyd une gamelle de ragoût maigre accompagnée d'un quignon de pain rassis et d'une grande tasse d'un vin rouge si aigre qu'il crut que l'émail de ses dents allait se dissoudre. Il trempa son pain dans le vin, ce qui améliora un peu les deux.

Le repas s'acheva, le laissant affamé. Comme d'habitude. « Je ne serais pas contre une bonne tasse de thé, pas vous ?

— Et comment ! répliqua Lenny. Pour moi, avec deux sucres, s'il te plaît. »

Ils déroulèrent leurs minces couvertures et s'apprêtèrent à dormir. Lloyd partit à la recherche de latrines. N'en trouvant pas, il se soulagea dans un petit verger en bordure du village. La lune était aux trois quarts pleine, et il distinguait les feuilles poussiéreuses des oliviers qui avaient été épargnés par les bombardements.

Comme il se reboutonnait, il entendit des pas et se retourna lentement. Trop lentement. Au moment où il reconnaissait Ilia, un gourdin s'abattit sur sa tête. Il éprouva une douleur atroce et s'écroula. À moitié assommé, il releva les yeux pour découvrir Bérézovski braquant sur lui son revolver à canon court.

« Pas un geste ou tu es mort. » C'était la voix d'Ilia.

Terrifié, Lloyd se mit à secouer la tête dans l'espoir d'y voir plus clair. C'était insensé. « Mort ? répéta-t-il, incrédule. Et comment expliqueras-tu l'assassinat d'un lieutenant ?

— Un assassinat ? Sur la ligne de front ? Une balle perdue, tu veux dire ! La malchance », précisa l'autre, passant de l'espagnol à l'anglais.

Évidemment, se dit Lloyd, Ilia avait raison. Quand on retrouverait son corps, on penserait qu'il avait été tué au cours de la bataille. Quelle bêtise de mourir ainsi !

« Achève-le ! » ordonna Ilia.

Il entendit une violente détonation, mais ne ressentit rien. C'était donc ça, la mort ? Puis Bérézovski chancela et s'effondra. Lloyd se rendit compte que le coup avait été tiré derrière lui et se retourna, ahuri. Dans le clair de lune, il reconnut Dave, son Luger volé solidement en main. Un soulagement plus violent qu'un raz de marée le submergea : il était vivant !

Ilia avait aperçu Dave, lui aussi, et avait pris ses jambes à son cou, fuyant tel un lièvre effrayé.

Dave le suivit du canon de son revolver pendant plusieurs secondes, tandis qu'en son for intérieur, Lloyd l'adjurait de tirer. Mais Ilia filait entre les oliviers avec la frénésie d'un rat pris dans un labyrinthe, et il parvint à se fondre dans l'obscurité.

Dave abaissa son arme.

Lloyd regarda Bérézovski : il ne respirait plus. « Merci, Dave.

— Je t'avais pourtant dit de surveiller tes arrières !

— Tu l'as fait pour moi. Dommage que tu n'aies pas eu Ilia parce que maintenant, toi aussi, tu es dans le collimateur du NKVD.

— Pas sûr ! Il n'aura sûrement pas envie qu'on sache que son pote s'est fait descendre à cause de lui, pour une histoire de fille en plus. Même les gars du NKVD ont la trouille du NKVD. À mon avis, il va garder ça pour lui.

— Et nous, comment est-ce qu'on va expliquer ça ? demanda Lloyd en désignant le corps.

— Tu l'as entendu, non ? On est sur la ligne de front. Pas besoin d'autre explication. »

Lloyd hocha la tête : une balle perdue… Dave et Ilia avaient tous les deux raisons. Qui donc chercherait à savoir dans quelles circonstances précises Bérézovski avait trouvé la mort ?

Ils s'en allèrent, abandonnant le cadavre à son sort. Et Dave d'ironiser : « Tu parles d'une malchance ! »

4.

L'attaque contre Saragosse était dans l'impasse. Lloyd et Lenny allèrent trouver le colonel Bobrov pour lui exposer la situation. C'était un officier aux cheveux blancs frisés coupés court, proche de la retraite, respectant l'orthodoxie marxiste au pied de la lettre. Théoriquement, les Russes n'étaient sur le terrain que pour aider et conseiller les commandants espagnols. En réalité, ils dirigeaient entièrement les opérations.

« Nous perdons du temps et de l'énergie sur de petits villages, déclara Lloyd en allemand, exprimant ainsi l'opinion générale des soldats. Les chars sont censés enfoncer les lignes de l'ennemi et progresser profondément sur son territoire. Puis vient l'infanterie qui nettoie et sécurise les lieux une fois l'ennemi dispersé. »

Volodia, debout non loin de là, semblait approuver son discours à en croire son expression. Mais il ne soufflait mot.

« Ces hameaux ne sont que de misérables poches de résistance. Ils ne devraient pas retarder notre avance, poursuivit Lloyd. On devrait les contourner et laisser la seconde ligne s'en occuper. »

Bobrov affichait l'air offusqué d'un évêque à qui Lloyd aurait demandé de se prosterner devant Bouddha. « Mais ce que vous envisagez là, c'est la théorie qui a été proposée par le maréchal Toukhatchevski, dit-il en baissant le ton. Un homme discrédité !

— Et alors ?

— C'était un traître et un espion. Il a tout avoué et a été exécuté. »

Lloyd le dévisagea, incrédule. « Vous me dites que le gouvernement espagnol ne peut pas appliquer la tactique moderne d'utilisation des blindés parce qu'à Moscou, un général a été liquidé au cours d'une purge ?

— Lieutenant, vous dépassez les bornes !

— Ce n'est pas parce que Toukhatchevski a été reconnu coupable que ses théories sont erronées.

— Suffit ! explosa Bobrov. Le débat est clos ! »

Les derniers espoirs que Lloyd pouvait conserver s'effondrèrent définitivement lorsque son bataillon reçut l'ordre de quitter Quinto pour regagner le secteur d'où il était venu. Le 1er septembre, il prit part à l'attaque contre Belchite, une ville très bien défendue, mais dénuée de tout intérêt stratégique puisqu'elle se trouvait à quarante kilomètres de leur objectif.

La bataille fut dure, là aussi.

Lloyd et sa section avaient atteint les faubourgs de Belchite sans enregistrer de pertes quand soudain, ils se trouvèrent sous le feu d'un tir nourri en provenance des fenêtres et des toits. Quelque sept mille rebelles étaient retranchés au sommet d'une colline voisine et à l'intérieur de l'église San Agustín, la plus grande de la ville.

Au sixième jour, on en était toujours au même point.

Avec la chaleur, la puanteur était insupportable : aux corps des hommes tombés au combat s'ajoutaient les dépouilles des bêtes décimées par la soif car l'alimentation en eau avait été coupée. Partout où l'on pouvait, on rassemblait les cadavres et on les aspergeait d'essence pour les faire brûler. Et l'odeur de ces chairs calcinées était pire encore que celle de la pourriture. L'air était tellement irrespirable qu'un grand nombre de soldats portaient leur masque à gaz.

C'était l'hécatombe dans les ruelles étroites entourant l'église. Lloyd avait trouvé un moyen pour passer d'une maison à l'autre sans sortir dans la rue. Grâce à Lenny qui avait déniché des outils dans un atelier, à présent, deux hommes s'employaient à percer un trou dans le mur de la maison où ils s'étaient tous mis à couvert. Joe Eli, le crâne luisant de sueur, maniait la pioche, tandis que le caporal Rivera, en chemise à rayures rouge et noir, couleurs des anarchistes, brandissait une masse. Le mur était fait de ces briques plates et jaunes typiques de la région, assemblées à l'aide d'un mortier friable. L'opération se déroulait sous la direction de Lenny qui vérifiait qu'ils ne risquaient pas de faire s'écrouler la totalité du bâtiment ; en tant que mineur, il savait d'instinct quelle confiance accorder à un toit.

Une fois dégagée une ouverture assez grande pour le passage d'un homme, Lenny fit un signe de tête à Jasper, caporal lui aussi. L'Américain sortit de son étui à munitions l'une des rares grenades qui lui restaient encore, la dégoupilla et la balança dans la maison voisine, pour prévenir tout risque d'embuscade.

Immédiatement après l'explosion, Lloyd s'engouffra dans la brèche, fusil à la main. Il déboucha dans une masure identique à la précédente, aux murs blanchis à la chaux et au sol en terre battue. Il n'y avait personne. Ni morts ni vivants.

Les trente-cinq hommes de sa section le rejoignirent et fouillèrent consciencieusement les lieux. La petite maison était déserte.

Progressant ainsi, lentement mais sûrement, ils parcoururent toute une longueur de rue en direction de l'église.

Ils s'attaquaient au mur suivant quand un chef de bataillon du nom de Marquez les rejoignit en passant par la voie qu'ils avaient percée. « Arrêtez tout ! ordonna-t-il dans un anglais fortement teinté d'accent espagnol. On donne l'assaut à l'église. »

Lloyd s'immobilisa. C'était suicidaire. « C'est une idée du colonel Bobrov ?

— Oui, répondit le commandant d'un air peu convaincu. Attendez le signal : trois coups de sifflet distincts.

— On peut avoir des munitions ? demanda Lloyd. On en manque sacrément, surtout pour une opération pareille.

— Pas le temps ! » répondit l'autre et il repartit.

Lloyd était horrifié. Il avait appris bien des choses en quelques jours de combat. Notamment que le seul moyen de prendre une position bien défendue était de monter à l'assaut sous la protection d'un tir de défense nourri. Faute de quoi, les assiégés vous fauchaient comme de l'herbe.

Ses hommes allaient se rebiffer, il le lisait sur leurs visages. « Mission impossible ! » déclarait déjà le caporal Rivera.

Sachant qu'il était seul responsable du moral de ses hommes, Lloyd lui rétorqua d'un ton enjoué : « Hé, tu ne vas pas pleurnicher ! Vous êtes tous des volontaires ! Qu'est-ce que tu croyais en t'engageant ? Que la guerre, c'est une partie de plaisir ? Si c'était le cas, tes sœurs la feraient à ta place ! » Les hommes rirent de bon cœur. Le danger était écarté. Du moins pour le moment.

Lloyd s'avança vers la porte d'entrée, l'entrebâilla et glissa un œil au-dehors. Un soleil radieux éclairait une ruelle étroite, bordée des deux côtés de maisons et de boutiques du même ocre pâle que le sol, couleur de pain à peine cuit, sauf aux endroits où les bombes s'étaient enfoncées jusqu'à la terre rouge. Juste à côté de la porte, un milicien gisait, mort, un essaim de mouches festoyant autour du trou dans sa poitrine. Lloyd releva les yeux vers l'église : devant l'édifice, la rue s'élargissait pour former une place. Les tireurs dissimulés dans les deux hautes tours avaient donc une vue parfaite et n'auraient aucun mal à mettre en joue quiconque tenterait de s'approcher. D'autant que le terrain n'offrait aucune couverture hormis des débris épars, un cheval mort et une brouette.

On va tous y rester ! songea-t-il. Mais après tout, on s'en doutait en venant ici !

Il rejoignit ses hommes. Que leur dire pour ne pas les décourager ?

« Faites gaffe à bien rester plaqués contre les maisons, les gars ! Et rappelez-vous : plus vous perdrez de temps à remonter la rue, plus vous prendrez de risques. Alors, au coup de sifflet, foncez, c'est compris ! »

Trois coups de sifflet. Le signal du commandant Marquez. Il ne l'attendait pas si tôt !

« Lenny, tu pars le dernier !

— Et le premier, c'est qui ?

— Moi, bien sûr. »

Adieu, le monde ! pensa Lloyd. Au moins, je mourrai en me battant contre les fascistes.

Il ouvrit grand la porte. « En avant ! » cria-t-il, et il s'élança.

Rien n'entrava sa course vers l'église, l'effet de surprise lui ayant procuré quelques secondes de répit. Il sentait sur son visage la chaleur du soleil de midi et entendait dans son dos le martèlement des godillots de ses hommes. Il songea, avec un curieux élan de gratitude, que ces sensations signifiaient qu'il était toujours en vie. Puis des coups de feu éclatèrent comme un orage de grêle. Lloyd courut encore quelques fractions de seconde au milieu d'une pluie de balles qui sifflaient et claquaient tout autour de lui, avant d'avoir l'impression de s'être cogné violemment le bras gauche. Il tomba, sans comprendre comment.

Il avait été touché, évidemment, même s'il ne ressentait pas de douleur, seulement un engourdissement : son bras pendait inerte le long de son corps. Il réussit à rouler sur le côté jusqu'au mur le plus proche. Les tirs continuaient et il était terriblement vulnérable. Quelques mètres devant lui, il aperçut un mort : un soldat rebelle adossé à la façade d'une maison comme s'il s'était assis par terre pour prendre un instant de repos et s'était endormi. À ce détail près qu'il avait un trou dans le cou.

En se tortillant maladroitement sur le sol, son fusil dans la main droite, son bras gauche à la traîne, Lloyd parvint à s'approcher de lui. Là, il s'accroupit derrière le corps en essayant de se faire tout petit.

Le canon de son fusil posé sur l'épaule du rebelle, il visa une ouverture au sommet du clocher et tira à la file les cinq cartouches de son chargeur. Avait-il touché quelqu'un ? Il n'en savait rien.

Son regard revint vers la rue et il constata avec horreur qu'elle était jonchée de cadavres. C'étaient les hommes de sa section. Le corps immobile de Mario Rivera sous sa chemise rouge et noir ressemblait à un drapeau anarchiste roulé en boule ; à côté de lui, Jasper Johnson, dont la tête crépue baignait dans le sang. Tout ce chemin depuis une usine de Chicago pour mourir dans la rue d'une bourgade espagnole, songea Lloyd, uniquement parce qu'il croyait en un monde meilleur.

Mais le spectacle le plus atroce était celui des survivants. Ils gémissaient et criaient, affalés par terre. Quelque part, quelqu'un hurlait à l'agonie, mais Lloyd ne voyait ni qui, ni où. Plusieurs de ses hommes couraient encore, mais certains tombèrent sous ses yeux ou se jetèrent volontairement au sol. Quelques secondes plus tard, plus rien ne bougeait dans la rue, sauf les blessés.

Un massacre ! À cette pensée, il s'étrangla de colère et de douleur.

Où étaient passées les autres unités ? Sa section ne pouvait pas être la seule à avoir été envoyée à l'attaque ! D'autres avançaient peut-être dans les rues adjacentes ! Pareil assaut exigeait un nombre de soldats écrasant. Avec ses trente-cinq hommes, Lloyd ne faisait pas le poids. D'ailleurs, ils avaient presque tous été tués, et les rares rescapés avaient été contraints de se mettre à couvert bien avant d'avoir atteint l'église.

Il croisa le regard de Lenny, caché derrière le cheval mort. Lui au moins était vivant ! Lenny brandit son fusil avec une mimique d'impuissance : il était à court de balles, comme lui-même. Dans la minute qui suivit, on n'entendit plus tirer un seul coup de feu depuis la rue : plus personne n'avait de munitions.

La mission avait échoué, c'était terminé. S'emparer de l'église était en tout état de cause impossible. Le tenter sans munitions aurait été un suicide parfaitement inutile.

Le déluge de feu qui se déversait depuis le clocher de l'église avait diminué à mesure que les cibles les plus faciles à atteindre avaient été éliminées, mais l'ennemi continuait à tirer sporadiquement sur les soldats qui s'étaient mis à couvert. Lloyd comprit qu'ils allaient tous se faire tuer. Il fallait se replier, même s'ils risquaient aussi de se faire massacrer pendant qu'ils battraient en retraite.

Il attira de nouveau l'attention de Lenny. Agitant énergiquement le bras, il désigna l'arrière, la direction opposée à l'église. Lenny balaya des yeux l'espace qui l'entourait et répéta le geste à l'intention des rares survivants. Ils mettraient plus de chances de leur côté en effectuant la manœuvre tous en même temps.

Quand ils eurent prévenu le plus grand nombre, Lloyd se mit debout en vacillant.

« Repli ! » hurla-t-il à pleins poumons.

Puis il s'élança.

La distance à couvrir n'excédait pas deux cents mètres, mais ce fut le plus long parcours de sa vie. Les rebelles retranchés dans l'église avaient ouvert le feu dès qu'ils avaient vu bouger les troupes gouvernementales. Tout en courant d'un pas saccadé, Lloyd, déséquilibré par son bras blessé, crut compter cinq ou six de ses gars qui suivaient son exemple. Les façades s'effritaient sur son passage. Lenny filait devant lui, apparemment indemne. Il réussit à s'engouffrer dans la maison d'où ils avaient surgi et lui tint la porte ouverte. Lloyd y pénétra, la respiration rauque et haletante et s'effondra dès qu'il fut à l'intérieur. Trois autres de leurs compagnons les rejoignirent.

Lloyd promena les yeux sur le groupe qui se tenait devant lui : Lenny, Dave, Muggsy Morgan et Joe Eli, tous hors d'haleine et essayant de reprendre leur souffle. « C'est tout ?

— Oui, répondit Lenny.

— Cinq sur trente-six, c'est impossible !

— Bobrov, le génie des conseillers militaires ! »

Subitement, son bras gauche se rappela à Lloyd, lui faisant un mal de chien. Il tenta de le bouger. Il y parvint péniblement : peut-être n'était-il pas cassé, après tout ? Baissant les yeux vers sa manche, il vit qu'elle était trempée de sang. Dave dénoua son foulard rouge et lui mit tant bien que mal le bras en écharpe.

Lenny avait été touché à la tête et son visage était couvert de sang. « Simple égratignure », affirma-t-il. Il ne semblait pas souffrir.

Quant à Dave, Muggsy et Joe Eli, ils étaient indemnes, miraculeusement.

« On ferait bien de retourner à la base prendre les ordres, décida Lloyd après qu'ils se furent reposés quelques minutes. De toute façon, on ne peut rien faire sans munitions.

— Et si nous buvions d'abord une bonne tasse de thé ? proposa Lenny.

— Impossible, répliqua Lloyd, on n'a pas de petites cuillers.

— Tant pis, alors !

— On ne peut pas rester encore un peu ?

— On se reposera à l'arrière, décréta Lloyd. C'est plus sûr. »

Ils refirent le chemin en sens inverse, remontant la rangée de maisons en se faufilant par les trous pratiqués dans les murs à l'aller. À force de se pencher, Lloyd fut pris de vertige et il se demanda si sa faiblesse était due au sang qu'il avait perdu.

Ils ressortirent hors de vue de l'église San Agustín et s'engagèrent dans une rue latérale, soulagés d'être encore vivants. Ce soulagement, chez Lloyd, laissa rapidement place à la rage d'avoir perdu tant d'hommes inutilement.

Ils parvinrent à rejoindre les faubourgs de la ville et la grange où les forces gouvernementales avaient établi leur quartier général. Derrière une pile de caisses, le commandant Marquez distribuait des munitions. Lloyd l'apostropha avec fureur. « Pourquoi est-ce qu'on n'a pas pu en avoir, nous ? »

Marquez se contenta de hausser les épaules.

« Je ferai un rapport à Bobrov ! » lança Lloyd.

Le colonel, le visage rougi par un coup de soleil, était justement devant la grange en grande conversation avec Volodia Pechkov. Il était assis sur une chaise probablement trouvée

– comme la table qui se trouvait devant lui – dans une maison du village. Lloyd marcha droit sur eux. « On nous a fait monter à l'assaut de l'église sans le moindre soutien. Et nous nous sommes trouvés à court de munitions parce que Marquez a refusé de nous en fournir ! »

Bobrov le dévisagea froidement. « Qu'est-ce que vous fichez ici ? »

Lloyd en resta ébahi. Il s'attendait à des félicitations pour son acte de bravoure, ou du moins à quelques mots compatissants.

« Je viens de vous le dire : absence totale de soutien. On ne prend pas un bâtiment fortifié avec une seule section. Nous avons fait de notre mieux, mais nous nous sommes fait massacrer. J'ai perdu trente et un hommes sur trente-six. » Il désigna ses quatre compagnons. « C'est tout ce qui reste de ma section !

— Qui vous a donné l'ordre de vous replier ? »

Lloyd luttait contre le vertige et craignait de s'écrouler, mais il devait expliquer à Bobrov avec quel courage ses hommes s'étaient battus. « Nous sommes venus aux ordres. Que pouvions-nous faire d'autre ?

— Vous battre jusqu'au dernier.

— Avec quoi ? Nous n'avions plus de balles !

— Silence ! aboya Bobrov. Garde-à-vous ! »

Ils obéirent comme un seul homme, par automatisme : Lenny, Dave, Muggsy, Joe et Lloyd aussi, à deux doigts de s'évanouir.

« Demi-tour ! »

Ils s'exécutèrent.

Et maintenant quoi ? se demanda Lloyd.

« Les blessés, sortez du rang. »

Lloyd et Lenny firent un pas en arrière.

« Les blessés capables de marcher seront transférés au service d'escorte des prisonniers », décréta le colonel.

Dans son esprit embrumé, Lloyd comprit qu'on allait probablement lui confier la garde de prisonniers à accompagner à Barcelone par le train. Il vacilla. Je ne serais même pas capable de garder des moutons, pensa-t-il.

« Se replier sous le feu sans en avoir reçu l'ordre est un acte de désertion ! » déclara Bobrov.

Lloyd se retourna. Horrifié et stupéfait, il vit que le colonel avait sorti son revolver de son étui.

Bobrov s'avança jusqu'aux trois soldats toujours au garde-à-vous. Il s'arrêta juste derrière eux. « Vous êtes tous les trois reconnus coupables et condamnés à mort. » Il leva son arme, le canon à dix centimètres de la tête de Dave.

Le coup partit. Un trou apparut dans la tête de Dave, tandis que du sang et de la cervelle jaillissaient de son front.

Lloyd était pétrifié. Il n'en croyait pas ses yeux.

Muggsy, debout juste à côté de Dave, fit mine de se retourner, la bouche ouverte dans un cri. Bobrov fut plus rapide. Il visa la nuque. La balle, entrée derrière l'oreille droite, ressortit par l'œil gauche. Muggsy s'effondra.

Enfin Lloyd retrouva sa voix et hurla : « Non ! »

Rugissant de colère et d'émotion, Joe Eli se retourna, prêt à empoigner Bobrov de ses bras tendus. Un autre coup partit. Joe reçut la balle dans la gorge. Le sang jaillit comme d'une fontaine, éclaboussant le colonel dans son uniforme de l'armée Rouge. Bobrov bondit en arrière en poussant un juron. Joe, gisant au sol, n'était pas mort. Le sang sortait de sa carotide par giclées, aussitôt bu par l'aride terre d'Espagne. Impuissant, Lloyd avait les yeux rivés sur lui. Joe parut vouloir dire quelque chose, mais aucun son ne sortit de ses lèvres. Puis ses yeux se fermèrent et son corps se détendit.

« Pas de pitié pour les lâches ! » jeta Bobrov et il s'éloigna.

Lloyd contempla le corps de Dave à terre. Un gosse de seize ans, crasseux, maigre comme un coucou et brave comme un lion. Mort. Tué non pas par les fascistes, mais par un officier soviétique stupide et brutal. Quel gâchis ! Les larmes lui vinrent aux yeux.

Un sergent sortit de la grange en courant : « Victoire ! cria-t-il tout heureux. La ville s'est rendue. Ils ont hissé le drapeau blanc sur la mairie. On a pris Belchite ! »

Lloyd s'évanouit, terrassé par le vertige.

5.

Il faisait froid et humide à Londres. Lloyd rentrait à la maison, chez sa mère. Il marchait le long de Nutley Street sous la pluie. Il avait encore sur lui son blouson à fermeture Éclair et son pantalon en velours côtelé de l'armée espagnole, et il portait ses godillots à même la peau. Dans son petit sac à dos, il avait du linge de rechange, une chemise et un quart en fer-blanc. Autour du cou, il avait noué le foulard rouge dont Dave lui avait fait une écharpe pour son bras blessé, bras toujours douloureux mais qui n'avait plus besoin d'être soutenu.

On était en octobre, l'après-midi touchait à sa fin.

Comme il s'y attendait, on l'avait fait monter dans un train de marchandises qui s'en retournait à Barcelone, rempli de prisonniers rebelles. Trois jours de voyage pour une distance d'à peine cent soixante kilomètres. À Barcelone, il avait été séparé de Lenny et, depuis, n'avait plus aucune nouvelle de lui. Un routier qui se rendait dans le nord avait accepté de le prendre dans son camion un bout de chemin. Ensuite, il avait marché et fait de l'auto-stop ; il était monté dans des wagons qui transportaient du charbon, du gravier et même une fois des caisses de vin, une chance. Il avait passé la frontière française de nuit. Il avait dormi à la belle étoile, mendié son pain, gagné quelques sous en échange de toutes sortes de petits boulots. Et pendant deux semaines fabuleuses, il avait fait les vendanges dans un vignoble bordelais, ce qui lui avait permis de payer son billet de bateau pour traverser la Manche. Maintenant, de retour au pays, il humait l'air humide et l'odeur de suie de son quartier d'Aldgate qui lui parurent délectables.

Arrivé au portillon du jardin, il s'arrêta et contempla, perdue au milieu d'une rangée de constructions identiques, la maison où il avait vu le jour vingt-deux ans plus tôt. Ils étaient là : de la lumière brillait aux fenêtres battues par la pluie. Il marcha jusqu'à la porte. Il avait encore sa clé, il l'avait gardée tout ce temps sur lui, avec son passeport. Il entra.

Dans le vestibule, il laissa tomber son sac à dos près du portemanteau.

« Il y a quelqu'un ? » lança une voix venant de la cuisine. C'était Bernie, son beau-père.

Lloyd constata avec étonnement qu'il était incapable de proférer un son.

Bernie apparut. « Qui est… ? Alors ça ! C'est toi !

— Bonjour, Dad.

— Mon fils ! Vivant ! » s'écria Bernie en l'étreignant et Lloyd le sentit fondre en larmes contre sa poitrine.

Au bout d'une bonne minute, Bernie se frotta les yeux avec la manche de son gilet et se dirigea vers le pied de l'escalier.

« Eth !

— Oui ?

— Il y a de la visite pour toi.

— J'arrive ! »

Un instant plus tard, elle descendait les marches, plus jolie que jamais dans sa robe bleue. Elle l'aperçut à mi-chemin et pâlit. « Oh, *Duw*, s'écria-t-elle, en passant involontairement au gallois. C'est Lloyd ! » Elle dévala le reste des marches et le serra dans ses bras. « Tu es vivant !

— Je vous ai écrit de Barcelone…

— On n'a pas reçu ta lettre.

— Alors, vous ne savez pas…

— Quoi ?

— Dave Williams… Il est mort.

— Oh, non !

— Tombé à la bataille de Belchite. » Lloyd avait décidé de garder pour lui les circonstances de sa mort.

« Et Lenny Griffiths ?

— Je ne sais pas, on s'est perdus de vue. J'espérais le retrouver ici.

— Non, on est sans nouvelles de lui. »

Bernie demanda : « Comment c'était, là-bas ?

— Les fascistes sont en train de gagner, et c'est surtout la faute des communistes. Une seule chose les intéresse : s'en prendre aux autres partis de gauche.

— Ce n'est pas possible ! l'interrompit Bernie, choqué.

— C'est pourtant vrai. Si j'ai appris une chose en Espagne, c'est qu'il faut lutter contre les communistes avec autant de résolution que contre les fascistes. Ils ne valent pas mieux les uns que les autres. »

— Tu m'en diras tant ! » laissa tomber Ethel avec un sourire désabusé, et Lloyd comprit que sa mère était arrivée à cette conclusion depuis un bon bout de temps.

« Mais assez parlé politique, reprit-il. Comment vas-tu, Mam ?

— Oh, toujours la même. Ce n'est pas comme toi. Tu es maigre à faire peur !

— C'est qu'on n'avait pas grand-chose à se mettre sous la dent, en Espagne.

— Autrement dit, je ferais mieux d'être à mes fourneaux.

— Ne te presse pas. Ça fait douze mois que je crève de faim, je peux bien attendre quelques minutes de plus. Mais je vais te dire de quoi j'ai envie…

— Quoi donc ? Tout ce que tu voudras !

— Je ne serais pas contre une bonne tasse de thé. »

V

1939

1.

Thomas Macke faisait le guet devant l'ambassade soviétique à Berlin quand Volodia Pechkov en sortit.

Six ans plus tôt, la police secrète prussienne avait été remplacée par la Gestapo, plus moderne et plus efficace ; cependant, l'inspecteur Macke était toujours responsable de la section chargée des traîtres et des éléments subversifs à l'œuvre dans la ville de Berlin. Les plus dangereux prenaient certainement leurs ordres dans ce bâtiment du 63-65 Unter den Linden. Macke et ses hommes surveillaient donc toutes les allées et venues.

L'ambassade était une citadelle Art déco dont la pierre blanche reflétait de façon agressive la lumière crue du soleil d'août. Un lanterneau se dressait tel un veilleur au-dessus du corps principal. Les ailes, de part et d'autre, étaient percées sur toute la longueur de hautes fenêtres étroites alignées comme des sentinelles au garde-à-vous.

Macke était installé à une table de café sur le trottoir d'en face. L'avenue la plus élégante de Berlin grouillait de bicyclettes et de voitures ; les femmes faisaient leurs courses en robe et chapeau d'été ; les hommes marchaient d'un pas vif en costume ou dans de fringants uniformes. Il était difficile de croire qu'il existait encore des communistes en Allemagne. Comment pouvait-on s'opposer aux nazis ? Le pays était transformé. Hitler avait supprimé le chômage, alors qu'aucun autre gouvernement européen n'y était parvenu. Les manifestations et les grèves appartenaient désormais au passé, lointains souvenirs d'une sombre époque révolue. La police avait tous pouvoirs pour éradiquer la criminalité. L'Allemagne prospérait : les familles étaient de plus en plus nombreuses à posséder des postes de radio et elles auraient bientôt les « voitures du peuple », la *Volkswagen*, pour circuler sur les nouvelles autoroutes.

Ce n'était pas tout. L'Allemagne avait retrouvé sa puissance. L'armée était forte et bien équipée. Au cours des deux dernières années, l'Autriche et la Tchécoslovaquie avaient été annexées à la Grande Allemagne qui constituait dorénavant la puissance dominante en Europe. L'Italie de Mussolini était alliée à l'Allemagne par le pacte d'Acier. Au début de l'année, Madrid était enfin tombée aux mains des rebelles de Franco et l'Espagne avait maintenant un gouvernement favorable aux fascistes. Comment un Allemand pourrait-il vouloir détruire tout cela et placer le pays sous le joug bolchévique ?

Pour Macke, ces gens étaient la lie de la société, le rebut, la racaille, une engeance qu'il fallait débusquer et exterminer. En y pensant, un pli de colère au front, il tapait du pied sur le trottoir comme pour se préparer à écraser la vermine communiste.

C'est alors qu'il aperçut Pechkov.

Le jeune homme en costume de serge bleue portait un manteau léger plié sur son bras comme s'il craignait un changement de temps. Malgré sa tenue de civil, ses cheveux coupés court et sa démarche martiale trahissaient son appartenance à l'armée. Sa façon faussement naturelle d'examiner la rue était typique des membres du Renseignement militaire de l'armée Rouge ou du NKVD, la police secrète russe.

Le cœur de Macke se mit à battre plus fort. Ses hommes et lui connaissaient évidemment de vue tous les employés de l'ambassade. Ils avaient des dossiers avec leurs photos d'identité et passaient leur temps à les surveiller. Pourtant, il ne savait pas grand-chose de Pechkov. Il était jeune, vingt-cinq ans d'après son dossier. C'était donc probablement un sous-fifre sans importance. Ou un bon élément habile à masquer son rôle prépondérant.

Pechkov traversa Unter den Linden et se dirigea vers le café où se trouvait Macke, presque au coin de la Friedrichstrasse. En le voyant approcher, Macke remarqua qu'il était très grand, avec une carrure d'athlète. Il avait le regard vif et l'air alerte.

Macke détourna les yeux, soudain mal à l'aise. Il prit sa tasse et avala son fond de café froid en dissimulant plus ou moins son visage. Il n'avait pas envie de croiser ce regard bleu.

Pechkov s'engagea dans la Friedrichstrasse. Macke adressa un signe à Reinhold Wagner qui se tenait de l'autre côté du carrefour. Wagner suivit Pechkov. Macke se leva et leur emboîta le pas.

Les agents de Renseignement de l'armée Rouge n'étaient pas tous des barbouzes. Ils recueillaient l'essentiel de leurs informations par des voies légales, principalement par la lecture des journaux allemands. Ils ne croyaient pas forcément tout ce qu'ils lisaient, mais relevaient les éléments parlants, comme l'offre d'emploi d'une usine d'armement à la recherche de dix tourneurs expérimentés. De plus, les Russes pouvaient circuler librement sur le territoire allemand et en profiter pour observer, contrairement aux diplomates en poste en Union soviétique qui n'étaient pas autorisés à s'éloigner de Moscou sans escorte. Le jeune homme que Macke et Wagner filaient pouvait n'être qu'un obscur agent, chargé de dépouiller la presse : cela n'exigeait qu'une pratique courante de l'allemand et un peu d'esprit de synthèse.

En le suivant, ils passèrent devant le restaurant du frère de Macke. Il avait gardé le nom de Bistro Robert, mais la clientèle n'était plus la même. Finis les riches homosexuels, les hommes d'affaires juifs accompagnés de leurs maîtresses, les actrices surpayées qui réclamaient du champagne rosé. Ces gens-là se faisaient maintenant tout petits, quand ils n'étaient pas déjà dans des camps de concentration. Certains avaient quitté l'Allemagne – bon débarras, se disait Macke, même si cela signifiait aussi, malheureusement, que le restaurant ne rapportait plus autant d'argent.

Il se demanda ce qu'était devenu l'ancien propriétaire, Robert von Ulrich. Il croyait se souvenir qu'il était parti pour l'Angleterre. Il y avait peut-être ouvert un autre restaurant pour pervers.

Pechkov entra dans un bar.

Wagner lui emboîta le pas une ou deux minutes plus tard pendant que Macke surveillait l'entrée. C'était un endroit très couru. Pendant qu'il attendait Pechkov, Macke vit entrer une fille au bras d'un soldat ; deux femmes élégamment vêtues et un vieux monsieur en manteau crasseux sortirent du bar et s'éloignèrent. Wagner reparut alors, seul. Il regarda Macke en écartant les bras d'un air stupéfait.

Macke traversa la rue. Wagner semblait désemparé.

« Il n'est pas là !

— Tu as regardé partout ?

— Oui, même dans la cuisine et dans les toilettes.

— Tu as demandé si quelqu'un un était sorti par-derrière ?

— On m'a dit que non. »

Wagner était terrifié, non sans raison. Dans la nouvelle Allemagne, on ne se faisait pas simplement taper sur les doigts quand on commettait une erreur. Il risquait gros.

Pas cette fois cependant.

« Ce n'est pas grave », le rassura Macke.

Wagner ne put dissimuler son soulagement. « Vraiment ?

— Nous avons appris quelque chose d'essentiel. S'il a pu nous semer aussi habilement, c'est que c'est un espion, et un bon. »

2.

Volodia pénétra dans la gare de la Friedrichstrasse et monta dans un wagon du U-bahn, le métro berlinois. Il enleva la casquette, les lunettes et le manteau douteux qui lui avaient servi à se faire passer pour un vieil homme. Il s'assit, prit un mouchoir et essuya la poussière dont il avait couvert ses chaussures pour leur donner l'air défraîchi.

Il avait hésité pour l'imperméable. Il faisait tellement beau qu'il avait eu peur que la Gestapo ne s'en étonne et devine son manège. Mais ils n'y avaient vu que du feu. Il s'était changé rapidement aux toilettes et ensuite, personne ne l'avait suivi.

Il s'apprêtait à remplir une mission à haut risque. S'il se faisait surprendre alors qu'il entrait en contact avec un dissident allemand, il pouvait s'attendre à être expulsé en direction de Moscou et à dire adieu à sa carrière – dans le meilleur des cas. Dans le pire, le dissident et lui disparaîtraient dans les sous-sols du siège de la Gestapo de la Prinz-Albrecht-Strasse et on n'entendrait plus jamais parler d'eux. Les Soviétiques déploreraient la disparition d'un de leurs diplomates et la police allemande ferait semblant d'entreprendre des recherches qui, à son grand regret, se révéleraient infructueuses.

Volodia n'était jamais allé au siège de la Gestapo, mais il savait comment les choses s'y passaient. Le NKVD avait des locaux semblables à la Mission économique soviétique, au 11, Lietsenburgerstrasse : des portes blindées, une salle d'interrogatoire aux murs carrelés pour faciliter le nettoyage du sang, un grand bac pour découper les corps et un four électrique pour brûler les morceaux.

Volodia avait été envoyé à Berlin pour y développer le réseau d'espionnage soviétique. Le fascisme triomphait en Europe et l'Allemagne représentait plus que jamais une menace pour l'URSS. Staline avait renvoyé Litvinov, son ministre des Affaires étrangères et l'avait remplacé par Viatcheslav Molotov. Mais que pouvait faire Molotov ? Il semblait que rien ne pût arrêter les fascistes. Le Kremlin était hanté par le souvenir de l'humiliation de la Grande Guerre pendant laquelle les Allemands avaient écrasé une armée russe de six millions d'hommes. Staline avait tenté des démarches pour conclure un pacte avec la France et la Grande-Bretagne, mais les trois puissances n'étaient pas parvenues à s'entendre. Les pourparlers avaient été récemment rompus.

On s'attendait à ce que la guerre éclate tôt ou tard entre l'Allemagne et l'Union soviétique. Volodia avait pour mission de recueillir tous les renseignements militaires susceptibles d'aider les Soviétiques à la gagner.

Il émergea du métro à Wedding, un quartier ouvrier pauvre au nord du centre de Berlin. Il resta devant la station pour observer les passagers qui en sortaient, en faisant mine de consulter un horaire affiché sur le mur et attendit d'être sûr que personne ne l'avait suivi avant de s'éloigner.

Il rejoignit le restaurant bon marché qu'il avait choisi comme lieu de rendez-vous. Selon son habitude, il n'entra pas tout de suite et alla se poster à l'arrêt de bus situé de l'autre côté de la rue pour surveiller l'entrée. Il était certain d'avoir semé ses éventuels poursuivants, mais devait encore s'assurer que Werner n'avait pas été filé.

Il s'était demandé s'il reconnaîtrait Werner Franck. Werner avait quatorze ans la dernière fois qu'il l'avait vu. Il en avait vingt maintenant. Werner avait éprouvé les mêmes doutes. Ils s'étaient donc mis d'accord pour avoir sous le bras l'édition du jour du *Berliner Morgenpost*, ouvert à la page des sports. Volodia lut les pronostics de la nouvelle saison de football en levant les yeux toutes les trois secondes pour guetter Werner. Depuis ses années de lycée à Berlin, Volodia suivait le Herta, la meilleure équipe de la ville. Il avait souvent scandé « Ha ! Ho ! He ! Herta B S C ! » Le sort de l'équipe l'intéressait, mais son inquiétude l'empêchait de se concentrer et il relisait indéfiniment le même paragraphe sans en comprendre un mot.

Les deux années qu'il avait passées en Espagne n'avaient pas donné à sa carrière le coup de fouet qu'il espérait, bien au contraire. Il avait démasqué de nombreux espions nazis comme Heinz Bauer parmi les « volontaires » allemands. Malheureusement, le NKVD en avait profité pour arrêter d'authentiques volontaires qui n'avaient fait qu'exprimer un léger désaccord avec la ligne du Parti. Des centaines de jeunes idéalistes avaient été torturés et assassinés dans les prisons du NKVD. C'était à se demander parfois si les communistes n'étaient pas plus soucieux de combattre leurs alliés anarchistes que leurs ennemis fascistes.

Tout cela pour rien. La politique de Staline s'était soldée par un échec catastrophique. Elle avait entraîné l'instauration en Espagne d'une dictature de droite, la pire des situations pour l'Union soviétique. On avait fait porter le chapeau aux Russes partis se battre en Espagne alors qu'ils n'avaient fait qu'appliquer scrupuleusement les directives du Kremlin. Certains avaient disparu peu après leur retour à Moscou.

Après la chute de Madrid, Volodia était rentré au pays la peur au ventre. Il y avait trouvé bien des changements. En 1937 et 1938, Staline avait organisé des purges au sein de l'armée Rouge. Des milliers d'officiers s'étaient volatilisés, parmi lesquels un grand nombre de résidents de la Maison du gouvernement où habitaient ses parents. En revanche, beaucoup d'oubliés du pouvoir comme Grigori Pechkov avaient été promus et nommés aux places libérées par les victimes des purges. Grigori avait vu sa carrière relancée. Il était responsable de la défense de Moscou contre les raids aériens et débordait d'activité. C'était sans doute à cet avancement que Volodia devait de n'avoir pas fait partie des boucs émissaires accusés de l'échec de la politique espagnole de Staline.

L'affreux Ilia Dvorkine avait lui aussi échappé aux représailles. Il était revenu à Moscou et avait épousé la sœur de Volodia, Ania, au grand dam de ce dernier. Il ne fallait pas chercher à comprendre les femmes. Elle était déjà enceinte et Volodia était assailli de cauchemars dans lesquels il la voyait bercer un enfant à tête de fouine.

Après une courte permission, Volodia avait été affecté à Berlin où il avait pu à nouveau montrer toute l'étendue de ses compétences.

En levant les yeux de son journal, il aperçut Werner qui s'avançait dans la rue.

Il n'avait pas beaucoup changé. Il était un peu plus grand et s'était étoffé, mais il avait toujours la même mèche de cheveux blond vénitien qui lui tombait sur le front et que les filles trouvaient irrésistible, et la même lueur amusée dans son regard bleu. Il portait un élégant costume d'été bleu clair. Des boutons de manchettes en or brillaient à ses poignets.

Il n'y avait personne dans son sillage.

Volodia traversa la rue et l'intercepta avant qu'il ne pénètre dans le café. Werner lui adressa un large sourire.

« Je ne t'aurais pas reconnu avec cette coupe de cheveux militaire, dit-il. Ça fait plaisir de te voir, après tout ce temps. »

Il n'avait rien perdu de ses manières chaleureuses ni de son charme.

« Entrons, proposa Volodia.

— Tu n'as quand même pas l'intention d'aller dans ce bouge ! Il doit être plein de plombiers en train de s'empiffrer de saucisses à la moutarde.

— Je ne veux pas rester dans la rue. N'importe qui pourrait nous voir.

— Il y a une petite ruelle un peu plus bas.

— D'accord. »

Ils firent quelques pas et s'engouffrèrent dans un étroit passage entre une épicerie et un dépôt de charbon.

« Qu'est-ce que tu as fait pendant toutes ces années ? demanda Werner.

— Je me suis battu contre les fascistes, comme toi. » Volodia hésita à lui en dire davantage. « J'étais en Espagne. »

Après tout, ce n'était pas un secret.

« Où vous n'avez pas eu plus de succès que nous ici, en Allemagne.

— Ce n'est pas encore fini.

— Je voudrais te demander quelque chose, fit alors Werner en s'adossant au mur. Si tu jugeais le bolchévisme néfaste, est-ce que tu accepterais de faire de l'espionnage au profit d'une puissance étrangère ? »

La première réaction de Volodia fut de protester *Non, jamais de la vie !* Mais avant que les mots n'aient franchi ses lèvres, il comprit que ce serait manquer cruellement de tact, car si l'idée le révoltait, Werner ne faisait pas autre chose : il trahissait son pays au nom d'un idéal.

« Je ne sais pas, répondit-il. J'imagine que c'est très difficile pour toi de travailler contre l'Allemagne, même si tu détestes les nazis.

— Tu as raison. Qu'arrivera-t-il si la guerre éclate ? Devrai-je t'aider à tuer nos soldats et à bombarder nos villes ? »

Volodia était ennuyé. Werner avait l'air de fléchir.

« C'est la seule manière de vaincre le nazisme. Tu le sais.

— Oui. J'ai pris ma décision il y a longtemps. Et les nazis n'ont rien fait pour m'inciter à changer d'avis. C'est dur, voilà tout.

— Je comprends », compatit Volodia.

Werner reprit : « Tu m'as demandé de trouver d'autres gens susceptibles de faire la même chose que moi. »

Volodia acquiesça. « Je pensais à quelqu'un comme Willi Frunze. Tu te souviens de lui ? Le meilleur élève du lycée. Et un socialiste convaincu, en plus. C'est lui qui présidait le meeting qui a été interrompu par les SA. »

Werner secoua la tête. « Il est parti en Angleterre.

— Pourquoi ? demanda Volodia, découragé.

— C'est un brillant physicien. Il poursuit ses études à Londres.

— Merde.

— Mais j'ai pensé à quelqu'un d'autre.

— Ah, très bien !

— Tu as connu Heinrich von Kessel ?

— Je ne crois pas. Il était au lycée avec nous ?

— Non, il fréquentait une école catholique. À l'époque, il ne partageait pas nos idées. Son père était un responsable du parti du Centre…

— Le parti qui a porté Hitler au pouvoir en 1933 !

— Exact. À ce moment-là, Heinrich travaillait pour son père. Depuis, le père a rejoint le parti nazi, mais le fils est rongé de remords.

— Comment tu sais ça ?

— Il l'a dit à ma sœur Frieda un jour où il avait trop bu. Elle a dix-sept ans. Je crois qu'il a le béguin pour elle. »

C'était encourageant. Volodia sentit renaître son optimisme.

« Il est communiste ?

— Non.

— Qu'est-ce qui te fait croire qu'il accepterait de travailler pour nous ?

— Je lui ai posé la question. “Si tu avais la possibilité de lutter contre les nazis en espionnant pour le compte de l'Union soviétique, est-ce que tu le ferais ?” Il a répondu oui.

— Qu'est-ce qu'il fait dans la vie ?

— Il est dans l'armée. Mais il a des problèmes respiratoires, ce qui fait qu'on le cantonne au rôle de gratte-papier. Pour nous, c'est une aubaine, d'autant qu'il travaille actuellement pour le haut commandement, au service des acquisitions et du planning économique. »

Volodia était impressionné. Voilà un homme qui saurait exactement combien l'Allemagne se procurait de camions, de chars, de mitrailleuses et de sous-marins mois après mois et où elle les déployait. Il était gagné par l'excitation.

« Quand pourrai-je le rencontrer ?

— Tout de suite. Je l'ai invité à prendre un verre à l'hôtel Adlon après le travail. »

Volodia se rembrunit. L'Adlon, sur Unter den Linden, était l'hôtel le plus chic de Berlin. Comme il était situé en plein quartier gouvernemental et diplomatique, le bar grouillait de journalistes à l'affût de commérages. Ce n'était pas l'endroit qu'il aurait choisi. Cependant l'occasion était trop belle.

« D'accord, acquiesça-t-il. Mais je ne veux pas qu'on me voie vous parler. J'entre après toi, j'identifie Heinrich. Ensuite, quand il sortira, je le suivrai et je l'aborderai.

— Entendu. Je t'emmène. Ma voiture est garée au coin de la rue. »

Ils se dirigèrent vers l'extrémité de la ruelle. Tout en marchant, Werner indiqua à Volodia les adresses et numéros de téléphone professionnels et privés d'Heinrich. Volodia les mémorisa.

« Nous y sommes, dit Werner. Monte. »

Werner avait une Mercedes 540 K Autobahn Kurier, une voiture d'une incroyable beauté avec des ailes aux courbes sensuelles, un avant plus long à lui tout seul qu'une Ford T, une ligne s'achevant en douce inclinaison à l'arrière. Le prix en était tellement élevé qu'elle n'avait été vendue qu'à quelques exemplaires.

Volodia en resta bouche bée.

« Est-ce bien raisonnable d'avoir une voiture aussi tape-à-l'œil ? s'étonna-t-il, incrédule.

— C'est pour mieux tromper l'ennemi, expliqua Werner. Personne n'irait imaginer qu'un véritable espion puisse être aussi m'as-tu-vu. »

Volodia s'apprêtait à lui demander comment il pouvait se permettre un tel luxe quand il se souvint que le père de Werner était un riche industriel.

« Je ne monte pas là-dedans, déclara Volodia. Je vais prendre le métro.

— Comme tu voudras.

— Je te retrouve à l'Adlon, mais tu fais comme si tu ne me connaissais pas.

— Parfait. »

Une demi-heure plus tard, Volodia vit la voiture de Werner négligemment stationnée devant l'hôtel. Sa désinvolture lui paraissait terriblement imprudente. En même temps, cette insolence était sans doute indispensable à son courage. Peut-être Werner avait-il besoin d'une dose d'insouciance pour braver les risques considérables qu'il prenait en espionnant les nazis. S'il mesurait toute l'étendue du danger, il n'arriverait sans doute pas à l'affronter.

Le bar de l'Adlon était plein de femmes élégantes et d'hommes bien mis, certains sanglés dans des uniformes parfaitement coupés. Volodia repéra très vite Werner, attablé avec un autre jeune homme qui devait être Heinrich von Kessel. En passant près d'eux, Volodia entendit Heinrich affirmer avec conviction : « Buck Clayton est bien meilleur trompettiste que Hot Lips Page. »

Il se faufila jusqu'au comptoir, commanda une bière et observa discrètement sa recrue potentielle.

Heinrich avait le teint pâle et d'épais cheveux noirs, plutôt longs pour un militaire. Même s'il ne parlait que de jazz, un sujet sans grande importance, il s'exprimait avec ardeur, en faisant de grands gestes et en se passant continuellement la main dans les cheveux. Un livre dépassait de la poche de sa veste d'uniforme. Volodia était prêt à parier qu'il s'agissait d'un recueil de poésie.

Volodia but deux bières en faisant mine de lire le *Morgenpost* in extenso. Il essayait de ne pas trop s'emballer. Heinrich lui semblait extraordinairement prometteur, mais rien ne garantissait qu'il accepterait de coopérer.

Le recrutement d'informateurs représentait la partie la plus délicate du travail de Volodia. Il n'était pas facile de prendre des précautions tant que la cible n'avait pas encore choisi son camp. Il fallait souvent faire son offre dans des endroits inappropriés, des lieux publics dans la plupart des cas. On ne savait jamais comment réagirait le candidat : il pouvait aussi bien se mettre en colère et protester en criant que prendre peur et s'enfuir sans demander son reste. Le recruteur n'avait aucun moyen de contrôler la situation. Et il était bien obligé, à un moment ou à un autre, de poser ouvertement la question : « Voulez-vous devenir un espion ? »

Il se demandait comment aborder Heinrich. La religion constituait probablement un élément clé de sa personnalité. Volodia se rappelait que son supérieur, Lemitov, disait : « Les catholiques qui ont abandonné la religion font d'excellents agents. Ils rejettent l'autorité absolue de l'Église pour se soumettre à l'autorité absolue du parti. » Peut-être Heinrich aurait-il besoin de se faire pardonner son reniement. Irait-il pour autant jusqu'à risquer sa vie ?

Werner paya enfin l'addition et les deux hommes s'en allèrent. Volodia les suivit. Ils se séparèrent devant l'hôtel, Werner démarra dans un grand crissement de pneus tandis que Heinrich s'éloignait à pied dans le parc. Volodia lui emboîta le pas.

La nuit tombait mais le ciel était clair. Il voyait encore bien. Il y avait de nombreux promeneurs, surtout des couples qui profitaient de la douceur du soir. Volodia regarda plusieurs fois derrière lui pour s'assurer que personne ne les avait suivis, Heinrich ou lui, depuis l'hôtel. Une fois rassuré, il respira profondément, prit son courage à deux mains et rattrapa Heinrich.

Quand il fut à sa hauteur, il murmura : « Tout péché mérite miséricorde. »

Heinrich le considéra d'un air effaré, comme s'il avait affaire à un fou. « Vous êtes prêtre ?

— Vous pouvez vous venger du régime néfaste que vous avez contribué à mettre en place. »

Heinrich continua à marcher, mais il avait l'air inquiet.

« Qui êtes-vous ? Que savez-vous de moi ? »

Volodia continua d'ignorer ses questions.

« Les nazis seront vaincus un jour. Ce jour sera peut-être plus proche grâce à vous.

— Si vous êtes un agent de la Gestapo et si vous cherchez à me piéger, c'est peine perdue. Je suis un Allemand loyal.

— Vous n'avez pas remarqué mon accent ?

— Si… on dirait un accent russe.

— Vous connaissez beaucoup d'agents de la Gestapo qui parlent avec l'accent russe ? Ou qui auraient l'idée de l'imiter ? »

Heinrich rit nerveusement.

« J'ignore tout des agents de la Gestapo. Je n'aurais même pas dû évoquer le sujet. C'est très imprudent de ma part.

— Votre bureau établit des rapports sur les quantités d'armes et de matériel commandés par l'armée. Des copies de ces documents pourraient être extrêmement utiles aux ennemis des nazis.

— À l'armée Rouge, vous voulez dire ?

— Qui d'autre est en mesure d'abattre ce régime ?

— Toutes les copies de ces rapports sont soigneusement répertoriées. »

Volodia réprima une exclamation de triomphe. Heinrich pensait déjà aux difficultés pratiques. Il était donc prêt à donner son accord sur le principe. « Faites un carbone de plus, suggéra-t-il. Ou recopiez-les à la main. Vous pouvez aussi prendre le double de quelqu'un d'autre. Les possibilités ne manquent pas.

— Oui, bien sûr. Et elles peuvent toutes me coûter la vie.

— Si nous ne faisons rien pour lutter contre les crimes perpétrés par ce régime… la vie vaut-elle la peine d'être vécue ? »

Heinrich s'arrêta et regarda fixement Volodia. Celui-ci se demanda ce qu'il avait en tête. Obéissant à son intuition, il attendit sans rien dire. Au bout d'un long moment, Heinrich soupira et déclara : « Je vais y réfléchir. »

Je le tiens, jubila intérieurement Volodia.

« Comment puis-je vous contacter ? demanda Heinrich.

— C'est moi qui prendrai contact. »

Il effleura son chapeau et fit demi-tour.

Il exultait. Si Heinrich n'avait pas l'intention d'accepter sa proposition, il l'aurait repoussée avec fermeté. Sa promesse d'y réfléchir valait presque une approbation. Il prendrait son temps. Il calculerait les risques. Mais il finirait par le faire. Volodia en était presque certain.

Toutefois il ne fallait pas se précipiter. Il pouvait se passer tant de choses !

Malgré tout, il était plein d'espoir quand il sortit du parc et retrouva les lumières éclatantes et la succession de boutiques et de restaurants d'Unter den Linden. Il n'avait pas dîné. Mais il n'avait pas les moyens de se restaurer dans cette rue.

Il prit un tramway qui le déposa dans un quartier modeste appelé Friedrichshain et gagna un petit appartement dans un immeuble d'habitations. Une jolie blonde menue de dix-huit ans vint lui ouvrir. Elle portait un pull rose et un pantalon noir. Elle était pieds nus. Bien que très mince, elle avait une poitrine délicieusement généreuse.

« Je suis désolé de débarquer sans prévenir, s'excusa Volodia. Je te dérange ?

— Pas du tout, répondit-elle en souriant. Entre. »

Elle referma la porte derrière lui et se jeta à son cou.

« Je suis toujours ravie de te voir », dit-elle avant de l'embrasser avec effusion.

Lili Markgraf avait beaucoup d'affection à prodiguer. Volodia sortait avec elle à peu près une fois par semaine depuis son retour à Berlin. Il n'était pas amoureux d'elle et savait qu'elle fréquentait d'autres hommes, parmi lesquels Werner, mais quand ils étaient ensemble, elle se montrait toujours passionnée.

Au bout d'un moment, elle lui dit : « Tu connais la nouvelle ? C'est pour ça que tu es là ?

— Quelle nouvelle ? »

Secrétaire dans une agence de presse, Lili était toujours la première informée de tout.

« L'Union soviétique a conclu un pacte avec l'Allemagne ! »

C'était absurde. « Tu veux dire avec l'Angleterre et la France contre l'Allemagne ?

— Mais non, pas du tout ! C'est la grande surprise. Staline et Hitler se sont alliés.

— Mais… » Volodia resta sans voix. Il était déconcerté. Staline allié d'Hitler ? C'était ahurissant. Était-ce la solution imaginée par Molotov, le nouveau ministre des Affaires étrangères soviétique ? N'ayant pas réussi à endiguer la marée du fascisme mondial, l'Union soviétique baissait les bras ?

Mon père a-t-il fait la révolution pour en arriver là ?

3.

Woody Dewar ne revit Joanne Rouzrokh que quatre ans plus tard.

Aucun de ceux qui connaissaient son père ne croyait qu'il avait essayé de violer une starlette au Ritz-Carlton. La fille avait retiré sa plainte, mais la nouvelle n'ayant rien de sensationnel, les journaux n'en avaient pas fait grand cas. Dave restait donc un violeur aux yeux de la population de Buffalo. De ce fait, les parents de Joanne avaient préféré déménager à Palm Beach et Woody l'avait perdue de vue.

Ils se retrouvèrent à la Maison Blanche.

Woody était en compagnie de son père, le sénateur Gus Dewar. Ils devaient avoir une entrevue avec le Président. Woody avait déjà rencontré Franklin D. Roosevelt plusieurs fois. Le Président et son père étaient amis de longue date. Mais Woody n'avait fait que le croiser à l'occasion d'événements officiels : FDR lui avait serré la main en lui demandant des nouvelles de ses études. Ce jour-là pour la première fois, Woody allait assister à une vraie réunion politique en sa présence.

Ils entrèrent par la grande porte de l'aile ouest, traversèrent le hall et pénétrèrent dans une vaste salle d'attente. Elle était là.

Woody la contempla avec ravissement. Elle n'avait pas changé. Avec son visage étroit et orgueilleux et son nez aquilin, on aurait dit la grande prêtresse d'une religion antique. Elle portait comme toujours une tenue d'une sobriété spectaculaire : ce jour-là, elle était vêtue d'un tailleur bleu foncé en tissu léger et d'un chapeau de paille à large bord de la même couleur. Woody se réjouit d'avoir mis une chemise blanche immaculée et une cravate à rayures toute neuve.

Elle eut l'air contente de le voir. « Tu as l'air en pleine forme ! s'exclama-t-elle. Tu travailles à Washington ?

— Je donne un coup de main au bureau de mon père pendant l'été. Je suis encore à Harvard. »

Elle se tourna vers Gus et le salua respectueusement : « Bonjour, monsieur le sénateur.

— Bonjour, Joanne. »

Quelle chance de l'avoir retrouvée ! songea Woody. Elle était plus séduisante que jamais. Il aurait voulu que leur conversation se prolonge éternellement. « Qu'est-ce que tu fais ici ? lui demanda-t-il.

— Je travaille au Département d'État. »

Woody hocha la tête. Cela expliquait la déférence qu'elle témoignait à son père. Elle appartenait désormais à un monde où l'on faisait des courbettes devant le sénateur Dewar. « Qu'est-ce que tu y fais ?

— Je suis l'assistante d'un assistant. Mon patron est avec le Président en ce moment. Moi, j'ai un rang trop subalterne pour l'accompagner.

— Tu t'es toujours intéressée à la politique. Je me souviens d'une discussion à propos du lynchage.

— Buffalo me manque. Ce qu'on a pu s'amuser ! »

Se rappelant le baiser qu'ils avaient échangé au bal du Racquet-Club, Woody rougit jusqu'à la racine des cheveux.

« Transmettez mes amitiés à votre père », intervint Gus, mettant ainsi fin à leur conversation.

Woody mourait d'envie de lui demander son numéro de téléphone, mais elle le devança. « J'aimerais beaucoup te revoir, Woody », dit-elle.

Rien ne pouvait lui faire plus de plaisir. « Avec joie !

— Tu es libre ce soir ? J'ai invité quelques amis à prendre un verre.

— Merveilleux ! »

Elle lui indiqua l'adresse d'un immeuble voisin avant que Mr. Dewar n'entraîne son fils à l'autre bout de la pièce.

L'agent de sécurité fit un signe de tête à Gus et ils passèrent dans une autre salle d'attente.

« Maintenant, Woody, dit Gus, pas un mot tant que le Président ne t'adresse pas la parole. »

Woody essaya de se concentrer sur l'entrevue imminente. Un séisme politique avait ébranlé l'Europe : à la surprise générale, l'Union soviétique avait signé un traité de non-agression avec l'Allemagne nazie. Le père de Woody était un membre influent de la commission des Affaires étrangères du Sénat et le Président voulait connaître son avis.

Gus Dewar souhaitait également aborder un autre sujet. Il voulait convaincre le président de redonner vie à la Société des nations.

La tâche s'annonçait difficile. Les États-Unis n'avaient jamais adhéré à la SDN et les Américains ne la portaient pas dans leur cœur. Elle avait fait la preuve de son impuissance dans les années 1930, se montrant incapable de régler un certain nombre de crises : l'offensive du Japon en Extrême-Orient, l'impérialisme italien en Afrique, la montée du nazisme en Europe, l'anéantissement de la démocratie en Espagne. Pourtant, Gus n'avait pas renoncé. Woody savait que c'était son rêve : un conseil international qui puisse résoudre les conflits et empêcher la guerre.

Woody le soutenait à cent pour cent. Il avait même prononcé un discours sur ce thème à Harvard. Quand deux pays avaient un différend, la pire des solutions était de s'étriper. Cela lui paraissait évident. « Je comprends pourquoi cela arrive, avait-il déclaré au cours du débat. Exactement comme je comprends que des hommes qui ont trop bu puissent en venir aux mains. Cela n'en reste pas moins absurde. »

Pour le moment, cependant, Woody avait du mal à penser à la menace de guerre en Europe. Ses sentiments pour Joanne le submergeaient, intacts. Il se demandait si elle l'embrasserait encore. Ce soir, peut-être. Elle avait toujours eu de la sympathie pour lui, et apparemment, c'était encore le cas. Pourquoi l'aurait-elle invité sinon ? Avant, en 1935, elle avait refusé de sortir avec lui parce qu'il avait quinze ans et elle dix-huit. C'était compréhensible, même s'il n'était pas de cet avis à l'époque. Maintenant qu'ils avaient quatre ans de plus, la différence d'âge n'était sans doute plus aussi importante. Enfin, c'était à espérer. Il était sorti avec d'autres filles à Buffalo et à Harvard, mais n'avait jamais éprouvé pour aucune d'elles la passion dévorante que lui inspirait Joanne.

« C'est bien compris ? » demandait son père.

Woody se reprit. Son père s'apprêtait à présenter au Président une proposition susceptible d'apporter la paix dans le monde et lui n'avait qu'une idée en tête : embrasser Joanne.

« Oui, acquiesça-t-il. Je ne dirai rien tant qu'il ne s'adressera pas à moi. »

Une grande femme mince d'une quarantaine d'années, à l'air détendue et sûre d'elle, entra dans la pièce comme en pays conquis. Woody reconnut Marguerite LeHand, surnommée Missy, qui était responsable du bureau de Roosevelt. Elle avait un visage allongé, un peu masculin, avec un grand nez, et quelques fils argentés dans ses cheveux bruns. Elle adressa un sourire chaleureux à Gus.

« Quel plaisir de vous revoir, monsieur le sénateur.

— Comment allez-vous, Missy ? Vous vous souvenez de mon fils, Woodrow ?

— Bien sûr. Le Président est prêt à vous recevoir. »

La dévotion de Missy à Roosevelt était bien connue. Selon la rumeur, FDR lui vouait une tendresse excessive pour un homme marié. D'après les allusions voilées mais révélatrices qu'il avait surprises entre ses parents, Woody savait que la paralysie de Roosevelt n'affectait pas ses fonctions sexuelles. Sa femme Eleonor faisait chambre à part depuis plus de vingt ans, depuis la naissance de leur sixième enfant. Le Président avait sans doute le droit d'avoir une secrétaire affectueuse.

Elle leur fit franchir une nouvelle porte, traverser un étroit couloir et ils se retrouvèrent dans le Bureau ovale.

Le Président était assis à son bureau, tournant le dos aux trois grandes fenêtres formant une baie arrondie. Les volets étaient tirés pour filtrer le soleil d'août qui donnait en plein sur la façade exposée au sud. Roosevelt avait abandonné sa chaise roulante pour s'installer dans un fauteuil ordinaire. Il était vêtu d'un costume blanc et tenait un fume-cigarette entre ses doigts.

Il n'était pas franchement beau. Il avait une calvitie naissante, un menton proéminent et un pince-nez qui semblait lui rapprocher les yeux. Pourtant, il exerçait une séduction immédiate avec son sourire engageant, sa main tendue et le ton aimable avec lequel il dit alors : « Content de vous voir, Gus, entrez donc.

— Monsieur le Président, vous vous souvenez de mon fils aîné, Woodrow ?

— Bien sûr. Comment ça va à Harvard, Woody ?

— Très bien, merci. Je fais partie du groupe de débats. »

Il savait que les hommes politiques tenaient souvent à donner l'impression de connaître tout le monde intimement. Soit ils étaient doués d'une mémoire exceptionnelle, soit ils avaient des secrétaires très efficaces.

« J'ai moi-même fait mes études à Harvard. Asseyez-vous, asseyez-vous. »

Retirant sa cigarette du fume-cigarette, il l'écrasa dans un cendrier déjà plein.

« Alors Gus, que se passe-t-il en Europe ? »

Le Président n'en ignorait évidemment rien, se dit Woody. Tout le Département d'État était chargé de l'en informer. Mais il voulait connaître l'analyse de Gus Dewar.

« L'Allemagne et la Russie restent des ennemies mortelles, selon moi, déclara Gus.

— C'est ce que tout le monde pense. Mais alors, pourquoi ont-elles signé ce pacte ?

— Dans leur intérêt à court terme, à l'une et à l'autre. Staline a besoin de gagner du temps. Il veut renforcer l'armée Rouge pour pouvoir battre les Allemands si la situation l'exige.

— Et notre autre énergumène ?

— De toute évidence, Hitler prépare quelque chose en Pologne. La presse allemande est pleine d'anecdotes sans queue ni tête sur les mauvais traitements que les Polonais font subir à leur population germanophone. Si Hitler attise la haine, c'est qu'il a une idée derrière la tête. Quelles que soient ses intentions, il ne veut pas que les Soviétiques lui mettent des bâtons dans les roues. D'où le pacte.

— C'est à peu de choses près ce que dit Hull. – Cordell Hull était le secrétaire d'État. – Mais il ne sait pas ce qui va se passer ensuite. Staline laissera-t-il Hitler agir à sa guise ?

— À mon avis, ils se partageront la Pologne dans les semaines à venir.

— Et ensuite ?

— Il y a quelques heures, les Anglais ont signé un traité avec les Polonais leur promettant de venir à leur secours en cas d'agression.

— Que pourront-ils faire ?

— Rien, monsieur le Président. L'armée britannique, qu'il s'agisse de l'armée de terre, de l'air ou de la marine n'a aucun moyen d'empêcher les Allemands d'envahir la Pologne.

— Que devons-nous faire, d'après vous, Gus ? »

Woody se dit que son père allait tenter sa chance. Il disposait de toute l'attention du Président pour quelques minutes. C'était l'occasion ou jamais de faire avancer les choses. Il croisa discrètement les doigts.

Gus se pencha en avant. « Nous ne voulons pas que nos fils fassent la guerre comme nous avons été obligés de la faire. »

Roosevelt avait quatre garçons proches de la vingtaine et de la trentaine. Woody comprit soudain la raison de sa présence dans ce bureau : il assistait à la réunion pour rappeler au Président l'existence de ses propres fils. « Nous ne pouvons pas envoyer une nouvelle fois de jeunes Américains se faire massacrer en Europe, dit Gus d'une voix calme. Il faut que le monde soit doté d'une police.

— À quoi songez-vous exactement ? demanda le Président d'un ton neutre.

— La Société des nations n'a pas été aussi inefficace qu'on veut bien le dire. Dans les années 1920, elle a réglé un conflit frontalier entre la Finlande et la Suède, un autre entre la Turquie et l'Irak », expliqua Gus, comptant les pays sur ses doigts. Elle a empêché la Grèce et la Yougoslavie d'envahir l'Albanie et convaincu les Grecs de se retirer de Bulgarie. Elle a également envoyé un contingent pour maintenir la paix entre la Colombie et le Pérou.

— C'est vrai. Mais dans les années 1930…

— La SDN n'a pas été assez puissante pour contrer l'offensive fasciste. Cela n'a rien d'étonnant. Le Congrès a refusé de ratifier le traité constitutif et de ce fait, les États-Unis n'en ont jamais été membres. Il nous faut une version revue de cet organisme, dirigée par les États-Unis et qui ait de la poigne. » Gus s'interrompit un instant avant de reprendre. « Monsieur le Président, il est trop tôt pour renoncer à la paix dans le monde. »

Woody retint son souffle. Roosevelt hocha la tête, un geste habituel chez lui. Il était rare qu'il exprime son désaccord ouvertement. Il détestait les conflits. Woody avait entendu son père dire qu'il fallait se garder de prendre son silence pour un assentiment. Assis à côté de Gus, Woody n'osait pas le regarder, mais il le sentait tendu.

« Je crois que vous avez raison », dit enfin le Président

Woody se retint de manifester sa joie. Le Président avait accepté ! Il se tourna vers son père. Gus, généralement imperturbable, avait du mal à dissimuler sa surprise. La victoire avait été si rapide !

Gus s'empressa de la consolider. « Dans ce cas, peut-être serait-il bon que nous rédigions, Cordell Hull et moi, une proposition à vous soumettre ?

— Hull a du pain sur la planche. Adressez-vous à Welles. »

Sumner Welles, le sous-secrétaire d'État, était un homme à la fois ambitieux et hâbleur. Woody se doutait que Gus aurait préféré quelqu'un d'autre. En même temps, c'était un ami de longue date de la famille Roosevelt – il avait été garçon d'honneur au mariage de FDR.

De toute façon, à ce stade, Gus n'allait certainement pas faire de difficultés. « Entendu.

— Autre chose ? »

Le congé était clair et Gus se leva, imité par Woody.

« Avez-vous de bonnes nouvelles de madame votre mère, demanda encore Gus. J'ai entendu dire dernièrement qu'elle était en France.

— Son bateau a appareillé hier, Dieu merci.

— Je suis heureux de l'apprendre.

— Merci d'être venu, dit Roosevelt. Votre amitié m'est vraiment précieuse, Gus.

— Rien ne pouvait me faire plus plaisir, monsieur le Président », répondit Gus.

Il serra la main du Président et Woody en fit autant.

Ils sortirent.

Woody espérait vaguement que Joanne serait encore là, mais elle avait disparu.

Alors qu'ils quittaient la Maison Blanche, Gus proposa : « Allons boire un verre pour fêter ça. »

Woody regarda sa montre. Il était cinq heures. « Volontiers. »

Ils se rendirent à l'Old Ebbitt's, dans F Street, près de la 15e Rue : vitres teintées, velours vert, lampes de cuivre et trophées de chasse. L'endroit était bondé : députés, sénateurs et la faune qui gravitait habituellement autour d'eux – assistants, lobbyistes et journalistes. Gus commanda un martini sec avec un zeste de citron pour lui-même et une bière pour Woody. Celui-ci sourit : il aurait peut-être aimé prendre un martini, lui aussi. En fait, non ; il trouvait que cela avait un goût de gin froid. Mais il aurait apprécié que son père le lui propose. Levant son verre, il déclara : « Félicitations. Tu as obtenu ce que tu voulais.

— Ce dont le monde a besoin.

— Tu as brillamment défendu ta cause.

— Il n'en fallait pas beaucoup pour convaincre Roosevelt. C'est un libéral, mais il est pragmatique. Il sait qu'on ne peut pas tout faire, qu'il faut choisir les batailles que l'on peut gagner. Le New Deal est sa priorité absolue : remettre les chômeurs au travail. Il ne fera rien qui puisse entraver sa mission principale. Si mon projet suscite trop d'opposition parmi ses partisans, il l'abandonnera.

— Nous n'avons donc pas encore gagné.

— Nous avons fait un premier pas, ce qui n'est pas rien, répondit Gus en souriant. Mais tu as raison, nous n'avons pas encore gagné.

— Dommage qu'il t'ait imposé Welles.

— Ce n'est pas si grave. Sumner donne du poids au projet. Il est plus proche que moi du Président. Mais il est imprévisible. Il est capable de s'emparer de ce projet et de le conduire dans une tout autre direction. »

En parcourant la salle, Woody aperçut un visage familier.

« Devine qui est là. J'aurais dû m'en douter. »

Son père suivit son regard. « Debout au bar, précisa Woody. Avec deux types plus âgés en chapeau et une blonde. C'est Greg Pechkov. »

Greg avait comme toujours l'air débraillé malgré ses vêtements de luxe : sa cravate de soie était de travers, sa chemise sortait de son pantalon crème qui portait une trace de cendres de cigarette. Cela n'empêchait pas la blonde de le couver des yeux avec adoration.

« En effet, acquiesça Gus. Tu le vois beaucoup à Harvard ?

— Il est en physique, mais ne fréquente pas beaucoup les scientifiques… trop sérieux pour lui, je suppose. Il m'arrive de le croiser au *Crimson.* » Le *Harvard Crimson* était le journal des étudiants. Woody était son photographe attitré et Greg écrivait des articles. « Il fait un stage au Département d'État cet été. C'est pour ça qu'il est là.

— Au service de presse, sans doute, commenta Gus. Les deux types qui sont avec lui sont des journalistes, celui qui porte un costume marron travaille à la *Tribune* de Chicago, celui qui fume la pipe au *Plain Dealer* de Cleveland. »

Greg bavardait avec les journalistes comme avec de vieux amis, prenant le bras de l'un en se penchant pour lui parler à voix basse, tapant dans le dos de l'autre comme pour le féliciter. Ils ont l'air de l'apprécier, se dit Woody en les voyant rire aux éclats à l'une de ses plaisanteries. Woody enviait ce talent, si utile en politique… Mais peut-être n'était-il pas essentiel tout compte fait : son père n'avait pas cette facilité à se lier avec tout le monde, ce qui ne l'empêchait pas d'être l'un des hommes d'État les plus influents d'Amérique.

— Je me demande ce que sa demi-sœur, Daisy, pense des menaces de guerre. Elle est à Londres. Elle a épousé un lord anglais.

— Pour être précis, elle a épousé le fils aîné du comte Fitzherbert, que j'ai bien connu autrefois.

— Toutes les filles de Buffalo en crèvent d'envie. Le roi a assisté à son mariage.

— J'ai aussi connu la sœur de Fitzherbert, Maud... une femme merveilleuse. Elle a épousé Walter von Ulrich, un Allemand. Je l'aurais bien épousée moi-même si Walter ne m'avait pas coupé l'herbe sous le pied.

Woody haussa les sourcils. De telles confidences ne ressemblaient pas à son père.

« C'était avant que je tombe amoureux de ta mère, naturellement.

— Naturellement, répéta Woody en réprimant un sourire.

— Je n'ai plus eu aucune nouvelle de Walter et Maud depuis qu'Hitler a interdit les sociaux-démocrates. J'espère qu'ils vont bien. S'il devait y avoir la guerre... »

Woody comprit que les souvenirs de son père avaient été ranimés par l'évocation de la guerre.

« Au moins, l'Amérique n'est pas dans le coup.

— C'est ce que nous avions déjà cru la dernière fois... Tu as des nouvelles de ton petit frère ? demanda Gus en passant brusquement à un autre sujet.

— Il ne changera pas d'avis, Papa, soupira Woody. Il n'ira pas à Harvard ni dans une autre université. »

Chuck avait annoncé son intention de s'engager dans la marine dès qu'il aurait dix-huit ans, provoquant ainsi un conflit familial. Sans diplôme universitaire, il serait simple soldat, sans aucun espoir de devenir un jour officier. Cette idée consternait ses parents, ambitieux pour leurs enfants.

« Il est assez intelligent pour aller à la fac, tout de même ! se désola Gus.

— Il me bat aux échecs.

— Moi aussi. Alors, où est le problème ?

— Il déteste les études. Et il adore les bateaux. Il veut naviguer, c'est tout ce qui l'intéresse. »

Woody jeta un coup d'œil à sa montre.

« Tu es attendu à une soirée, lui fit remarquer son père.

— Rien ne presse.

— Bien sûr que si. C'est une jeune fille charmante. Allez, file. »

Woody sourit. Son père avait parfois des intuitions surprenantes.

« Merci, Papa. » Il se leva.

Greg Pechkov partait au même moment et ils se retrouvèrent ensemble devant la porte.

« Salut, Woody, comment ça va ? » dit aimablement Greg.

Fut un temps, Woody aurait volontiers cassé la figure à Greg pour le rôle que la rumeur lui attribuait dans le traquenard tendu à Dave Rouzrokh. Son ressentiment avait fini par s'apaiser, d'autant que le vrai responsable était Lev Pechkov et non son fils, qui n'avait alors que quinze ans. Malgré tout, il se montra à peine poli.

« J'aime bien Washington, dit-il en s'engageant dans l'une des grandes avenues au tracé parisien de la ville. Et toi ?

— Moi aussi. Les gens se remettent vite de leur première réaction de surprise en entendant mon nom. » Devant l'air interrogateur de Woody, Greg expliqua : « Le Département d'État est un repaire de Smith, de Faber, de Jensen et de McAllister. Tu n'y trouves pas un Kozinski, un Cohen ou un Papadopoulos. »

Woody dut convenir qu'il avait raison. Le gouvernement était entre les mains d'un petit groupe ethnique assez fermé. Comment ne l'avait-il jamais remarqué ? Sans doute parce qu'il en allait de même à l'école, à l'église et à Harvard.

« Ils ont pourtant une certaine largeur d'esprit, poursuivit Greg. Ils sont prêts à faire une exception pour quelqu'un qui parle russe couramment et qui est issu d'une famille riche. »

Greg s'exprimait avec désinvolture, mais ses paroles dissimulaient mal une vraie amertume. De toute évidence, il en avait gros sur le cœur.

« Ils considèrent mon père comme un gangster, continua Greg. En fait, ce n'est pas vraiment le problème. La plupart des riches ont un gangster parmi leurs ancêtres.

— À t'entendre, on pourrait croire que tu détestes Washington.

— Au contraire ! Je ne voudrais être nulle part ailleurs. C'est le centre du pouvoir. »

Woody avait le sentiment d'obéir à de plus hautes motivations. « Moi, je suis ici parce que je veux agir, je veux faire bouger les choses.

— C'est pareil…, fit Greg en souriant, une question de pouvoir.

— Mmouais. » Woody n'avait jamais envisagé les choses sous cet angle.

« Tu crois qu'il va y avoir la guerre en Europe ? reprit alors Greg.

— Tu devrais le savoir, c'est toi qui es au Département d'État !

— Oui, mais au service de presse. Tout ce que je sais, ce sont les salades qu'on raconte aux journalistes. Je ne sais rien de la réalité.

— Eh bien moi non plus. Figure-toi que je viens de voir le Président et que j'ai l'impression qu'il n'en sait pas plus que nous.

— Ma sœur Daisy est là-bas, en Europe. »

Le ton de Greg avait changé. Visiblement, il était sincèrement inquiet, et Woody fut pris d'un élan de sympathie à son égard. « Je sais.

— En cas de bombardement, personne ne sera à l'abri, pas plus les femmes et les enfants que les autres. Tu crois que les Allemands bombarderont Londres ? »

S'il voulait être franc, il n'y avait qu'une réponse possible. « Je pense que oui.

— J'aurais vraiment préféré qu'elle ne reste pas là-bas !

— Il n'y aura peut-être pas de guerre, après tout. L'année dernière, Chamberlain, le Premier ministre britannique, a passé un accord de dernière minute avec Hitler au sujet de la Tchécoslovaquie…

— Une capitulation de dernière minute, oui.

— Tu as raison. Il en fera peut-être autant pour la Pologne… quoique le temps presse. »

Greg hocha la tête sombrement et changea de sujet : « Tu vas où, comme ça ?

— Chez Joanne Rouzrokh. Elle reçoit quelques amis.

— Oui, je sais. Je connais une des filles qui habitent avec elle. Je ne suis pas invité, tu peux t'en douter. Son immeuble est… mon Dieu ! » Greg s'interrompit au milieu de sa phrase et se figea. Woody s'arrêta, lui aussi. Greg avait les yeux fixés droit devant lui. En suivant son regard, Woody aperçut une séduisante jeune femme noire qui se dirigeait vers eux. Elle avait à peu près leur âge et était ravissante, avec une grande bouche aux lèvres brun rose qui invitait aux baisers. Elle était vêtue d'une robe noire toute simple, peut-être une tenue de serveuse, mais elle la portait avec un chapeau charmant et des chaussures dernier cri qui lui donnaient beaucoup de chic.

Elle vit les deux hommes, croisa le regard de Greg et détourna les yeux.

« Jackie ? Jackie Jakes ? » s'écria Greg.

Elle l'ignora et continua à marcher. Woody eut cependant l'impression qu'elle était gênée.

Greg insista : « Jackie, c'est moi, Greg Pechkov. »

Jackie, si c'était bien elle, ne réagit pas, mais semblait prête à fondre en larmes.

« Jackie, enfin Mabel. Tu ne me reconnais pas ? » Greg était planté au milieu du trottoir, les bras écartés dans un geste suppliant. Elle le contourna délibérément, sans un mot, sans un regard, et poursuivit son chemin.

Greg se retourna.

« Attends ! lança-t-il. Tu m'as laissé tomber du jour au lendemain il y a quatre ans. Tu me dois une explication ! »

Ce comportement ne ressemblait pas à Greg, pensa Woody. Il avait toujours montré beaucoup d'assurance avec les filles, au lycée comme à Harvard. À présent, il paraissait complètement démuni : dérouté, blessé, désespéré presque.

« Il y a quatre ans », avait-il dit. Pouvait-il s'agir de la jeune fille impliquée dans le scandale ? Cela s'était passé à Washington. Elle devait habiter ici.

Greg lui courut après. Un taxi s'était arrêté au coin de la rue. Le passager, un homme en smoking, était sorti et payait la course. Jackie sauta dans la voiture et claqua la portière.

Greg lui cria à travers la vitre : « Parle-moi, je t'en prie !

— Gardez la monnaie », fit l'homme en smoking et il s'éloigna.

Le taxi démarra, laissant Greg seul sur le trottoir, suivant des yeux la voiture qui s'éloignait.

Il finit par rejoindre lentement Woody qui l'attendait, intrigué.

« Je n'y comprends rien, murmura Greg.

— On aurait dit qu'elle avait peur.

— De quoi ? Je ne lui ai jamais fait aucun mal. J'étais fou d'elle.

— En tout cas, elle avait peur de quelque chose. »

Greg parut se ressaisir. « Pardon, dit-il. Ce n'est pas ton problème. Excuse-moi.

— Je t'en prie. »

Greg désigna un immeuble à quelques pas. « C'est là qu'habite Joanne. Amuse-toi bien. » Et il s'en alla.

Woody se dirigea vers l'immeuble, vaguement déconcerté. Mais il oublia vite la vie amoureuse de Greg pour se concentrer sur la sienne. Joanne avait-elle vraiment de l'affection pour lui ? Même si elle ne l'embrassait pas ce soir, il pourrait peut-être lui proposer un rendez-vous.

L'immeuble était assez modeste, sans portier ni concierge. La liste affichée dans l'entrée signalait que Rouzrokh partageait un appartement avec Stewart et Fisher, deux autres filles sans doute. En montant dans l'ascenseur, Woody se rendit compte qu'il arrivait les mains vides. Il aurait dû apporter des fleurs ou des chocolats. Il envisagea de redescendre acheter quelque chose puis se dit qu'il ne fallait pas non plus tomber dans l'excès de savoir-vivre. Il sonna.

Une jeune fille d'une petite vingtaine d'années lui ouvrit.

— Bonjour, je suis..., commença Woody.

— Entre, dit-elle sans attendre les présentations. Les boissons sont dans la cuisine et il y a de quoi manger sur la table du salon, s'il reste quelque chose. » Jugeant cet accueil suffisant, elle repartit. L'appartement était petit et plein à craquer de gens qui buvaient, fumaient et s'interpellaient en criant pour couvrir la musique du phono. Joanne avait parlé de « quelques amis » et Woody avait imaginé qu'il y aurait huit ou dix personnes en train de discuter de la crise en Europe autour d'une table basse. Il était déçu. Au milieu de toute cette foule qui faisait la fête, il n'aurait pas l'occasion de montrer à Joanne à quel point il était devenu adulte.

Mais où était-elle ? Il était plus grand que la moyenne, ce qui lui permettait de voir par-dessus les têtes, et pourtant, il ne l'apercevait nulle part. Il se mit à sa recherche en jouant des coudes. Une fille à la poitrine généreuse et aux jolis yeux noisette l'intercepta au passage. « Salut, le grand. Je suis Diana Taverner. Comment tu t'appelles ?

— Je cherche Joanne », répondit-il.

Elle haussa les épaules. « Eh bien, bonne chance. » Elle se détourna.

Il finit par arriver dans la cuisine, où le niveau sonore était un peu plus supportable. Joanne n'y était pas. Il décida d'en profiter pour se servir un verre. Un trentenaire aux larges épaules secouait un shaker. Bien habillé, costume sombre, chemise bleu pâle et cravate bleu foncé, ce n'était manifestement pas un serveur. Il se comportait plutôt en maître des lieux. « Le whisky est là, dit-il à un autre invité. Servez-vous. Je prépare des martinis, pour ceux que ça intéresse.

— Vous avez du bourbon ? demanda Woody.

— Voilà, fit l'homme en lui tendant une bouteille. Je suis Bexforth Ross.

— Woody Dewar. »

Il dénicha un verre et se versa du bourbon.

« Il y a des glaçons dans ce seau, dit Bexforth. D'où tu viens, Woody ?

— Je suis stagiaire au Sénat. Et toi ?

— Je travaille au Département d'État. Je suis responsable du bureau italien. »

Il se mit à servir des martinis.

Un homme en pleine ascension, de toute évidence, songea Woody. Tellement sûr de lui que c'en était agaçant.

« Je cherche Joanne.

— Elle est quelque part par là. D'où la connais-tu ? »

Woody vit l'occasion de se faire mousser. « Oh, nous sommes de vieux amis, lança-t-il d'un ton dégagé. En fait, je la connais depuis toujours. Nous avons passé notre enfance ensemble à Buffalo. Et toi ? »

Bexforth but une grande gorgée de martini et poussa un soupir de satisfaction. Puis il jeta à Woody un regard inquisiteur.

« Je ne connais pas Joanne depuis aussi longtemps que toi, reconnut-il. Mais je la connais probablement mieux.

— Ah oui ?

— J'ai l'intention de l'épouser. »

Woody reçut la nouvelle comme une gifle. « L'épouser ?

— Oui. C'est sensationnel, non ?

— Elle est au courant ? » demanda Woody sans pouvoir cacher son désarroi.

Bexforth éclata de rire et tapota l'épaule de Woody avec condescendance.

« Évidemment, et elle est enchantée. Je suis l'homme le plus heureux du monde. »

Bexforth avait certainement deviné que Woody était attiré par Joanne. Il s'était conduit comme un idiot.

« Félicitations, murmura-t-il sans conviction.

— Merci. Maintenant, il faut que je bouge. J'ai été content de bavarder avec toi, Woody.

— Moi aussi. »

Bexforth s'en alla.

Woody posa son verre sans y avoir touché.

« Et merde », marmonna-t-il tout bas. Et il partit.

4.

En ce premier jour de septembre, on étouffait à Berlin. Carla von Ulrich se réveilla transpirante, mal à l'aise, dans un lit en désordre dont elle avait repoussé les draps pendant la nuit. Par la fenêtre de sa chambre, elle aperçut de gros nuages gris posés sur la ville, conservant la chaleur comme un couvercle sur une marmite.

C'était un grand jour pour elle. Il allait même décider du cours de sa vie.

Elle se campa devant la glace. Elle avait hérité de sa mère les cheveux noirs et les yeux verts des Fitzherbert. Elle était plus jolie que Maud, laquelle avait un visage anguleux, plus remarquable que franchement beau. Il y avait pourtant entre elles une différence notable. Maud séduisait tous les hommes qu'elle croisait. Carla, elle, ne savait pas se rendre aguichante. Elle observait les autres filles de son âge ; elle les voyait minauder, tirer leur pull-over pour mouler leur poitrine, se passer la main dans les cheveux pour leur donner du volume, battre des cils. Elle se sentait gênée. Sa mère faisait preuve de plus de subtilité, si bien que les hommes ne se rendaient même pas compte qu'elle les enjôlait. Mais c'était au fond la même comédie.

Ce jour-là, cependant, il n'était pas question de faire du charme. Il fallait au contraire avoir l'air sage, capable et efficace. Elle mit une robe de coton gris muraille qui descendait à mi-mollet, enfila ses vilaines sandales plates de tous les jours et se fit deux tresses, la coiffure recommandée pour les jeunes filles allemandes. Le miroir lui renvoya l'image de l'étudiante parfaite : classique, terne et asexuée.

Elle fut prête bien avant le reste de la famille. Ada, la domestique, était à la cuisine. Carla l'aida à mettre le couvert du petit déjeuner.

Son frère arriva bientôt. Erik, dix-neuf ans, petite moustache noire bien taillée, soutenait les nazis, à la grande fureur des autres membres de la famille. Il était étudiant à la Charité, l'école de médecine de l'université de Berlin, avec son meilleur ami, tout aussi nazi que lui, Hermann Braun. Les von Ulrich n'avaient pas de quoi payer les frais de scolarité, mais Erik avait obtenu une bourse.

Carla avait fait une demande de bourse, elle aussi, pour être admise dans le même établissement. Elle passait un entretien ce jour-là. Si elle réussissait, elle pourrait faire ses études et devenir médecin. Sinon…

Elle ne savait absolument pas ce qu'elle ferait.

L'arrivée des nazis au pouvoir avait détruit la vie de ses parents. Son père n'était plus député au Reichstag. Il avait perdu son mandat lorsque le parti social-démocrate avait été interdit en même temps que tous les autres, à l'exception du parti nazi. Aucun emploi ne lui permettait d'exploiter son expérience de politicien et de diplomate. Il gagnait tout juste de quoi faire vivre sa famille en traduisant des articles de la presse allemande pour l'ambassade de Grande-Bretagne où il conservait encore quelques amis. Quant à sa mère, elle avait été une journaliste de gauche réputée, mais les journaux n'étaient plus autorisés à publier ses articles.

Carla trouvait cela navrant. Elle était profondément attachée à sa famille, dont Ada faisait partie. La disgrâce de son père la désolait. Il avait été tellement occupé quand elle était enfant, il exerçait un vrai pouvoir politique et ce n'était plus qu'un homme déchu. Elle souffrait encore plus de voir sa mère, célèbre suffragette en Angleterre avant la guerre, tenter de faire bonne figure et de gagner quelques marks en donnant des leçons de piano.

Mais ils prétendaient pouvoir tout supporter pourvu que leurs enfants soient assurés de mener un jour une vie heureuse et épanouie.

Carla avait toujours pensé qu'elle emploierait sa vie à bâtir un monde meilleur, comme l'avaient fait ses parents. Aurait-elle préféré suivre les traces de son père en s'engageant dans la politique ou celles de sa mère en optant pour le journalisme ? Elle n'en savait rien, mais désormais, il n'en était plus question.

Que pouvait-elle envisager de faire sous un régime qui exaltait la violence et la brutalité ? Son frère l'avait mise sur la voie. Quel que soit le gouvernement, les médecins amélioraient la vie des autres. Elle avait donc décidé de faire médecine. Elle avait travaillé plus dur que toutes les autres filles de sa classe, avait réussi tous ses examens haut la main, surtout dans les matières scientifiques. Elle était plus qualifiée que son frère pour obtenir une bourse.

« Il n'y a aucune fille dans mon année », grommela Erik. Carla se dit qu'il n'avait pas envie de la voir suivre la même voie que lui. Leurs parents étaient fiers de ses résultats, malgré ses opinions politiques exécrables. Il craignait qu'elle ne lui fasse de l'ombre.

« J'ai de meilleures notes que toi partout, répliqua Carla : en chimie, en biologie, en maths…

— D'accord, d'accord.

— En principe, les filles peuvent très bien postuler à une bourse, elles aussi… j'ai vérifié. »

Leur mère entra à la fin de cet échange, vêtue d'un peignoir gris en soie moirée dont le cordon s'enroulait deux fois autour de sa taille fine. « Ils devraient appliquer les règles qu'ils ont eux-mêmes fixées, remarqua-t-elle. On est en Allemagne quand même ! » Mutter disait aimer son pays d'adoption. C'était peut-être vrai. Mais depuis que les nazis étaient au pouvoir, il lui arrivait souvent de lancer quelques remarques ironiques d'un air désabusé.

Carla trempa sa tartine dans son café au lait. « Mutti, comment est-ce que tu réagirais si l'Angleterre attaquait l'Allemagne ?

— Je serais affreusement triste, comme la dernière fois. Tu n'es pas sans savoir que j'ai épousé ton père à la veille de la Grande Guerre et que pendant quatre ans, j'ai vécu tous les jours dans la terreur qu'il se fasse tuer. »

Erik demanda d'un ton provocant : « Quel camp choisirais-tu ?

— Je suis allemande. Je me suis mariée pour le meilleur et pour le pire. Évidemment, jamais nous n'aurions imaginé qu'il pourrait exister un jour un régime aussi abject et aussi tyrannique que le régime nazi. Personne ne pouvait le prévoir. » Erik protesta tout bas, mais elle l'ignora. « Quand on s'engage, c'est pour toujours, et d'ailleurs, j'aime votre père.

— Nous ne sommes pas encore en guerre, rappela Carla.

— Pas tout à fait, approuva sa mère. Si les Polonais ont un tant soit peu de jugeote, ils céderont et donneront à Hitler ce qu'il demande.

— Ils feraient bien, confirma Erik. L'Allemagne est forte aujourd'hui. Nous pouvons prendre ce que nous voulons, que ça leur plaise ou non. »

Mutter leva les yeux au ciel. « Que Dieu ait pitié de nous. »

On entendit un avertisseur sonore dans la rue. Carla sourit. Une minute plus tard, son amie Frieda Franck entrait dans la cuisine. Elle devait accompagner Carla à son entretien pour la soutenir moralement. Elle était habillée, elle aussi, en jeune étudiante modèle, alors que, contrairement à Carla, elle avait une garde-robe remplie de tenues élégantes.

Son frère aîné surgit derrière elle. Carla trouvait Werner Franck épatant. Contrairement à tant de garçons séduisants, il était gentil, attentionné et drôle. Il avait été pendant un temps très à gauche, mais avait mis de l'eau dans son vin et prétendait ne plus avoir d'opinions politiques. Il avait eu d'innombrables petites amies, plus ravissantes les unes que les autres. Si Carla avait su flirter, elle aurait commencé par lui.

« Je t'aurais volontiers proposé du café, Werner, dit Mutter, mais nous n'avons que de l'ersatz et je sais que vous en avez du vrai chez vous.

— Voulez-vous que j'en fauche un peu pour vous dans notre cuisine, Frau von Ulrich ? proposa-t-il. Il me semble que vous le méritez bien. »

Sa mère rougit légèrement et Carla se rendit compte, non sans contrariété, qu'à quarante-huit ans, elle n'était pas insensible au charme de Werner.

Celui-ci consulta sa montre en or. « Il faut que j'y aille, annonça-t-il. C'est la frénésie au ministère de l'Air ces jours-ci.

— Merci de m'avoir déposée, lui dit Frieda.

— Attends, coupa Carla, en s'adressant à Frieda. Si tu es venue en voiture avec Werner, où est ta bicyclette ?

— Dehors. On l'a attachée à l'arrière de la voiture. »

Les deux filles étaient membres du club cycliste Mercury et ne se déplaçaient qu'à vélo.

« Bonne chance pour ton entretien, Carla, lança Werner. Au revoir tout le monde. »

Carla termina sa tartine. Son père descendit au moment où elle allait partir. Il n'était pas rasé et n'avait pas mis de cravate. Quand Carla était petite, il était plutôt bien en chair, mais il avait beaucoup maigri. Il embrassa affectueusement sa fille.

« Nous n'avons pas écouté les nouvelles ! » s'écria Maud et elle alluma le poste de radio posé sur l'étagère.

Carla et Frieda s'en allèrent pendant que l'appareil à lampe chauffait, si bien qu'elles n'entendirent pas les informations.

L'hôpital universitaire se trouvait dans le quartier du Mitte, au centre de Berlin, comme la maison des von Ulrich. Le trajet à bicyclette fut donc de courte durée pour Frieda et Carla. Carla commençait à avoir le trac. Les émanations des pots d'échappement lui donnaient la nausée et elle regretta d'avoir pris un petit déjeuner. Elles arrivèrent à l'hôpital, un bâtiment neuf datant des années 1920, et rejoignirent le professeur Bayer, chargé d'émettre un avis sur les candidats à une bourse. Une secrétaire hautaine leur fit remarquer qu'elles étaient en avance et les pria d'attendre.

Carla songea qu'elle aurait dû mettre un chapeau et des gants. Elle aurait paru plus âgée et cela lui aurait donné un air d'autorité susceptible d'inspirer confiance aux malades. La secrétaire aurait sans doute été plus polie envers une jeune fille coiffée d'un chapeau.

L'attente fut longue, mais Carla la trouva presque trop courte quand la secrétaire lui annonça que le professeur allait la recevoir.

« Bonne chance ! » murmura Frieda.

Carla entra.

Bayer était un homme sec d'une quarantaine d'années, au visage barré d'une petite moustache grise. Assis derrière un bureau, il portait une veste en lin beige foncé sur un gilet de costume gris. Sur une photographie affichée au mur, on le voyait serrer la main d'Hitler.

Sans saluer Carla, il aboya : « Qu'est-ce qu'un nombre imaginaire ? »

Elle fut un peu interloquée par sa brusquerie, mais au moins, c'était une question facile. « La racine carrée d'un nombre réel négatif, par exemple la racine carrée de moins un, répondit-elle d'une voix tremblante. On ne peut lui attribuer de valeur numérique réelle, mais on peut néanmoins l'utiliser dans des calculs. »

Il parut surpris. Il s'attendait sans doute à la laminer d'emblée.

« Exact », admit-il après une brève hésitation.

Elle regarda autour d'elle. Il n'y avait pas de chaise. Était-elle censée rester debout pendant toute l'interrogation ?

Il lui posa quelques questions de chimie et de biologie, auxquelles elle répondit sans difficulté. Elle commençait à retrouver un peu d'assurance, quand il demanda :

« Est-ce que vous vous évanouissez à la vue du sang ?

— Non, monsieur.

— Ah ! s'écria-t-il d'un air triomphant. Et comment le savez-vous ?

— J'ai aidé une femme à accoucher quand j'avais onze ans. Il y avait beaucoup de sang.

— Vous auriez dû faire venir un médecin !

— C'est ce que j'ai fait. Mais les bébés n'attendent pas toujours l'arrivée du médecin.

— Mmm. Attendez ici », fit Bayer en se levant.

Il sortit. Carla ne bougea pas. Elle venait de subir un examen ardu, mais jusqu'à présent, elle trouvait qu'elle s'en était bien sortie. Heureusement, elle avait l'habitude des échanges verbaux avec des personnes de tous âges : chez les von Ulrich, les discussions animées faisaient partie de la vie courante. C'était un art qu'elle pratiquait depuis toujours avec ses parents et son frère.

L'absence de Bayer s'éternisait. Que faisait-il ? Était-il allé chercher un confrère pour lui présenter cette candidate exceptionnellement brillante ? Il ne fallait peut-être pas trop en demander !

Elle avait bien envie de prendre un livre dans sa bibliothèque pour lire en attendant, mais craignit de l'offenser. Elle demeura donc immobile sans rien faire.

Il revint au bout de dix minutes avec un paquet de cigarettes. Il ne l'avait tout de même pas laissée lanterner tout ce temps pour aller au bureau de tabac ! Cela faisait-il partie de l'épreuve ? Elle sentit la colère monter en elle.

Il alluma une cigarette en prenant son temps, comme s'il rassemblait ses idées. Rejetant la fumée, il demanda : « En tant que femme, comment vous comporteriez-vous devant un patient atteint d'une infection du pénis ? »

La question était embarrassante. Elle se sentit rougir. Elle n'avait jamais abordé ce genre de sujet avec un homme. Mais elle devait évidemment être capable d'en parler sans frémir si elle voulait devenir médecin.

« De la même manière que vous, un homme, face à une infection vaginale », répondit-elle. Il eut l'air scandalisé et elle craignit de s'être montrée insolente. Elle reprit bien vite : « J'examinerais soigneusement la région contaminée, j'essaierais d'identifier la nature de l'infection et je la traiterais probablement aux sulfamides, bien que je doive reconnaître que nous n'avons pas étudié cette question en cours de biologie à mon école. »

Il la regarda d'un air sceptique : « Avez-vous déjà vu un homme nu ?

— Oui.

— Mais vous n'êtes pas mariée ! lança-t-il, manifestement offusqué.

— À la fin de sa vie, mon grand-père était grabataire et incontinent. J'aidais ma mère à faire sa toilette. Elle ne pouvait pas y arriver seule, il était trop lourd, expliqua-t-elle en esquissant un sourire. Les femmes font cela tout le temps, professeur, pour les tout-petits et les très âgés, les malades et les impotents. Nous y sommes habituées. Ce sont les hommes qui trouvent ces tâches dégradantes. »

Il semblait de plus en plus agacé, alors qu'elle répondait bien. Pourquoi était-il irrité ? Aurait-il préféré la voir perdre ses moyens et répondre de travers ?

Il posa sa cigarette dans le cendrier d'un air songeur. « Je suis au regret de vous annoncer qu'il nous est impossible de vous attribuer cette bourse », déclara-t-il.

Elle était abasourdie. Pourquoi avait-elle échoué ? Elle avait répondu à toutes ses questions ! « Mais pourquoi ? Je pense être parfaitement qualifiée !

— Vous avez une attitude inconvenante de la part d'une femme. Vous parlez ouvertement de pénis et de vagin.

— C'est vous qui en avez parlé ! Je n'ai fait que vous répondre.

— Vous avez de toute évidence été élevée dans un environnement grossier où on vous a laissé voir la nudité de vos parents de sexe masculin.

— Parce que vous pensez que ce sont les hommes qui devraient changer les couches des vieillards ? J'aimerais vous y voir !

— Pire, vous êtes irrespectueuse et impertinente.

— Vous m'avez posé des questions provocantes. Si je vous avais répondu timidement, vous m'auriez dit que je n'avais pas assez de tempérament pour devenir médecin. Je me trompe ? »

Il resta un moment sans voix. Elle comprit qu'elle avait vu juste.

« Vous m'avez fait perdre mon temps, dit-elle en se dirigeant vers la porte.

— Mariez-vous, lui lança-t-il. Faites des enfants pour le Führer. C'est votre rôle. Faites votre devoir. »

Elle sortit en claquant la porte.

Frieda leva les yeux, alarmée. « Que s'est-il passé ? »

Carla fonça vers la sortie sans répondre. Elle surprit le regard ravi de la secrétaire qui savait manifestement comment les choses s'étaient passées. « Vous pouvez arrêter de ricaner, vieille bique », lui cria Carla.

À sa grande satisfaction, elle la vit suffoquer d'indignation.

Lorsqu'elles furent dehors, elle expliqua à Frieda : « Il n'avait pas la moindre intention de me donner un avis favorable pour une bourse, parce que je suis une femme. Il se fichait pas mal de mes qualifications. Je me suis donné tout ce mal pour rien. » Elle éclata en sanglots.

Frieda la prit dans ses bras pour la réconforter.

« Il n'est pas question que je fasse des enfants pour cette saleté de Führer, murmura Carla un peu rassérénée.

— Comment ?

— Rentrons. Je te raconterai. » Elles remontèrent sur leurs bicyclettes.

Une étrange atmosphère régnait dans la rue, mais Carla était trop préoccupée par ses propres malheurs pour s'en soucier. Les gens se regroupaient autour des haut-parleurs qui diffusaient parfois les discours d'Hitler depuis l'opéra Kroll, le bâtiment qui remplaçait le Reichstag incendié. Il n'allait sans doute pas tarder à prendre la parole.

Quand elles arrivèrent chez les von Ulrich, les parents de Carla étaient toujours à la cuisine, son père l'oreille collée à la radio, une ride de concentration sur le front.

— On m'a refusée, annonça Carla. Règlement ou non, ils n'accordent pas de bourse aux filles.

— Oh, Carla, je suis vraiment désolée, compatit sa mère.

— Qu'est-ce qu'ils disent à la radio ?

— Tu ne sais pas ? Nous avons envahi la Pologne ce matin. C'est la guerre. »

5.

La saison londonienne avait beau être terminée, tout le monde ou presque était resté en ville à cause de la crise. Le Parlement, habituellement en vacances à cette époque de l'année, avait été rappelé. Mais il n'y avait ni soirées, ni réceptions royales, ni bals. On se serait cru dans une station balnéaire en février, se disait Daisy. On était samedi et elle s'apprêtait à aller dîner chez son beau-père, le comte Fitzherbert. Quoi de plus ennuyeux ?

Elle était assise devant sa coiffeuse, vêtue d'une robe du soir en soie couleur eau-de-nil à la jupe plissée et au décolleté en V. Elle avait des fleurs en soie dans les cheveux et une fortune en diamants autour du cou.

Boy, son mari, se préparait dans son cabinet de toilette. Elle était contente qu'il soit là. Il passait beaucoup de temps ailleurs. Ils habitaient le même hôtel particulier de Mayfair, et pourtant, il leur arrivait de ne pas se voir pendant plusieurs jours. Ce soir-là, au moins, il était rentré.

Elle tenait à la main une lettre que sa mère lui avait envoyée de Buffalo. Olga avait deviné que sa fille n'était pas heureuse en ménage. Daisy avait dû le laisser entendre à mots couverts dans les lettres qu'elle adressait à sa famille. Sa mère ne manquait pas d'intuition. « Je ne veux que ton bonheur, écrivait-elle. Alors crois-moi si je te dis de ne pas renoncer trop vite. Tu seras comtesse Fitzherbert un jour et ton fils, si tu en as un, sera comte. Tu pourrais regretter d'avoir renoncé à tout cela simplement parce que ton mari n'est pas assez attentionné. »

Elle avait peut-être raison. On l'appelait « madame la vicomtesse » depuis près de trois ans et cela lui procurait toujours le même petit frisson de plaisir, comme une bouffée de cigarette.

Mais Boy estimait apparemment que le mariage ne devait en rien modifier ses habitudes. Il partageait ses soirées avec ses amis, sillonnait le pays pour assister à des courses de chevaux et faisait rarement part de ses projets à sa femme. Daisy trouvait gênant de se rendre à une réception et d'y tomber par hasard sur son mari. Si elle voulait savoir où il allait, elle était obligée d'interroger son valet. C'était trop humiliant.

Finirait-il par mûrir et par se comporter comme doit le faire un mari ou ne changerait-il jamais ?

Il passa la tête par la porte. « Viens, Daisy, nous sommes en retard. »

Elle glissa la lettre de sa mère dans un tiroir, le ferma à clé et se leva. Boy l'attendait dans l'entrée, en smoking. Fitz avait enfin cédé à la mode et autorisé les vestes courtes au lieu de la queue-de-pie pour les dîners en famille.

Ils auraient pu se rendre chez Fitz à pied, mais il pleuvait, aussi Boy avait-il fait avancer la voiture. C'était une berline Bentley Airline couleur crème aux pneus à flancs blancs. Boy partageait avec son père l'amour des belles automobiles.

Boy prit le volant. Daisy espérait qu'il la laisserait conduire au retour. Elle adorait ça. De plus, après le dîner, il était dangereux au volant, surtout quand la route était mouillée.

Londres se préparait à la guerre. Des ballons de barrage flottaient sur la ville à plus de cinq cents mètres d'altitude pour gêner les avions de bombardement. En guise de précaution supplémentaire, des sacs de sable avaient été entassés autour des bâtiments importants. Les bordures de trottoirs avaient été peintes en blanc pour être visibles des automobilistes pendant le black-out, qui avait commencé la veille. Il y avait également des bandes blanches sur les arbres, les statues et tous les obstacles susceptibles de causer des accidents.

Boy et Daisy furent accueillis par la princesse Bea. À l'approche de la cinquantaine, elle était très empâtée, ce qui ne l'empêchait pas de continuer à s'habiller comme une jeune fille. Ce soir-là, elle portait une robe rose brodée de paillettes et de perles. Elle ne parlait jamais de l'histoire qu'avait racontée le père de Daisy au mariage, mais avait cessé de faire allusion aux origines de sa bru et s'adressait désormais à elle avec courtoisie à défaut de cordialité. Daisy la traitait avec une bienveillance prudente, comme s'il s'agissait d'une tante un peu toquée.

Le frère cadet de Boy, Andy, était là. May et lui avaient deux enfants et Daisy constata avec intérêt que May semblait en attendre un troisième.

Naturellement, Boy voulait un fils, un héritier du titre et de la fortune des Fitzherbert. Malheureusement, Daisy n'était toujours pas enceinte. C'était un sujet douloureux et la fécondité manifeste de May et Andy n'arrangeait rien. Ses chances auraient été plus grandes si Boy avait découché moins souvent.

Daisy fut ravie de découvrir que son amie Eva Murray était là, elle aussi – mais sans son mari : Jimmy Murray, devenu capitaine, était avec son unité et n'avait pu se libérer. Les troupes étaient consignées dans leurs casernes et leurs officiers également. Eva faisait désormais partie de la famille. Puisque Jimmy était le frère de May, donc un beau-frère, Boy avait dû surmonter ses préjugés contre les Juifs et se montrer poli envers Eva.

Eva éprouvait pour Jimmy la même adoration que lorsqu'elle l'avait épousé trois ans plus tôt. Eux aussi avaient eu deux enfants en trois ans. Mais Eva avait l'air inquiète ce soir-là, ce que Daisy comprenait fort bien.

« Comment vont tes parents ? lui demanda-t-elle.

— Ils ne peuvent pas quitter l'Allemagne, répondit Eva d'un air malheureux. Le gouvernement refuse de leur accorder des visas de sortie.

— Fitz ne peut pas les aider ?

— Il a essayé.

— Qu'ont-ils fait pour mériter cela ?

— Ils ne sont pas les seuls, tu sais. Des milliers de Juifs allemands sont dans la même situation. Très peu d'entre eux obtiennent des visas.

— Quelle tragédie ! » Daisy était plus que désolée. Elle était mortifiée quand elle se rappelait le temps où Boy et elle soutenaient les fascistes, au tout début. Ses doutes n'avaient fait que croître au fur et à mesure de l'aggravation de la brutalité du fascisme en Allemagne comme à l'étranger. En fin de compte, elle avait été soulagée le jour où Fitz était venu leur dire que leurs opinions lui posaient un problème et les avait priés de quitter le parti de Mosley. Daisy se demandait à présent comment elle avait pu avoir la bêtise d'y adhérer.

Boy ne partageait pas ses remords. Il continuait à penser que les Européens blancs de la haute société constituaient une race supérieure, élue par Dieu pour gouverner le monde. Néanmoins, il avait cessé de croire aux possibilités d'appliquer cette philosophie politique. Il fulminait souvent contre la démocratie britannique, sans pourtant en prôner l'abolition.

Ils se mirent à table de bonne heure. « Neville doit faire une déclaration à la Chambre des communes à sept heures et demie », annonça Fitz. Neville Chamberlain était le Premier ministre. « Je tiens à y assister… je siégerai à la galerie des pairs. Je serai peut-être obligé de vous quitter avant le dessert.

— Qu'est-ce qui va se passer d'après vous, Père ? demanda Andy

— Je n'en sais absolument rien, répondit Fitz avec une pointe d'agacement. Naturellement, nous préférerions tous éviter la guerre, mais il ne faut surtout pas donner l'impression d'hésiter. »

Cette réaction étonna Daisy. Fitz croyait aux vertus de la loyauté et critiquait rarement ses collègues du gouvernement, même de façon aussi indirecte.

« S'il y a la guerre, j'irai m'installer à Tŷ Gwyn », déclara la princesse Bea.

Fitz secoua la tête. « S'il y a la guerre, le gouvernement demandera aux propriétaires de grands domaines de les mettre à la disposition de l'armée. En tant que membre du gouvernement, je devrai donner l'exemple. Je devrai prêter Tŷ Gwyn aux Welsh Rifles, les chasseurs gallois, pour qu'ils y installent un centre d'entraînement ou un hôpital.

— Mais c'est ma maison ! protesta Bea, indignée.

— Nous pourrons certainement conserver quelques pièces pour notre usage personnel.

— Je n'accepterai jamais cela ! Je suis une princesse !

— Cela pourrait être tout à fait confortable. Il suffirait de transformer l'office du majordome en cuisine et le salon du petit déjeuner en salle à manger, et d'occuper trois ou quatre des plus petites chambres.

— Confortable ! » Bea prit un air dégoûté, mais elle se tut.

« Nous allons probablement rejoindre les Welsh Rifles, Boy et moi », intervint Andy.

May émit un bruit de gorge qui ressemblait à un sanglot.

« Personnellement, je compte m'engager dans l'armée de l'air, rectifia Boy.

— Il n'en est pas question, s'indigna Fitz. Le vicomte d'Aberowen a toujours été dans les Welsh Rifles.

— Ils n'ont pas d'avions. La prochaine guerre se passera dans les airs. La RAF aura grand besoin de pilotes. Et j'ai de longues années de vol derrière moi. »

Fitz s'apprêtait à répliquer quand le majordome entra et annonça : « La voiture est prête, monsieur le comte. »

Fitz jeta un coup d'œil à la pendule de la cheminée. « Bigre, il faut que j'y aille. Merci, Grout. Ne prends pas de décision définitive sans que nous en ayons discuté, ajouta-t-il à l'adresse de Boy. Ça ne se fait pas.

— Très bien, Père. »

Fitz se tourna alors vers Bea. « Ma chère, pardonnez-moi de vous quitter au milieu du dîner.

— Je vous en prie. »

Fitz se leva et se dirigea vers la porte. Daisy remarqua une fois de plus sa démarche claudicante, triste souvenir de la dernière guerre.

La fin du dîner fut morose. Ils se demandaient tous si le Premier ministre allait déclarer la guerre.

Quand les femmes se levèrent pour se retirer, May demanda à Andy de lui prendre le bras. Il s'excusa auprès des deux autres hommes en expliquant : « Ma femme est dans un état intéressant. » C'était l'euphémisme habituel pour dire d'une femme qu'elle était enceinte.

« Je regrette que ma femme ne sache pas se rendre intéressante elle aussi », lança Boy.

C'était une rosserie mesquine. Daisy sentit le rouge lui monter aux joues. Elle se retint d'abord de riposter puis songea qu'elle n'avait aucune raison de se taire.

« Tu sais ce que disent les footballeurs, Boy ? demanda-t-elle à haute et intelligible voix. Il faut tirer pour marquer un but. »

Ce fut au tour de Boy de devenir écarlate. « Comment oses-tu ? » s'écria-t-il, furieux.

Andy éclata de rire. « Tu l'as cherché, mon cher frère.

— Arrêtez tous les deux, s'interposa Bea. Je souhaiterais que mes fils attendent que les dames se soient retirées pour échanger des propos aussi répugnants. » Sur ces mots, elle sortit majestueusement.

Daisy la suivit, mais arrivée au pied de l'escalier, elle faussa compagnie aux autres femmes et monta à l'étage, encore frémissante de colère. Elle voulait être seule. Comment Boy pouvait-il dire des choses pareilles ? Croyait-il vraiment qu'elle y était pour quelque chose si elle n'était pas enceinte ? Il pouvait en être tout autant responsable qu'elle ! Peut-être le savait-il et préférait-il la blâmer de crainte qu'on ne le croie stérile. C'était probablement le cas, mais ce n'était pas une raison pour l'insulter en public.

Elle gagna l'ancienne chambre de Boy. Après leur mariage, ils y avaient vécu ensemble trois mois pendant la réfection de leur propre maison. Ils occupaient la chambre de Boy et la chambre voisine, mais à cette époque, ils dormaient ensemble toutes les nuits.

Elle entra et alluma. À sa grande surprise, elle constata que Boy n'avait pas déménagé toutes ses affaires. Il y avait un rasoir sur la table de toilette et un numéro du magazine *Flight* sur la table de chevet. En ouvrant un tiroir, elle trouva une boîte de Leonard's Liver-aid, un médicament pour favoriser la digestion qu'il prenait tous les matins avant le petit déjeuner. Venait-il dormir ici quand il était trop saoul pour affronter sa femme ?

Le dernier tiroir était fermé à clé. Elle savait qu'il gardait la clé dans un pot sur la cheminée. Elle n'avait aucun scrupule à l'espionner : dans son esprit, un mari ne devait pas avoir de secrets pour son épouse. Elle l'ouvrit.

La première chose qu'elle vit fut un recueil de photographies de femmes nues. Les tableaux des musées et les clichés d'art représentaient généralement des femmes dans des poses qui dissimulaient en partie leur intimité. Les filles qu'elle avait sous les yeux faisaient tout le contraire : jambes relevées, fesses écartées, et même les lèvres de leur vagin largement offertes au regard. Daisy aurait feint d'être scandalisée si quelqu'un l'avait surprise. En réalité, elle était fascinée. Elle parcourut tout l'album avec curiosité en se comparant aux modèles : la taille et la forme de leur poitrine, la pilosité, les organes génitaux. Quelle merveilleuse diversité offraient les corps féminins !

Certaines filles se caressaient ou faisaient semblant, quelques photos les montraient à deux en train de se câliner mutuellement. Daisy n'était pas vraiment étonnée que les hommes aient du goût pour ces choses-là.

Elle avait la sensation de commettre une indélicatesse. Cela lui rappelait le jour où elle s'était glissée dans la chambre de Boy, à Tŷ Gwyn, avant leur mariage. En ce temps-là, elle voulait en savoir davantage sur lui, mieux connaître l'homme sur lequel elle avait jeté son dévolu, trouver une façon de l'amener à se déclarer. Que faisait-elle maintenant ? Elle épiait un mari qui ne l'aimait plus pour tenter de comprendre quelle erreur elle avait commise.

Sous le recueil, elle trouva un sachet brun, contenant des petites enveloppes carrées en papier blanc portant une inscription en lettres rouges. Elle lut :

« Prentif » Reg. Marque déposée
SERVISPAK

NOTICE

Tenir l'enveloppe et son contenu
à l'abri des regards car leur vue
pourrait choquer

Fabriqué en Grande-Bretagne
Latex de caoutchouc naturel
Convient pour tous climats

C'était incompréhensible. Rien n'indiquait ce qu'il y avait à l'intérieur de ces petits paquets. Elle en ouvrit un.

Elle y trouva un morceau de caoutchouc, qu'elle déplia. Il avait la forme d'un tube fermé à une extrémité.

Elle n'en avait jamais vu, ce qui ne l'empêchait pas d'en avoir entendu parler. On appelait cela des capotes, mais la vraie dénomination était préservatif. Cela permettait d'éviter de tomber enceinte.

Pourquoi son mari en avait-il toute une provision ? Elle ne voyait qu'une explication. Il s'en servait avec une autre.

Elle en aurait pleuré. Elle avait toujours cédé à tous ses caprices. Elle n'avait jamais prétendu être trop fatiguée pour faire l'amour, même quand c'était le cas, elle ne lui avait jamais rien refusé au lit. Elle aurait même posé comme les femmes de l'album de photos s'il le lui avait demandé.

Qu'avait-elle fait de mal ?

Elle décida de lui poser la question.

Son chagrin se transforma en colère. Elle se releva. Elle allait apporter ces sachets dans la salle à manger et les lui coller sous le nez. Pourquoi devrait-elle le ménager ?

Il entra dans la chambre à cet instant.

« J'ai vu la lumière d'en bas, dit-il. Qu'est-ce que tu fais ici ? » Son regard tomba sur le tiroir de la commode ouvert et il s'emporta : « De quel droit oses-tu m'espionner ?

— Je te soupçonnais de m'être infidèle, répondit-elle en brandissant le préservatif. Et j'avais raison.

— Espèce de sale fouineuse.

— Espèce de sale coureur. »

Il leva la main. « Je devrais te battre comme un mari de l'époque victorienne. »

Elle s'empara d'un gros chandelier sur la cheminée. « Essaye un peu et je t'assomme comme une épouse du XXe siècle.

— C'est ridicule. »

Il se laissa tomber lourdement dans un fauteuil près de la porte, accablé.

Devant son air malheureux, la fureur de Daisy retomba pour faire place à la tristesse. Elle s'assit sur le lit. Mais sa curiosité était intacte.

« Qui est-ce ?

— Peu importe.

— Je veux le savoir ! »

Il se tortilla, mal à l'aise. « Tu y tiens vraiment ?

— Oui. » Elle savait qu'elle finirait par le faire avouer.

Il évitait son regard. « Quelqu'un que tu ne connais pas et que tu ne risques pas de connaître.

— Une prostituée ? »

Le mot le piqua au vif. « Non !

— Tu la payes ?

— Non. Enfin, oui. » De toute évidence, il avait trop honte pour l'admettre. « Je verse une pension. Ce n'est pas pareil.

— Pourquoi tu la payes si ce n'est pas une prostituée ?

— Pour que je leur suffise.

— Leur ? Tu as plusieurs maîtresses ?

— Non ! Deux seulement. Elles habitent à Aldgate. La mère et la fille.

— Comment ? Tu ne parles pas sérieusement ?

— Eh bien, vois-tu, un jour, Joanie, la fille… Elle avait “ses jours”, comme disent les Français.

— Les Américaines disent tout simplement qu'elles ont leurs règles.

— Pearl a proposé…

— De la remplacer ? C'est absolument sordide ! Autrement dit, tu couches avec les deux.

— Oui. »

Elle repensa à l'album et une idée scandaleuse lui traversa l'esprit. Elle lui demanda : « Pas en même temps ?

— Ça m'arrive.

— Quelle horreur !

— Pour les maladies, tu n'as pas à t'inquiéter, dit-il en désignant le préservatif qu'elle tenait toujours à la main. Ces choses-là protègent des infections.

— Je suis confondue par tant de prévenance.

— Oh, écoute, la plupart des hommes font ça. Du moins dans notre milieu.

— Ça m'étonnerait », protesta-t-elle, avant de songer à son père qui avait une épouse, une maîtresse attitrée et trouvait encore le moyen d'avoir une liaison avec Gladys Angelus.

« Mon père non plus n'est pas un mari fidèle, reprit Boy. Il a des bâtards dans tous les coins.

— Je ne te crois pas. Il aime ta mère.

— En tout cas, il en a au moins un, c'est sûr et certain.

— Où ?

— Je ne sais pas.

— Alors comment peux-tu l'affirmer ?

— Je l'ai entendu en parler à Bing Westhampton un jour. Tu sais comment est Bing.

— Oui », reconnut Daisy. Puisqu'ils en étaient apparemment aux aveux, elle ajouta : « Il me met la main aux fesses à la moindre occasion.

— Ce vieux cochon. Toujours est-il qu'un soir où nous étions tous un peu éméchés, Bing a lancé : "Nous avons presque tous un ou deux bâtards qui traînent ici ou là, n'est-ce pas ?" À quoi Père a répondu : "Moi, je suis sûr de n'en avoir qu'un." Puis il s'est rendu compte de ce qu'il venait de dire, il a toussoté d'un air bête et a embrayé sur un autre sujet.

— Je me fiche pas mal du nombre de bâtards que peut avoir ton père. Je suis une Américaine, une femme moderne et je refuse de vivre avec un mari infidèle.

— Qu'est-ce que tu as l'intention de faire ?

— Te quitter. » Elle afficha un air de défi, mais elle était anéantie, comme s'il l'avait poignardée.

« Et rentrer à Buffalo, la queue entre les jambes ?

— Peut-être. Ou autre chose. J'ai de l'argent. » Les avocats de son père avaient veillé à ce que la fortune des Vialov-Pechkov ne tombe pas entre les mains de Boy au moment de leur mariage. « Je pourrais aller en Californie. Jouer dans un des films de mon père. Devenir une vedette de cinéma. Je peux très bien y arriver, tu sais. » Elle faisait la fière. En réalité, elle se retenait d'éclater en sanglots.

« Eh bien, quitte-moi. Va au diable, ça m'est bien égal. » Elle se demanda s'il était sincère. Son expression disait le contraire.

Ils entendirent alors une voiture. Daisy écarta légèrement le rideau fermé en raison du black-out et vit la Rolls-Royce noir et crème de Fitz, aux phares masqués par des écrans ajourés. « Ton père est rentré, annonça-t-elle. Je me demande si nous sommes en guerre.

— On ferait mieux de descendre.

— Je te suis dans un instant. »

Boy sortit et Daisy se regarda dans la glace. Elle fut étonnée de constater qu'elle n'avait pas l'air différente de celle qui était entrée dans cette pièce une demi-heure plus tôt. Sa vie venait d'être chamboulée, mais son visage n'en laissait rien paraître. Elle était accablée, avait envie de pleurer, mais elle se retint, se ressaisit, et descendit à son tour.

Fitz était dans la salle à manger, son smoking luisant de pluie. Comme il était parti avant le dessert, Grout, le majordome, lui avait apporté du fromage et des fruits. La famille était réunie autour de la table. Grout servit à Fitz un verre de bordeaux. Il en but quelques gorgées avant de laisser échapper : « Quelle épreuve effroyable !

— Que s'est-il passé ? » demanda Andy. Fitz grignota un morceau de cheddar avant de répondre.

« Neville a parlé quatre minutes en tout et pour tout. Je n'ai jamais assisté à une plus mauvaise intervention de la part d'un Premier ministre. Il a bafouillé, temporisé, déclaré que l'Allemagne allait peut-être se retirer de Pologne, ce que personne ne croit. Il n'a parlé ni de guerre, ni même d'ultimatum.

— Pourquoi ? s'étonna Andy.

— En privé, Neville prétend attendre que les Français cessent de tergiverser et se décident à déclarer la guerre en même temps que nous. Mais beaucoup pensent que ce n'est qu'un prétexte pour justifier sa lâcheté. »

Fitz but une autre gorgée de vin. « Ensuite, Arthur Greenwood a pris la parole. » Greenwood était le chef du parti travailliste. « Quand il s'est levé, Leo Amery, un conservateur comme vous le savez, a crié : "Parlez pour l'Angleterre, Arthur !" Qu'un satané socialiste puisse parler pour l'Angleterre alors qu'un Premier ministre conservateur en avait été incapable, vous imaginez la scène ! Neville était dans ses petits souliers. »

Grout remplit le verre de Fitz. « Greenwood a fait preuve de modération, mais il a tout de même dit : “Je vous le demande, combien de temps allons-nous encore hésiter ?” Les députés ont approuvé bruyamment, quel que soit leur bord. Je crois que Neville aurait disparu sous terre s'il avait pu. » Fitz prit une pêche qu'il découpa avec un couteau et une fourchette.

« Comment ça s'est terminé ? demanda Andy.

— Rien n'est réglé ! Neville est retourné au 10, Downing Street. Mais presque tous les membres du cabinet se sont cloîtrés dans le bureau de Simon à la Chambre des communes. » Sir John Simon était ministre des Finances. « Ils ont prévenu qu'ils n'en sortiraient pas tant que Neville n'aurait pas envoyé d'ultimatum aux Allemands. Pendant ce temps, le comité exécutif national travailliste est en session et les députés mécontents tiennent une réunion dans l'appartement de Winston. »

Daisy avait toujours affirmé ne pas aimer la politique, mais depuis son entrée dans la famille de Fitz, elle voyait les choses de l'intérieur et s'y intéressait. Elle trouvait le drame qui se jouait à la fois passionnant et terrifiant.

« Le Premier ministre doit agir ! s'écria-t-elle.

— Oui, c'est certain, confirma Fitz. Avant la prochaine réunion du Parlement, prévue demain à midi, Neville devra avoir déclaré la guerre ou donné sa démission. »

Le téléphone sonna dans l'entrée. Grout alla répondre et revint une minute plus tard en annonçant : « Le ministère des Affaires étrangères, monsieur le comte. Le correspondant n'a pas voulu attendre que vous veniez jusqu'au téléphone lui parler, mais a insisté pour vous laisser un message. » Le vieux majordome avait l'air aussi désorienté que si on venait de le traiter durement. « Le Premier ministre a convoqué une réunion immédiate du cabinet.

— Ça bouge ! dit Fitz. Bon.

— Le ministre souhaite votre présence si cela vous est possible », continua Grout.

Fitz n'était pas membre du cabinet, mais il arrivait qu'on invite des secrétaires d'État à participer à des réunions relevant de leur spécialité ; ils ne siégeaient pas à la table centrale, mais un peu en retrait, prêts à répondre aux questions.

Bea regarda la pendule. « Il est presque onze heures. J'imagine que vous n'avez pas le choix.

— En effet. Le "si cela vous est possible" n'est que pure courtoisie. »

Il se tamponna les lèvres avec une serviette immaculée et repartit de son pas inégal.

« Faites encore un peu de café, Grout, demanda la princesse Bea. Vous nous le servirez à côté. Nous allons sans doute veiller tard ce soir.

— Oui, Votre Altesse. »

Ils retournèrent au salon en parlant avec animation. Eva était pour la guerre : elle voulait que le régime nazi soit écrasé. Elle aurait peur pour Jimmy, bien sûr, mais elle avait épousé un soldat et savait qu'il pourrait avoir à risquer sa vie au combat. Bea était elle aussi favorable à la guerre maintenant que les Allemands s'étaient alliés aux bolcheviks qu'elle haïssait. May craignait pour la vie d'Andy et ne retenait pas ses larmes. Quant à Boy, il ne voyait pas pourquoi deux grands États comme l'Angleterre et l'Allemagne devraient se faire la guerre pour un pays désert et à moitié barbare comme la Pologne.

Dès qu'elle le put, Daisy entraîna Eva dans une autre pièce où il leur serait possible de bavarder tranquillement. « Boy a une maîtresse, annonça-t-elle sans préambule en montrant les préservatifs à Eva. Regarde ce que j'ai trouvé.

— Oh, Daisy, ma pauvre ! »

Daisy hésita à raconter à Eva tous les détails sordides. D'habitude, elles se disaient tout mais cette fois, l'humiliation était trop grande. « Je lui ai mis ça sous le nez, dit-elle simplement, et il a tout avoué.

— J'espère qu'il regrette, au moins !

— Pas vraiment. Il prétend que tous les hommes de son milieu en font autant, y compris son père.

— Pas Jimmy ! protesta Eva d'un ton affirmatif.

— Non. Tu as sûrement raison.

— Qu'est-ce que tu vas faire ?

— Je vais le quitter. Divorcer. Une autre n'a qu'à être vicomtesse à ma place.

— Tu ne peux pas faire ça s'il y a la guerre !

— Et pourquoi ?

— Ce serait trop cruel s'il est sur le champ de bataille.

— Il n'avait qu'à y penser avant d'aller coucher avec ses deux prostituées d'Aldgate.

— Ce serait lâche, tout de même. Tu ne peux pas laisser tomber un homme qui risque sa vie pour te protéger. »

Daisy dut reconnaître, à contrecœur, la justesse de ses arguments. La guerre transformerait Boy, méprisable mari adultère, en héros qui défendait sa femme, sa mère et son pays contre l'horreur d'une invasion et d'une domination étrangères. Bien sûr, si elle le quittait, tout le monde, à Londres et à Buffalo, l'accuserait de lâcheté. Mais surtout, elle-même ne se le pardonnerait pas. S'il y avait la guerre, elle voulait faire preuve de courage, sans très bien savoir ce que cela pouvait signifier.

« Tu as raison, admit-elle à son corps défendant. Je ne peux pas m'en aller si la guerre éclate. »

Un coup de tonnerre retentit. Daisy regarda la pendule. Il était minuit. Le clapotement de la pluie se changea en averse torrentielle.

Daisy et Eva retournèrent au salon. Bea s'était endormie sur un sofa. Andy enlaçait May qui reniflait toujours. Boy fumait un cigare en buvant du brandy. Daisy décida qu'elle prendrait le volant au retour.

Fitz réapparut à minuit et demi, trempé jusqu'aux os. « Finies les tergiversations, annonça-t-il. Neville enverra un ultimatum aux Allemands dans la matinée. S'ils n'ont pas retiré leurs troupes de Pologne à midi, c'est-à-dire onze heures pour nous, nous serons en guerre. »

Ils se levèrent pour prendre congé. Dans le vestibule, Daisy déclara qu'elle conduisait et Boy ne protesta pas. Ils montèrent dans la Bentley crème. Daisy alluma le moteur. Grout ferma la porte des Fitzherbert. Daisy mit les essuie-glaces en marche mais resta sur place.

« Boy, murmura-t-elle. Essayons de repartir à zéro.

— Que veux-tu dire ?

— Je n'ai pas vraiment l'intention de te quitter.

— Et moi, je ne veux pas que tu t'en ailles.

— Laisse tomber ces femmes d'Aldgate. Passe toutes tes nuits avec moi. Essayons vraiment de faire un enfant. C'est ce que tu souhaites, non ?

— Oui, bien sûr.

— Feras-tu ce que je te demande ? »

Il y eut un long silence. « Entendu, dit-il enfin.

— Merci. »

Elle le regarda. Elle espérait un baiser, mais il resta immobile sur son siège, les yeux fixés sur le pare-brise inondé de pluie que le mouvement rythmé des essuie-glaces balayait.

6.

En ce dimanche 3 septembre, la pluie s'arrêta et le soleil illumina les rues de Londres qui semblaient avoir été lessivées à grande eau.

Dans le courant de la matinée, toute la famille Williams se rassembla petit à petit autour de la radio dans la cuisine d'Ethel à Aldgate. Ils ne s'étaient pas donné le mot : ils vinrent spontanément. Ils voulaient être ensemble si la guerre était déclarée, se dit Lloyd.

Lloyd rêvait de lutter contre le fascisme. En même temps, la perspective de la guerre le terrifiait. Il avait trop vu de souffrances et d'effusions de sang en Espagne et espérait n'avoir plus jamais à prendre part à des combats. Il avait même abandonné la boxe. Pourtant, il ne voulait surtout pas que Chamberlain capitule. Il avait vu de ses yeux les effets du fascisme en Allemagne et les rumeurs venues d'Espagne étaient tout aussi cauchemardesques : le régime de Franco assassinait par centaines et même par milliers les partisans de l'ancien gouvernement élu et les prêtres avaient repris le contrôle des établissements scolaires.

L'été précédent, son diplôme en poche, il s'était immédiatement engagé dans les Welsh Rifles où on lui avait attribué le grade de lieutenant, grâce à la formation d'officier qu'il avait suivie à Cambridge. L'armée se préparait activement à la guerre. Il avait eu beaucoup de mal à obtenir une permission de vingt-quatre heures pour aller voir sa mère pendant le week-end. Si le Premier ministre déclarait la guerre ce jour-là, Lloyd serait parmi les premiers à partir.

Billy Williams arriva quant à lui à la maison de Nutley Street après le petit déjeuner. Lloyd et Bernie étaient assis près de la radio, devant des journaux étalés sur la table de la cuisine pendant qu'Ethel préparait un jarret de porc pour le repas. L'oncle Billy eut les larmes aux yeux en voyant Lloyd en uniforme

« Je pense à notre Dave, c'est tout. Il aurait été appelé, lui aussi, s'il était revenu d'Espagne. »

Lloyd n'avait jamais dit la vérité à son oncle Billy sur les circonstances de la mort de Dave. Il avait prétendu ne pas connaître les détails, savoir seulement que Dave avait été tué au combat à Belchite et était probablement enterré là-bas. Billy avait connu la Grande Guerre et n'ignorait rien du traitement réservé aux cadavres sur les champs de bataille. Cela aggravait sûrement son chagrin. Il espérait pouvoir se rendre à Belchite un jour, quand l'Espagne serait enfin libérée, afin de rendre hommage à son fils mort pour cette grande cause.

Lenny Griffiths n'était jamais revenu d'Espagne, lui non plus. Personne n'avait la moindre idée de l'endroit où il pouvait être enterré. Il n'était pas impossible qu'il soit encore vivant, emprisonné dans un des camps de Franco.

La radio fit le compte rendu de la déclaration prononcée la veille par Chamberlain à la Chambre des communes, mais sans épiloguer.

« On ne saura jamais quelles empoignades ont eu lieu ensuite, remarqua Billy.

— La BBC ne parle jamais des empoignades, approuva Lloyd. Elle préfère rassurer les gens. »

Billy et Lloyd faisaient tous deux partie du comité exécutif national du parti travailliste, où Lloyd représentait la section jeunesse. À son retour d'Espagne en 1937, il avait pu réintégrer l'université de Cambridge et, tout en y terminant ses études, il avait fait le tour du pays : prenant la parole devant des groupes du parti travailliste, il leur avait expliqué comment le gouvernement espagnol élu avait été trahi par un gouvernement britannique complice du fascisme. C'était perdu d'avance – les rebelles antidémocrates de Franco avaient gagné –, en revanche, Lloyd était devenu un personnage connu, presque un héros, surtout chez les jeunes de gauche. D'où son élection au comité exécutif.

Lloyd et l'oncle Billy avaient donc pris part, la veille, à une réunion du comité. Ils savaient que, cédant aux pressions de son cabinet, Chamberlain avait adressé un ultimatum à Hitler. Désormais, ils attendaient fébrilement la suite des événements. À leur connaissance, Hitler n'avait pas encore réagi.

Lloyd pensa à l'amie de sa mère, Maud, et à sa famille, à Berlin. D'après ses calculs, ses deux enfants devaient avoir maintenant dix-huit et dix-neuf ans. Il se demandait s'ils étaient eux aussi collés à la radio au même moment, en train de s'interroger sur une éventuelle entrée en guerre de leur pays contre l'Angleterre.

À dix heures, la demi-sœur de Lloyd, Millie, arriva à son tour. Elle avait dix-neuf ans et avait épousé le frère de son amie Naomi Avery, Abe, marchand de cuir en gros. Elle gagnait bien sa vie comme vendeuse payée à la commission dans un magasin de confection de luxe et projetait d'ouvrir un jour sa propre boutique. Lloyd était sûr qu'elle y parviendrait. Même si ce n'était pas la carrière que Bernie avait souhaitée pour elle, il était fier de sa fille, de son intelligence, de son ambition et de son élégance.

Mais aujourd'hui, elle avait perdu sa belle assurance. « C'était horrible quand tu étais en Espagne, dit-elle à Lloyd des larmes dans la voix. Dave et Lenny ne sont jamais revenus. Et maintenant, c'est mon Abie et toi qui allez partir et nous, les femmes, nous allons attendre tous les jours de vos nouvelles en nous demandant si vous n'êtes pas morts.

— Ton cousin Keir aussi, ajouta Ethel. Il a dix-huit ans maintenant.

— Dans quel régiment était mon vrai père ? demanda Lloyd à sa mère.

— Qu'est-ce que ça peut faire ? »

Elle n'avait jamais très envie de parler du père de Lloyd, sans doute par respect pour Bernie. Mais Lloyd tenait à le savoir.

« Pour moi, c'est important », insista-t-il.

Elle jeta une pomme de terre épluchée dans la casserole d'eau plus violemment que nécessaire. « Il était dans les Welsh Rifles.

— Comme moi ! Pourquoi est-ce que tu ne me l'as jamais dit ?

— À quoi bon remuer le passé ? »

Elle avait sans doute une autre raison d'être aussi réticente. Elle avait probablement été enceinte avant de se marier. Lloyd s'en moquait, mais pour la génération de sa mère, c'était honteux. Il s'obstina tout de même : « Mon père était gallois ?

— Oui.

— D'Aberowen ?

— Non.

— D'où alors ? »

Elle soupira.

« Ses parents bougeaient beaucoup, à cause du métier de son père, je crois, mais il me semble qu'à l'origine, ils étaient de Swansea. Ça y est, tu es content ?

— Oui. »

La tante Mildred les rejoignit après la messe. C'était une femme d'âge mûr, jolie malgré ses incisives supérieures légèrement proéminentes. Elle portait un ravissant chapeau. Modiste, elle dirigeait un petit atelier. Ses deux filles d'un premier mariage, Enid et Lilian, l'une et l'autre âgées de plus de vingt ans, étaient toutes les deux mariées et avaient déjà des enfants. Le fils aîné de son deuxième mariage était le cousin Dave, qui était mort en Espagne. Le plus jeune, Keir, l'accompagnait et la suivit dans la cuisine. Mildred tenait à emmener ses enfants à l'église bien que son mari, Billy, soit hostile à toute forme de religion. « J'en ai eu ma dose quand j'étais petit, disait-il souvent. Si moi, je ne suis pas sauvé, je me demande bien qui le sera. »

Lloyd regarda autour de lui. Ces gens-là étaient sa famille : sa mère, son beau-père, sa demi-sœur, son oncle, sa tante, son cousin. Il n'avait pas envie de les quitter pour aller mourir Dieu sait où.

Il consulta sa montre, un modèle carré en acier que Bernie lui avait offert pour son diplôme. Il était onze heures. À la radio, le présentateur Alvar Liddell annonça de sa voix bien timbrée qu'on attendait une déclaration du Premier ministre d'un instant à l'autre. Suivit un morceau solennel de musique classique.

« Chut, tout le monde, recommanda alors Ethel. Je vous ferai une tasse de thé plus tard. »

Le silence se fit dans la cuisine.

Alvar Liddell annonça le Premier ministre, Neville Chamberlain.

L'homme de la politique d'apaisement face au fascisme, se dit Lloyd ; l'homme qui avait livré la Tchécoslovaquie à Hitler, qui avait obstinément refusé d'aider le gouvernement espagnol élu, alors même qu'il était flagrant que l'Allemagne et l'Italie armaient les rebelles. Allait-il se dégonfler une fois de plus ?

Lloyd remarqua que ses parents se tenaient par la main, les doigts menus d'Ethel enfouis dans la paume de Bernie.

Il jeta encore un coup d'œil à sa montre. Onze heures et quart.

La voix du Premier ministre s'éleva alors : « Je vous parle de la salle du conseil des ministres, au 10, Downing Street. »

Chamberlain avait une voix aiguë et une diction trop appuyée. On aurait cru entendre un maître d'école imbu de son savoir. Ce qu'il nous faut, c'est un guerrier, se dit Lloyd.

« Ce matin, l'ambassadeur de Grande-Bretagne à Berlin a remis au gouvernement allemand un message définitif lui faisant savoir que si le gouvernement britannique n'avait pas reçu, à onze heures, l'assurance du gouvernement allemand qu'il était disposé à retirer immédiatement ses troupes de Pologne, l'état de guerre existerait de fait entre nous. »

Lloyd était agacé par le langage ampoulé de Chamberlain. *L'état de guerre existerait de fait entre nous.* Quelle curieuse façon de s'exprimer ! Allez, s'impatientait-il. Va droit au but. C'est une question de vie ou de mort !

La voix de Chamberlain devint plus grave, son ton plus digne de sa stature d'homme d'État. Peut-être avait-il cessé de fixer le micro pour ne voir que ses millions de concitoyens, serrés près de leurs postes de radio, attendant ses paroles fatidiques.

« Je dois vous dire qu'aucun engagement de cette nature ne nous est parvenu. »

Lloyd entendit sa mère murmurer : « Mon Dieu, ayez pitié de nous. » Il se tourna vers elle. Elle avait le teint gris.

Chamberlain prononça avec une extrême lenteur les paroles suivantes, ces paroles terribles :

« … et qu'en conséquence, notre pays est en guerre avec l'Allemagne. »

Ethel fondit en larmes.

DEUXIÈME PARTIE
Une saison de sang

VI

1940 (I)

1.

Aberowen avait changé. On voyait des voitures, des camions et des autobus dans les rues. Quand Lloyd enfant rendait visite à ses grands-parents dans les années 1920, les rares automobiles y attiraient une foule de curieux.

La ville était toujours dominée par les deux tours du carreau de mine et leurs roues majestueuses. Il n'y avait rien d'autre : pas d'usine, pas d'immeuble de bureaux, aucune industrie à part le charbon. Les hommes de la ville travaillaient presque tous à la mine. On comptait quelques dizaines d'exceptions : plusieurs commerçants, de nombreux hommes d'Église de confessions diverses, un employé municipal, un médecin. Chaque fois que la demande de charbon baissait, ce qui avait été le cas dans les années 1930, et que les hommes étaient licenciés, ils ne trouvaient rien d'autre à faire. C'était la raison pour laquelle le parti travailliste réclamait avec force la mise en place d'une aide aux chômeurs, afin que ces hommes ne connaissent plus jamais la douleur et l'humiliation de ne pouvoir nourrir leurs familles.

Le lieutenant Lloyd Williams arriva par le train en provenance de Cardiff un dimanche d'avril 1940. Sa petite valise à la main, il gravit la colline pour se rendre à Tŷ Gwyn. Il avait passé huit mois à former les nouvelles recrues, comme il l'avait fait en Espagne, et à entraîner l'équipe de boxe des Welsh Rifles. Mais l'armée avait fini par s'apercevoir qu'il parlait couramment allemand, l'avait transféré au service de renseignement et envoyé suivre un stage de formation.

La formation, c'était bien tout ce dont l'armée s'était occupée jusqu'à présent. Aucune troupe britannique n'avait encore eu à affronter l'ennemi au cours de combats dignes de ce nom. L'Allemagne et l'URSS avaient envahi la Pologne et se l'étaient partagée. La promesse des Alliés de garantir l'indépendance de la Pologne s'était révélée vaine.

Les Anglais appelaient cela the *Phoney War*, la drôle de guerre, et ils étaient impatients de passer aux choses sérieuses. Lloyd ne se faisait pas d'illusions romantiques sur la guerre. Il avait entendu les cris pitoyables des mourants quémandant de l'eau sur les champs de bataille espagnols. Malgré tout, il avait hâte d'affronter le fascisme pour de bon.

L'armée s'attendait à envoyer des renforts en France, supposant que les Allemands envahiraient le pays. Il n'en avait rien été. En attendant, les troupes restaient sur le qui-vive et multipliaient les entraînements.

L'initiation de Lloyd aux arcanes du Renseignement militaire devait se faire dans la grande demeure qui accompagnait le destin de sa famille depuis si longtemps. Les nobles et riches propriétaires de nombreux domaines de ce genre les avaient prêtés aux forces armées, peut-être par crainte de se les voir confisquer.

L'armée avait radicalement transformé Tŷ Gwyn. Une dizaine de tristes véhicules vert olive étaient rangés sur la pelouse. Leurs roues avaient creusé des ornières dans le beau gazon du comte. L'élégant perron aux marches de granit arrondies servait désormais de dépôt de vivres. D'énormes barils de haricots secs et de lard se dressaient en piles instables là où des femmes couvertes de bijoux et des hommes en frac descendaient autrefois de leurs attelages. Lloyd sourit : il appréciait le nivellement opéré par la guerre.

Il entra dans la maison, où il fut accueilli par un officier replet à l'uniforme froissé et constellé de taches. « Vous venez pour la formation au renseignement, lieutenant ?

— Oui. Je suis Lloyd Williams.

— Commandant Lowther. »

Lloyd avait entendu parler de lui. C'était le marquis de Lowther, Lowthie pour ses amis.

Lloyd regarda autour de lui. Les tableaux qui couvraient les murs étaient masqués par de grandes toiles pour les protéger de la poussière. Les cheminées de marbre sculpté avaient été intégralement recouvertes de planches grossières ne ménageant qu'un petit espace pour le foyer. Les meubles anciens en bois sombre que sa mère évoquait parfois avec tendresse avaient disparu, remplacés par des bureaux métalliques et des chaises ordinaires. « Bon sang, ça a bien changé », s'écria-t-il.

Lowther sourit. « Vous êtes déjà venu ici ? Vous connaissez la famille ?

— J'étais à Cambridge avec Boy Fitzherbert. J'y ai aussi rencontré la vicomtesse, avant leur mariage. Je suppose qu'ils ont déménagé pour la durée de votre présence ici.

— Pas entièrement. Ils ont conservé quelques pièces pour leur usage personnel. Mais ils ne nous dérangent pas du tout. Si je comprends bien, vous êtes venu ici comme invité ?

— Oh non. Je ne les connais pas assez bien pour cela. En réalité, j'ai visité la maison quand j'étais enfant, un jour où la famille était absente. Ma mère a travaillé ici autrefois.

— Vraiment ? Que faisait-elle ? Elle s'occupait de la bibliothèque, ce genre de chose ?

— Non, elle était femme de chambre. » À peine eut-il prononcé ces mots que Lloyd comprit qu'il avait commis une erreur.

L'expression de Lowther changea. « Je vois, lança-t-il d'un ton dédaigneux. Comme c'est intéressant. »

Lloyd sut qu'il venait d'être catalogué comme un prolétaire arriviste. Il serait dorénavant traité en citoyen de seconde zone pendant toute la durée de son séjour. Il aurait mieux fait de se taire et d'éviter de parler du passé de sa mère : il connaissait pourtant le snobisme de l'armée.

« Montrez sa chambre au lieutenant, sergent, dit alors Lowthie. Au grenier. »

Lloyd se vit attribuer une chambre à l'ancien étage des domestiques. Cela lui était égal. Sa mère s'en était bien contentée.

Tandis qu'ils gravissaient l'escalier de service, le sergent annonça à Lloyd qu'il avait quartier libre jusqu'à l'heure du dîner au mess. Lloyd demanda si des membres de la famille Fitzherbert étaient là actuellement, mais le sergent n'en savait rien.

Lloyd mit deux minutes à défaire sa valise. Il se peigna, enfila une chemise d'uniforme propre et partit voir ses grands-parents.

La maison de Wellington Row lui parut plus triste et plus étriquée que jamais, bien qu'il y eût maintenant l'eau chaude dans l'arrière-cuisine et une chasse d'eau dans les toilettes extérieures. Le décor était tel que dans ses souvenirs : même tapis élimé sur le sol, mêmes rideaux à motifs de cachemire défraîchis aux fenêtres, mêmes chaises dures en chêne dans l'unique pièce du rez-de-chaussée qui servait à la fois de salon et de cuisine.

En revanche, ses grands-parents avaient changé. Ils devaient avoir dans les soixante-dix ans et avaient l'air si fragiles ! Granda avait des douleurs dans les jambes et avait quitté à regret ses fonctions au syndicat des mineurs. Grandmam avait des problèmes cardiaques. Le docteur Mortimer lui avait recommandé d'allonger ses jambes en position élevée pendant un quart d'heure après chaque repas.

Ils furent tout heureux de voir Lloyd en uniforme. « Tu es lieutenant, c'est ça ? » demanda Grandmam.

Ayant défendu toute sa vie la cause ouvrière, elle ne pouvait cacher sa fierté d'avoir un petit-fils officier.

Les nouvelles allaient vite à Aberowen. L'annonce de la visite du petit-fils de Dai Syndicat avait sans doute déjà fait le tour de la ville alors que Lloyd buvait encore la première tasse de thé corsé préparé par sa grand-mère. Il ne fut donc pas vraiment surpris de voir débarquer Tommy Griffiths.

« Je suppose que mon Lenny serait lieutenant comme toi s'il était revenu d'Espagne, dit-il.

— C'est probable », répondit Lloyd. Il n'avait jamais rencontré d'officier qui ait été mineur dans la vie civile, mais tout pouvait arriver en temps de guerre. « Je peux vous dire que c'était notre meilleur sergent en Espagne.

— Vous avez subi bien des épreuves, tous les deux.

— Nous avons connu l'enfer, renchérit Lloyd. Et nous avons perdu. Mais cette fois-ci, les fascistes ne gagneront pas.

— Je bois à cela », dit Tommy. Et il vida sa tasse de thé.

Lloyd accompagna ses grands-parents à l'office du soir au temple Bethesda. La religion ne tenait pas une grande place dans sa vie et il n'avait aucune sympathie pour le dogmatisme de son grand-père. L'univers était mystérieux, pensait Lloyd, et les gens n'avaient qu'à se faire une raison. Mais ses grands-parents étaient contents de l'avoir à leurs côtés.

Les prières improvisées, où se mêlaient intimement expressions bibliques et langage ordinaire, étaient émouvantes. Le sermon fut un peu plus ennuyeux. En revanche, Lloyd fut enthousiasmé par les chants. Les fidèles gallois chantaient spontanément à quatre voix et quand ils s'y mettaient, ils pouvaient faire un boucan du diable.

En joignant sa voix aux leurs, Lloyd se dit que c'était là que battait le cœur de l'Angleterre, dans ce temple aux murs blancs. Les gens qui l'entouraient étaient pauvrement vêtus et sans instruction. Ils travaillaient dur toute leur vie, les hommes arrachant le charbon au sous-sol, les femmes élevant la prochaine génération de mineurs. Mais ils avaient le dos robuste et l'esprit vif et avaient créé par eux-mêmes une culture originale qui donnait un sens à leur existence. Ils puisaient leur espoir dans un christianisme anticonformiste et une politique de gauche, ils trouvaient leur bonheur dans le rugby et les chœurs masculins et étaient unis par la générosité dans les périodes fastes et la solidarité dans les périodes difficiles. C'est pour eux qu'il se battrait, pour cette ville, pour ces gens. S'il devait donner sa vie pour eux, il en aurait fait bon usage.

Granda prononça la prière de clôture, les yeux fermés, debout, appuyé sur une canne. « Voyez, Seigneur, votre jeune serviteur Lloyd Williams, présent parmi nous en uniforme. Nous vous prions, par votre grâce et dans votre sagesse, d'épargner sa vie lors du conflit imminent. Nous vous en supplions, Seigneur, ramenez-le-nous sain et sauf. Si telle est votre volonté, ô Seigneur. »

L'assemblée répondit par un chaleureux *amen* et Lloyd essuya une larme.

Il raccompagna ses grands-parents chez eux alors que le soleil sombrait derrière la montagne et que le crépuscule descendait sur les rangées de maisons grises. Refusant leur invitation à partager leur repas, il regagna bien vite Tŷ Gwyn, où il arriva à temps pour dîner au mess.

On leur servit du bœuf braisé, des pommes de terre bouillies et du chou. Ce n'était ni pire ni meilleur que dans la plupart des popotes militaires, et Lloyd mangea de bon appétit, sachant que cette nourriture avait été payée par des gens comme ses grands-parents, qui n'auraient que du pain trempé dans de la soupe pour leur repas du soir. Il y avait une bouteille de whisky sur la table. Lloyd en prit un peu, par convivialité. Il observa les autres stagiaires et s'efforça de mémoriser leurs noms.

En montant se coucher, il traversa la salle des sculptures, désormais dépouillée de ses œuvres d'art et meublée d'un tableau noir et de douze bureaux quelconques. Il y croisa le commandant Lowther en grande conversation avec une jeune femme. En l'observant plus attentivement, il reconnut Daisy Fitzherbert.

De surprise, il s'arrêta. Lowther regarda autour de lui d'un air excédé. Apercevant Lloyd, il marmonna sans conviction : « Vicomtesse Aberowen, je crois que vous connaissez le lieutenant Williams. »

Si elle prétend le contraire, se dit Lloyd, je lui rappellerai le long baiser que nous avons échangé un soir, dans le noir, dans une rue de Mayfair.

« Quel plaisir de vous revoir, monsieur Williams », dit-elle en lui tendant la main.

Elle avait la peau douce et tiède au toucher. Il sentit son cœur s'emballer.

« Williams me racontait tout à l'heure que sa mère a travaillé ici comme femme de chambre, glissa Lowther.

— Je sais, confirma Daisy. Il me l'a appris au bal de Trinity. Il me reprochait d'être snob. Je dois reconnaître, à mon grand regret, qu'il avait parfaitement raison.

— Vous êtes indulgente, madame, dit Lloyd, gêné. Je me demande encore pourquoi j'ai pris cette liberté. » Elle avait l'air moins impérieuse que dans son souvenir. Peut-être avait-elle mûri.

Daisy se tourna vers Lowther : « La mère de Mr. Williams est aujourd'hui députée. »

Lowther n'en revint pas.

« Et comment va Eva, votre amie juive ? demanda Lloyd. Vous m'avez appris il y a quelques années qu'elle avait épousé Jimmy Murray.

— Ils ont deux enfants.

— A-t-elle pu faire sortir ses parents d'Allemagne ?

— C'est gentil à vous de vous en souvenir. Non, malheureusement, les Rothmann n'ont pas pu obtenir de visas.

— Je suis désolé. Elle doit être terriblement inquiète pour eux.

— En effet. »

Lowther était manifestement agacé par cette discussion à propos de Juifs et de domestiques. « Pour en revenir à notre conversation, madame…

— Je vous souhaite le bonsoir », dit Lloyd. Il les laissa et monta l'escalier quatre à quatre.

En se préparant pour la nuit, il se surprit à fredonner le dernier cantique du service religieux.

Nulle tempête ne peut ébranler ma paix intérieure
Tant que je m'accroche à ce rocher.
Puisque l'Amour est le Dieu du ciel et de la terre
Comment pourrais-je m'empêcher de chanter ?

2.

Trois jours plus tard, Daisy terminait une lettre adressée à son demi-frère, Greg. Quand la guerre avait éclaté, il lui avait envoyé un mot plein d'affection et d'inquiétude. Depuis, ils correspondaient régulièrement, à peu près une fois par mois. Il lui avait raconté sa rencontre à Washington, dans E Street, avec son amour d'autrefois, Jacky Jakes, et lui avait demandé ce qui pouvait inciter une fille à fuir comme elle l'avait fait. Daisy n'en avait pas la moindre idée. Elle le lui écrivit, lui souhaita bonne chance et signa.

Elle regarda la pendule. Il restait une heure avant le dîner des stagiaires. Les cours étaient donc finis et elle avait de bonnes chances de trouver Lloyd dans sa chambre.

Elle monta à l'ancien étage du personnel, au grenier. Les jeunes officiers étaient assis ou allongés sur leurs lits, occupés à lire ou à écrire. Elle dénicha Lloyd dans une pièce étroite, agrémentée d'une vieille psyché. Il était assis près de la fenêtre, plongé dans un livre illustré. « C'est intéressant ? » demanda-t-elle.

Il bondit sur ses pieds. « Alors ça ! Quelle surprise ! »

Il rougit. Il avait sans doute encore le béguin pour elle. Elle avait été vraiment cruelle de l'embrasser alors qu'elle n'avait aucune intention d'aller plus loin. Mais c'était il y a quatre ans. Ils étaient encore des gosses tous les deux. Il aurait dû s'en remettre depuis le temps.

Elle regarda le livre qu'il tenait à la main. Il était en allemand, avec des images en couleur représentant des insignes. « Nous devons apprendre à reconnaître les insignes allemands, expliqua-t-il. Une grande partie des renseignements militaires proviennent des interrogatoires de prisonniers de guerre questionnés immédiatement après leur capture. Certains refusent de parler, naturellement. Celui qui l'interroge doit donc pouvoir dire, d'après son uniforme, quel est le grade du prisonnier, à quelle unité il appartient, s'il est dans l'infanterie, la cavalerie, l'artillerie, ou un corps spécial, comme celui des vétérinaires, et ainsi de suite.

— C'est ça que vous apprenez ici ? demanda-t-elle d'un air sceptique. La signification des insignes allemands ? »

Il rit. « C'est une des choses que nous apprenons. Une des rares dont je puisse vous parler sans trahir de secrets militaires.

— Oh, je vois.

— Que faites-vous ici, au pays de Galles ? Je m'étonne que vous ne participiez pas à l'effort de guerre.

— Voilà que vous recommencez déjà vos leçons de morale. Quelqu'un vous aurait-il dit que c'était un bon moyen de charmer les femmes ?

— Excusez-moi, répondit-il avec raideur. Ce n'était pas un reproche.

— De toute façon, il n'y a pas d'effort de guerre. Les ballons de barrage planent dans les airs pour nous protéger d'avions allemands qui ne viennent pas.

— Au moins, à Londres, vous pourriez profiter d'un minimum de vie mondaine.

— C'était ce qui comptait le plus pour moi autrefois, c'est vrai. Ce n'est plus le cas. Je dois vieillir. »

Elle avait eu une autre raison de quitter Londres, mais n'avait pas l'intention de lui en parler.

« Je vous imaginais en uniforme d'infirmière.

— Aucun risque. Je déteste les malades. Mais avant que vous ne fronciez les sourcils de désapprobation, regardez ça. » Elle lui tendit une photographie encadrée.

Il l'examina attentivement. « Où l'avez-vous trouvée ?

— En fouillant dans une boîte de vieux clichés, dans le débarras du sous-sol. »

C'était un portrait de groupe, pris sur la pelouse est de Tŷ Gwyn un matin d'été. Le jeune comte Fitzherbert se tenait au centre, un grand chien blanc à ses pieds. La jeune fille qui se trouvait à côté de lui devait être sa sœur Maud, que Daisy n'avait jamais rencontrée. Ils étaient entourés, à droite et à gauche, par une bonne quarantaine d'hommes et de femmes alignés, portant différents uniformes de domestiques.

« Regardez la date.

— 1912 », déchiffra Lloyd.

Elle avait les yeux rivés sur lui, attentive à ses réactions. « Votre mère y est-elle ?

— Bon sang ! Probablement. » Il examina le cliché de plus près. « Je crois que oui, murmura-t-il au bout d'un moment.

— Où ça ? »

Lloyd lui désigna un visage. « Il me semble que c'est elle, là. »

Daisy découvrit une jolie jeune fille toute mince d'environ dix-neuf ans, dont les boucles noires dépassaient de sa coiffe blanche et au visage illuminé d'un sourire franchement malicieux.

« Ouah ! Elle est ravissante ! s'exclama-t-elle.

— Elle l'était en ce temps-là, en tout cas. Maintenant, les gens disent plutôt d'elle qu'elle est impressionnante.

— Vous avez déjà rencontré Lady Maud ? Vous croyez que c'est elle, là, à côté de Fitz ?

— Je la connais depuis toujours. Ma mère et elle ont été suffragettes ensemble. Je ne l'ai pas revue depuis mon séjour à Berlin en 1933, mais oui, c'est bien elle.

— Elle est moins jolie que votre mère.

— Peut-être, mais elle a beaucoup d'allure et est toujours extrêmement élégante.

— Quoi qu'il en soit, je me suis dit que vous seriez peut-être heureux d'avoir cette photo.

— Je peux la garder ?

— Bien sûr. Personne d'autre n'en veut. Sinon, on ne l'aurait pas fourrée dans une boîte au sous-sol.

— Merci !

— Pas de quoi. » Daisy se dirigea vers la porte. « Retournez à vos chères études, maintenant. »

En descendant l'escalier de service, elle espérait ne pas lui avoir donné l'impression d'avoir un peu flirté. Elle n'aurait sans doute pas dû aller le voir. Elle avait cédé à un élan de générosité. Pourvu qu'il ne se méprenne pas sur ses intentions.

Ressentant soudain une vive douleur au ventre, elle s'immobilisa sur le palier intermédiaire. Elle avait eu un peu mal au dos toute la journée, et avait attribué cela au matelas de mauvaise qualité sur lequel elle dormait. Mais cette douleur-ci était différente. Elle réfléchit à ce qu'elle avait mangé depuis le matin sans réussir à identifier ce qui aurait pu la rendre malade : pas de poulet mal cuit, pas de fruit trop vert. Pas d'huîtres non plus, c'eût été trop beau ! La douleur disparut aussi soudainement qu'elle était venue et elle décida de ne plus y penser.

Elle regagna ses appartements au sous-sol. Elle habitait l'ancien logement de la gouvernante : une chambre minuscule, un salon, une petite cuisine et une salle de bains correcte avec une baignoire. Un vieux valet du nom de Morrison jouait le rôle de gardien, et une jeune fille d'Aberowen était venue lui servir de femme de chambre. Elle s'appelait Petite Maisie Owen, malgré sa taille imposante.

« Ma mère s'appelle aussi Maisie. J'ai donc toujours été la petite Maisie, bien que je sois beaucoup plus grande qu'elle maintenant », avait-elle expliqué.

Le téléphone sonna au moment où Daisy entrait. Elle décrocha et entendit la voix de son mari.

« Comment vas-tu ? demanda-t-il.

— Très bien. À quelle heure arrives-tu ? »

Il était en mission à St Athan, une importante base aérienne proche de Cardiff, et il avait promis de passer la voir et de rester la nuit.

« Je ne vais pas pouvoir venir. Je suis désolé.

— Oh, quel dommage !

— Il y a un dîner officiel à la base et je suis obligé d'y assister. »

Il n'avait pas l'air particulièrement triste de devoir renoncer à la voir et elle se sentit délaissée. « Tu vas passer un bon moment, dit-elle.

— Tu parles ! Ça va être ennuyeux à périr, mais je ne peux pas me défiler.

— Sûrement pas aussi ennuyeux que d'être ici toute seule.

— Ça ne doit pas être folichon, c'est sûr. Mais c'est encore là que tu es le mieux, dans ton état. »

Des milliers de Londoniens avaient quitté la ville après la déclaration de guerre, mais constatant que les bombardements aériens et les attaques au gaz attendus ne se concrétisaient pas, la plupart étaient rentrés chez eux depuis. Bea, May et même Eva avaient cependant décidé d'un commun accord qu'en raison de sa grossesse, Daisy devrait s'installer à Tŷ Gwyn. Quantité de bébés naissaient tous les jours à Londres sans problème, avait objecté Daisy ; seulement voilà, l'héritier du comté n'était pas n'importe quel enfant.

En réalité, elle n'était pas aussi contrariée qu'elle l'aurait cru. Peut-être la grossesse la rendait-elle étrangement amorphe. Au demeurant, la vie mondaine de Londres n'était plus ce qu'elle était depuis la déclaration de guerre ; le cœur n'y était plus, les gens donnaient l'impression de ne plus se sentir le droit de s'amuser. Ils étaient comme des pasteurs au bistrot, qui savent qu'ils sont censés se divertir mais n'arrivent pas à entrer dans le jeu.

« Si seulement j'avais ma moto ! s'écria-t-elle. Je pourrais au moins explorer le pays de Galles. »

L'essence était rationnée, mais les restrictions n'étaient pas draconiennes.

« Franchement, Daisy ! s'insurgea-t-il. Tu n'y penses pas ! Le médecin t'a strictement interdit la moto.

— En tout cas, j'ai découvert la littérature. La bibliothèque est fantastique. Quelques éditions rares et précieuses ont été emballées, mais la plupart des livres sont toujours sur les rayonnages. Figure-toi que je suis en train d'acquérir la culture que je me suis tellement acharnée à fuir quand j'étais au lycée.

— C'est parfait. Eh bien, cale-toi dans un fauteuil avec un bon roman policier et passe une bonne soirée.

— J'ai eu un peu mal au ventre tout à l'heure.

— Une indigestion, sans doute.

— J'espère que tu as raison.

— Transmets mes amitiés à ce planqué de Lowthie.

— Et toi, ne bois pas trop de porto à ton dîner. »

Au moment où elle raccrochait, un nouvel élancement lui déchira le ventre. Cette fois, le spasme dura plus longtemps. Maisie entra et s'inquiéta en voyant son visage :

« Vous allez bien, madame ?

— Une crampe, ce n'est rien.

— Je venais vous demander si vous étiez prête pour le dîner.

— Je n'ai pas faim. Je crois que je vais me passer de repas, ce soir.

— Je vous avais préparé un bon hachis Parmentier, dit Maisie d'un ton de reproche.

— Couvre-le et mets-le au garde-manger. Je le prendrai demain.

— Voulez-vous que je vous fasse une tasse de thé ? »

Daisy accepta pour se débarrasser d'elle.

« Oui, volontiers. »

Au bout de quatre ans, elle n'avait toujours pas réussi à s'habituer au thé des Anglais, ce thé fort avec du lait et du sucre.

La douleur s'atténua. Elle s'assit et ouvrit *Le Moulin sur la Floss.* Elle se força à boire le thé de Maisie et se sentit un peu mieux. Quand elle eut fini et que Maisie eut lavé la tasse et la sous-tasse, elle renvoya la jeune fille chez elle. Maisie devait parcourir un kilomètre et demi à pied dans le noir, mais elle avait une lampe torche et lui assura que cela ne lui faisait pas peur.

Une heure plus tard, la douleur revint, et cette fois, elle ne céda pas. Daisy alla aux toilettes dans le vague espoir que cela la soulagerait. Elle découvrit avec étonnement des taches de sang sur ses sous-vêtements.

Elle se changea et gagnée par l'inquiétude, décrocha le téléphone. Elle obtint le numéro de St Athan et appela la base. « Je voudrais parler au vicomte d'Aberowen, lieutenant d'aviation.

— Nous ne pouvons transmettre les appels personnels aux officiers, lui répondit un Gallois pédant.

— C'est urgent. Il faut que je parle à mon mari.

— Il n'y a pas de téléphone dans les chambres. Nous ne sommes pas à l'hôtel Dorchester ici. » Elle se faisait peut-être des idées, mais il avait l'air ravi de ne pas pouvoir lui rendre service.

« Mon mari doit assister au dîner officiel. Je vous en prie, envoyez un officier d'ordonnance le prévenir qu'il est attendu au téléphone.

— Je n'ai pas d'ordonnance et d'ailleurs, il n'y a pas de dîner officiel.

— Comment ça, pas de dîner ? demanda Daisy, décontenancée.

— Juste le dîner habituel du mess. Et il est terminé depuis une heure. »

Daisy raccrocha violemment. Pas de dîner officiel ? Boy lui avait bien dit qu'il devait assister à un dîner officiel à la base. Il avait donc menti. Elle avait envie de pleurer. Au lieu de venir la voir, il avait préféré aller se saouler avec ses camarades ou peut-être passer la nuit avec une femme. Quelle que fût la raison, Daisy n'était pas sa priorité.

Elle inspira profondément. Elle avait besoin d'aide. Elle ne connaissait pas le numéro de téléphone du médecin d'Aberowen, en admettant qu'il y en ait un. Que faire ?

Lors de son dernier séjour, Boy lui avait dit en partant :

« Tu auras des centaines d'officiers pour s'occuper de toi en cas de besoin. » Elle ne pouvait tout de même pas aller dire au marquis de Lowther qu'elle souffrait de saignements alarmants.

La douleur se fit plus vive. Elle sentit un liquide chaud et visqueux couler entre ses jambes et retourna à la salle de bains pour se laver. Elle remarqua la présence de caillots dans le sang. Elle n'avait pas de serviettes hygiéniques : une femme enceinte n'en avait pas besoin, s'était-elle dit. Elle découpa une bande de tissu dans un essuie-mains et la glissa dans sa culotte.

C'est alors qu'elle pensa à Lloyd Williams.

Il était gentil. Il avait été élevé par une féministe dotée d'une forte personnalité. Il adorait Daisy. Il l'aiderait.

Elle monta au rez-de-chaussée. Où était-il ? Les stagiaires avaient sans doute fini de dîner. Il devait être en haut. Elle avait tellement mal qu'elle craignit d'être incapable de grimper jusqu'au grenier.

Avec un peu de chance, il serait dans la bibliothèque. Les stagiaires s'y rendaient souvent pour étudier dans le calme. Elle trouva un sergent penché sur un atlas. « Auriez-vous l'amabilité d'aller chercher le lieutenant Lloyd Williams ? lui demanda-t-elle.

— Bien sûr, madame, dit-il en refermant le livre. Quel message dois-je lui transmettre ?

— Demandez-lui s'il peut descendre un moment au sous-sol.

— Vous allez bien, madame ? Vous êtes un peu pâle.

— Ça ira. Mais tâchez de m'envoyer Williams le plus vite possible.

— Tout de suite. »

Daisy regagna son appartement. L'effort qu'elle avait dû faire pour ne rien laisser paraître l'avait épuisée et elle s'allongea sur son lit. Elle sentit bientôt le sang traverser le tissu de sa robe, mais elle avait trop mal pour s'en soucier. Elle regarda sa montre. Pourquoi Lloyd ne venait-il pas ? Le sergent ne l'avait peut-être pas trouvé. La demeure était tellement grande. Peut-être allait-elle mourir ici, toute seule.

On frappa à la porte. À son grand soulagement, elle reconnut sa voix. « C'est Lloyd Williams.

— Entrez. » Il allait la voir dans un état épouvantable. Cela le dégoûterait peut-être définitivement.

Il lui parla depuis la pièce voisine : « J'ai eu du mal à trouver votre appartement. Où êtes-vous ?

— Ici. »

Il pénétra dans sa chambre.

« Mon Dieu ! s'exclama-t-il. Que vous est-il arrivé ?

— Faites venir quelqu'un. Y a-t-il un médecin dans cette ville ?

— Bien sûr. Le docteur Mortimer. Il exerce ici depuis des siècles. Mais je ne sais pas si nous aurons le temps… Laissez-moi… » Il hésita. « C'est peut-être une hémorragie, mais il faudrait que je voie… »

Elle ferma les yeux. « Allez-y. » Elle avait tellement peur qu'elle en oubliait presque toute pudeur.

Il souleva sa jupe. « Oh, ma pauvre », s'écria-t-il. Il déchira sa culotte trempée de sang. « Je suis désolé. Y a-t-il de l'eau quelque… ?

— À la salle de bains », l'interrompit-elle avec un geste de la main.

Il franchit la porte et ouvrit un robinet. Un moment plus tard, elle sentit un linge humide et tiède parcourir son corps.

« Ce n'est qu'un mince filet, annonça-t-il. J'ai vu des hommes se vider de leur sang. Le danger n'est pas aussi grand. » Elle rouvrit les yeux au moment où il rabattait sa jupe. « Où est le téléphone ?

— Dans le salon. »

Elle l'entendit dire : « Passez-moi le docteur Mortimer, aussi vite que possible. » Il y eut un silence. « Lloyd Williams à l'appareil. Je suis à Tŷ Gwyn. Puis-je parler au docteur ?… Oh, bonsoir madame Mortimer. Quand pensez-vous qu'il sera de retour ? Il s'agit d'une jeune femme qui souffre de violentes douleurs abdominales et de saignements… Oui, je sais que cela arrive tous les mois, mais là, c'est autre chose, de toute évidence… elle a vingt-trois ans… oui, mariée… pas d'enfants… je vais lui demander. » Il haussa le ton. « Vous ne seriez pas enceinte par hasard ?

— Si, répondit Daisy. De trois mois. »

Il répéta l'information. Un long silence suivit. Finalement, il raccrocha et revint auprès d'elle.

Il s'assit au bord du lit. « Le médecin passera dès que possible. Il est en train d'opérer un mineur écrasé par une benne qui s'est détachée. Mais sa femme est sûre que vous venez de faire une fausse couche. » Il lui prit la main. « Je suis désolé pour vous, Daisy.

— Merci », murmura-t-elle.

La douleur semblait moins forte, mais Daisy était infiniment triste. L'héritier du comté n'était plus. Boy serait tellement déçu !

« Mrs. Mortimer dit que c'est très fréquent, poursuivit Lloyd. Il arrive souvent que les femmes fassent une ou deux fausses couches avant de mener une grossesse à son terme. Ce n'est pas grave, pourvu que les saignements restent modérés.

— Et si ça empire ?

— Alors, je devrai vous conduire à l'hôpital de Merthyr. Mais il ne serait pas très judicieux de vous faire faire quinze kilomètres de route dans un camion de l'armée. Il faut donc l'éviter tant que votre vie n'est pas en danger. »

Elle n'avait plus peur. « Je suis tellement contente que vous ayez été là.

— Je peux vous proposer quelque chose ?
— Certainement.
— Croyez-vous que vous puissiez faire quelques pas ?
— Je ne sais pas.
— Je vais vous faire couler un bain. Si vous pouvez aller jusqu'à la baignoire, ça vous fera certainement beaucoup de bien.
— Sûrement, oui.
— Vous pourrez peut-être improviser ensuite une sorte de couche ?
— Oui. »

Il disparut dans la salle de bains. Elle entendit couler l'eau. Elle se redressa dans son lit. Elle avait la tête qui tournait et attendit que cela passe. Elle posa les pieds par terre. Elle était assise dans une mare de sang coagulée. Elle se dégoûtait.

L'eau s'arrêta dans la salle de bains. Il revint et la prit par le bras.

« Si vous vous sentez mal, prévenez-moi. »

Il avait une force étonnante et l'accompagna au cabinet de toilette en la soutenant fermement. Sa culotte déchirée tomba à terre en chemin. Debout devant la baignoire, elle le laissa dégrafer le dos de sa robe « Vous pourrez vous débrouiller pour la suite ? » demanda-t-il.

Elle hocha la tête et il sortit.

Assise sur le panier à linge, elle retira lentement ses vêtements qu'elle abandonna sur le sol en un tas ensanglanté. Elle se glissa doucement dans la baignoire. L'eau était juste à la bonne température. Pendant qu'elle se détendait, allongée dans la baignoire, la douleur s'apaisa. Elle éprouvait une immense gratitude envers Lloyd. Il s'était montré tellement gentil qu'elle en avait les larmes aux yeux.

Quelques minutes plus tard, la porte s'entrouvrit, laissant apparaître une main qui tenait des vêtements.

« Chemise de nuit et tout le reste », annonça-t-il. Il les posa sur le panier à linge et referma la porte.

Quand l'eau commença à refroidir, elle se leva. Elle eut un nouveau vertige, mais il ne dura pas. Elle se sécha et enfila les sous-vêtements et la chemise de nuit qu'il avait apportés. Elle glissa un essuie-mains dans sa culotte pour absorber le sang qui suintait toujours.

Quand elle retourna dans sa chambre, son lit avait été refait avec des draps et des couvertures propres. Elle s'installa, s'assit bien droite et remonta les couvertures jusqu'à son cou.

Il surgit du salon. « Vous devez vous sentir mieux, remarqua-t-il. Mais vous avez l'air tellement gênée !

— Gênée n'est pas le mot. Mortifiée, plutôt, et encore, le terme est faible. » La vérité n'était pas si simple. À la seule idée du spectacle qu'elle avait offert, elle tressaillait de dégoût. Pourtant, il n'avait pas semblé écœuré.

Il se rendit dans la salle de bains ramasser les vêtements qu'elle y avait laissés. De toute évidence, le sang ne le rebutait pas.

« Qu'avez-vous fait des draps ? demanda-elle.

— J'ai trouvé un grand évier dans la pièce où l'on fait les bouquets. Je les ai mis à tremper dans l'eau froide. Je vais y ajouter vos vêtements. Je peux ? »

Elle acquiesça et il disparut à nouveau. Où avait-il appris à être aussi débrouillard ? Pendant la guerre civile espagnole sans doute, se dit-elle.

Elle l'entendit aller et venir dans la cuisine. Il revint avec deux tasses de thé.

« Je suppose que vous détestez ça, mais ça vous fera du bien. » Elle prit une tasse et but le thé chaud avec soulagement.

Elle avait toujours trouvé Lloyd plus mûr que son âge. Elle se rappelait l'assurance avec laquelle il était parti à la recherche de Boy, complètement ivre, au Gaiety Theatre. « Vous avez toujours été comme ça, remarqua-t-elle. Vraiment adulte, alors que nous, nous faisions seulement semblant. »

Son thé terminé, une douce torpeur l'envahit. Il débarrassa les tasses. « Je vais me reposer un moment, dit-elle. Vous voulez bien rester si je m'assoupis ?

— Je resterai aussi longtemps que vous voudrez. » Il ajouta quelque chose, mais sa voix se perdit dans un brouillard et elle s'endormit.

3.

Après cela, Lloyd prit l'habitude de venir passer la soirée dans le petit appartement de la gouvernante.

Pendant toute la journée, il attendait ce moment avec impatience.

Il descendait un peu après huit heures, quand le dîner au mess était terminé et que la femme de chambre de Daisy était partie. Ils s'asseyaient l'un en face de l'autre dans les deux vieux fauteuils. Lloyd apportait un livre d'étude (il avait toujours des « devoirs » à faire le soir, et des examens le lendemain matin) et Daisy lisait un roman ; mais le plus souvent, ils bavardaient. Ils évoquaient les événements de la journée, parlaient de ce qu'ils étaient en train de lire et se racontaient leur vie.

Il lui fit le récit de la bataille de Cable Street telle qu'il l'avait vécue. « Alors que la foule de manifestants était parfaitement pacifique, la police montée nous a chargés en vitupérant contre les sales Juifs. Ils nous ont matraqués en nous repoussant contre les vitrines, qui se sont brisées. »

Elle était restée enfermée avec les fascistes dans le parc de Tower Gardens et n'avait rien vu de l'affrontement. « Ce n'est pas comme ça que la presse a présenté les choses », dit-elle.

Elle avait cru les journaux qui avaient parlé d'une manifestation de rue organisée par des voyous.

Lloyd n'en fut pas surpris. « Ma mère a vu les actualités filmées à l'Aldgate Essoldo une semaine plus tard. Le commentateur a dit d'une voix doucereuse : "La police n'a reçu que des éloges de la part des observateurs impartiaux." Mam nous a raconté que la salle entière a éclaté de rire. »

Daisy était choquée par son scepticisme à l'égard de la presse. Il lui expliqua que la plupart des journaux britanniques avaient passé sous silence les atrocités commises par l'armée franquiste en Espagne et exagéré la moindre exaction des forces gouvernementales. Elle reconnut qu'elle avait admis sans discernement l'opinion du comte Fitzherbert présentant les rebelles comme de fervents chrétiens qui luttaient pour libérer l'Espagne de la menace communiste. Elle n'avait jamais entendu parler des viols, des pillages et des exécutions massives perpétrés par les hommes de Franco.

Elle n'avait apparemment jamais songé que les journaux qui appartenaient à des capitalistes pouvaient minimiser les événements susceptibles de donner une mauvaise image du gouvernement conservateur, de l'armée ou des hommes d'affaires et monter au contraire en épingle tous les actes répréhensibles commis par des syndicalistes ou des membres des partis de gauche.

Lloyd et Daisy parlèrent aussi de la guerre. Les choses bougeaient enfin. Des troupes françaises et britanniques avaient débarqué en Norvège et se battaient contre les Allemands qui avaient envahi ce pays. La presse pouvait difficilement dissimuler que les Alliés étaient en mauvaise posture.

L'attitude de Daisy envers lui avait changé. Elle ne flirtait plus. Elle était toujours contente de le voir, se plaignait quand il arrivait en retard, le taquinait parfois ; mais elle avait abandonné toute coquetterie. Elle lui dit que tout le monde avait été profondément déçu par la perte du bébé : Boy, Fitz, Bea, sa mère, à Buffalo, et même son père. Elle ne pouvait se défaire d'un sentiment irrationnel de honte et lui demanda s'il trouvait cela stupide. Il la rassura. Rien de ce qui la concernait ne pouvait lui paraître stupide.

Malgré des discussions très personnelles, ils se tenaient physiquement à distance. Lloyd ne voulait pas tirer parti de l'extraordinaire intimité qu'ils avaient partagée pendant la nuit de sa fausse couche. Il n'oublierait jamais ce moment, il en était sûr. Quand il avait lavé le sang de ses cuisses et de son ventre, le geste n'avait rien eu de très excitant, mais il était empreint d'une immense tendresse. Il s'agissait évidemment d'une urgence médicale qui ne l'autorisait en rien à se livrer à la moindre privauté ensuite. Il avait tellement peur qu'elle ne puisse se méprendre qu'il veillait soigneusement à ne jamais la toucher.

À dix heures, elle préparait un chocolat chaud, dont il raffolait. Elle prétendait aimer cela aussi, mais il se demandait si ce n'était pas par politesse. Ensuite, il lui souhaitait une bonne nuit et remontait dans sa chambre, au grenier.

Ils étaient comme de vieux amis. Ce n'était pas tout à fait ce qu'il aurait souhaité, mais elle était mariée et il savait qu'il ne pouvait en espérer davantage.

Il avait tendance à oublier le statut social de Daisy et fut très étonné quand elle lui annonça, un soir, qu'elle allait rendre visite à l'ancien majordome du comte, Peel, qui avait pris sa retraite et habitait une petite maison non loin du domaine.

« Il a quatre-vingts ans ! dit-elle. Je suis sûre que Fitz a oublié jusqu'à son existence. Il faut que je prenne de ses nouvelles. »

Lloyd marqua sa surprise en haussant les sourcils.

« Je dois m'assurer qu'il va bien, expliqua Daisy. C'est mon devoir de membre du clan Fitzherbert. Les familles riches sont tenues de veiller au bien-être de leurs vieux employés, vous ne saviez pas ça ?

— Ça m'était sorti de l'esprit.

— Voulez-vous m'accompagner ?

— Certainement. »

Le lendemain était un dimanche. Ils y allèrent dans la matinée, profitant de ce que Lloyd n'avait pas de cours. Ils furent choqués par l'état de la petite maison. La peinture s'écaillait, le papier peint se décollait et les rideaux étaient noirs de suie. Le seul élément de décoration était un alignement de photographies découpées dans des magazines et épinglées aux murs : le roi et la reine, Fitz et Bea, d'autres membres de la noblesse. Le ménage n'avait pas été correctement fait depuis des années et il régnait une odeur d'urine, de cendre et de pourriture. Lloyd songea que cela n'avait rien d'étonnant pour un vieil homme qui devait se contenter d'une minuscule pension de retraite.

Jetant un regard à Lloyd sous ses sourcils blancs, Peel s'exclama : « Bonjour, monsieur le comte. Je vous croyais mort ! »

Lloyd sourit. « Je ne suis qu'un visiteur.

— Ah oui ? Pardonnez-moi, ma pauvre tête n'est plus ce qu'elle était. Le vieux comte est mort, il y a quoi, trente-cinq, quarante ans ? Mais qui êtes-vous, jeune homme ?

— Lloyd Williams. Vous avez connu ma mère, Ethel, il y a bien longtemps.

— Tu es le fils d'Ethel ? Dans ce cas, je comprends, évidemment…

— Qu'est-ce que vous comprenez, monsieur Peel ? demanda Daisy.

— Oh, rien, je perds la tête, je vous le disais ! »

Ils lui demandèrent s'il avait besoin de quelque chose. Il les assura qu'il ne manquait de rien. « Je ne mange pas beaucoup, je bois très peu de bière. J'ai assez d'argent pour acheter les journaux et du tabac pour ma pipe. Tu crois qu'Hitler va nous envahir, jeune Lloyd ? J'espère ne pas voir ça de mon vivant. »

Daisy nettoya un peu la cuisine. À vrai dire, les tâches ménagères n'étaient pas son fort. « Je n'arrive pas à y croire, murmura-t-elle à Lloyd. Il vit là-dedans et prétend que tout va bien… et qu'il a de la chance !

— Beaucoup d'hommes de son âge sont moins bien lotis », répliqua Lloyd.

Ils passèrent une heure à bavarder avec Peel. Juste avant leur départ, il pensa à quelque chose qu'il souhaitait leur demander. Il regarda les photos affichées sur son mur. « Une photographie a été prise aux obsèques du vieux comte. J'étais simple valet de pied à l'époque, pas encore majordome. On s'est tous alignés à côté du corbillard. Il y avait un gros appareil sur pied, recouvert d'un voile noir, pas comme les petits appareils qu'on a maintenant. C'était en 1906.

— Je crois savoir où se trouve cette photo, dit Daisy. Je vais essayer de vous la retrouver. »

De retour à Tŷ Gwyn, ils descendirent au sous-sol. Le débarras, situé près de la cave à vin, était très vaste. Il était encombré de boîtes, de coffres et d'objets inutilisés : un bateau dans une bouteille, une maquette de Tŷ Gwyn en allumettes, une commode miniature, une épée dans un fourreau travaillé.

Ils se mirent à fouiller dans les photographies et les tableaux. Daisy éternuait à cause de la poussière, mais tenait à continuer.

Ils trouvèrent enfin le cliché dont Peel leur avait parlé. La même boîte contenait une photo encore plus ancienne du comte disparu. Lloyd la contempla avec étonnement. Le tirage sépia de dix centimètres sur huit représentait un jeune homme en uniforme d'officier de l'époque victorienne.

C'était le portrait craché de Lloyd.

« Regardez, fit-il en tendant la photo à Daisy.

— Ça pourrait être vous, avec des favoris.

— Le vieux comte a peut-être eu une aventure avec une de mes ancêtres, reprit Lloyd d'un air détaché. Si elle était mariée, elle aura fait passer l'enfant du comte pour celui de son mari.

Je peux vous dire que je ne serais pas très content d'apprendre que je descends d'un aristocrate par la main gauche, moi, un socialiste pur et dur !

— Lloyd, s'écria Daisy, êtes-vous vraiment aussi naïf ? »

Il ne savait pas si elle parlait sérieusement. En plus, elle avait sur le nez une traînée de poussière, tellement adorable qu'il avait envie d'y poser un baiser. « Eh bien, il m'est arrivé plus d'une fois de me ridiculiser, mais…

— Écoutez-moi. Votre mère était femme de chambre dans cette maison. Et tout d'un coup en 1914, elle part pour Londres et épouse un certain Teddy dont personne ne sait rien sinon qu'il s'appelait Williams, comme elle, ce qui lui a évité d'avoir à changer de nom. Ce mystérieux monsieur Williams est mort sans que personne l'ait jamais rencontré et son assurance vie a permis à votre mère d'acheter la maison qu'elle habite encore aujourd'hui.

— En effet. Mais où voulez-vous en venir ?

— Après la mort de Mr. Williams, elle donne naissance à un fils qui ressemble étrangement à feu le comte Fitzherbert. »

Il commençait à avoir une vague idée de ce qu'elle insinuait. « Continuez.

— Il ne vous est jamais venu à l'esprit que cette histoire pouvait avoir une tout autre explication ?

— Pas jusqu'à aujourd'hui…

— Que fait une famille d'aristocrates quand une de ses filles se retrouve enceinte ? Ça arrive souvent, vous savez.

— Je veux bien vous croire. Mais je serais en peine de vous répondre. Ce n'est pas le genre de choses dont on parle.

— Exactement. La fille disparaît pendant quelques mois, elle se rend en Écosse, en Bretagne ou à Genève, avec sa femme de chambre. Quand elles reviennent, la femme de chambre a un petit bébé, né pendant leur absence. La famille la traite avec une étonnante gentillesse, bien qu'elle ait admis avoir commis le péché de chair, et l'envoie vivre ailleurs avec une petite pension. »

Son histoire ressemblait à un conte de fées, sans grand rapport avec la vie réelle. Lloyd n'en était pas moins intrigué et troublé. « Vous pensez que c'est ce qui a pu m'arriver ?

— Ce que je pense, c'est que Maud Fitzherbert a eu une aventure avec un jardinier, un mineur, ou encore un charmant vaurien de Londres, et qu'elle est tombée enceinte. Elle est partie accoucher quelque part dans le plus grand secret. Votre mère a accepté de dire qu'elle était la mère du bébé, en échange de quoi les Fitzherbert lui ont offert une maison. »

Lloyd se rappela un fait qui semblait confirmer cette hypothèse. « Elle se montre toujours très évasive quand je l'interroge sur mon vrai père. » Cela lui paraissait suspect maintenant.

« Eh bien voilà ! Teddy Williams n'a jamais existé. Pour préserver sa bonne réputation, votre mère a prétendu être veuve. Elle a baptisé son défunt mari imaginaire Williams pour ne pas avoir à changer de nom. »

Incrédule, Lloyd secoua la tête : « Non, franchement, c'est tiré par les cheveux.

— Maud et elle ont toujours été amies et Maud l'a aidée à vous élever. En 1933, Ethel vous a emmené à Berlin parce que votre vraie mère voulait vous revoir. »

Lloyd avait l'impression de rêver ou d'émerger à peine de son sommeil. « Vous croyez que je suis le fils de Maud ? » demanda-t-il sans y croire.

Daisy tapota le cadre de la photo qu'elle tenait toujours à la main. « Et vous ressemblez comme deux gouttes d'eau à votre grand-père ! »

Lloyd n'en revenait pas. C'était impossible et pourtant, assez logique.

« Je me suis fait à l'idée que Bernie n'était pas mon vrai père. Ethel ne serait donc pas non plus ma vraie mère ? »

Daisy dut lire une ombre de désarroi sur son visage, car elle se pencha vers lui et lui effleura la joue, ce qu'elle ne faisait jamais.

« Je suis désolée. J'ai peut-être été un peu brutale ? Je voulais seulement vous ouvrir les yeux. Si Peel soupçonne la vérité, ne pensez-vous pas que d'autres peuvent en faire autant ? Ce sont des choses qu'on préfère apprendre de la bouche de quelqu'un qui… d'une amie. »

Un gong résonna au loin. « Il faut que j'aille au mess. C'est l'heure du déjeuner », dit Lloyd d'une voix sans timbre.

Il sortit le cliché de son cadre et le glissa dans une poche de sa veste d'uniforme.

« Vous êtes bouleversé, constata Daisy d'un air inquiet.

— Non, non. Seulement… étonné.

— Les hommes refusent toujours d'admettre qu'ils sont bouleversés. Revenez me voir tout à l'heure, vous voulez bien ?

— Entendu.

— N'allez pas vous coucher sans m'avoir reparlé.

— Promis. »

Il sortit du débarras et gagna la grande salle à manger transformée en mess. Il mangea machinalement son bœuf en boîte, l'esprit en ébullition. Il ne prit aucune part à la discussion des convives à propos de la bataille qui faisait rage en Norvège.

« On est dans la lune, Williams ? demanda le commandant Lowther.

— Pardon, mon commandant, répondit Lloyd, se hâtant d'improviser une excuse. J'essayais de me rappeler quel est le grade le plus élevé dans l'armée allemande, *Generalleutnant* ou *Generalmajor* ?

— *Generalleutnant*, répondit Lowther. Mais si j'ai un conseil à vous donner, ajouta-t-il tout bas, n'oubliez surtout pas la différence entre *meine Frau* et *deine Frau.* »

Lloyd rougit. Ainsi, son amitié avec Daisy n'était pas aussi discrète qu'il l'avait cru. La nouvelle en était arrivée jusqu'aux oreilles de Lowther. Il était furieux. Ils n'avaient rien fait de mal, Daisy et lui. Pourtant, il ne protesta pas. Il se sentait coupable, bien qu'il ne le fût pas. Il ne pouvait pas jurer, la main sur le cœur, que ses intentions étaient pures. Il savait ce qu'aurait dit Granda : « Celui qui regarde la femme d'un autre avec convoitise a déjà commis l'adultère dans son cœur. » Tel était l'enseignement sans détour de Jésus et il y avait beaucoup de vérité là-dedans.

En pensant à ses grands-parents, il se demanda s'ils savaient qui étaient ses vrais parents. Ce doute sur ses origines lui donnait une impression de vide, comme lorsqu'en rêve, on fait une chute interminable. Si on lui avait menti à ce sujet, on avait pu le tromper sur bien d'autres points.

Il décida d'aller interroger Granda et Grandmam. C'était dimanche, il pouvait le faire immédiatement. Dès qu'il put décemment se retirer, il quitta le mess et prit la direction de Wellington Row.

Il se dit que s'il leur demandait de but en blanc s'il était le fils de Maud, ils nieraient en bloc. Il obtiendrait sans doute davantage d'informations en adoptant une approche plus progressive.

Il les trouva assis à la cuisine. Pour eux, le dimanche était le jour du Seigneur, consacré à la religion : ils ne lisaient pas les journaux et n'écoutaient pas la radio. Ils furent néanmoins ravis de le voir et Grandmam prépara du thé, comme d'habitude.

Lloyd se lança : « J'aimerais bien en savoir plus long sur mon vrai père. Mam m'a dit que Teddy Williams était dans les Welsh Rifles. Vous le saviez ?

— Pourquoi veux-tu fouiller le passé ? grommela Grandmam. Ton père, c'est Bernie. »

Lloyd ne chercha pas à la contredire. « C'est vrai. Bernie Leckwith a été le meilleur des pères pour moi. »

Granda hocha la tête. « Un Juif, mais un excellent homme, ça, c'est sûr. » Il pensait se montrer extraordinairement tolérant.

Lloyd ne releva pas. « N'empêche, je suis curieux. Vous avez rencontré Teddy Williams ?

— Non, bougonna Granda. Et ça a été un grand regret pour nous.

— Il est venu à Tŷ Gwyn avec un invité dont il était le valet, enchaîna Grandmam. Nous ne savions pas que ta mère avait le béguin pour lui jusqu'à ce qu'elle parte à Londres pour l'épouser.

— Pourquoi n'êtes-vous pas allés au mariage ? »

Ils restèrent silencieux. Granda murmura enfin : « Dis-lui la vérité, Cara. Les mensonges n'apportent jamais rien de bon.

— Ta mère a succombé à la tentation, se décida Grandmam. Après le départ du valet, elle s'est aperçue qu'elle attendait un enfant. » Lloyd l'avait toujours soupçonné et s'était dit que cela expliquait les réponses évasives de sa mère. « Ton grand-père était très en colère.

— Trop, reconnut Granda. J'avais oublié la parole de Jésus : "Ne juge point et tu ne seras pas jugé." Elle avait commis le péché de luxure, et moi le péché d'orgueil. » Lloyd fut surpris de voir briller des larmes dans les yeux bleu clair de son grand-père. « Dieu lui a pardonné, mais pas moi, pendant longtemps. Et quand je l'ai fait, mon gendre était mort, tué en France. »

Lloyd était encore plus perplexe qu'auparavant. C'était une nouvelle version des faits, assez différente de celle que lui avait racontée sa mère et qui n'avait rien à voir avec la théorie de Daisy. Son grand-père pleurait-il un gendre qui n'avait jamais existé ?

« Et la famille de Teddy Williams ? insista-t-il. Mam m'a dit qu'il venait de Swansea. Il avait sûrement des parents, des frères, des sœurs…

— Ta mère n'a jamais parlé de sa famille, répondit Grandmam. Elle devait avoir honte. En tout cas, elle ne voulait pas les connaître. Et ce n'était pas à nous de nous opposer à sa volonté.

— Mais j'ai peut-être deux autres grands-parents à Swansea. Et des oncles, des tantes, des cousins que je ne connais pas.

— Oui, admit Granda. Mais nous n'en savons rien.

— Ma mère doit savoir, elle.

— Sans doute.

— Je lui poserai la question », dit Lloyd.

4.

Daisy était amoureuse.

Elle savait maintenant qu'elle n'avait jamais aimé personne avant Lloyd. Elle avait éprouvé du désir pour Boy, certes, mais ce n'était pas de l'amour. Quant au pauvre Charlie Farquharson, elle avait tout juste ressenti un peu d'affection pour lui. Elle avait cru que l'amour était un sentiment dont elle pouvait investir un homme qui lui plaisait, sa principale responsabilité étant de le choisir intelligemment. Elle comprenait maintenant qu'elle s'était lourdement trompée. L'intelligence n'avait rien à voir là-dedans, et elle n'avait pas le choix. L'amour était un séisme.

Sa vie était vide à part les deux heures qu'elle passait avec Lloyd le soir. Le reste de la journée n'était qu'attente, et la nuit, souvenir.

Lloyd était le coussin sur lequel elle reposait sa joue. Il était la serviette avec laquelle elle s'essuyait les seins au sortir du bain. Les doigts qu'elle mettait dans sa bouche et qu'elle suçait rêveusement.

Comment avait-elle pu l'ignorer pendant des années ? L'amour de sa vie avait surgi devant elle au bal de Trinity College et tout ce qu'elle avait remarqué, c'est qu'il avait l'air d'avoir emprunté son costume ! Pourquoi n'était-elle pas tombée dans ses bras, pourquoi ne l'avait-elle pas embrassé en exigeant qu'ils se marient immédiatement ?

Il l'avait su dès le début, elle en était presque sûre. Il avait dû tomber amoureux d'elle lors de leur première rencontre. Il l'avait suppliée de quitter Boy.

« Laissez-le tomber, lui avait-il dit au Gaiety. Sortez plutôt avec moi. » Elle s'était moquée de lui. Mais il avait vu la vérité à laquelle elle était restée aveugle.

Pourtant, une intuition née du plus profond de son âme l'avait incitée à l'embrasser sur le trottoir de Mayfair, entre deux réverbères. À l'époque, elle n'y avait vu qu'un caprice, alors que c'était la chose la plus intelligente qu'elle ait jamais faite, car ce baiser avait sans doute renforcé l'amour qu'il éprouvait pour elle.

Seule à Tŷ Gwyn, elle refusait d'envisager la suite. Elle vivait au jour le jour, flottant sur un nuage, souriant à tout et n'importe quoi. Elle reçut une lettre angoissée de sa mère, qui s'inquiétait de sa santé, de son moral après sa fausse couche. Elle lui envoya une réponse rassurante. Olga lui donnait aussi quelques nouvelles de Buffalo : Dave Rouzrokh était mort à Palm Beach, Muffie Dixon avait épousé Philip Renshaw, la femme du sénateur Dewar avait écrit un best-seller intitulé *Dans les coulisses de la Maison Blanche*, illustré de photographies prises par Woody. Un mois plus tôt, Daisy aurait eu le mal du pays en lisant ces lignes. Cela ne lui faisait plus ni chaud ni froid.

Elle n'était triste que quand elle pensait au bébé qu'elle avait perdu. La douleur s'était rapidement estompée et les saignements avaient cessé au bout d'une semaine, mais la perte de son enfant l'affligeait profondément. Elle ne pleurait plus, mais elle se surprenait parfois à se demander, les yeux dans le vague, si c'était une fille ou un garçon, à quoi il ou elle aurait ressemblé. Et elle était stupéfaite quand elle se rendait compte qu'elle était restée sans bouger à divaguer une heure entière.

Le printemps était arrivé. Elle se promenait, en imperméable et en bottes de caoutchouc, sur le flanc de la colline balayé par le vent. Parfois, quand elle était sûre que personne d'autre que les moutons ne pouvait l'entendre, elle criait à pleins poumons : « Je l'aime ! »

Elle était préoccupée par la réaction qu'il avait eue quand elle l'avait interrogé sur ses origines. Elle avait peut-être eu tort de soulever la question. Elle n'avait réussi qu'à le rendre malheureux. Elle avait raison pourtant : tôt ou tard, la vérité éclaterait et il valait mieux l'apprendre de la bouche de quelqu'un qui vous aimait. Sa douloureuse stupéfaction l'avait touchée au cœur et elle n'en était que plus éprise.

C'est alors qu'il lui annonça qu'il avait demandé une permission. Il comptait se rendre dans une station balnéaire du sud appelée Bournemouth pour assister au deuxième congrès annuel du parti travailliste, à la fin de la deuxième semaine de mai, au moment de la Pentecôte.

Sa mère viendrait elle aussi à Bournemouth, lui avait-il expliqué, et il aurait ainsi l'occasion de lui poser des questions sur sa naissance. Daisy le trouva à la fois impatient et inquiet.

Lowther aurait certainement refusé de le laisser partir si Lloyd n'avait pas prévenu le colonel Ellis-Jones de son intention en mars, au moment où il avait été affecté à cette formation. Le colonel appréciait probablement Lloyd ; peut-être aussi était-il un sympathisant du parti, ou bien les deux. En tout cas, il lui avait accordé une autorisation sur laquelle Lowther ne pouvait pas revenir. Naturellement, si les Allemands envahissaient la France, il n'y aurait de permission pour personne.

Daisy s'affola soudain à l'idée que Lloyd pourrait quitter Aberowen sans savoir qu'elle l'aimait. Elle ignorait pourquoi, mais elle tenait absolument à le lui dire avant son départ.

Lloyd devait partir le mercredi et revenir six jours plus tard. Coïncidence, Boy avait annoncé sa visite pour le mercredi soir. Daisy était soulagée, sans trop savoir pourquoi, que les deux hommes ne se retrouvent pas à Tŷ Gwyn en même temps.

Elle décida d'avouer ses sentiments à Lloyd le mardi, la veille de son départ. Elle n'avait aucune idée de ce qu'elle dirait à son mari le lendemain.

En imaginant la conversation qu'elle aurait avec Lloyd, elle se dit qu'il l'embrasserait sûrement. Ils seraient alors submergés par leurs sentiments et feraient l'amour, c'était certain. Et ils passeraient la nuit lovés dans les bras l'un de l'autre.

À ce stade de sa réflexion, un souci vint interrompre sa rêverie : l'indispensable discrétion dont ils devraient faire preuve. Il ne fallait pas, dans leur intérêt à tous les deux, qu'on voie Lloyd sortir de son appartement au petit matin. Lowthie avait déjà des soupçons : elle l'avait compris à son attitude, à la fois réprobatrice et taquine, comme s'il estimait que c'était de lui, et non de Lloyd, qu'elle aurait dû tomber amoureuse.

Il fallait trouver un autre endroit pour son entrevue décisive avec Lloyd. Elle pensa aux chambres inoccupées de l'aile ouest et se surprit à retenir son souffle. Il pourrait partir à l'aube. Si quelqu'un le voyait, on ne saurait pas qu'il était avec elle. Elle s'éclipserait plus tard, tout habillée, et pourrait prétendre être à la recherche d'un objet quelconque appartenant à la famille, un tableau par exemple. En fait, se dit-elle en préparant son éventuel mensonge, elle pourrait prendre un bibelot dans le débarras et le placer dans la chambre qu'elle aurait choisie, à l'avance, prêt à servir d'alibi.

Le mardi matin à neuf heures, alors que tous les stagiaires étaient en cours, elle monta à l'étage avec un ensemble de flacons de parfum au couvercle d'argent oxydé et une glace à main assortie. Elle se sentait déjà coupable. Les tapis avaient été enlevés, ses pas résonnaient sur le parquet nu comme pour annoncer l'arrivée d'une dévergondée. Heureusement, elle ne croisa personne.

Elle opta pour la chambre des gardénias qui, si elle avait bonne mémoire, servait actuellement à entreposer le linge de maison. Quand elle y entra, le couloir était désert. Elle referma promptement la porte derrière elle. Elle était haletante. Je n'ai pourtant encore rien fait, se dit-elle.

Sa mémoire ne l'avait pas trompée : des piles parfaitement ordonnées de draps, de couvertures et d'oreillers étaient alignées contre les murs au papier peint fleuri de gardénias, enveloppées dans des toiles de coton grossier retenues par des ficelles, comme de gros colis.

La pièce sentant le renfermé, elle ouvrit une fenêtre. Le mobilier d'origine avait été conservé : un lit, une armoire, une commode, un secrétaire et une coiffeuse en forme de haricot surmontée de trois miroirs. Elle posa les flacons de parfum sur la coiffeuse et fit le lit avec des draps pris dans les piles. Ils étaient froids.

Cette fois, j'ai fait quelque chose, songea-t-elle. J'ai préparé un lit pour mon amant et moi.

Elle regarda les oreillers blancs et la couverture rose bordée de satin. Elle s'imagina enlacée à Lloyd dans une fougueuse étreinte, échangeant avec lui des baisers éperdus. Cette idée l'enflamma tellement qu'elle se sentit défaillir.

Elle entendit des pas qui claquaient sur le plancher comme les siens précédemment. Qui cela pouvait-il être ? Morrison, le vieux valet, qui allait réparer une gouttière qui fuyait ou un carreau cassé ? Elle attendit, le cœur battant, le temps que les pas se rapprochent puis s'éloignent enfin.

La frayeur calma son excitation et modéra son ardeur. Elle jeta un dernier regard à la chambre et s'en alla.

Personne dans le couloir.

Elle s'y engagea, toujours trahie par le martèlement de ses chaussures. Désormais, elle avait l'air parfaitement innocente. Elle pouvait aller où elle voulait. Elle avait plus de raisons que n'importe qui d'autre de se trouver là, elle était chez elle. Son mari était l'héritier du domaine.

Le mari qu'elle s'apprêtait à tromper.

Elle aurait dû être paralysée par la culpabilité ; en réalité, elle était impatiente, consumée de désir.

Il lui restait à prévenir Lloyd. Il était passé chez elle la veille au soir, comme d'habitude, mais elle n'avait pas pu lui donner rendez-vous à ce moment-là, car il lui aurait demandé des explications ; elle n'aurait pas pu s'empêcher de tout lui avouer et de l'attirer dans son lit, ce qui aurait tout gâché. Il fallait absolument qu'elle puisse lui dire un mot aujourd'hui.

D'ordinaire, elle ne le voyait pas pendant la journée, à moins de tomber sur lui par hasard, dans l'entrée ou à la bibliothèque. Comment s'assurer de le rencontrer ? Elle monta au grenier par l'escalier de service. Les stagiaires n'étaient pas dans leurs mansardes, mais l'un d'eux pouvait revenir à tout moment récupérer un objet oublié. Elle devait donc faire vite.

Elle entra dans la chambre de Lloyd. Elle était pleine de son odeur, une odeur qu'elle n'aurait pas su identifier. Elle ne voyait pas de bouteille d'eau de Cologne. En revanche, il y avait un pot de lotion capillaire à côté de son rasoir. Elle l'ouvrit et respira : oui, c'était ça, épices et agrumes. Était-il coquet ? se demanda-t-elle. Peut-être un peu. Il était toujours très soigné, en tout cas, même en uniforme.

Elle comptait lui laisser un mot. Un bloc de papier à lettres était posé sur la commode. Elle l'ouvrit et chercha quelque chose pour écrire. Elle savait qu'il possédait un stylo noir avec son nom gravé dessus, mais il avait dû l'emporter pour prendre des notes en cours. Elle trouva un crayon dans le tiroir du haut.

Elle réfléchit. Il fallait être prudente, car quelqu'un d'autre pouvait lire ce message. Pour finir, elle écrivit simplement : « Bibliothèque ». Elle laissa le bloc ouvert sur la commode, bien en vue, et s'en alla.

Elle ne croisa personne.

Il remonterait forcément dans sa chambre, peut-être pour remplir son stylo à la bouteille d'encre qui se trouvait là. Il verrait alors son mot et viendrait la rejoindre.

Elle alla l'attendre dans la bibliothèque.

La matinée lui parut interminable. Elle lisait depuis quelque temps des auteurs victoriens – leurs sentiments faisaient écho aux siens –, mais ce jour-là, Mrs. Gaskell ne parvenait pas à retenir son attention. Elle passa une bonne partie du temps à regarder par la fenêtre. On était en mai. Normalement, les jardins de Tŷ Gwyn auraient dû être couverts de parterres de fleurs printanières, mais presque tous les jardiniers avaient rejoint l'armée et ceux qui restaient ne plantaient pas de fleurs, mais des légumes.

Plusieurs stagiaires investirent la bibliothèque juste avant onze heures et s'installèrent dans les fauteuils de cuir vert avec leurs cahiers. Lloyd n'était pas parmi eux.

Elle savait que le dernier cours de la matinée se terminait à midi et demi : les jeunes recrues se levèrent alors et quittèrent la bibliothèque. Toujours pas trace de Lloyd.

Il allait sûrement regagner sa chambre maintenant pour poser ses livres et se laver les mains dans le cabinet de toilette voisin.

Les minutes s'écoulèrent. Le gong sonna l'heure du déjeuner.

C'est à ce moment-là qu'il entra. Elle sentit son cœur faire un bond dans sa poitrine.

Il avait l'air inquiet. « Je viens de voir votre mot. Vous allez bien ? »

Il se préoccupait d'elle avant tout. Les ennuis qu'elle pouvait avoir n'étaient pas source de tracas pour lui, mais des occasions de l'aider dont il s'emparait aussitôt. Aucun homme n'avait jamais pris soin d'elle comme lui, pas même son père.

« Tout va bien, le rassura-t-elle. Savez-vous à quoi ressemble un gardénia ? » Elle avait répété son discours toute la matinée.

« Pas vraiment. Un peu à une rose, non ? Pourquoi ?

— Dans l'aile ouest, il y a une chambre qu'on appelle la chambre des gardénias. Un gardénia blanc est peint sur la porte et on s'en sert pour ranger le linge de maison. Pensez-vous pouvoir la trouver ?

— Oui, certainement.

— Venez m'y rejoindre ce soir au lieu de venir à l'appartement. À l'heure habituelle. »

Il la dévisagea en essayant de comprendre de quoi il retournait.

« C'est entendu. Mais pourquoi ?

— J'ai quelque chose à vous dire.

— Ah, ça me semble passionnant », répondit-il, l'air toujours aussi ébahi.

Elle devinait les pensées qui se bousculaient dans sa tête. Il était galvanisé à l'idée qu'elle lui proposait un rendez-vous galant tout en se disant que c'était un rêve impossible.

« Allez vite déjeuner », lui dit-elle.

Il hésita.

« Je vous verrai ce soir, l'encouragea-t-elle.

— Je brûle d'impatience », murmura-t-il, et il s'en alla.

Elle retourna à son appartement. Maisie, qui n'était pas une fine cuisinière, avait préparé un sandwich avec du jambon en boîte entre deux tranches de pain. Daisy avait l'estomac noué. Elle n'aurait rien pu avaler même si on lui avait servi de la glace à la pêche.

Elle s'allongea pour se reposer. Elle envisageait la nuit à venir avec tant de précision qu'elle en était gênée. Elle avait beaucoup appris en matière de sexe avec Boy, qui avait manifestement acquis une grande expérience auprès d'autres femmes. Elle savait ce qui plaisait aux hommes. Elle voulait tout donner à Lloyd, embrasser chaque partie de son corps, faire ce que Boy appelait le « soixante-neuf », avaler sa semence. Ces évocations étaient tellement excitantes qu'elle dut faire appel à toute sa volonté pour ne pas se donner du plaisir.

Elle prit une tasse de thé à cinq heures, puis se lava les cheveux et se plongea dans un grand bain. Elle se rasa les aisselles et tailla ses poils pubiens trop abondants. Elle se sécha et s'enduisit d'une lotion légère sur tout le corps. Après s'être parfumée, elle commença à s'habiller.

Elle enfila des sous-vêtements propres. Elle essaya toutes ses robes. Elle aimait bien celle qui avait de fines rayures bleues et blanches, mais elle se fermait devant par une série de petits boutons qu'elle mettrait un temps infini à défaire. Elle n'aurait pas la patience, elle le savait. Je raisonne comme une putain, se dit-elle, ne sachant si elle devait s'en amuser ou en avoir honte. Elle se décida finalement pour une robe à motifs cachemire vert menthe qui s'arrêtait aux genoux et mettait ses jambes en valeur.

Elle s'inspecta dans l'étroit miroir fixé à l'intérieur de la porte du placard et fut satisfaite.

Elle s'assit au bord du lit pour enfiler ses bas. Boy entra.

Daisy fut près de défaillir. Si elle n'avait pas été assise, elle se serait effondrée. Elle le regarda, stupéfaite.

« Surprise ! chantonna-t-il d'un ton joyeux. J'ai pu venir un jour plus tôt !

— Oui, dit-elle quand elle eut enfin retrouvé l'usage de la parole. Pour une surprise, c'est une surprise. »

Il se pencha sur elle et l'embrassa. Elle n'aimait pas beaucoup sentir sa langue au goût d'alcool et de cigare dans sa bouche. Sa réticence ne le gênait pas. Au contraire, il aimait forcer le passage, apparemment. Cette fois, parce qu'elle se sentait coupable, elle se laissa faire.

« Dis donc, remarqua-t-il, hors d'haleine. Quelle ardeur ! »

Tu n'imagines pas à quel point, pensa Daisy. Du moins, je l'espère.

« L'exercice a été avancé d'un jour, expliqua-t-il. Je n'ai pas eu le temps de te prévenir.

— Tu es donc là pour la nuit ?

— Oui. »

Et Lloyd qui partait le lendemain matin !

« Ça n'a pas l'air de t'enchanter », remarqua Boy. Il regarda sa robe. « Tu avais des projets ?

— De quel genre ? demanda-t-elle, cherchant à se ressaisir. Une soirée au pub des Deux Couronnes, par exemple ? ironisa-t-elle.

— À propos, si on prenait un verre ? » Il partit chercher à boire. Daisy enfouit son visage dans ses mains. Comment était-ce possible ! Son plan était à l'eau. Il fallait qu'elle trouve le moyen d'avertir Lloyd, à qui il n'était pas question d'avouer son amour entre deux portes, avec Boy dans les parages.

Le mieux était de remettre tout cela à plus tard. Ce n'était que l'affaire de quelques jours puisque Lloyd devait revenir le mardi suivant. L'attente serait insupportable, mais elle survivrait et son amour avec elle. Malgré tout, elle en aurait pleuré de dépit.

Elle finit d'enfiler ses bas et de se chausser et alla rejoindre Boy dans le petit salon.

Il avait trouvé une bouteille de scotch et deux verres. Elle l'accompagna pour se montrer aimable. « J'ai vu que la fille qui travaille ici préparait un feuilleté au poisson pour le dîner, dit-il. Je meurs de faim. Elle cuisine bien ?

— Pas vraiment. Mais c'est mangeable, quand on a faim.

— Tant pis, on peut toujours se rabattre sur le whisky. » Il se resservit un verre.

« Qu'as-tu fait ces derniers temps ? demanda-t-elle, cherchant à le faire parler pour ne pas avoir à le faire elle-même. Tu es allé en Norvège ? »

Les Allemands étaient en train d'y remporter la première bataille terrestre.

« Non, heureusement. C'est un désastre. Il doit y avoir un grand débat ce soir aux Communes à ce sujet. » Il se mit à évoquer les erreurs qu'avaient commises les chefs militaires anglais et français.

Au moment de passer à table, Boy descendit à la cave chercher une bouteille de vin. Daisy y vit l'occasion de prévenir Lloyd. Où pouvait-il bien être à cette heure ? Elle regarda sa montre. Sept heures et demie. Il devait être en train de dîner au mess. Elle ne pouvait tout de même pas entrer dans la salle à manger et aller lui murmurer quelque chose à l'oreille au milieu de tous les officiers. Autant proclamer haut et fort qu'ils étaient amants. Comment l'attirer dehors ? Elle se tortura la cervelle, mais n'avait toujours pas trouvé la solution quand Boy revint en brandissant une bouteille de 1921 d'un air triomphant.

« Le premier millésime de Dom Pérignon, annonça-t-il, historique. »

Ils se mirent à table et attaquèrent le feuilleté au poisson de Maisie. Daisy but une coupe de champagne. Manquant d'appétit, elle repoussa la nourriture au bord de son assiette en s'efforçant de se comporter le plus normalement possible. Boy se resservit.

Pour le dessert, Maisie leur apporta des pêches en conserve arrosées de lait concentré. « La guerre n'a pas arrangé la cuisine anglaise, remarqua Boy.

— Elle n'était déjà pas extraordinaire », commenta Daisy qui s'appliquait toujours à ne rien laisser paraître.

Lloyd devait maintenant se trouver dans la chambre des gardénias. Qu'arriverait-il si elle ne parvenait pas à lui faire passer un message ? Resterait-il là à l'attendre toute la nuit ? Finirait-il par renoncer à minuit et par regagner sa chambre ? Ou viendrait-il jusqu'ici voir ce qu'elle faisait ? La situation risquait d'être embarrassante.

Boy prit un gros cigare qu'il se mit fumer avec délectation en trempant de temps en temps dans un verre d'eau-de-vie l'extrémité qu'il tenait entre ses lèvres. Daisy cherchait désespérément un prétexte pour s'absenter, en vain. Quelle raison pourrait-elle bien invoquer pour aller se promener du côté des chambres des stagiaires à cette heure du soir ?

Elle n'avait encore rien tenté quand il écrasa son cigare. « Bon, il est temps d'aller se coucher. Tu veux passer à la salle de bains en premier ? »

Désemparée, elle se leva et regagna la chambre. Elle retira lentement les vêtements si soigneusement choisis pour Lloyd. Elle fit sa toilette et enfila la chemise de nuit la moins aguichante qu'elle put trouver. Puis elle se coucha.

Boy était passablement ivre quand il vint s'allonger près d'elle, mais pas assez pour renoncer à faire l'amour. Cette perspective la fit frémir. « Je suis désolée, murmura-t-elle. Le docteur Mortimer a formellement déconseillé les rapports pendant trois mois. »

Ce n'était pas vrai. Le docteur Mortimer lui avait dit d'attendre la fin des saignements. Elle se sentait terriblement malhonnête. C'était avec Lloyd qu'elle avait eu l'intention de passer une folle nuit.

« Comment ? s'indigna-t-il. Mais pourquoi ?

— D'après lui, trop de hâte pourrait compromettre mes chances d'attendre un nouvel enfant », improvisa-t-elle.

L'argument suffit à le convaincre. Il tenait tant à avoir un héritier ! « Ah, bon », grommela-t-il, et il lui tourna le dos.

Une minute plus tard, il dormait.

Daisy, elle, était bien éveillée, l'esprit en ébullition. Pourrait-elle s'éclipser maintenant ? Il faudrait qu'elle s'habille : elle n'allait pas se promener en chemise de nuit. Boy avait le sommeil lourd, mais il se levait souvent la nuit pour aller aux toilettes. Qu'arriverait-il si ça le prenait en son absence et qu'il la voyait revenir tout habillée ? Quelle histoire plausible pourrait-elle inventer ? Il n'y avait qu'une raison qui pouvait inciter une femme à rôder dans une maison en pleine nuit, tout le monde le savait.

Elle n'avait pas le choix : elle allait devoir laisser Lloyd languir. Elle souffrait avec lui en l'imaginant seul et déçu dans la chambre qui sentait le renfermé. S'allongerait-il sur le lit en uniforme pour finir par s'endormir ? Il aurait froid, à moins de tirer une couverture sur lui. Penserait-il à un empêchement de dernière minute, ou croirait-il qu'elle lui avait simplement posé un lapin ? Peut-être se sentirait-il trahi et lui en voudrait-il.

Des larmes roulèrent sur ses joues. Boy ronflait et ne risquait pas de s'en apercevoir.

Elle s'assoupit au petit matin et rêva qu'elle devait prendre un train, mais était sans cesse retardée par des contretemps stupides : le taxi la conduisait à la mauvaise adresse, elle devait faire à pied un trajet plus long que prévu en traînant sa valise, elle ne retrouvait pas son billet et quand elle arrivait enfin sur le quai, elle tombait sur un vieux tortillard qui mettrait des jours à atteindre Londres.

Quand elle s'éveilla de son rêve, Boy était en tain de se raser dans la salle de bains.

Le cœur lourd, elle se leva et s'habilla. Maisie prépara le petit déjeuner. Boy prit des œufs, du bacon et des toasts beurrés. Le temps qu'il termine, il était neuf heures. Lloyd avait dit qu'il partait à neuf heures. Il se trouvait sans doute dans le vestibule, valise à la main.

Boy se leva de table et alla s'enfermer dans la salle de bains en emportant le journal. Daisy connaissait ses habitudes : il ne reparaîtrait pas avant cinq ou dix minutes. Retrouvant soudain toute son énergie, elle sortit et gravit les marches quatre à quatre pour se précipiter dans l'entrée.

Lloyd n'y était pas. Il était sans doute déjà parti, pensa-t-elle, accablée.

Il comptait sûrement se rendre à pied à la gare. Seuls les riches et les infirmes prenaient un taxi pour parcourir un kilomètre. Elle pouvait peut-être encore le rattraper. Elle franchit la porte d'entrée.

Elle l'aperçut quatre cents mètres plus bas dans l'allée, marchant d'un pas alerte en portant sa valise. Son cœur fit un bond. Oubliant toute prudence, elle courut après lui.

Un Tilly – ces camionnettes de l'armée à l'arrière bâché – descendait l'allée à vive allure devant elle. À sa grande consternation, elle le vit ralentir à la hauteur de Lloyd.

« Non ! » cria Daisy, mais Lloyd était trop loin pour l'entendre. Il jeta sa valise à l'arrière et monta à côté du conducteur.

Elle continua à courir, mais c'était sans espoir. La camionnette repartit et prit de la vitesse.

Daisy s'arrêta. Elle regarda le Tilly franchir les grilles de Tŷ Gwyn et disparaître au loin. Elle se retint de pleurer.

Au bout d'un moment, elle fit demi-tour et rentra.

5.

Lloyd s'arrêta à Londres sur le trajet de Bournemouth pour y passer une nuit. Le soir de ce mercredi 8 mai, il était à la Chambre des communes, à la galerie des visiteurs, pour suivre le débat qui déciderait du sort du Premier ministre, Neville Chamberlain.

C'était un peu comme le poulailler au théâtre : on était mal assis et à l'étroit et on assistait d'une hauteur vertigineuse au drame qui se jouait tout en bas. La galerie était comble. Lloyd et son beau-père, Bernie, avaient obtenu des billets, non sans mal, grâce à l'influence d'Ethel, qui siégeait avec l'oncle Billy parmi les membres du parti travailliste dans la salle du Parlement bondée.

Lloyd n'avait pas encore eu l'occasion d'interroger ses parents sur sa véritable origine : tout le monde était trop préoccupé par la crise politique. Lloyd et Bernie souhaitaient que Chamberlain démissionne. Le champion de la politique d'apaisement n'était pas crédible en chef de guerre, et la débâcle subie en Norvège le confirmait.

Le débat avait débuté la veille au soir. Chamberlain, leur avait raconté Ethel, avait été violemment attaqué, non seulement par les travaillistes, mais par son propre parti. Le conservateur Leo Amery lui avait crié, citant Cromwell : « Vous siégez ici depuis trop longtemps pour le peu de bien que vous avez fait. Partez, vous dis-je, que nous soyons débarrassés de vous. Au nom du ciel, partez ! » C'était un discours cruel de la part d'un collègue et les applaudissements qui s'étaient élevés des bancs de l'assemblée, toutes tendances confondues, l'avaient rendu d'autant plus blessant.

La mère de Lloyd et la seconde députée s'étaient retrouvées dans le bureau qui leur était réservé au palais de Westminster et avaient décidé de déposer une motion de censure. Ne pouvant les en empêcher, les hommes avaient suivi. Au moment où elle fut présentée le mercredi, elle s'était transformée en scrutin pour ou contre Chamberlain. Le Premier ministre releva le défi en priant ses amis de le soutenir, ce que Lloyd interpréta comme un aveu de faiblesse.

Les attaques se poursuivaient : Lloyd les savourait. Il détestait Chamberlain à cause de sa politique en Espagne. Pendant deux ans, de 1937 à 1939, il avait fait appliquer la politique britannique et française de « non-intervention » pendant que l'Allemagne et l'Italie fournissaient des hommes et des armes à l'armée rebelle et que les ultraconservateurs américains vendaient de l'essence et des camions à Franco. S'il y avait un homme politique en Grande-Bretagne qui était responsable des massacres auxquels se livrait désormais Franco, c'était Neville Chamberlain.

« Et pourtant, dit Bernie à Lloyd pendant une pause, Chamberlain n'est pas vraiment responsable du désastre norvégien. Winston Churchill est Premier Lord de l'amirauté et d'après ta mère, c'est lui qui a tenu à ce débarquement. Après tout ce qu'il a fait – l'Espagne, l'Autriche, la Tchécoslovaquie –, il serait cocasse que Neville tombe à cause d'une initiative dont il est innocent.

— En dernière analyse, le Premier ministre est responsable de tout, fit remarquer Lloyd. C'est lui le chef du gouvernement, après tout. »

Bernie esquissa un petit sourire amusé. Lloyd savait ce qu'il pensait : les jeunes avaient une vision trop simpliste des choses. Mais Bernie eut le bon goût de ne pas le dire.

Le débat était tumultueux. Un grand silence se fit pourtant quand l'ancien Premier ministre, David Lloyd George, se leva. Lloyd lui devait son prénom. Fort de ses soixante-dix-sept ans et de ses cheveux blancs de doyen de la politique, il parlait avec l'autorité du vainqueur de la Grande Guerre.

Il fut sans pitié. « La question n'est pas de savoir qui sont les amis du Premier ministre, lança-t-il d'un ton cinglant. Le problème est bien plus grave. »

Une fois encore, Lloyd constata avec plaisir que les hourras montaient aussi bien des rangs des conservateurs que de l'opposition.

« Il a réclamé des sacrifices, continua Lloyd George avec son accent nasillard du nord du pays de Galles qui semblait donner encore plus de tranchant à son mépris. Il ne pourrait mieux servir la victoire dans cette guerre qu'en faisant lui-même le sacrifice de son mandat. »

L'opposition manifesta bruyamment son approbation. Lloyd vit sa mère pousser des vivats.

Churchill fut le dernier orateur. En tant que président de la Chambre, il était d'un rang égal à celui de Lloyd George. Et Lloyd craignait que son intervention ne sauve Chamberlain. Mais la Chambre se montra immédiatement hostile, elle l'interrompait, le huait si bruyamment que parfois, les clameurs couvraient sa voix.

Il conclut son discours à onze heures et on passa au vote. Le mode de scrutin était compliqué. Au lieu de lever la main ou de déposer un bulletin dans une urne, les députés devaient quitter la Chambre en empruntant un couloir – il y en avait deux, un pour les oui, l'autre pour les non –, le dénombrement se faisant au fur et à mesure. L'opération prit quinze à vingt minutes. Selon Ethel, ce système avait été inventé par des hommes qui n'avaient rien à faire. Elle était sûre qu'il serait bientôt modernisé.

Lloyd était sur des charbons ardents. La chute de Chamberlain le réjouirait au plus haut point, mais l'affaire était loin d'être gagnée.

Pour tromper l'attente, il se mit à penser à Daisy, ce qui était toujours un plaisir. Ses dernières vingt-quatre heures à Tŷ Gwyn avaient été des plus étranges : d'abord, ce message lapidaire, « Bibliothèque », puis cette brève conversation et l'invitation prometteuse dans la chambre des gardénias, et enfin cette nuit entière à attendre, transi et perplexe, une femme qui n'était jamais venue. Il était resté jusqu'à six heures du matin, malheureux mais incapable de renoncer à tout espoir, jusqu'au moment où il avait bien fallu qu'il aille se laver, se raser, changer de vêtements et faire sa valise.

Il s'était passé quelque chose, forcément, ou alors elle avait changé d'avis. Qu'avait-elle en tête ? Elle voulait lui parler, avait-elle dit. Était-ce une nouvelle assez renversante pour mériter toute cette mise en scène ? Ou tellement dénuée d'importance qu'elle avait fini par oublier son rendez-vous ? Il devrait attendre le mardi pour le lui demander.

Il n'avait pas parlé à sa famille de la présence de Daisy à Tŷ Gwyn. Il aurait été obligé d'expliquer ses relations avec elle, ce qu'il souhaitait d'autant moins qu'il ne les comprenait pas très bien lui-même. Était-il amoureux d'une femme mariée ? Il n'en savait rien. Quels sentiments éprouvait-elle pour lui? Il ne le savait pas davantage. Daisy et lui étaient probablement, songea-t-il, deux bons amis qui avaient laissé passer leur chance de s'aimer. Mais il ne tenait pas à l'avouer à qui que ce soit car ce serait reconnaître qu'il avait renoncé à tout espoir, ce qui était insupportable.

« Qui succédera à Chamberlain, s'il s'en va? demanda-t-il à Bernie.

— Très probablement Halifax. »

Lord Halifax était alors ministre des Affaires étrangères.

« Non ! s'indigna Lloyd. Nous ne pouvons tout de même pas avoir un comte au poste de Premier ministre, surtout à une heure aussi grave. En plus, il ne vaut pas mieux que Chamberlain et défend lui aussi l'apaisement.

— Je suis bien d'accord avec toi. Mais qui y a-t-il d'autre ?

— Pourquoi pas Churchill ?

— Tu sais ce que disait Stanley Baldwin de Churchill ? » Le conservateur Baldwin avait été le prédécesseur de Chamberlain. « Quand Winston est né, les fées se sont penchées sur son berceau et l'ont comblé de dons : imagination, intelligence, faculté de travail, compétence. C'est alors qu'une autre fée est arrivée et a dit : "Il n'est pas juste qu'une seule personne ait autant de dons." Elle l'a saisi et l'a secoué si fort qu'il en a perdu toute sagesse et tout bon sens. »

Lloyd sourit. « Très amusant. Mais est-ce vrai ?

— Ce n'est pas tout à fait faux. Au cours de la dernière guerre, il était responsable de la campagne des Dardanelles, une terrible défaite pour nous. Il vient de nous entraîner dans l'aventure norvégienne, un nouvel échec. C'est un brillant orateur, mais les faits démontrent qu'il a tendance à prendre ses désirs pour des réalités.

— Il a pourtant eu raison de préconiser un réarmement dans les années 1930, quand tout le monde y était hostile, travaillistes compris.

— Churchill recommanderait un réarmement au paradis, là où le loup et l'agneau font bon ménage.

— Je crois que nous avons besoin d'une personnalité agressive. Il nous faut un Premier ministre qui aboie, pas un geignard.

— Eh bien, ton souhait sera peut-être exaucé. Voici les scrutateurs qui reviennent. »

Le résultat des votes fut annoncé : deux cent quatre-vingts « oui » contre deux cents « non ». Chamberlain avait gagné. L'annonce souleva un tumulte dans l'assemblée. Les partisans du Premier ministre manifestaient leur satisfaction tandis que d'autres réclamaient en hurlant sa démission.

Lloyd était affreusement déçu. « Comment peuvent-ils vouloir le garder après tout ce qui s'est passé ?

— Ne désespère pas trop vite », le réconforta Bernie alors que le Premier ministre quittait la salle et que le tohu-bohu s'apaisait. Il s'était mis à faire des calculs dans la marge de l'*Evening News*. « Le gouvernement dispose en général d'une majorité de deux cent quarante voix. Elle est tombée à quatre-vingts, expliqua-t-il sans cesser de griffonner des chiffres, de les additionner et de les soustraire. En évaluant grosso modo le nombre de parlementaires absents, j'estime à quarante le nombre de partisans du gouvernement qui ont voté contre Chamberlain et à soixante le nombre d'abstentions. C'est un coup terrible pour un Premier ministre : une centaine de ses alliés politiques ne lui font pas confiance.

— Est-ce suffisant pour l'obliger à démissionner ? » demanda Lloyd d'un ton agacé.

Bernie écarta les bras dans un geste d'impuissance. « Je ne sais pas. »

6.

Le lendemain, Lloyd, Ethel, Bernie et Billy prirent le train pour Bournemouth.

Le wagon était rempli de députés originaires de toute la Grande-Bretagne. Ils passèrent l'intégralité du voyage à commenter le débat de la veille et à discuter de l'avenir du Premier ministre, avec des accents allant du parler haché et rugueux de Glasgow aux inflexions chantantes du cockney. Une fois de plus, Lloyd ne put aborder avec sa mère la question qui l'obsédait.

Comme beaucoup de députés, ils ne pouvaient se payer les luxueux hôtels du bord de mer et descendirent dans une pension de la périphérie. Le soir, ils se rendirent dans un pub et s'installèrent à une table tranquille dans un coin. Lloyd se dit que le moment propice était venu.

Bernie commanda à boire pour tout le monde. Ethel se demanda tout haut ce que devenait son amie Maud, à Berlin. Elle n'avait plus de nouvelles d'elle ; en effet, depuis la déclaration de guerre, le service postal était interrompu entre l'Allemagne et l'Angleterre.

Lloyd prit une gorgée de bière avant de se jeter à l'eau : « J'aimerais en savoir plus long sur mon vrai père, dit-il d'une voix ferme.

— Ton père, c'est Bernie », répliqua sèchement Ethel.

Elle éludait encore ! Lloyd réprima la colère qui s'empara aussitôt de lui.

« Tu n'as pas besoin de me le rappeler. Et je n'ai pas besoin de dire à Bernie que je l'aime comme un père, parce qu'il le sait. »

Bernie lui donna une tape sur l'épaule, exprimant maladroitement mais sincèrement son affection.

Le ton de Lloyd se fit insistant. « Ce qui ne m'empêche pas d'avoir envie de savoir qui était Teddy Williams.

— Nous devons nous soucier de l'avenir, pas du passé, intervint Billy. Nous sommes en guerre.

— Justement, rétorqua Lloyd. Voilà pourquoi je veux des réponses à mes questions *maintenant*. Je ne peux pas attendre, parce que je vais bientôt aller me battre et que je ne veux pas mourir dans l'ignorance. » L'argument lui paraissait inattaquable.

« Tu sais tout ce qu'il y a à savoir, dit Ethel en détournant les yeux.

— Non, je regrette, s'obstina-t-il en s'efforçant de rester calme. Où sont mes autres grands-parents ? Est-ce que j'ai des oncles, des tantes, des cousins ?

— Teddy Williams était orphelin, riposta Ethel.

— Dans quel orphelinat a-t-il été élevé ?

— Pourquoi t'entêtes-tu comme ça ? » s'énerva-t-elle.

Lloyd adopta le même ton buté. « Parce que je te ressemble ! »

Bernie ne put s'empêcher de sourire. « Ça, c'est bien vrai. »

Lloyd n'avait pas le cœur à rire. « Quel orphelinat ?

— S'il me l'a dit, je ne m'en souviens pas. À Cardiff peut-être.

— Tu ne vois pas que c'est un sujet sensible, Lloyd ? Bois ta bière, mon garçon, et laisse tomber.

— C'est un sujet drôlement sensible pour moi aussi, oncle Billy, merci, rétorqua Lloyd exaspéré, et j'en ai plus qu'assez des mensonges.

— Allons, allons, fit Bernie. Tout de suite les grands mots.

— Je regrette, Dad, mais il faut que ce soit dit. » Lloyd leva la main pour éviter toute interruption. « La dernière fois que je l'ai interrogée, Mam m'a dit que la famille de Teddy Williams était originaire de Swansea mais qu'elle se déplaçait souvent à cause du métier de son père. Maintenant, il paraît qu'il a grandi dans un orphelinat à Cardiff. L'une de ces histoires au moins est un mensonge, sinon les deux. »

Ethel le regarda enfin droit dans les yeux. « Bernie et moi, nous t'avons nourri, habillé, envoyé à l'école et à l'université, s'indigna-t-elle. De quoi te plains-tu ?

— Je vous en serai toujours reconnaissant, admit Lloyd, et je vous aimerai toujours.

— Pourquoi est-ce que tu mets cette histoire sur le tapis maintenant ? demanda Billy.

— À cause de quelque chose qu'on m'a dit à Aberowen. »

Sa mère ne réagit pas, mais Lloyd vit passer une lueur d'effroi dans ses yeux. Quelqu'un au pays de Galles sait la vérité, songea-t-il, et il poursuivit, implacable : « On m'a dit qu'il était possible que Maud Fitzherbert soit tombée enceinte en 1914 et qu'on ait fait passer le bébé pour le tien, en échange de quoi on t'a donné la maison de Nutley Street. »

Ethel lâcha une exclamation de mépris.

Lloyd leva encore la main. « Cela expliquerait deux choses. Un, la curieuse amitié qui te lie à Lady Maud. » Il fouilla dans la poche de sa veste. « Deux, cette photo de moi avec des favoris. » Il leur montra la photographie.

Ethel la regarda fixement sans piper mot.

« Ça pourrait être moi, non ? lança Lloyd.

— Oui, Lloyd, ça pourrait, répondit Billy avec humeur. Mais il est évident que ce n'est pas toi, alors arrête de tourner autour du pot et dis-nous qui c'est.

— C'est le père du comte Fitzherbert. Alors, maintenant, c'est toi, oncle Billy et toi, Mam, qui allez cesser de tourner autour du pot. Suis-je le fils de Maud ?

— L'amitié qui nous unit, Maud et moi, riposta Ethel, a été avant tout une alliance politique. Nous nous sommes brouillées à la suite d'un désaccord sur la stratégie à suivre lorsque nous étions suffragettes et nous nous sommes réconciliées plus tard. Je l'aime beaucoup, elle m'a beaucoup aidée dans la vie, mais nous ne sommes liées par aucun secret. Elle ne sait pas qui est ton père.

— D'accord, Mam. Je veux bien te croire. Mais cette photo…

— L'explication de cette ressemblance… » Elle s'étrangla.

Lloyd n'avait pas l'intention d'accepter de dérobade. Il insista, sans remords : « Allez, dis-moi la vérité. »

Billy intervint à nouveau : « Tu fais fausse route, mon gars.

— Ah vraiment ? Dans ce cas, mets-moi sur la voie, toi. Pourquoi est-ce que tu ne le fais pas ?

— Ce n'est pas à moi de le faire. »

Cela équivalait presque à un aveu. « Tu admets donc que vous m'avez effectivement menti. »

Bernie était ébahi. Il s'adressa à Billy : « Est-ce que tu es en train de dire que l'histoire de Teddy Williams n'est pas vraie ? » Manifestement, il y avait toujours cru, tout comme Lloyd.

Billy ne répondit pas.

Tous les regards se tournèrent vers Ethel.

« Et puis flûte, lança-t-elle. Comme dirait mon père : "Tu peux être sûre que tes péchés te rattraperont toujours." Bon, tu veux la vérité, eh bien tu vas l'avoir, mais je te préviens qu'elle ne va pas te plaire.

— On verra bien, dit Lloyd sans se laisser démonter.

— Tu n'es pas le fils de Maud. Tu es celui de Fitz. »

7.

Le lendemain, le vendredi 10 mai, l'Allemagne envahissait la Hollande, la Belgique et le Luxembourg.

Lloyd apprit la nouvelle à la radio alors qu'il prenait son petit déjeuner à la pension avec ses parents et l'oncle Billy. Il ne fut pas surpris : tous les militaires s'attendaient à une invasion imminente.

Il était beaucoup plus ébranlé par la révélation de la veille. Il était resté éveillé une bonne partie de la nuit, furieux d'avoir été trompé, consterné de se découvrir le fils d'un aristocrate de droite, d'un partisan de l'apaisement, qui se trouvait être de surcroît le beau-père de l'adorable Daisy.

« Comment as-tu pu tomber amoureuse de lui ? » avait-il demandé à sa mère au pub.

Elle lui avait répondu sans détour. « Ne fais pas l'hypocrite. Faut-il que je te rappelle que tu étais amoureux d'une riche Américaine tellement à droite qu'elle a épousé un fasciste ? »

Lloyd avait failli protester que c'était différent avant d'admettre que c'était exactement la même chose. Quelle que fût sa relation actuelle avec Daisy, il était indéniable qu'il avait été amoureux d'elle. L'amour ne répondait à aucune logique. S'il avait pu succomber à une passion irrationnelle, sa mère aussi. Elle avait son âge, vingt et un ans, quand c'était arrivé.

Il lui avait reproché de ne pas lui avoir avoué la vérité dès le début. La réponse avait fusé : « Comment aurais-tu réagi quand tu étais petit, si je t'avais dit que tu étais le fils d'un homme riche, d'un comte ? Tu n'aurais pas manqué de t'en vanter auprès de tes petits camarades, à l'école. Tu imagines les moqueries ? Tu sais à quel point ils t'auraient détesté à cause de ta prétendue supériorité ?

— Mais plus tard…

— Je ne sais pas, avait-elle soupiré d'un air las. Ce n'était jamais le bon moment. »

Bernie avait d'abord pâli sous le choc, mais s'était vite ressaisi et avait retrouvé son flegme habituel. Il avait dit qu'il comprenait pourquoi Ethel ne lui avait pas avoué la vérité : « Un secret partagé n'est plus un secret. »

Lloyd se demandait quelles étaient désormais les relations de sa mère avec le comte. « Tu dois le voir souvent à Westminster.

— Seulement de temps en temps. Les pairs ont un secteur réservé, avec leurs propres restaurants et leurs propres bars. Quand nous les voyons, c'est en général sur rendez-vous. »

Toute la nuit, Lloyd resta sous le choc, trop bouleversé pour savoir ce qu'il ressentait. Son père était Fitz, l'aristocrate, le conservateur, le père de Boy, le beau-père de Daisy. Devait-il être triste, révolté, avoir envie de se suicider ? Cette révélation était tellement stupéfiante qu'il en était presque anesthésié. C'était comme une blessure tellement grave qu'au début on ne sent rien.

Les nouvelles du matin lui donnèrent l'occasion de se changer les idées.

À l'aube, l'armée allemande avait fait une percée éclair à l'ouest. Même si elle était prévisible, Lloyd savait que malgré tous leurs efforts, les renseignements alliés n'avaient pas réussi à en découvrir la date à l'avance. Les armées de ces petits États avaient été prises par surprise. Cependant, elles se défendaient bravement.

« C'est sans doute vrai, commenta oncle Billy, mais quoi qu'il en soit réellement, la BBC ne dirait pas autre chose. »

Le Premier ministre Chamberlain avait convoqué un conseil des ministres qui n'était pas encore terminé. Néanmoins, l'armée française, renforcée par dix divisions britanniques déjà sur place, avait depuis longtemps élaboré un plan pour réagir en cas d'invasion et il avait été déclenché automatiquement. Les troupes alliées avaient franchi les frontières de la Belgique et de la Hollande depuis la France et se portaient à la rencontre des Allemands.

Accablée par ces informations de première importance, la famille Williams prit le bus pour se rendre au centre-ville et rejoindre le Bournemouth Pavilion où se tenait le congrès du parti.

Ils apprirent alors ce qui s'était passé à Westminster. Chamberlain s'accrochait au pouvoir. Le Premier ministre avait demandé au chef du parti travailliste, Clement Attlee, d'entrer dans le cabinet pour créer un gouvernement de coalition regroupant les trois principales formations politiques.

Cette perspective les consterna. Chamberlain, l'homme de Munich, resterait Premier ministre et le parti travailliste serait obligé de le soutenir au sein d'une coalition. C'était impensable.

« Comment a réagi Attlee ? demanda Lloyd.

— Il a dit qu'il devait consulter son comité national exécutif, répondit Billy.

— C'est-à-dire nous. » Lloyd et Billy étaient tous deux membres du comité national exécutif qui devait se réunir à quatre heures le jour même.

« En effet, approuva Ethel. Allons faire un sondage pour savoir de quel soutien le projet de Chamberlain peut bénéficier au sein de notre comité.

— D'aucun, à mon avis, assura Lloyd.

— N'en sois pas si sûr, répliqua sa mère. Certains sont prêts à tout pour faire obstacle à Churchill. »

Lloyd passa le reste de la journée à s'activer, à s'entretenir avec les membres du comité, leurs amis, leurs assistants, dans les cafés et les bars du bâtiment du congrès et du front de mer. Il ne déjeuna pas mais but tellement de thé qu'il eut l'impression d'être transformé en outre.

Il fut déçu de constater que tout le monde ne partageait pas son point de vue sur Chamberlain et Churchill. Il y avait quelques pacifistes réchappés de la dernière guerre qui voulaient la paix à tout prix et approuvaient la politique d'apaisement de Chamberlain. Par ailleurs, certains parlementaires gallois voyaient encore en Churchill le ministre de l'Intérieur qui avait envoyé l'armée briser la grève de Tonypandy. C'était il y a trente ans, mais Lloyd s'apercevait que les souvenirs pouvaient être tenaces en politique.

À trois heures et demie, Lloyd et Billy longèrent le bord de mer balayé par une brise fraîche et pénétrèrent dans l'hôtel Highcliff où la réunion devait avoir lieu. Ils pensaient que la majorité du comité refuserait la proposition de Chamberlain, sans en être absolument certains. Lloyd s'inquiétait du résultat.

Entrant dans la salle, ils s'assirent autour de la longue table avec les autres membres du comité. Le chef du parti arriva à quatre heures tapantes.

Clement Attlee était un homme mince, calme, modeste, soigné dans sa tenue. Avec son crâne chauve et sa moustache, il ressemblait à un notaire, le métier de son père, et on avait tendance à le sous-estimer. D'un ton neutre et austère, il résuma à l'intention du comité les événements des dernières vingt-quatre heures, sans omettre la proposition de Chamberlain de constituer un gouvernement de coalition avec le parti travailliste.

Il conclut par ces mots : « J'ai deux questions à vous poser. La première : êtes-vous prêts à participer à un gouvernement de coalition avec Neville Chamberlain comme Premier ministre ? »

Ceux qui se trouvaient autour de la table répondirent par un « non » sonore, d'une véhémence qui étonna Lloyd. Il s'en réjouit. Chamberlain, l'ami des fascistes, le fossoyeur de l'Espagne, était un homme fini. Il existait une justice en ce bas monde.

Il remarqua aussi avec quelle habileté Attlee avait dirigé la réunion sans jamais rien imposer. Il n'avait pas lancé de débat général. Il n'avait pas demandé : qu'allons-nous faire ? Il n'avait pas laissé à ses auditeurs la possibilité d'exprimer des doutes ou des réserves. Tout en douceur, il les avait mis au pied du mur et contraints à faire un choix. Lloyd était convaincu que la réponse qu'il avait obtenue était celle qu'il espérait.

Attlee poursuivit : « La deuxième question est celle-ci : seriez-vous prêts à soutenir une coalition dirigée par un autre Premier ministre ? »

La réponse fut moins tonitruante, mais ce fut un « oui ». En regardant les visages réunis autour de la table, Lloyd eut le sentiment que presque tous étaient favorables à cette solution. Si certains y étaient opposés, ils ne prirent pas la peine de réclamer que l'on organise un vote.

« Dans ce cas, déclara Attlee, je vais répondre à Chamberlain que notre parti accepte de participer à un gouvernement de coalition à condition qu'il démissionne et laisse la place à un autre Premier ministre. »

Un murmure d'approbation parcourut la salle.

Attlee avait finement joué en évitant de leur demander qui ils voyaient à ce poste.

« Je vais de ce pas téléphoner au 10, Downing Street », annonça-t-il.

Il sortit.

8.

Le soir même, Winston Churchill était convoqué à Buckingham Palace – conformément à la tradition – où le roi lui demanda de devenir Premier ministre.

Lloyd fondait de grands espoirs sur Churchill, bien qu'il fût conservateur. Churchill prit ses dispositions pendant le week-end. Il constitua un cabinet de guerre de cinq membres, parmi lesquels Clement Attlee et Arthur Greenwood, respectivement numéro un et numéro deux du parti travailliste. Le responsable syndical Ernie Bevin fut nommé ministre du Travail. Churchill cherchait de toute évidence à constituer un authentique gouvernement d'union nationale. Lloyd prépara sa valise pour reprendre le train en direction d'Aberowen. Il escomptait recevoir une nouvelle affectation, probablement en France, peu après son retour. Il n'avait besoin que d'une heure ou deux. Il était impatient de savoir pourquoi Daisy s'était comportée aussi étrangement avant son départ. La perspective de la revoir bientôt attisait encore son envie de comprendre.

Pendant ce temps, malgré une courageuse résistance, l'armée allemande traversait la Hollande et la Belgique à une vitesse atterrante. Le dimanche soir, Billy téléphona à quelqu'un qu'il connaissait au ministère de la Guerre. Lloyd et lui empruntèrent ensuite un vieil atlas scolaire aux propriétaires de la pension et étudièrent la carte du nord-ouest de l'Europe.

Du bout du doigt, Billy traça une ligne allant de Düsseldorf à Bruxelles, puis à Lille. « Les Allemands foncent vers le point le plus faible des défenses françaises, la partie nord de la frontière belge. » Son doigt descendit sur la page. « Le sud de la Belgique est bordé par les Ardennes, un vaste territoire vallonné et boisé, quasiment infranchissable par une armée moderne motorisée. C'est ce que dit mon ami du ministère. » Le doigt toujours en mouvement sur la carte, il poursuivit sa démonstration. « Plus au sud, la frontière franco-allemande est défendue par une série de fortifications qu'on appelle la ligne Maginot et qui s'étend jusqu'à la Suisse. » Son doigt remonta jusqu'en haut de la page. « Mais il n'y a aucune ligne de défense entre la Belgique et le nord de la France.

— Et personne ne s'en est inquiété jusqu'à maintenant ? s'étonna Lloyd.

— Si, bien sûr. D'ailleurs, nous avons une stratégie pour y remédier, répondit Billy. Le plan D. Ce n'est plus vraiment un secret puisque nous sommes en train de l'appliquer. Le gros de l'armée française et les troupes du corps expéditionnaire britannique déjà sur place sont en train de passer la frontière et d'entrer en Belgique. Elles formeront sur la Dyle une ligne de défense solide qui arrêtera l'avancée allemande. »

Lloyd n'était pas très rassuré. « Nous engageons une part aussi importante de nos forces dans ce plan D ?

— Il faut mettre toutes les chances de notre côté pour que ça marche.

— Ça vaudrait mieux. »

Ils furent interrompus par la patronne, qui apportait un télégramme à Lloyd.

Il ne pouvait venir que de l'armée. Il avait en effet donné cette adresse au colonel Ellis-Jones avant de partir en permission et était même surpris de n'avoir rien reçu plus tôt. Il ouvrit nerveusement l'enveloppe.

NE REVENEZ PAS À ABEROWEN – STOP – PRÉSENTEZ-VOUS EMBARCADÈRE DE SOUTHAMPTON IMMÉDIATEMENT – STOP – À BIENTÔT – SIGNÉ ELLIS-JONES.

Il ne retournerait donc pas à Tŷ Gwyn. Southampton était l'un des plus grands ports d'Angleterre, un point d'embarquement habituel pour le continent et n'était qu'à quelques kilomètres de Bournemouth sur la côte, à une heure de car ou de train.

Lloyd prit conscience, avec un pincement au cœur, qu'il ne verrait pas Daisy le lendemain. Il ne saurait peut-être jamais ce qu'elle avait voulu lui dire.

Le « À BIENTÔT » écrit en français du colonel Ellis-Jones confirmait l'évidence.

Lloyd partait pour la France.

VII
1940 (II)

1.

Erik von Ulrich passa les trois premiers jours de la bataille de France dans un embouteillage.

Avec son ami Hermann Braun, il appartenait à une unité médicale attachée à la 2e Panzerdivision. Ils traversèrent le sud de la Belgique sans voir aucun combat : rien que des kilomètres et des kilomètres d'arbres et de collines. Les Ardennes, sans doute. Ils progressaient sur des routes étroites, dont beaucoup n'étaient même pas goudronnées. Un char d'assaut en panne pouvait provoquer un bouchon de soixante-quinze kilomètres en un rien de temps. Ils étaient plus souvent coincés dans des files de véhicules immobilisés qu'en train d'avancer.

Une grimace inquiète plissa le visage couvert de taches de rousseur d'Hermann. Il murmura, à voix basse pour ne pas être entendu : « C'est stupide !

— Tu ne devrais pas dire ça. Tu as été membre de la Jeunesse hitlérienne, le reprit Erik tout bas. Fais confiance au Führer. » Sa réprobation n'allait cependant pas jusqu'à lui faire dénoncer son ami.

Quand ils roulaient enfin, ils souffraient de l'inconfort : ils étaient assis sur le dur plancher d'un camion de l'armée, qui rebondissait sur les racines d'arbres et multipliait les embardées pour contourner les ornières. Erik rêvait de bataille rien que pour pouvoir sortir de cet abominable véhicule.

Hermann demanda alors d'une voix plus forte : « Qu'est-ce qu'on fait ici ? »

Leur supérieur, le docteur Rainer Weiss, avait eu droit à un vrai siège à côté du chauffeur. « Nous obéissons aux ordres du

Führer, qui sont, cela va de soi, toujours avisés. » Il prononça ces mots d'un visage impassible, mais Erik crut y déceler une certaine ironie. Il arrivait souvent au commandant Weiss, un homme élancé aux cheveux noirs, au nez chaussé de lunettes, de se laisser aller à des réflexions cyniques sur le gouvernement et l'armée, mais de façon toujours tellement détournée qu'on ne pouvait rien lui reprocher. De toute façon, l'armée ne pouvait pas se passer des services d'un bon médecin.

Il y avait deux autres infirmiers dans le camion, plus âgés qu'Erik et Hermann. L'un d'eux, Christof, suggéra une meilleure réponse à la question d'Hermann : « Peut-être que les Français ne s'attendent pas à nous voir attaquer ici, justement parce que le terrain est presque impraticable. »

Son ami Manfred ajouta : « On aura l'avantage de la surprise et les défenses seront faibles. »

Weiss commenta d'un ton sarcastique : « Merci vous deux pour cette leçon de tactique. Très instructif. » Mais il ne les contredit pas.

Au grand étonnement d'Erik, certaines personnes doutaient encore du Führer, malgré tout ce qui s'était passé. Sa propre famille restait indifférente aux victoires des nazis. Son père, qui avait été un homme important et renommé, faisait peine à voir. Au lieu de se réjouir de la conquête de la Pologne, il maugréait contre les mauvais traitements réservés aux Polonais, dont il avait sans doute entendu parler en écoutant une station de radio étrangère en toute illégalité. Ce comportement pouvait leur attirer des ennuis – même à Erik, coupable de ne pas le dénoncer à l'îlotier nazi de leur quartier.

La mère d'Erik ne valait guère mieux. Elle disparaissait de temps en temps avec des petits colis d'œufs ou de poisson fumé. Elle ne donnait aucune explication, mais Erik se doutait qu'elle les apportait à Frau Rothmann, dont le mari juif n'avait plus le droit d'exercer la médecine.

Malgré tout, Erik envoyait une grande partie de sa solde à ses parents, sachant que sans cela, ils souffriraient du froid et de la faim. Il réprouvait leurs idées politiques, ce qui ne l'empêchait pas de les aimer. Sans doute éprouvaient-ils exactement la même chose à son égard, et vis-à-vis de ses choix politiques.

La sœur d'Erik, Carla, avait voulu devenir médecin, comme lui et avait été furieuse de découvrir que, dans la nouvelle Allemagne, ce métier était réservé aux hommes. Elle suivait une formation d'infirmière, un rôle qui convenait beaucoup mieux à une jeune Allemande. Elle aidait, elle aussi, leurs parents avec son maigre salaire.

Erik et Hermann avaient voulu intégrer l'infanterie. Dans leur esprit, la guerre consistait à foncer sur l'ennemi en tirant des coups de fusil, à tuer ou à se faire tuer pour la patrie, le Vaterland. Finalement, ils ne tueraient personne. Ils avaient tous les deux terminé leur première année de médecine et avaient ainsi acquis une formation dont l'armée n'allait pas se priver. On les avait donc nommés infirmiers militaires.

La quatrième journée qu'ils passèrent en Belgique, le lundi 13 mai, ressembla aux trois premières jusqu'en début d'après-midi. Parmi les grondements et le fracas des centaines de chars et de camions, un autre bruit, plus puissant encore, se fit entendre. Des avions volaient à basse altitude au-dessus de leurs têtes, lâchant des bombes sur une cible voisine. Erik fronça le nez quand l'odeur des explosifs parvint à ses narines.

En milieu d'après-midi, ils s'arrêtèrent sur une hauteur dominant un cours d'eau sinueux. Le commandant Weiss leur apprit qu'il s'agissait de la Meuse et qu'ils se trouvaient à l'ouest de Sedan : ils étaient entrés en France ! Les avions de la Luftwaffe passaient au-dessus d'eux en vrombissant et piquaient en direction du fleuve, bombardant et mitraillant la rive, où devaient se trouver des positions défensives françaises. Des panaches de fumée montaient des innombrables incendies qui consumaient les fermes et les maisons détruites. Le tir de barrage était incessant et Erik avait presque pitié des hommes prisonniers de cet enfer.

C'était la première opération à laquelle il assistait. Bientôt, il y prendrait part et il y aurait peut-être un jeune soldat français qui l'observerait, bien en sécurité sur une éminence quelconque, et qui se désolerait pour les Allemands tués et blessés. À cette idée exaltante, Erik sentit son cœur battre comme un tambour dans sa poitrine.

En se tournant vers l'est pour observer le paysage que la distance rendait indistinct, il discerna d'autres avions, gros comme des têtes d'épingle, et d'autres colonnes de fumée s'élever vers le ciel. Il se rendit compte que la bataille se déroulait sur plusieurs kilomètres le long du fleuve.

Soudain, le bombardement cessa. Les avions virèrent au nord pour regagner leur base et firent osciller leurs ailes pour leur souhaiter bonne chance en passant au-dessus d'eux.

Plus près, les chars allemands entraient en action dans la plaine bordant le fleuve.

Ils étaient à trois kilomètres des lignes ennemies, mais se trouvaient déjà sous le feu des artilleurs français retranchés dans la ville. Erik était surpris qu'autant de ces hommes aient survécu au pilonnage aérien. Des éclairs de feu jaillissaient des ruines, le grondement des canons résonnait dans la vallée et les obus soulevaient des gerbes de la terre de France en atteignant le sol. Erik vit un char frappé de plein fouet exploser dans une éruption de fumée, d'éclats de métal et de corps humains. Il en eut la nausée.

Les projectiles français étaient cependant impuissants à arrêter la progression allemande. Les chars avançaient inéluctablement vers la portion de fleuve qui s'étendait à l'est d'une ville appelée Donchéry, d'après Weiss. L'infanterie suivait, à pied ou en camion.

« L'attaque aérienne n'a pas suffi, remarqua Hermann. Où est notre artillerie ? Il faut qu'elle neutralise les canons de la ville pour que nos chars et notre infanterie puissent traverser le fleuve et établir une tête de pont. »

Erik lui aurait volontiers envoyé son poing dans la figure pour le faire taire. Ils s'apprêtaient à se battre ! Il fallait avoir une attitude positive !

Mais Weiss abonda dans le sens d'Hermann : « Tu as raison, Braun. Malheureusement, les munitions de notre artillerie sont coincées dans la forêt ardennaise. Nous n'avons que quarante-huit obus. »

Un commandant au visage rubicond passa au pas de course en criant : « Dégagez ! Dégagez !

— Nous allons installer notre poste de secours un peu plus à l'est, dit Weiss en pointant l'index, là où vous voyez une ferme. » Erik aperçut un toit gris à environ huit cents mètres du fleuve. « Très bien, allons-y ! »

Sautant dans leur camion, ils dévalèrent la colline. Arrivés en bas, ils tournèrent à gauche sur un chemin de terre. Erik se demanda ce qu'ils feraient de la famille qui habitait probablement le bâtiment qu'ils allaient transformer en hôpital de campagne. Ils la jetteraient dehors, sans doute, et passeraient tout le monde par les armes à la moindre protestation. Mais où iraient ces gens ? Ils étaient au milieu d'un champ de bataille.

Il s'inquiétait pour rien : les habitants étaient déjà partis.

La ferme se trouvait à presque un kilomètre du cœur du combat. Évidemment, songea Erik, il n'aurait pas été sensé d'installer un poste de secours à portée du feu ennemi.

« Brancardiers, au travail, cria Weiss. Quand vous reviendrez, nous seront prêts. »

Erik et Hermann prirent une civière roulée et une trousse de premier secours dans le camion et s'éloignèrent en direction de l'affrontement. Christof et Manfred étaient juste devant eux. Une dizaine de leurs camarades les suivaient. Ça y est, jubilait Erik intérieurement. Voici l'occasion de devenir des héros. On va bien voir qui gardera son sang-froid au milieu des combats et qui cédera à la panique et rampera dans un trou pour se cacher.

Ils traversèrent le champ au pas de course en direction du fleuve. C'était une longue distance et elle paraîtrait encore plus longue au retour, quand ils transporteraient un blessé.

Ils dépassèrent des chars incendiés, sans trouver de survivants. Erik détourna les yeux des restes humains calcinés dispersés sur le métal tordu. Les obus, relativement peu nombreux toutefois, tombaient autour d'eux. La Meuse était faiblement défendue ; de plus, l'attaque aérienne avait détruit une bonne partie des canons. C'était tout de même la première fois de sa vie qu'Erik se faisait tirer dessus. Il éprouva l'envie puérile et ridicule de mettre ses mains devant ses yeux, mais continua à courir.

Soudain, un obus s'abattit juste devant eux.

L'air fut ébranlé par un bruit sourd, terrifiant, et la terre se mit à trembler comme si un géant venait de taper du pied. Christof et Manfred furent touchés de plein fouet et Erik vit leurs corps voler dans les airs comme en apesanteur. La déflagration le projeta lui-même au sol. Allongé sur le dos, il reçut une pluie de terre, mais il ne fut pas blessé. Il se releva vaille que vaille. Les corps déchiquetés de Christof et Manfred gisaient juste devant lui. Christof ressemblait à un pantin désarticulé, aux membres disloqués. La tête de Manfred avait été arrachée et reposait près de ses pieds chaussés de godillots.

Erik resta paralysé d'horreur. À l'école de médecine, il n'avait pas eu à faire à des corps ensanglantés et estropiés. Il avait dû disséquer des cadavres en classe d'anatomie, un pour deux étudiants, et se souvenait d'avoir partagé une vieille dame toute fripée avec Hermann. Il avait également assisté à des opérations. Mais rien ne l'avait préparé à pareil spectacle.

Il n'avait qu'une envie : prendre ses jambes à son cou.

Il fit demi-tour, l'esprit vide de toute pensée hormis la peur. Il commença à repartir en sens inverse, vers la forêt, loin de la bataille, d'un pas ferme et décidé.

Hermann le sauva. Il se planta devant lui et lui demanda : « Où tu vas comme ça ? Ne fais pas le con ! »

Au lieu de s'arrêter, Erik chercha à le contourner. Hermann lui donna un violent coup de poing dans le ventre et Erik se plia en deux avant de tomber à genoux.

« Ne pars pas ! dit Hermann d'un ton pressant. Tu seras fusillé pour désertion ! Allons, du cran ! »

Tout en essayant de reprendre son souffle, Erik retrouva ses esprits. Il ne pouvait pas fuir, il ne devait pas déserter, il fallait qu'il reste là. Peu à peu, sa volonté eut raison de sa terreur. Il se releva enfin.

Hermann l'observait d'un air méfiant.

« Désolé, s'excusa Erik. J'ai paniqué. Ça va aller.

— Alors prends le brancard et allons-y ! »

Erik ramassa la civière, la jeta sur son épaule, pivota sur ses talons et reprit sa course.

S'approchant du fleuve, ils rejoignirent un groupe de fantassins. Certains manœuvraient des canots pneumatiques gonflés, qu'ils sortaient de l'arrière de camions pour les porter au bord de l'eau tandis que les chars tentaient de les couvrir en tirant contre les défenses françaises. Erik, qui avait récupéré tous ses moyens, comprit aussitôt que c'était une bataille perdue d'avance : les Français se trouvaient à l'abri de murs et dans des bâtiments alors que l'infanterie allemande était à découvert.

Dès qu'elle mettait un canot à l'eau, elle était prise sous un feu nourri de mitrailleuses.

La rivière formant un coude en amont, l'infanterie aurait été obligée, pour échapper aux tirs des Français, de se replier beaucoup trop loin.

Le terrain était déjà jonché de morts et de blessés.

« Prenons celui-ci », décida Hermann d'un ton péremptoire. Erik s'exécuta. Ils déroulèrent leur brancard près d'un soldat qui gémissait. Erik lui donna de l'eau de sa gourde, comme on le lui avait appris à l'entraînement. L'homme présentait de nombreuses blessures superficielles au visage et un bras inerte. Il avait dû être touché par des balles de mitrailleuses qui n'avaient heureusement pas atteint d'organe vital. Ne constatant pas d'hémorragie, ils n'essayèrent pas de panser ses blessures. Ils allongèrent l'homme sur la civière et repartirent au pas de gymnastique vers le poste de secours.

Le blessé hurlait de douleur quand ils couraient. Mais dès qu'ils s'arrêtaient, il leur criait : « Allez-y, allez-y ! », et il serrait les dents.

Transporter un homme sur une civière était moins facile qu'Erik ne l'aurait pensé. Il avait l'impression que ses bras allaient se détacher de ses épaules alors qu'ils n'étaient qu'à mi-parcours. Mais de toute évidence, leur patient souffrait beaucoup plus que lui et il continua donc à courir.

Il remarqua avec satisfaction que les obus avaient cessé de pleuvoir autour d'eux. Les Français concentraient leur feu sur la berge pour empêcher les Allemands de traverser.

Erik et Hermann arrivèrent enfin à la ferme avec leur fardeau. Weiss avait aménagé les lieux, débarrassé les pièces du mobilier superflu, marqué au sol l'emplacement destiné aux patients, préparé la table de la cuisine pour les opérations. Il montra à Erik et Hermann où déposer le blessé, puis les envoya en chercher un autre.

Le retour au fleuve fut plus facile. Ils n'étaient pas chargés et le trajet était légèrement en descente. En approchant de la berge, Erik pria le ciel de ne pas être sujet à un nouvel accès de panique.

Il constata avec effroi que la bataille prenait une mauvaise tournure. Plusieurs canots dégonflés dérivaient sur le fleuve, les morts étaient bien plus nombreux que précédemment sur la rive – et aucun Allemand n'avait encore pris pied de l'autre côté.

« C'est une catastrophe ! lança Hermann d'une voix suraiguë. On aurait dû attendre notre artillerie !

— Nous aurions gâché l'effet de surprise, expliqua Erik, et les Français auraient eu le temps de faire venir des renforts. La longue traversée des Ardennes n'aurait servi à rien.

— N'empêche, on n'y arrive pas. »

Erik commençait à se demander en son for intérieur si les plans du Führer étaient vraiment infaillibles. Cette idée ébranla sa résolution et menaça de le déstabiliser entièrement. Par bonheur, il n'eut pas le temps de réfléchir. Ils s'arrêtèrent près d'un soldat dont la jambe avait été presque entièrement arrachée. Il avait à peu près leur âge, une vingtaine d'années, une peau claire parsemée de taches de son et des cheveux roux cuivré. Sa jambe droite se terminait à mi-cuisse par un moignon sanguinolent. Chose étonnante, il était conscient et les regarda comme s'ils étaient des anges de miséricorde.

Erik trouva le point de compression à l'aine et endigua l'hémorragie pendant qu'Hermann mettait un garrot. Ils l'installèrent sur le brancard et repartirent au galop.

Hermann était un Allemand loyal, ce qui ne l'empêchait pas de se laisser parfois aller à des jugements négatifs. S'il arrivait à Erik d'éprouver de tels sentiments, il se gardait bien de les exprimer. Ainsi, il ne sapait le moral de personne – et évitait les ennuis.

Il ne pouvait cependant pas s'empêcher de laisser libre cours à ses pensées. Apparemment, le passage par les Ardennes ne leur avait pas assuré la victoire facile escomptée. Les défenses françaises étaient peut-être réduites sur la Meuse, mais les Français ripostaient farouchement. Tout de même, se dit-il, sa première expérience des combats n'allait pas entamer sa foi dans le Führer ! Il fut saisi d'angoisse à cette idée.

Il se demandait si les forces allemandes déployées plus à l'est connaissaient un sort meilleur. La 1re et la 10e Panzerdivision avaient fait route avec celle d'Erik, la 2e, en direction de la frontière. C'étaient elles, probablement, qui attaquaient en amont.

Les muscles de ses bras le faisaient atrocement souffrir.

Ils regagnèrent le poste de secours pour la deuxième fois. Il y régnait désormais une activité fébrile, le sol était jonché de blessés qui criaient et gémissaient, des bandages ensanglantés s'accumulaient partout, Weiss et ses assistants passaient sans répit d'un corps mutilé à un autre. Erik n'aurait pas imaginé qu'autant de souffrances puissent être concentrées dans un aussi petit espace. Quand le Führer parlait de guerre, Erik n'avait jamais envisagé une chose pareille.

Il s'aperçut alors que son patient avait fermé les yeux.

Le docteur Weiss lui prit le pouls et ordonna brutalement : « Allez le mettre dans la grange et bordel, ne perdez pas votre temps à m'amener des cadavres ! »

Erik en aurait pleuré de dépit, et de douleur tant ses bras et ses jambes aussi lui faisaient mal.

Ils transportèrent le corps dans la grange où reposaient déjà une bonne dizaine de jeunes gens morts.

C'était pire que tout ce qu'il s'était figuré. Quand il avait songé au combat, c'étaient des images de courage face au danger, de stoïcisme et d'héroïsme dans l'adversité qui lui étaient venues à l'esprit. Or il ne voyait que douleur atroce, visages suppliciés, terreur aveugle, corps broyés, et doutait désormais totalement du bien-fondé de sa mission.

Ils retournèrent une fois encore au bord du fleuve. Le soleil était bas sur l'horizon et, sur le champ de bataille, la situation avait évolué. Les Français retranchés dans Donchéry se faisaient mitrailler depuis l'autre rive. Erik supposa que la 1re Panzerdivision avait eu plus de chance en amont et avait réussi à établir une tête de pont sur la rive sud. Ils se portaient maintenant à la rescousse des camarades déployés sur leurs flancs. Manifestement, ils n'avaient pas perdu leurs munitions dans la forêt, eux.

Rassérénés, Erik et Hermann ramenèrent encore un blessé. À leur retour au poste de secours, on leur servit un potage savoureux dans des bols en fer-blanc. Les dix minutes de pause pour boire sa soupe et se reposer un peu donnèrent à Erik l'envie de se coucher et de dormir jusqu'au matin. Il dut faire un effort surhumain pour se relever, prendre les poignées de la civière et regagner le champ de bataille.

Le spectacle avait changé du tout au tout. Les chars traversaient le fleuve sur des radeaux. Les Allemands qui avaient pris pied sur l'autre rive essuyaient un feu nourri, mais ripostaient, avec le soutien de la 1re Panzerdivision.

Erik se dit que, finalement, son camp avait de bonnes chances d'atteindre son objectif. Cette idée le réconforta et il s'en voulut d'avoir pu douter un instant de la sagesse du Führer.

Ils passèrent encore de longues heures, Hermann et lui, à ramasser des blessés et finirent par oublier que l'on pouvait ne pas avoir mal aux bras et aux jambes. Certains de leurs patients étaient inconscients, d'autres les remerciaient, d'autres encore les maudissaient ; la plupart ne faisaient que crier ; certains vivaient, d'autres mouraient.

À huit heures du soir, il y avait une tête de pont allemande de l'autre côté du fleuve. À dix heures, elle était sécurisée.

Les combats cessèrent à la tombée de la nuit. Erik et Hermann continuèrent à arpenter le champ de bataille à la recherche de blessés. Ils ramenèrent le dernier à minuit. Ils s'allongèrent alors sous un arbre et, d'épuisement, sombrèrent aussitôt dans un sommeil de plomb.

Le lendemain, avec le reste de la 2e Panzerdivision, ils firent route vers l'ouest et percèrent ce qui restait des défenses françaises.

Deux jours plus tard, ils se trouvaient à quatre-vingts kilomètres de là, sur les bords de l'Oise, et poursuivaient leur progression à vive allure sans rencontrer de résistance.

Le 20 mai, une semaine après avoir quitté les Ardennes, ils avaient atteint les côtes de la Manche.

Le commandant Weiss exposa la situation à Erik et Hermann : « L'invasion de la Belgique était une feinte, voyez-vous. Le but était d'attirer les Anglais et les Français dans un piège. Nos divisions blindées formaient les mâchoires de l'étau. Et maintenant, nous les tenons. Une bonne partie de l'armée française et l'essentiel du corps expéditionnaire britannique sont en Belgique, encerclés par l'armée allemande. Ils sont coupés de leur approvisionnement et de leurs renforts, impuissants… vaincus.

— Le Führer avait prévu ça dès le début ! s'écria Erik triomphalement.

— En effet, admit Weiss. Il n'y a pas meilleur stratège que le Führer ! » Une fois de plus, Erik se demanda s'il était sincère.

2.

Lloyd Williams se trouvait dans un stade de football, quelque part entre Calais et Paris, avec un millier de prisonniers de guerre britanniques. Ils n'avaient aucun moyen de se protéger de l'ardent soleil de juin mais appréciaient la douceur de la nuit, car ils n'avaient pas de couvertures. Il n'y avait ni toilettes ni eau pour se laver.

Lloyd était en train de creuser un trou à mains nues. Il avait enrôlé plusieurs mineurs gallois pour aménager des latrines à une extrémité du terrain et il travaillait avec eux pour leur donner l'exemple. N'ayant rien à faire, d'autres se joignirent à eux et ils furent bientôt une centaine. Quand un garde s'approcha pour voir ce qui se passait, Lloyd le lui expliqua.

« Vous parlez bien allemand, remarqua le gardien aimablement. Vous vous appelez comment ?

— Lloyd.

— Moi, c'est Dieter. »

Lloyd décida de tirer parti de cette petite marque d'amitié.

« Nous creuserions plus vite si nous avions des outils.

— Rien ne presse, vous savez.

— Une meilleure hygiène vous serait tout aussi profitable qu'à nous. »

Dieter haussa les épaules et s'éloigna.

Lloyd était loin de se sentir héroïque. Il ne s'était pas battu. Les Welsh Rifles avaient été envoyés en France comme troupes de réserve, pour relever les autres unités, au cours de ce qui devait être une longue bataille. Or les Allemands avaient mis à peine dix jours pour écraser l'armée alliée. Une bonne partie des troupes britanniques vaincues avaient été évacuées par Calais et Dunkerque. Un millier de soldats n'avait pas réussi à embarquer. Lloyd était du nombre.

Les Allemands poursuivaient sans doute leur progression vers le sud. À sa connaissance, les Français continuaient à résister. Mais le meilleur de leurs troupes avait été battu en Belgique et les gardiens allemands affichaient un petit air triomphant qui laissait penser qu'ils ne doutaient pas de la victoire.

Lloyd était donc prisonnier de guerre, mais pour combien de temps ? Le gouvernement britannique devait être soumis à de fortes pressions pour conclure la paix. Churchill ne l'accepterait jamais. En même temps, c'était un franc-tireur, qui occupait une place à part sur l'échiquier politique, et il pouvait être déposé. Un homme tel que Lord Halifax n'aurait aucun scrupule à signer un traité de paix avec les nazis. Pas plus, songea Lloyd amèrement, que le secrétaire d'État aux Affaires étrangères, le comte Fitzherbert, qu'il savait maintenant être son père.

Si la paix était rapidement signée, il ne resterait pas longtemps prisonnier de guerre. Il passerait peut-être tout le temps de sa détention dans ce stade français et rentrerait chez lui, efflanqué et brûlé par le soleil, mais entier.

En revanche, si les Anglais continuaient à se battre, ce serait une autre histoire. La dernière guerre avait duré plus de quatre ans. Lloyd ne supportait pas l'idée de perdre quatre années de sa vie dans un camp de prisonniers. Pour éviter cela, il n'y avait qu'une solution : s'évader.

Dieter revint avec un lot de bêches.

Lloyd les distribua aux plus costauds et les travaux avancèrent plus vite.

Un jour ou l'autre, les prisonniers seraient transférés dans un camp permanent. Ce serait le bon moment pour se faire la belle. S'il en croyait son expérience espagnole, la garde des prisonniers n'était pas une priorité de l'armée. Si l'un d'entre eux tentait de fuir, soit il réussissait soit il était abattu ; dans un cas comme dans l'autre, c'était une bouche de moins à nourrir.

Ils occupèrent le reste de la journée à terminer les latrines. Tout en améliorant l'hygiène, cette entreprise avait remonté le moral des troupes. Cette nuit-là, incapable de trouver le sommeil, Lloyd contempla les étoiles en se demandant quelle autre activité collective il pourrait organiser. Il opta pour un grand concours sportif, des jeux Olympiques version camp de prisonniers.

Il n'eut pas l'occasion de mettre son projet à exécution. Dès le lendemain matin, on les fit sortir du stade.

Il eut du mal tout d'abord à comprendre quelle était leur destination, mais ils se retrouvèrent rapidement sur une route napoléonienne à deux voies qu'ils suivirent vers l'est. Selon toute probabilité, se dit Lloyd, ils étaient censés rejoindre ainsi l'Allemagne à pied. Une fois là-bas, il lui serait beaucoup plus difficile de s'évader. Il ne fallait pas laisser passer cette occasion. Le plus tôt serait le mieux. Malgré sa peur – les gardiens étaient armés –, sa décision était prise.

Il n'y avait pas beaucoup de circulation, à part quelques voitures d'officiers allemands. En revanche, la route était encombrée de piétons qui se dirigeaient en sens inverse, leurs maigres possessions entassées sur des charrettes et des brouettes, certains poussant leur bétail devant eux : c'étaient manifestement des réfugiés dont les habitations avaient été détruites au cours des combats. Lloyd y vit un signe encourageant. Un prisonnier évadé n'aurait pas de mal à se dissimuler parmi eux.

Les prisonniers n'étaient pas étroitement gardés. Dix Allemands seulement avaient été chargés de surveiller cette colonne mouvante de mille hommes. Les gardiens disposaient en tout et pour tout d'une voiture et d'une moto ; les autres allaient à pied ou avaient des bicyclettes, probablement réquisitionnées auprès de la population locale.

Malgré cela, à première vue, toute tentative d'évasion semblait impossible. Il n'y avait pas de haies telles qu'on en voit en Angleterre, et les fossés n'étaient pas assez profonds pour s'y cacher. Un homme courant pour s'échapper offrirait une cible facile à n'importe quel tireur compétent.

Ils pénétrèrent alors dans un village. Il était plus difficile pour les gardiens d'avoir l'œil sur tous leurs prisonniers. Les habitants s'écartaient et regardaient passer la colonne avec de grands yeux. Un petit troupeau de moutons leur emboîta le pas. La rue était bordée de maisons et de boutiques. Lloyd attendait un moment propice. Il fallait qu'il trouve un endroit où il pourrait se dissimuler immédiatement, une porte ouverte, une ruelle étroite entre deux rangées de maisons ou un buisson. Et il fallait qu'il passe à proximité à un moment où aucun gardien ne pourrait le voir.

Quelques minutes plus tard, ils quittaient la bourgade sans qu'il ait pu tenter quoi que ce soit.

Dépité, il s'exhortait à être patient. D'autres occasions se présenteraient forcément : la route était longue avant d'arriver en Allemagne. En même temps, chaque jour qui passait verrait les Allemands consolider leur emprise sur les territoires conquis, parfaire leur organisation, imposer des couvre-feux, installer des barrages, des postes de contrôle, contenir le déplacement des réfugiés. La cavale serait plus facile au début, et de plus en plus problématique au fil du temps.

Il faisait chaud et il enleva sa veste d'uniforme et sa cravate. Il s'en débarrasserait dès que possible. De près, il devait encore avoir l'air d'un soldat britannique avec son pantalon et sa chemise kaki. Avec un peu de chance, de loin, il pourrait passer inaperçu.

Ils traversèrent encore deux villages avant d'atteindre une petite ville où Lloyd se dit qu'il devrait trouver le moyen de fausser compagnie aux Allemands. Il s'aperçut qu'une partie de lui-même espérait qu'il n'en serait rien, qu'il n'aurait pas à s'exposer aux fusils des gardiens. Commençait-il déjà à s'habituer à la captivité ? Il serait tellement plus facile de continuer à marcher, avec des ampoules aux pieds, mais sans risque. Il fallait absolument qu'il se secoue !

La rue qui traversait la ville était malheureusement trop large. La colonne restait au centre, laissant de chaque côté un espace à franchir trop important avant de trouver un abri. Certaines boutiques étaient fermées, quelques entrées de bâtiments étaient condamnées, mais Lloyd apercevait des passages, des cafés ouverts, une église, autant de refuges possibles qu'il ne pouvait cependant pas atteindre discrètement.

Il observa les habitants qui les regardaient défiler. Étaient-ils bien disposés à leur égard ? Se souvenaient-ils que ces soldats s'étaient battus pour la France ? Ou étant, de façon bien compréhensible, terrifiés par les Allemands, refuseraient-ils de se mettre en danger ? Moitié, moitié, probablement. Certains risqueraient leur vie pour lui venir en aide, d'autres le livreraient immédiatement aux Allemands. Il ne serait fixé qu'une fois qu'il serait trop tard.

Ils arrivèrent au centre-ville. Bientôt, j'aurai laissé passer ma chance, se dit Lloyd. Il est temps d'agir.

Il aperçut un carrefour devant eux. Une file de véhicules attendait en sens inverse de pouvoir tourner à gauche après le passage de la colonne de prisonniers. Lloyd repéra une camionnette poussiéreuse et cabossée, qui devait appartenir à un maçon ou à un cantonnier. L'arrière était ouvert, mais les bords trop hauts l'empêchaient de voir l'intérieur.

Il pourrait certainement se hisser sur le côté, songea-t-il, puis sauter dedans.

Une fois qu'il serait tapi au fond, ni les passants, ni les gardiens à bicyclette ne pourraient l'apercevoir. En revanche, il serait exposé aux regards des gens penchés à leurs fenêtres. Le trahiraient-ils ?

Il s'approcha de la camionnette.

Il regarda derrière lui. Le gardien le plus proche était à deux cents mètres.

Il regarda devant lui. Un gardien à bicyclette se trouvait vingt mètres plus loin.

« Tu veux bien me tenir ça ? » demanda-t-il à son voisin. Il lui donna sa veste.

Il s'avança jusqu'à la cabine de la camionnette. Un homme en salopette et en béret était assis au volant, une cigarette pendant au coin de ses lèvres. Il avait l'air de s'ennuyer à mourir. Continuant d'avancer, Lloyd se trouva bientôt au niveau de l'arrière du véhicule. Pas le temps de vérifier où étaient les gardiens.

D'un seul mouvement, il posa les deux mains sur le rebord, se hissa, passa une jambe, puis l'autre, et se laissa tomber, atterrissant en faisant un vacarme qui lui sembla terrifiant malgré le bruit de pas du millier de paires de godillots. Il s'aplatit aussitôt et resta parfaitement immobile, guettant des cris en allemand, le rugissement d'une moto, le claquement d'un coup de fusil.

Il ne perçut que le ronflement inégal du moteur de la camionnette, le martèlement des pas des prisonniers, la rumeur familière d'une petite ville. Était-il sorti d'affaire ?

Il regarda autour de lui en levant à peine la tête. Il était entouré de seaux, de planches, d'une échelle et d'une brouette. Il avait espéré dénicher quelques sacs sous lesquels il aurait pu se dissimuler, mais il n'y en avait pas.

Il entendit approcher une moto, qui parut s'arrêter tout près. Soudain, à quelques centimètres de lui, une voix demanda en français, avec un fort accent allemand : « Où allez-vous ? » C'était un gardien qui s'adressait au conducteur de la camionnette, se dit Lloyd, le cœur battant. Pourvu que l'Allemand ne s'avise pas de jeter un coup d'œil à l'arrière !

Le conducteur répondit par un flot de paroles indignées, inintelligibles pour Lloyd. Le soldat allemand ne comprenait sans doute pas plus que lui. Il répéta sa question.

Levant les yeux, Lloyd aperçut deux femmes accoudées à une fenêtre, à un étage élevé. Elles le regardaient fixement, bouche bée. L'une d'elles le montrait du doigt, le bras tendu par la croisée ouverte.

Lloyd essaya d'accrocher son regard. Tout en restant allongé, il agita la main de droite à gauche, dans un geste qui signifiait « non ». Elle comprit le message. Elle rentra vivement son bras et mit la main devant sa bouche, comme si elle venait de se rendre compte que son doigt pointé aurait pu condamner un homme à mort.

Lloyd aurait préféré que les deux femmes s'écartent de la fenêtre, mais c'était trop demander. Elles restèrent là à le regarder.

Le motocycliste renonça apparemment à poursuivre son interrogatoire. Un instant plus tard, en effet, Lloyd l'entendit s'éloigner.

Le bruit de pas diminua. Les prisonniers étaient passés. Lloyd était-il libre ?

Une vitesse s'enclencha bruyamment et la camionnette s'ébranla. Il resta immobile, trop effrayé pour bouger.

Il regarda défiler les toits des bâtiments, craignant toujours que quelqu'un ne l'aperçoive. Que ferait-il dans ce cas ? Il n'en savait rien. Chaque seconde l'éloignait des gardiens, se dit-il, plein d'espoir.

À son grand désarroi, la camionnette ne tarda pas à s'arrêter. Le moteur se tut, la portière du conducteur s'ouvrit et se referma en claquant. Puis plus rien. Lloyd attendit sans bouger. Le conducteur ne revenait pas.

Levant les yeux vers le ciel, il constata que soleil était déjà haut. Il devait être plus de midi. Le chauffeur devait être en train de déjeuner.

Malheureusement, on pouvait toujours le voir depuis les fenêtres des étages, des deux côtés de la rue. S'il restait là, quelqu'un le remarquerait tôt ou tard. Qu'arriverait-il alors ?

Il vit bouger le rideau d'une mansarde. Cela le décida.

Se redressant, il regarda autour de lui. Un homme en costume lui adressa un regard curieux, mais passa son chemin.

Lloyd enjamba le rebord et sauta à terre. Il se trouvait devant un café-restaurant. Le conducteur était certainement à l'intérieur. Lloyd aperçut, horrifié, deux hommes en uniforme allemand attablés en terrasse, chopes de bière à la main. Par miracle, ils ne tournèrent pas les yeux dans sa direction.

Il s'éloigna sans tarder.

Il ne cessait de regarder autour de lui, aux aguets. Tous les passants qu'il croisait le dévisageaient : ils savaient parfaitement à qui ils avaient à faire. Une femme poussa un cri en le voyant et s'enfuit en courant. Il fallait qu'il troque au plus vite ses vêtements kaki contre une tenue plus typiquement française.

Un jeune homme l'empoigna alors par le bras. « Venez avec moi, dit-il en anglais avec un fort accent français. Je vais vous aider à vous cacher. »

Il l'entraîna dans une rue latérale. Lloyd n'avait aucune raison de lui faire confiance, mais il n'avait pas le temps de réfléchir. Il le suivit.

« Par ici », dit le jeune homme en le faisant entrer dans une petite maison.

Dans une cuisine dépouillée, il découvrit une jeune femme avec un bébé. Le jeune homme fit les présentations : il s'appelait Maurice, sa femme Marcelle et leur petite fille Simone.

Lloyd fut envahi d'un sentiment de soulagement et de gratitude. Il avait échappé aux Allemands ! Il n'était pas encore hors de danger, mais momentanément à l'abri dans une maison accueillante.

Le français scolaire qu'il avait appris au collège s'était enrichi de tournures plus familières pendant sa fuite d'Espagne, en particulier pendant les deux semaines qu'il avait passées à faire les vendanges dans la région de Bordeaux.

« Vous êtes très aimables, dit-il. Merci. »

Maurice répondit en français, manifestement ravi de ne pas avoir à parler anglais. « Vous voulez manger quelque chose ? Vous devez avoir faim.

— Volontiers, oui. »

Marcelle coupa promptement quelques tranches de baguette et les posa sur la table avec un assortiment de fromages et une bouteille de vin sans étiquette. Lloyd s'assit et dévora avec appétit.

« Je vais vous donner de vieux vêtements, annonça Maurice. Vous devriez aussi essayer de changer de démarche. Vous marchiez à grands pas sans cesser de regarder autour de vous, l'air tellement inquiet et à l'affût que vous auriez aussi bien pu vous accrocher au cou une pancarte "Visiteur anglais". Vous feriez mieux de traîner des pieds, les yeux baissés. »

Lloyd répondit, la bouche pleine de pain et de fromage : « Je m'en souviendrai, merci. »

Sur une petite étagère de livres, il aperçut des traductions françaises de Marx et Lénine. Maurice surprit le regard de Lloyd et expliqua : « J'étais communiste, jusqu'au pacte germano-soviétique. Maintenant, c'est terminé. » Il fit un geste tranchant de la main. « N'empêche, il faut empêcher la victoire du fascisme.

— J'étais en Espagne, raconta Lloyd. Avant, je croyais à la possibilité de rassembler tous les partis de gauche dans un front uni. Je n'y crois plus. »

Simone se mit à pleurer. Marcelle sortit un sein généreux de son corsage et se mit à l'allaiter. Les Françaises étaient plus naturelles en ce domaine que les prudes Anglaises.

Quand Lloyd fut rassasié, Maurice le fit monter à l'étage. Dans un placard presque vide, il prit une salopette bleue, une chemise bleu clair, des chaussettes et des sous-vêtements, tous usés mais propres. Lloyd était profondément touché par la générosité de cet homme qui manifestement ne roulait pas sur l'or. Il ne savait comment le remercier.

« Laissez votre uniforme par terre, dit Maurice. Je le brûlerai. »

Lloyd aurait bien aimé se laver, mais il n'y avait pas de salle de bains.

Il enfila les vêtements de Maurice et se regarda dans la glace accrochée au mur. Le bleu lui allait mieux que le kaki militaire, mais il n'avait toujours pas l'air vraiment natif du pays.

Il redescendit.

Marcelle faisait faire un rot au bébé. « Un chapeau », dit-elle.

Maurice lui tendit un béret bleu marine, typiquement français. Lloyd le cala sur sa tête.

Maurice jeta alors un regard ennuyé aux solides godillots de l'armée en cuir noir, de trop bonne qualité, que portait Lloyd. « Ils vont vous trahir. »

Lloyd ne tenait pas du tout à s'en défaire. Il allait devoir beaucoup marcher. « Il suffit peut-être de les vieillir », suggéra-t-il.

Maurice eut l'air dubitatif. « Comment ?

— Vous avez un couteau ? »

Maurice sortit un canif de sa poche.

Lloyd retira ses chaussures. Il fit des entailles au bout, lacéra la partie montante qui couvrait les chevilles. Il défit les lacets et les renfila n'importe comment. L'opération terminée, elles avaient pris un air de vieilles godasses, mais n'en restaient pas moins confortables, avec des semelles épaisses qui résisteraient aux kilomètres.

Maurice lui demanda : « Où comptez-vous aller ?

— J'ai deux solutions. Prendre vers le nord, en direction de la côte, en espérant trouver un pêcheur qui acceptera de me faire traverser la Manche. Ou me diriger vers le sud-ouest, la frontière, pour tenter de passer en Espagne. » L'Espagne était neutre et il y avait encore des consuls britanniques dans la plupart des grandes villes. « Je connais la route de l'Espagne. Je l'ai déjà faite deux fois.

— La Manche est beaucoup plus près. Mais je crois que les Allemands vont fermer tous les ports.

— Où passe la ligne de front ?

— Les Allemands ont pris Paris. »

Lloyd en resta pantois. Paris était déjà tombé !

« Le gouvernement français s'est replié sur Bordeaux. » Maurice haussa les épaules. « Mais nous sommes vaincus. Rien ne peut plus sauver la France.

— L'Europe entière sera fasciste, murmura Lloyd.

— Sauf la Grande-Bretagne. Voilà pourquoi vous devez rentrer chez vous. »

Lloyd réfléchit. Le nord ou le sud-ouest ? Il avait du mal à choisir.

« J'ai un ami, un ancien communiste, qui vend du fourrage aux fermiers, reprit Maurice. Je sais qu'il doit faire une livraison cet après-midi au sud-ouest de la ville. Si vous décidez d'aller en Espagne, il pourra vous avancer d'une trentaine de kilomètres. »

Cette proposition aida Lloyd à se décider.

« Je vais partir avec lui. »

3.

Daisy avait longtemps tourné en rond.

Quand Lloyd avait été envoyé en France, elle en avait eu le cœur brisé. Elle n'avait pas pu lui dire qu'elle l'aimait – elle ne l'avait même pas embrassé !

Peut-être ne pourrait-elle plus jamais le faire. Il avait été porté disparu depuis Dunkerque. Autrement dit, son corps n'avait pas été retrouvé et identifié, mais il n'était pas non plus recensé comme prisonnier de guerre. Il était probablement mort, son corps disloqué en fragments anonymes par un obus, ou enfoui sous les débris d'une ferme. Elle avait pleuré pendant des jours.

Elle avait passé encore un mois à traîner dans les couloirs de Tŷ Gwyn dans l'espoir d'apprendre quelque chose, mais n'avait pas eu d'autres informations à son sujet. Elle avait alors commencé à se sentir coupable. Tant de femmes se trouvaient dans la même situation qu'elle ou connaissaient un sort bien pire encore ! Certaines devraient élever deux ou trois enfants sans homme pour faire vivre leur famille. Elle n'avait pas le droit de pleurer sur elle-même parce que celui avec qui elle avait envisagé de tromper son mari avait disparu.

Elle devait se ressaisir et faire quelque chose de concret. Le destin avait décidé de la séparer de Lloyd, c'était évident. Elle avait déjà un mari, lequel, qui plus est, risquait sa vie tous les jours. Il était de son devoir de s'occuper de Boy.

Elle regagna Londres. Elle rouvrit la maison de Mayfair du mieux qu'elle le put avec un nombre réduit de domestiques et en fit un foyer accueillant pour Boy quand il y viendrait en permission.

Elle devait oublier Lloyd et être une bonne épouse. Peut-être même pourrait-elle attendre un autre enfant.

De nombreuses femmes participaient à l'effort de guerre en s'engageant dans les Womens' Auxiliary Air Force, les auxiliaires féminines de la RAF, ou en partant travailler aux champs avec la Women's Land Army, pour remplacer les hommes partis au combat. D'autres participaient bénévolement aux activités du Women's Voluntary Service for Air Raid Precautions, qui informait la population des mesures à prendre en cas de raids aériens. Mais il n'y avait pas de travail pour toutes et le *Times* publiait des lettres de lecteurs dénonçant le coût exorbitant de toute cette organisation. La guerre semblait terminée sur le continent. L'Allemagne avait gagné. L'Europe était fasciste de la Pologne à la Sicile et de la Hongrie au Portugal. On ne se battait plus nulle part. Selon certaines rumeurs, le gouvernement britannique avait déjà discuté des conditions de paix.

Mais Churchill ne fit pas la paix avec Hitler. Cet été-là marqua le début de la bataille d'Angleterre.

Dans les premiers temps, l'entrée en guerre n'eut pas trop d'incidence sur la vie des civils. Les cloches des églises cessèrent de sonner : elles ne carillonneraient que pour annoncer l'invasion allemande redoutée. Appliquant les directives du gouvernement, Daisy entassa des sacs de sable et de l'eau sur tous les paliers de la maison pour combattre d'éventuels incendies, mais c'était inutile. La Luftwaffe bombardait les ports, afin de couper les voies d'approvisionnement du pays. Elle s'attaqua ensuite aux bases aériennes pour tenter d'anéantir la Royal Air Force. Boy pilotait un Spitfire et affrontait l'ennemi dans des combats aériens auxquels assistaient, bouche bée, les fermiers du Kent et du Sussex. Dans l'une de ses rares lettres, il annonçait fièrement avoir abattu trois avions allemands. Des semaines s'écoulèrent sans qu'il obtienne de permission. Daisy attendait seule dans la maison qu'elle remplissait de fleurs pour lui.

Le samedi 7 septembre au matin, Boy revint enfin pour le week-end. Il faisait un temps superbe, chaud et ensoleillé, un regain de douceur – l'été indien, comme on disait.

Ce fut ce jour-là que la Luftwaffe changea de tactique.

Daisy embrassa son mari et s'assura qu'il avait des chemises et du linge propre dans son cabinet de toilette.

Sur la foi de ce que disaient les autres femmes, elle pensait que les hommes qui revenaient de la guerre voulaient de l'amour, de l'alcool et de bons repas, dans cet ordre.

Elle n'avait pas couché avec Boy depuis qu'elle avait perdu son bébé. Ce serait la première fois. Elle s'en voulait de ne pas se réjouir à cette idée. Mais certainement, elle ne se déroberait pas à son devoir.

Elle s'attendait plus ou moins à ce qu'il la culbute sur le lit dès son arrivée, pourtant il ne semblait pas aussi impatient. Il enleva son uniforme, prit un bain, se lava les cheveux et revêtit une tenue civile. Daisy demanda à la cuisinière de préparer un bon déjeuner sans lésiner sur les tickets de rationnement et Boy remonta de la cave un de ses plus vieux bordeaux.

À la fin du déjeuner, elle fut surprise et blessée de l'entendre annoncer : « Je vais faire un tour. Je serai là pour le dîner. »

Elle voulait bien être une bonne épouse, mais n'avait pas l'intention de se soumettre totalement à son bon vouloir.

« C'est ta première permission depuis des mois ! protesta-t-elle. Où vas-tu comme ça ?

— J'ai un cheval à voir. »

Elle n'avait rien contre. « Ah, très bien ! Je vais t'accompagner.

— Pas question. S'ils me voient arriver avec une femme, ils me prendront pour une mauviette et monteront le prix.

— J'avais toujours rêvé que nous pourrions faire ça ensemble – acheter et élever des chevaux de course, murmura-t-elle sans pouvoir dissimuler sa déception.

— Ce n'est pas un monde de femmes.

— Oh, arrête ! Je connais les chevaux aussi bien que toi.

— Peut-être, rétorqua-t-il, manifestement agacé, mais je n'ai pas envie de t'avoir dans les pattes pendant que je marchande avec ces types, un point c'est tout. »

Elle céda. « Comme tu voudras. » Elle quitta la salle à manger.

Elle était sûre qu'il mentait. Un soldat en permission ne pense pas à acheter des chevaux. Elle était bien décidée à découvrir ce qu'il mijotait. Les héros eux-mêmes doivent être fidèles à leur femme.

Elle gagna sa chambre et enfila un pantalon et des bottes. Quand Boy descendit dans l'entrée par le grand escalier, elle se précipita dans l'escalier de service, sortit par la cuisine et traversa la cour pour se rendre dans les anciennes écuries. Elle attrapa une veste de cuir, un casque et de grosses lunettes. Elle ouvrit la porte du garage donnant sur la ruelle à l'arrière de la maison et sortit sa moto, une Triumph Tiger 100, ainsi appelée parce que sa vitesse maximale était de cent miles à l'heure. Elle la démarra et roula en douceur dans la ruelle.

Elle s'était mise à la moto dès que l'essence avait été rationnée, en septembre 1939. C'était comme la bicyclette, en plus facile. Elle aimait la liberté et l'indépendance que cela lui donnait.

Elle déboucha dans la rue juste à temps pour voir la Bentley Airline crème de Boy disparaître au coin.

Elle le suivit.

Il traversa Trafalgar Square et le quartier des théâtres. Daisy restait à distance respectueuse pour ne pas être repérée. La circulation était encore dense dans le centre de Londres que sillonnaient des centaines de véhicules affectés à des missions officielles. En outre, le rationnement du carburant n'était pas draconien pour les voitures particulières, surtout pour les gens qui restaient dans le périmètre de la ville.

Boy poursuivit sa route au-delà du quartier de la finance. Les voitures étaient plus rares dans cette partie de Londres le samedi après-midi et Daisy craignit qu'il ne la repère plus aisément. Mais elle n'était pas très facile à reconnaître avec son casque et ses grosses lunettes. D'ailleurs, Boy ne prêtait guère attention à ce qui l'entourait. Il conduisait la vitre ouverte en fumant un cigare.

Il s'engagea dans Aldgate et Daisy eut la pénible impression de savoir où il allait.

Il tourna dans une des rues les moins sordides de l'East End et se gara devant une jolie maison du XVIIIe siècle. Aucune écurie en vue : ce n'était pas un lieu où l'on achetait et vendait des chevaux. Il l'avait menée en bateau, comme elle le pensait !

Daisy arrêta sa moto au bout de la rue et observa. Boy sortit de voiture et claqua la portière. Il ne regarda pas autour de lui, ne leva pas le nez pour vérifier le numéro : de toute évidence, ce n'était pas la première fois qu'il venait là. Il connaissait le chemin. Le cigare aux lèvres, il se dirigea d'un pas alerte vers la porte qu'il ouvrit avec sa clé.

Daisy faillit fondre en larmes.

Boy disparut à l'intérieur de la maison.

Quelque part à l'est de la ville, il y eut une explosion.

Daisy aperçut alors dans le ciel des avions venant de cette direction. Les Allemands avaient-ils choisi ce jour pour commencer à bombarder Londres ?

Si tel était le cas, c'était le cadet de ses soucis. Elle n'allait pas laisser Boy commettre l'adultère tranquillement. Elle remonta la rue et rangea sa moto derrière sa voiture. Elle enleva son casque et ses lunettes, s'approcha de la porte d'entrée et frappa.

Elle entendit une autre explosion, plus proche cette fois. Les sirènes entonnèrent alors leur chant funèbre.

La porte s'entrouvrit. Elle la poussa fermement. Une jeune femme en tenue de femme de chambre s'écarta dans un cri et Daisy entra. Elle se trouvait dans le vestibule d'une maison bourgeoise ordinaire, mais à la décoration exotique : tapis orientaux, lourds rideaux et un tableau représentant des femmes nues dans un bain turc.

Elle ouvrit brutalement la première porte et pénétra dans le salon. Il était plongé dans une pénombre entretenue par des tentures de velours qui masquaient la lumière du soleil. Trois personnes se trouvaient dans la pièce. La première, une femme d'une quarantaine d'années, vêtue d'un ample peignoir de soie, et pourtant soigneusement fardée, les lèvres soulignées de rouge vif, se leva en la dévisageant d'un air outré : la mère, supposa Daisy. Derrière elle, assise sur un sofa, une jeune fille d'environ seize ans, vêtue en tout et pour tout de ses dessous et de ses bas, fumait une cigarette. Boy était assis à côté d'elle, la main sur sa cuisse, au-dessus de la limite du bas. Il retira précipitamment sa main d'un air coupable. Un geste absurde, se dit Daisy. Croyait-il vraiment que cela suffirait à lui faire croire à l'innocence de cette scène ?

Daisy lutta contre les larmes.

« Tu m'avais promis de ne plus les voir ! » s'écria-t-elle. Elle aurait voulu manifester une colère froide d'ange exterminateur, mais sa voix n'exprimait que tristesse et déception.

Boy rougit, l'air affolé. « Mais enfin qu'est-ce que tu fabriques ici ? »

La plus âgée des femmes s'écria : « Merde, c'est sa femme ! »

Daisy se souvint qu'elle s'appelait Pearl et sa fille, Joanie. Penser qu'elle connaissait les prénoms de ces traînées ! Quelle horreur !

La domestique apparut dans l'embrasure de la porte.

« Je ne l'ai pas laissée entrer, se justifia-t-elle. Elle m'a bousculée, la garce ! »

Daisy se tourna vers Boy : « Je me suis donné tellement de mal pour que la maison soit belle et accueillante pour toi. Et tu préfères ça ! »

Il essaya de dire quelque chose, mais eut du mal à trouver ses mots. Il bafouilla une phrase incompréhensible. À cet instant, une énorme explosion ébranla le sol et fit vibrer les fenêtres.

La femme de chambre cria : « Vous êtes sourds ou quoi ? Y a un putain de raid aérien ! » Personne ne lui prêta attention. « Je descends à la cave. » Elle fila.

Il fallait qu'ils se mettent tous à l'abri. Mais Daisy avait quelque chose à dire à Boy avant de partir.

« Il n'est plus question que tu viennes dans mon lit, tu m'entends ? Je ne veux pas être contaminée. »

La fille assise sur le divan, Joanie, lança : « Allons, chérie, on prend juste un peu de bon temps ! Tu veux pas nous rejoindre ? Tu aimerais peut-être ça ! »

Pearl, la mère, l'examina des pieds à la tête.

« Elle est plutôt bien roulée ! »

Daisy comprit que les humiliations se poursuivraient si elle les laissait faire. Les ignorant, elle s'adressa à Boy : « Tu as fait ton choix. Quant à moi, ma décision est prise. »

Elle sortit la tête haute, alors même qu'elle se sentait abandonnée et mortifiée.

Elle entendit Boy soupirer : « Et zut, quelle tuile ! »

Une tuile ? Rien de plus ?

Elle franchit la porte d'entrée.

Puis elle leva les yeux.

Le ciel était noir d'avions.

Elle se mit à trembler de peur. Ils volaient haut, peut-être à trois mille mètres, mais ils n'en semblaient pas moins masquer le soleil. Ils étaient des centaines, de gros bombardiers et des chasseurs profilés, toute une flotte qui semblait s'étirer sur une trentaine de kilomètres. À l'est, du côté des docks et de l'arsenal de Woolwich, des panaches de fumée s'élevaient depuis les points d'impact des bombes. Les explosions se succédaient par vagues, dans un grondement continu de mer déchaînée.

Daisy se souvint que, le mercredi précédent, Hitler avait prononcé un discours devant le parlement allemand, fulminant contre la cruauté des raids aériens de la RAF sur Berlin et menaçant de raser des villes anglaises en représailles. Ce n'était apparemment pas des paroles en l'air. Il semblait déterminé à écraser Londres sous les bombes.

Cette journée était déjà la plus horrible de la vie de Daisy : elle prit conscience à cet instant que ce serait peut-être aussi la dernière.

Elle ne pouvait cependant pas se résoudre à retourner dans la maison pour partager l'abri antiaérien de ces femmes. Il fallait qu'elle s'en aille. Elle voulait rentrer chez elle pour pouvoir pleurer tranquillement.

Elle remit à la hâte son casque et ses lunettes. Elle se défendit contre l'envie irrationnelle autant qu'irrésistible de se jeter derrière le premier mur venu. Enfourchant sa moto, elle démarra.

Elle n'alla pas bien loin.

Deux rues plus loin, une bombe s'abattit sur une maison juste devant elle. Elle freina brusquement. Elle vit le trou dans la toiture, sentit la vibration de l'explosion et aperçut aussitôt des flammes à l'intérieur, comme si le kérosène d'un radiateur s'était répandu et embrasé. Un instant plus tard, une petite fille d'une douzaine d'années sortit en hurlant, les cheveux en feu, et se précipita vers Daisy.

Daisy sauta de sa moto, ôta sa veste de cuir et la jeta sur la tête de la fillette, la serrant étroitement pour priver les flammes d'oxygène.

Les cris s'apaisèrent. Daisy retira sa veste. La fillette sanglotait. Elle ne souffrait plus le martyre, mais elle était chauve.

Daisy inspecta la rue. Un homme coiffé d'un casque en acier et portant un brassard de l'ARP, le service de protection des civils contre les raids aériens, les rejoignit en courant avec une mallette métallique ornée de la croix blanche des premiers secours.

La petite fille regarda Daisy, ouvrit la bouche et cria : « Ma mère est là-dedans !

— Du calme, ma petite, dit le secouriste. Laisse-moi t'examiner. »

Daisy les laissa pour courir vers le bâtiment. C'était apparemment une vieille maison divisée en petits appartements. Les étages supérieurs étaient en flammes, mais il lui était néanmoins possible de se glisser dans le hall d'entrée. Au jugé, elle se dirigea vers l'arrière du bâtiment et déboucha dans une cuisine. Une femme gisait, inconsciente, sur le sol, près d'un bébé dans un berceau. Elle saisit l'enfant et ressortit aussitôt.

La fillette aux cheveux brûlés s'écria : « C'est ma petite sœur ! »

Daisy lui fourra le bébé dans les bras et repartit vers la maison.

La femme évanouie était trop lourde pour qu'elle puisse la soulever. Daisy se cala derrière elle, la redressa en position assise, la prit par les aisselles et traversa la cuisine et l'entrée en la tirant jusque dans la rue.

Une ambulance était arrivée entre-temps, une berline transformée, dont une partie de la carrosserie avait été remplacée par une structure recouverte d'une bâche qui s'ouvrait à l'arrière. Le secouriste aida la fillette à y monter. Le conducteur se précipita pour aider Daisy. À eux deux, ils purent installer la mère dans l'ambulance.

Le conducteur demanda à Daisy : « Il y a d'autres personnes à l'intérieur ?

— Je ne sais pas ! »

Il se rua dans la maison. À cet instant, le bâtiment entier s'effondra. Les étages supérieurs en flammes s'affaissèrent sur les autres, les entraînant dans leur chute. L'ambulancier disparut dans un enfer de feu.

Daisy s'entendit hurler.

Elle plaqua sa main sur sa bouche, les yeux rivés sur le brasier pour tenter d'apercevoir l'homme, même si elle ne pouvait pas lui venir en aide. Il aurait été suicidaire d'essayer.

« Oh, mon Dieu ! gémit le secouriste. Alf a été tué ! »

Une autre explosion signala la chute d'une bombe cent mètres plus loin dans la rue.

« Je n'ai plus de chauffeur, se lamenta le secouriste. Et moi, je dois rester ici. »

Il balaya la rue du regard. De petits groupes se tenaient devant les maisons, mais la plupart des gens devaient être terrés dans les abris.

« Je peux remplacer votre chauffeur, proposa Daisy. Où dois-je aller ?

— Vous savez conduire ? »

Les Anglaises ne prenaient pas le volant en général. C'était encore une affaire d'hommes dans ce pays. « Ne posez pas de questions idiotes. À quel hôpital dois-je les emmener ?

— St Bart. Vous savez où c'est ?

— Bien sûr. » St Bartholomew était l'un des plus grands hôpitaux de Londres et Daisy habitait la ville depuis quatre ans. « West Smirthfield, ajouta-t-elle pour le convaincre.

— Les urgences sont à l'arrière du bâtiment.

— Je trouverai. » Elle sauta dans la voiture. Le moteur tournait toujours.

L'homme lui cria : « Comment vous appelez-vous ?

— Daisy Fitzherbert. Et vous ?

— Nobby Clarke. Prenez soin de l'ambulance. »

La voiture avait un levier de vitesse ordinaire. Daisy enclencha la première et s'éloigna.

Les avions continuaient à vrombir dans les airs et les bombes à tomber sans répit. Daisy voulait à tout prix déposer les blessées à l'hôpital. St Bart n'était qu'à deux kilomètres mais le trajet se révéla effroyablement difficile. Elle suivit Leadenhall Street, Poultry et Cheapside, avant de se retrouver bloquée plusieurs fois et de devoir faire demi-tour pour emprunter un autre itinéraire. Il y avait au moins un immeuble détruit dans chaque rue. Ce n'étaient que fumée et gravats, des gens en sang et des hurlements.

Elle éprouva un immense soulagement quand elle atteignit enfin l'hôpital. Elle trouva les urgences en suivant une autre ambulance. Une grande agitation régnait autour d'une dizaine de véhicules qui déchargeaient des patients blessés et brûlés, aussitôt pris en charge par des brancardiers en blouse ensanglantée. J'ai peut-être sauvé la mère de ces enfants, se dit Daisy. Je ne suis pas complètement inutile, après tout, même si mon mari ne veut plus de moi.

La fillette sans cheveux tenait toujours sa petite sœur dans ses bras. Daisy les aida à sortir de l'ambulance.

Une infirmière vint lui donner un coup de main pour transporter la mère inconsciente à l'intérieur.

Daisy se rendit compte qu'elle ne respirait plus. « Ce sont ses enfants, dit-elle à l'infirmière, consciente d'être au bord de la crise de nerfs. Et maintenant ?

— Je vais m'en occuper, répondit l'infirmière d'un ton péremptoire. Il faut que vous retourniez là-bas.

— Vraiment ?

— Ressaisissez-vous et allez-y. Il va y avoir encore beaucoup d'autres victimes avant la fin de la nuit.

— Très bien. » Daisy remonta dans l'ambulance et repartit.

4.

Par un doux après-midi d'octobre, Lloyd Williams arriva dans la ville de Perpignan baignée de soleil, à trente kilomètres de la frontière espagnole.

Il avait passé le mois de septembre dans la région de Bordeaux à faire les vendanges, comme en 1937. Il avait désormais assez d'argent en poche pour prendre le bus et le tramway et s'arrêter dans des gargotes, au lieu de se nourrir de légumes crus qu'il chapardait dans les jardins ou d'œufs subtilisés dans les poulaillers. Il reprenait en sens inverse la route qu'il avait empruntée en revenant d'Espagne trois ans plus tôt. Il était venu de Bordeaux par Toulouse et Béziers, montant parfois dans des trains de marchandises, demandant le plus souvent à des chauffeurs de camion de l'emmener.

Il s'était arrêté dans un café au bord de la grand-route qui filait vers le sud-est, reliant Perpignan à la frontière espagnole. Toujours vêtu de la salopette bleue et du béret de Maurice, il transportait un petit sac de toile contenant une truelle rouillée et un niveau à bulle couvert de croûtes de ciment afin de se faire passer pour un maçon espagnol qui rentrait chez lui. Pourvu que personne ne lui propose de travail ! Il aurait été bien incapable de construire un mur.

Il se demandait avec inquiétude comment il trouverait son chemin dans la montagne. Trois mois plus tôt, en Picardie, il s'était dit un peu vite qu'il se souviendrait du trajet emprunté en 1936 avec ses guides pour franchir les Pyrénées et passer en Espagne ; chemin qu'il avait en partie repris à son retour, un an plus tard. Mais à mesure qu'il voyait les sommets pourpres et les cols verdoyants se profiler plus nettement à l'horizon, le projet lui semblait moins évident. Il avait cru que chacun de ses pas serait resté gravé dans sa mémoire, mais quand il essayait de retrouver les sentiers, les ponts et les embranchements précis, ses souvenirs devenaient flous et les détails lui échappaient.

Il termina son repas, un ragoût de poisson pimenté, et s'adressa d'un ton détaché aux camionneurs installés à la table voisine.

« Il faut que j'aille à Cerbère. » C'était le dernier village avant la frontière. « Est-ce que l'un de vous va par là ? »

Ils y allaient probablement tous. Il n'y avait pas d'autre raison qui pût expliquer leur présence sur ce tronçon de route. Il les vit hésiter. C'était la France de Vichy, théoriquement libre, en réalité sous la botte des Allemands qui occupaient l'autre moitié du pays. Personne ne se bousculait pour rendre service à un inconnu à l'accent étranger.

« Je suis maçon, reprit Lloyd en montrant son sac de toile. Je retourne chez moi, en Espagne. Je m'appelle Leandro. »

Un homme corpulent en chemise de corps leva la tête : « Je peux vous faire faire la moitié de la route.

— Merci.

— Vous êtes prêt à partir tout de suite ?

— Oui, bien sûr. »

Ils sortirent et montèrent dans une fourgonnette Renault poussiéreuse affichant le nom d'un magasin d'électricité sur ses flancs. En quittant sa place de stationnement, le conducteur demanda à Lloyd s'il était marié. Il lui posa ensuite toute une série de questions personnelles embarrassantes. Lloyd finit par comprendre que le bonhomme était fasciné par la vie sexuelle des autres. C'était sûrement pour cela qu'il avait accepté d'emmener Lloyd : il avait ainsi l'occasion de le soumettre à un interrogatoire intime en règle. Parmi ceux qui l'avaient pris en stop, Lloyd était plusieurs fois tombé sur des hommes animés des mêmes motivations malsaines.

« Je suis puceau », lui avoua Lloyd, ce qui était l'exacte vérité.

Cet aveu ne fit qu'amorcer une nouvelle discussion pesante sur les pelotages de lycée. Lloyd avait une certaine expérience en la matière, mais pas la moindre intention de la partager. Il refusa de donner des détails, tout en s'efforçant de rester poli. Son chauffeur finit par se lasser. « C'est là que je tourne », annonça-t-il.

Il s'arrêta. Lloyd le remercia et continua à pied.

Il avait appris à ne pas marcher comme un soldat et mis au point une démarche traînante de paysan qui lui semblait assez réaliste. Il n'avait jamais de livres ni de journaux sur lui. La dernière fois qu'il s'était fait couper les cheveux, ils avaient été massacrés par un coiffeur incompétent dans le quartier le plus pauvre de Toulouse. Il ne se rasait qu'une fois par semaine, si bien qu'il avait en permanence un début de barbe étonnamment efficace pour le rendre anonyme. Ayant renoncé à se laver, il dégageait une odeur forte qui dissuadait les gens de l'approcher.

En France et en Espagne, les ouvriers et les manœuvres n'avaient pas de montre. Il avait donc dû se défaire de la montre carrée en acier que lui avait donnée Bernie pour son diplôme. Ne pouvant pas l'offrir aux Français qui l'avaient aidé, car une montre venue d'Angleterre les aurait compromis, il avait dû se résoudre, la mort dans l'âme, à la jeter dans une mare.

Il n'avait pas de papiers d'identité. C'était sa grande faiblesse.

Il avait essayé d'acheter ceux d'un homme qui lui ressemblait vaguement et projeté de voler ceux de deux autres personnes, mais les gens étaient devenus prudents, ce qui n'était pas surprenant. La seule solution était d'éviter les situations dans lesquelles il risquerait d'avoir à justifier de son identité. Il se faisait discret, marchait à travers champs plutôt que sur les routes quand il avait le choix et n'empruntait jamais les trains de voyageurs à cause des contrôles dans les gares. Jusqu'à présent, il avait eu de la chance. Un jour, un gendarme lui avait demandé ses papiers. Quand il avait expliqué qu'on les lui avait volés un soir qu'il était ivre mort dans un bar de Marseille, l'autre l'avait cru et n'avait pas insisté.

Mais cette fois, la chance l'abandonna.

Il cheminait à travers d'arides terres agricoles. Il se trouvait au pied des Pyrénées, non loin de la Méditerranée, et le sol était sablonneux. La route poudreuse traversait de petites exploitations et des villages misérables. La région était peu peuplée. Sur sa gauche, il entrevoyait les lointaines lueurs bleues de la mer derrière les coteaux.

La Citroën verte avec trois gendarmes à l'intérieur qui s'arrêta à côté de lui était bien la dernière chose qu'il s'attendait à voir.

Tout se passa très vite. Il entendit approcher la voiture – le premier bruit de moteur qu'il entendait depuis que l'électricien l'avait déposé. Il poursuivit son chemin du pas las d'un ouvrier qui rentre chez lui. De part et d'autre de la route s'étendaient des prés desséchés à la végétation rare, hérissés parfois d'arbres rabougris. Quand la voiture s'arrêta, il envisagea une seconde de filer à travers champs. Il y renonça en voyant les pistolets que les deux gendarmes jaillis du véhicule portaient à la ceinture. Ce n'était sans doute pas de bons tireurs, mais ils pouvaient avoir de la chance. Mieux valait tenter de parlementer. Ces gendarmes ruraux étaient généralement plus aimables que les brutes de la police municipale.

« Vos papiers », demanda l'un d'eux en français.

Lloyd écarta les mains dans un geste d'impuissance.

« Monsieur, c'est malheureux, mais on m'a volé mes papiers à Marseille. Je m'appelle Leandro, je suis maçon, espagnol, je vais…

— Montez. »

Lloyd hésita, mais il n'avait pas le choix. Ses chances de s'en tirer s'amenuisaient grandement.

L'un des gendarmes le saisit fermement par le bras, le poussa à l'arrière de la voiture et monta à côté de lui.

Quand la voiture démarra, son courage l'abandonna.

Le gendarme assis à côté de lui demanda : « Vous êtes anglais ?

— Non, espagnol. Je suis maçon, je m'appelle… »

Le gendarme le fit taire d'un geste de la main. « Ne vous fatiguez pas. »

Lloyd se reprocha son excès d'optimisme. Un étranger sans papiers, se dirigeant vers la frontière espagnole : pour eux, les choses étaient claires, c'était un soldat britannique en cavale. S'ils avaient encore le moindre doute, celui-ci s'envolerait quand ils lui ordonneraient de se déshabiller et verraient la plaque qu'il portait au cou. Il l'avait gardée car, sans elle, il était assuré d'être fusillé comme espion.

Et voilà qu'il se retrouvait coincé dans une voiture avec trois hommes armés et sans la moindre chance de pouvoir s'échapper.

Ils roulèrent dans la direction qu'il suivait avant qu'ils ne l'interpellent. Le soleil descendait sur les sommets. Il n'y avait plus de ville importante avant la frontière. Lloyd supposa qu'il passerait la nuit dans une prison de village. Peut-être parviendrait-il à s'évader ? Sinon, ils le ramèneraient le lendemain à Perpignan pour le livrer à la police. Et ensuite ? L'interrogerait-on ? Cette perspective le glaçait de peur. Il serait passé à tabac par la police française, torturé par la police allemande. S'il survivait, il finirait dans un camp de prisonniers où il resterait jusqu'à la fin de la guerre, à moins de mourir de malnutrition avant. Et il n'était qu'à quelques kilomètres de la frontière !

Ils arrivèrent dans une petite ville. Pouvait-il espérer leur échapper entre la voiture et la prison ? Impossible de faire le moindre projet : il ne connaissait pas le terrain. Il ne pouvait que rester sur le qui-vive, prêt à saisir la première occasion.

La voiture quitta la rue principale pour s'engager dans une ruelle bordée de boutiques. Allaient-ils le fusiller sur place et abandonner son corps quelque part ?

Ils s'arrêtèrent à l'arrière d'un restaurant. La cour était jonchée de caisses et d'énormes bidons. Par une petite fenêtre, Lloyd aperçut une cuisine brillamment éclairée.

Le gendarme qui occupait le siège du passager avant sortit de la voiture et vint ouvrir la portière de Lloyd du côté le plus proche du bâtiment. Quelles étaient ses chances ? S'il voulait filer dans la ruelle, il devait d'abord contourner le véhicule. La nuit tombait : au bout de quelques mètres, il cesserait d'être une cible facile.

Le gendarme l'empoigna par le bras et le fit sortir sans le lâcher. Son collègue suivit le mouvement immédiatement derrière Lloyd. Il devenait difficile de tenter de fuir.

Pourquoi l'avait-on amené ici ?

Ils le conduisirent dans la cuisine. Un cuisinier battait des œufs dans une jatte tandis qu'un adolescent faisait la vaisselle dans un grand évier. « C'est un Anglais, dit l'un des gendarmes. Il prétend s'appeler Leandro. »

Le cuisinier leva la tête sans s'interrompre et brailla : « Teresa ! Viens vite ! »

Lloyd se souvint d'une autre Teresa, une belle anarchiste espagnole qui apprenait aux soldats à lire et à écrire.

La porte de la cuisine s'ouvrit en grand et elle entra.

Lloyd la dévisagea avec stupeur. Pas d'erreur : il n'oublierait jamais ces grands yeux et cette masse de cheveux noirs. C'était bien elle malgré sa coiffe de coton blanc et son tablier de serveuse.

Elle ne le regarda pas tout de suite. Elle posa une pile d'assiettes à côté du jeune garçon qui faisait la plonge avant de se tourner vers les gendarmes qu'elle embrassa sur les deux joues en s'exclamant : « Pierre ! Michel ! Comment allez-vous ? »

Alors seulement, elle se tourna vers Lloyd et dit en espagnol : « Non ! Ce n'est pas possible ! Lloyd ? C'est vraiment toi ? »

Il ne put que hocher la tête, incapable de dire un mot.

Elle le serra dans ses bras et l'embrassa lui aussi sur les deux joues.

« Bon, eh bien, voilà. C'est parfait. Il faut qu'on y aille, dit l'un des gendarmes. Bonne chance ! » Il tendit son sac de toile à Lloyd et ils s'en allèrent.

Lloyd retrouva sa langue.

« Qu'est-ce que c'est que cette histoire ? demanda-t-il à Teresa en espagnol. J'ai cru qu'ils me conduisaient en prison !

— Ils détestent les nazis. Alors ils nous aident.

— Qui ça, *nous* ?

— Je t'expliquerai plus tard. Suis-moi. » Elle ouvrit une porte donnant sur un escalier et l'entraîna à l'étage, dans une chambre chichement meublée. « Attends-moi ici. Je vais t'apporter à manger. »

Lloyd s'allongea sur le lit et médita sur son incroyable bonne fortune. Cinq minutes plus tôt, il se préparait à être torturé et tué. Et voilà qu'il attendait qu'une femme merveilleuse vienne lui apporter son dîner.

Le vent peut tourner une nouvelle fois, tout aussi vite, se dit-il.

Elle revint une demi-heure plus tard avec une omelette et des frites sur une assiette de faïence grossière.

« On n'arrête pas en bas, expliqua-t-elle. Mais on ferme bientôt. Je suis là dans une minute. »

Il mangea rapidement son repas.

La nuit tomba. Il entendit les bavardages des clients qui sortaient du restaurant et le cliquetis de la vaisselle qu'on rangeait. Teresa réapparut avec une bouteille de vin rouge et deux verres.

Lloyd lui demanda pourquoi elle avait quitté l'Espagne.

« Des milliers d'entre nous se font massacrer. Pour ceux qu'on n'exécute pas, ils ont inventé une loi sur les responsabilités politiques qui considère comme criminels tous ceux qui ont défendu le gouvernement. On peut te confisquer tous tes biens pour t'être opposé à Franco par simple "passivité coupable". Tu n'es innocent que si tu peux apporter la preuve que tu l'as soutenu. »

Lloyd songea avec amertume à Chamberlain, qui avait assuré à la Chambre des communes, en mars, que Franco avait mis un terme aux représailles politiques. Quel sale menteur !

« Beaucoup de nos camarades sont emprisonnés dans des camps immondes, poursuivit Teresa.

— J'imagine que tu ne sais pas ce qu'est devenu mon copain, le sergent Lenny Griffiths ? »

Elle secoua la tête. « Je ne l'ai plus revu après Belchite.

— Et toi ?

— J'ai échappé aux types de Franco, je suis arrivée en France, j'ai trouvé un boulot de serveuse… et découvert qu'il y avait de quoi faire ici aussi.

— Comment ça ?

— J'aide les soldats évadés à franchir la montagne. C'est pour ça que les gendarmes t'ont conduit ici. »

Lloyd reprit courage. Il avait pensé faire le voyage seul et craint de ne pas retrouver son chemin. Peut-être pourrait-il compter sur un guide.

« J'en ai deux autres qui attendent, reprit-elle. Un artilleur britannique et un pilote canadien. Ils sont dans une ferme dans les hauteurs.

— Quand penses-tu traverser ?

— Cette nuit. Ne bois pas trop. »

Elle repartit et revint une demi-heure plus tard avec un vieux pardessus marron déchiré qu'elle lui tendit en expliquant : « Il fait froid là où nous allons. »

Ils sortirent discrètement par la cuisine et traversèrent la petite ville à la lueur des étoiles. Laissant la bourgade derrière eux, ils s'engagèrent sur un chemin de terre qui grimpait à flanc de coteau. Au bout d'une heure, ils atteignirent un hameau de bâtisses en pierre. Teresa siffla avant d'ouvrir la porte d'une grange d'où surgirent deux hommes.

« Nous utilisons toujours de faux noms, dit-elle en anglais. Je suis Maria, ces deux-là sont Fred et Tom. Notre nouvel ami s'appelle Leandro. »

Les hommes se serrèrent la main. Teresa poursuivit : « On ne parle pas, on ne fume pas. Si l'un de vous traîne, on ne l'attend pas. Vous êtes prêts ? »

À partir de là, le sentier devint plus raide. Lloyd glissait sur les pierres. Il se rattrapait aux maigres buissons de bruyère qui bordaient le chemin et se hissait en s'y accrochant. Mince et légère, Teresa imposait une cadence que les trois hommes avaient du mal à suivre. Elle s'était munie d'une lampe torche, mais refusait de l'allumer tant que les étoiles brillaient, disant qu'il fallait économiser les piles.

L'air fraîchit. Ils durent traverser un torrent glacé et Lloyd garda les pieds gelés pendant tout le reste du trajet.

Ils marchaient depuis une heure quand Teresa murmura : « Restez bien au milieu du chemin maintenant. »

En baissant les yeux, Lloyd s'aperçut qu'ils avançaient sur une corniche entre deux pentes abruptes. Quand il imagina la possible chute sans fin, il fut pris de vertige et releva aussitôt la tête pour fixer son regard sur la silhouette de Teresa. En d'autres circonstances, suivre une silhouette pareille aurait été un plaisir pour lui. Mais il était trop fatigué et transi pour savourer cet instant.

La montagne n'était pas inhabitée. À un moment, un chien aboya au loin ; une autre fois, ils distinguèrent un tintement de cloche sinistre qui effraya les hommes, jusqu'à ce que Teresa leur explique qu'en montagne, les bergers accrochaient des cloches au cou de leurs bêtes pour pouvoir retrouver leur troupeau.

Lloyd songea à Daisy. Était-elle toujours à Tŷ Gwyn ? Était-elle partie retrouver son mari ? Il espérait qu'elle n'avait pas regagné Londres car, à en croire les journaux français, la ville était bombardée toutes les nuits. Était-elle morte ou vivante ? La reverrait-il un jour ? Si oui, quels seraient ses sentiments à son égard ?

Ils s'arrêtaient toutes les deux heures pour se reposer, boire de l'eau et quelques gorgées de vin à la bouteille que portait Teresa.

Il se mit à pleuvoir peu avant l'aube. Le sol devint aussitôt glissant. Ils dérapaient et trébuchaient à chaque pas, mais Teresa ne ralentit pas l'allure.

« Vous pouvez être contents qu'il ne neige pas », leur lança-t-elle.

Le jour se leva sur une étendue de broussailles entrecoupées de saillies rocheuses dressées comme des mausolées. La pluie persistait. Une brume froide assombrissait le paysage.

Au bout d'un moment, Lloyd se rendit compte qu'ils commençaient à descendre. À la pause suivante, Teresa leur annonça qu'ils étaient en Espagne. Lloyd aurait dû être soulagé, mais l'épuisement l'emportait sur tous les autres sentiments.

Le paysage s'adoucit peu à peu, à mesure que les rochers cédaient la place à une herbe drue hérissée de buissons.

Soudain Teresa se jeta à terre et se plaqua au sol.

Les trois hommes l'imitèrent aussitôt. En suivant le regard de Teresa, Lloyd aperçut deux hommes en uniforme vert, coiffés d'un chapeau à la forme bizarre : des gardes-frontières espagnols, probablement. Le fait d'être en Espagne ne signifiait pas qu'ils étaient tirés d'affaire. Ceux qui entraient illégalement dans le pays pouvaient être renvoyés en France. Ou pire, disparaître dans les geôles franquistes.

Les gardes-frontières suivaient un sentier qui se dirigeait droit vers les fugitifs. Lloyd se prépara à se défendre. Il devrait réagir rapidement pour ne pas leur laisser le temps de dégainer leurs armes. Il se demanda si ses deux compagnons savaient se battre.

Mais il avait tort de s'inquiéter. Arrivés à une limite visible d'eux seuls, les deux hommes firent demi-tour. Teresa semblait l'avoir prévu. Dès que les gardes-frontières furent hors de vue, elle se releva et ils repartirent.

Le brouillard ne tarda pas à se lever. Lloyd aperçut un village de pêcheurs au bord d'une anse sablonneuse. Il était déjà venu là lors de son séjour en Espagne en 1936. Il se rappelait même qu'il y avait une gare de chemin de fer.

Ils entrèrent dans le village. C'était une bourgade endormie, sans la moindre présence officielle : pas de police, pas de mairie, pas de soldats, pas de poste de contrôle. Sans doute était-ce pour cela que Teresa l'avait choisie.

Teresa les conduisit à la gare et leur acheta des billets, flirtant avec le guichetier comme avec un vieil ami.

Lloyd s'assit sur un banc du quai ombragé, les pieds en feu, fourbu, reconnaissant et heureux.

Une heure plus tard, ils prenaient le train pour Barcelone.

5.

Jamais encore, Daisy n'avait su ce que travailler voulait dire.

Ni ce qu'était la fatigue.

Ni l'horreur.

Elle était assise dans une salle de classe, en train de boire du thé sucré dans une tasse sans soucoupe. Elle portait un casque d'acier et des bottes de caoutchouc. Il était cinq heures de l'après-midi et elle éprouvait encore dans tous ses membres la lassitude de la nuit précédente.

Elle faisait partie de l'équipe de secours de l'ARP affectée au quartier d'Aldgate. Théoriquement, elle travaillait par roulement : huit heures de travail, huit heures de permanence, huit heures de repos. Dans les faits, elle n'arrêtait pas, aussi longtemps que duraient les raids aériens et qu'il y avait des blessés à conduire à l'hôpital.

Londres fut bombardé toutes les nuits sans exception pendant tout le mois d'octobre 1940.

Daisy travaillait toujours en équipe avec une autre femme, l'assistante conductrice, et quatre secouristes. Ils avaient établi leur quartier général dans l'école et étaient, à ce moment précis, assis aux pupitres des enfants, attendant l'arrivée des avions, le hurlement des sirènes, le fracas des bombes.

L'ambulance qu'elle conduisait était une Buick américaine aménagée. Ils avaient aussi une voiture normale pour transporter ceux qu'ils appelaient « les assis », les blessés capables de se tenir sur une banquette sans assistance le temps d'arriver à l'hôpital.

Son assistante était une certaine Naomi Avery, une cockney blonde séduisante qui aimait les hommes et appréciait la camaraderie de l'équipe. Elle était en train de badiner avec le responsable du poste, Nobby Clarke, policier à la retraite. « L'infirmier-chef est un homme, lui faisait-elle remarquer. Le préposé à la défense passive du quartier est un homme. Tu es un homme.

— J'espère bien ! s'offusqua Nobby, déclenchant un éclat de rire général.

— Il y a beaucoup de femmes dans les services de l'ARP, continua Naomi. Pourquoi n'occupent-elles aucun poste à responsabilité ? »

La gent masculine s'esclaffa. Un chauve à gros nez qu'on appelait le beau George y alla de son commentaire : « Ça y est, revoilà les droits de la femme. » Il était plutôt misogyne.

Daisy renchérit : « Vous ne pensez tout de même pas que vous, les hommes, vous êtes plus intelligents que les femmes ?

— En fait, observa Nobby, il y a quelques infirmières-chefs.

— Je n'en ai jamais vu, remarqua Naomi.

— C'est une question de tradition, continua Nobby. Les femmes se sont toujours occupées de leur foyer.

— Comme Catherine de Russie, Catherine la Grande ? ironisa Daisy.

— Ou la reine Élisabeth, ajouta Naomi.

— Amelia Earhart.

— Jane Austen.

— Marie Curie, la seule scientifique à avoir reçu deux fois le prix Nobel.

— Catherine la Grande ? intervint le beau George. On ne raconte pas quelque chose à son sujet, une histoire de cheval ?

— Allons, allons, il y a des dames ici, fit Nobby sur un ton de reproche. Je peux répondre à la question de Daisy. »

Daisy l'encouragea. « Voyons cela.

— Je vous accorde que certaines femmes sont aussi intelligentes que les hommes, admit-il comme s'il faisait une immense concession. Il y a pourtant une bonne raison pour que presque tous les responsables de l'ARP soient des hommes.

— Ah, oui. Et c'est quoi, cette raison, Nobby ?

— C'est très simple. Pas un homme n'accepterait de recevoir d'ordres d'une femme. »

Il se cala sur sa chaise d'un air triomphant, persuadé d'avoir eu le dernier mot.

Curieusement, lorsque les bombes pleuvaient et qu'ils fouillaient les gravats pour secourir les blessés, ils étaient égaux. La hiérarchie n'existait plus. Si Daisy criait à Nobby d'attraper l'extrémité d'une poutre pour la déplacer, il s'exécutait sans sourciller.

Daisy aimait ces hommes, même le beau George. Ils étaient prêts à donner leur vie pour elle, et elle pour eux.

Un mugissement grave s'éleva au-dehors. Il se fit de plus en plus aigu et ils reconnurent le timbre exaspérant de la sirène annonçant un raid aérien. Elle se déclenchait souvent en retard, parfois même après que les premières bombes étaient tombées.

Le téléphone sonna. Nobby décrocha.

Ils se levèrent. « Ces maudits Allemands, maugréa George, il ne leur arrive jamais de prendre un jour de congé ?

— Nutley Street, annonça Nobby en raccrochant.

— Je sais où c'est », dit Naomi. Ils se précipitèrent dans la rue. « C'est la rue où habite notre députée. »

Ils sautèrent dans les véhicules. Comme Daisy faisait démarrer l'ambulance, Naomi, assise à côté d'elle, soupira : « Heureuse époque ! »

Curieusement, Daisy pouvait prendre au sens littéral les propos ironiques de Naomi : elle était *effectivement* heureuse. C'était franchement bizarre, pensa-t-elle en prenant un virage sur les chapeaux de roue. Toutes les nuits, elle ne rencontrait que destruction, deuils tragiques, corps affreusement mutilés. Elle risquait de périr elle-même dans un bâtiment en flammes, cette nuit même peut-être. Pourtant, elle se sentait merveilleusement bien. Elle œuvrait et peinait pour une cause. Paradoxalement, c'était plus réjouissant que de mener une vie de plaisirs. Elle faisait partie d'un groupe de gens prêts à tout sacrifier pour aider les autres et c'était la chose la plus exaltante du monde.

Daisy n'en voulait pas aux Allemands de chercher à la tuer. Son beau-père, le comte Fitzherbert, lui avait expliqué pourquoi ils bombardaient Londres. Jusqu'en août, la Luftwaffe ne s'était attaquée qu'aux ports et aux terrains d'aviation. Il lui avait confié, dans un de ses rares moments d'abandon, que les Anglais n'avaient pas eu autant de scrupules : le gouvernement avait autorisé le bombardement de villes allemandes depuis le mois de mai et pendant toute la durée des mois de juin et de juillet, la RAF n'avait cessé de lâcher des bombes sur des immeubles qui abritaient des femmes et des enfants. L'opinion publique allemande, outrée, avait exigé des mesures de rétorsion. Le Blitz en était la conséquence.

Daisy et Boy ménageaient les apparences. En réalité, elle fermait la porte de sa chambre à clé quand il était là et il n'avait pas protesté. Leur vie conjugale était un simulacre, mais ils étaient tous deux trop occupés pour remédier à cet état de fait. Quand Daisy y pensait, c'était avec tristesse : à présent, elle avait perdu Boy et Lloyd à la fois. Heureusement, elle n'avait guère le temps de penser.

Nutley Street était en flammes. La Luftwaffe larguait des bombes incendiaires en même temps que de puissants explosifs. Le feu était responsable de l'essentiel des dégâts, mais les explosifs en décuplaient l'effet en soufflant les vitres qui, en se brisant, provoquaient un courant d'air, attisant encore le brasier.

Daisy arrêta l'ambulance dans un crissement de pneus et ils se mirent au travail.

Les blessés légers étaient dirigés vers le poste de secours le plus proche. Ceux qui étaient plus sévèrement atteints étaient conduits à l'hôpital St Bart ou à celui de Whitechapel. Daisy enchaînait les trajets. Quand la nuit tomba, elle alluma ses phares. À cause du black-out, ils étaient masqués par une sorte de couvercle fendu qui ne laissait passer qu'un filet de lumière, mais c'était une précaution parfaitement inutile quand Londres flambait comme une torche.

Le raid se poursuivit jusqu'à l'aube. En plein jour, les bombardiers constituaient des cibles trop vulnérables pour les avions de combat pilotés par Boy et ses camarades et le pilonnage cessa peu à peu. Quand la froide lumière grise du jour se leva sur la ville saccagée, Daisy et Naomi retournèrent dans Nutley Street pour constater qu'il n'y avait plus de victimes à conduire à l'hôpital.

Elles se laissèrent tomber sur les restes du mur de brique d'un jardin. Daisy enleva son casque. Elle était noire de crasse et éreintée. Je me demande ce que les filles du Yacht-Club de Buffalo penseraient de moi si elles me voyaient dans cet état, songea-t-elle, avant de constater qu'elle n'attachait plus guère d'importance à leur opinion. Le temps où leur approbation comptait plus que tout à ses yeux lui paraissait bien loin.

« Vous voulez une tasse de thé, ma belle ? » demanda une voix.

Elle reconnut l'accent gallois. Levant les yeux, elle vit une jolie femme d'âge mûr chargée d'un plateau. « Oh, oui, c'est exactement ce qu'il me faut », s'écria Daisy en se servant. Elle avait fini par aimer ce breuvage, amer mais extrêmement revigorant.

La femme embrassa Naomi qui expliqua : « Nous sommes apparentées. Sa fille Millie a épousé mon frère, Abe. »

La femme fit passer le plateau à toute la petite troupe de préposés à la défense passive, aux pompiers et aux voisins. C'était sans doute une notabilité locale, se dit Daisy en la regardant : elle avait l'air d'avoir du tempérament. En même temps, c'était certainement une femme du peuple. Elle parlait aux gens avec une familiarité chaleureuse, et tout le monde lui souriait. Elle connaissait apparemment Nobby et le beau George qu'elle salua comme de vieux amis.

Elle prit la dernière tasse du plateau et vint s'asseoir à côté de Daisy. « À votre accent, on dirait que vous êtes américaine », lui dit-elle d'un ton aimable.

Daisy acquiesça. « J'ai épousé un Anglais.

— J'habite dans cette rue. Ma maison a échappé aux bombes de cette nuit. Je suis la députée du quartier d'Aldgate. Je m'appelle Eth Leckwith. »

Daisy sentit son cœur s'arrêter de battre. C'était la célèbre mère de Lloyd ! Elle lui serra la main. « Daisy Fitzherbert. »

Ethel haussa les sourcils. « Oh, vous êtes la vicomtesse d'Aberowen ! »

Daisy rougit et baissa la voix. « Personne ne le sait à l'ARP.

— Je ne vous trahirai pas, soyez tranquille.

— J'ai connu votre fils, Lloyd », reprit Daisy d'un ton hésitant. Elle ne pouvait s'empêcher d'avoir les larmes aux yeux quand elle pensait à leur séjour à Tŷ Gwyn et à la gentillesse avec laquelle il s'était occupé d'elle au moment de sa fausse couche. « Il m'a été d'un grand secours un jour où j'avais besoin d'aide.

— Merci. Mais je vous en prie, ne parlez pas de lui comme s'il était mort ! »

Bien que le reproche fût bienveillant, Daisy se rendit compte qu'elle avait manqué de délicatesse. « Oh, pardon ! Je sais qu'il est porté disparu. Je suis vraiment la dernière des idiotes !

— Sauf qu'il n'est plus porté disparu. Il s'est évadé en passant par l'Espagne. Il est arrivé hier.

— Oh, mon Dieu ! » Le cœur de Daisy battait la chamade. « Il va bien ?

— Très bien. Il est même en pleine forme malgré tout ce qu'il a enduré.

— Où… » Daisy déglutit péniblement. « Où est-il ?

— Quelque part par là. » Ethel regarda autour d'elle. « Lloyd ! » appela-t-elle.

Daisy scruta la foule. Était-ce possible ?

Un homme vêtu d'un manteau marron déchiré se retourna. « Oui, Mam ? »

Daisy le dévisagea. Il avait le visage tanné par le soleil, il était maigre comme un clou, mais plus séduisant que jamais.

« Viens par ici, mon fils. »

Lloyd fit un pas en avant et aperçut Daisy. Aussitôt, son visage fut transformé et s'éclaira d'un sourire de bonheur. « Bonjour ! » lança-t-il.

Daisy bondit sur ses pieds.

« Lloyd, dit Ethel, il y a ici quelqu'un dont tu te souviens peut-être… »

Daisy ne put se retenir. Elle courut vers Lloyd et se jeta dans ses bras, le serrant contre elle de toutes ses forces. Elle laissa ses yeux se perdre dans son regard vert, embrassa ses joues brunies, son nez anguleux et enfin sa bouche. « Je t'aime, Lloyd ! dit-elle d'une voix vibrante. Je t'aime, je t'aime, je t'aime !

— Moi aussi, je t'aime, Daisy. »

Derrière elle, Daisy entendit le commentaire sarcastique d'Ethel : « Ah oui, on dirait que tu te souviens d'elle en effet. »

6.

Lloyd mangeait du pain grillé et de la confiture quand Daisy entra dans la cuisine de la maison de Nutley Street. Elle s'assit, manifestement épuisée, et retira son casque. Elle avait le visage maculé, les cheveux couverts de cendre et de poussière et Lloyd la trouva d'une beauté irrésistible.

Elle venait presque tous les matins quand les bombardements cessaient et qu'elle avait conduit la dernière victime à l'hôpital. La mère de Lloyd lui avait dit de passer quand elle voulait, sans être invitée, et elle l'avait prise au mot.

Ethel lui servit une tasse de thé et demanda : « La nuit a été dure, ma belle ? »

Daisy hocha la tête d'un air abattu. « L'une des pires que nous ayons connues. L'immeuble Peabody d'Orange Street a entièrement brûlé.

— Oh, non ! » s'exclama Lloyd, horrifié. Il connaissait ce bâtiment : un vaste ensemble d'appartements surpeuplés, habités par des familles pauvres avec de nombreux enfants.

« C'est un très grand immeuble, remarqua Bernie.

— C'était, corrigea Daisy. Des centaines de personnes ont péri dans les flammes. Dieu seul sait combien d'enfants sont désormais orphelins. La plupart de mes blessés sont morts pendant le trajet vers l'hôpital. »

Lloyd tendit la main à travers la petite table et lui prit la main.

Elle leva les yeux de sa tasse de thé. « On ne s'y habitue pas. On croit qu'avec le temps on va s'endurcir, mais ce n'est pas vrai. » Elle était accablée de tristesse.

Compatissante, Ethel lui posa la main sur l'épaule.

« Dire que nous faisons subir le même sort à des familles allemandes, reprit Daisy.

— Parmi lesquelles mes vieux amis, Maud, Walter et leurs enfants, probablement, ajouta Ethel.

— C'est affreux. » Daisy secoua la tête d'un air atterré. « Dans quel monde vivons-nous ?

— C'est quoi, le problème de l'espèce humaine ? » renchérit Lloyd.

Toujours pragmatique, Bernie annonça : « Je vais pousser jusqu'à Orange Street tout à l'heure m'assurer qu'on fait tout ce qu'il faut pour les enfants.

— J'irai avec toi », dit Ethel.

Bernie et Ethel avaient la même vision des choses et agissaient tout naturellement ensemble, semblant souvent lire dans les pensées l'un de l'autre. Depuis qu'il était revenu, Lloyd les observait attentivement. Il avait craint que leur couple n'ait été ébranlé par la révélation fracassante faite à Bernie : Teddy Williams, le prétendu premier mari d'Ethel, n'avait jamais existé et Lloyd était le fils du comte Fitzherbert. Il en avait longuement parlé avec Daisy, qui connaissait désormais la vérité. Que ressentait Bernie depuis qu'il avait découvert qu'on lui avait menti pendant vingt ans ! Lloyd n'avait pourtant détecté aucun changement. Bernie aimait Ethel, à sa manière prosaïque. Pour lui, elle était incapable de mal agir. Il était persuadé qu'elle ne ferait jamais rien qui puisse le blesser et il avait raison. Lloyd espérait avoir la chance de connaître lui aussi un jour une telle union.

Daisy remarqua que Lloyd était en uniforme. « Où vas-tu, ce matin ?

— Je suis convoqué au ministère de la Guerre. » Il jeta un coup d'œil à la pendule qui trônait sur la cheminée. « D'ailleurs, je ferais bien d'y aller.

— Je croyais que tu avais déjà fait ton rapport.

— Viens un instant dans ma chambre. Je t'expliquerai tout en mettant ma cravate. Emporte ta tasse de thé. »

Ils montèrent. Daisy examina les lieux avec curiosité. Il se rendit compte qu'elle n'était jamais venue dans sa chambre. Observant le lit étroit, la bibliothèque remplie de romans en allemand, français et espagnol, et la table avec sa rangée de crayons taillés, il se demanda ce qu'elle en pensait.

« Quelle jolie petite chambre ! » s'exclama-t-elle.

Elle n'était pas petite. Elle était de la même taille que toutes les autres chambres de la maison. Mais Daisy n'avait pas les mêmes critères.

Elle prit une photographie encadrée. On y voyait la famille au bord de la mer : Lloyd enfant, en short, Millie, encore bébé, en maillot de bain, Ethel, jeune, coiffée d'un grand chapeau mou, Bernie en costume gris avec une chemise blanche au col ouvert et un mouchoir noué sur la tête.

« Vacances dans le Sud », expliqua Lloyd.

Il lui prit sa tasse, la posa sur la table de toilette et la serra dans ses bras, posant ses lèvres sur les siennes. Elle lui rendit son baiser, tendre et fatiguée, et lui caressa la joue en se laissant aller contre lui.

Il desserra son étreinte quelques instants plus tard. Elle était trop épuisée pour les câlins et il avait un rendez-vous.

Elle enleva ses bottes et s'allongea sur le lit.

« Le ministère de la Guerre m'a demandé de retourner le voir, dit-il en nouant sa cravate.

— Tu y as déjà passé des heures la dernière fois ! »

C'était exact. Il avait dû se torturer la mémoire pour se souvenir des moindres détails de sa cavale à travers la France. Ils voulaient connaître le grade et le régiment de tous les Allemands qu'il avait croisés. Il ne se les rappelait pas tous, évidemment, mais il avait bien étudié ses cours lors de sa formation à Tŷ Gwyn et avait pu leur donner de nombreuses indications.

Il avait été soumis à un interrogatoire classique du Renseignement militaire. Mais on lui avait également posé des questions sur son évasion, sur les routes qu'il avait empruntées et sur ceux qui l'avaient aidé. Maurice et Marcelle eux-mêmes avaient suscité l'intérêt des agents qui l'interrogeaient, et ils lui avaient reproché de ne pas leur avoir demandé leur nom de famille. Quant à Teresa, son rôle les avait captivés, car elle représentait évidemment un excellent atout pour de futurs évadés.

« Je dois voir d'autres gens aujourd'hui. » Il consulta une note tapée à la machine, posée sur sa table. « Au Metropole Hotel, Northumberland Avenue. Chambre 424. » L'adresse se situait à proximité de Trafalgar Square, dans un quartier de bureaux officiels. « Si j'ai bien compris, il s'agit d'un nouveau service qui s'occupe des prisonniers de guerre britanniques. » Il mit sa casquette à visière et s'examina dans la glace. « Je te plais comme ça ? »

Comme elle ne répondait pas, il se retourna vers le lit. Elle s'était endormie.

Il tira une couverture sur elle, lui posa un baiser sur le front et sortit.

Il dit à sa mère que Daisy dormait sur son lit. Elle lui promit d'aller jeter un coup d'œil un peu plus tard pour s'assurer qu'elle allait bien.

Il prit le métro pour se rendre au centre de Londres.

Il avait raconté à Daisy la véritable histoire de sa naissance, réfutant ainsi son hypothèse selon laquelle il serait le fils de Maud. Elle l'avait cru d'autant plus volontiers qu'elle s'était soudain souvenue que Boy lui avait parlé d'un enfant illégitime de Fitz. « C'est bizarre, avait-elle remarqué d'un air songeur. Finalement, les deux Anglais dont je suis tombée amoureuse sont demi-frères. » Elle avait jeté à Lloyd un regard appréciateur. « Tu as hérité la beauté de ton père. Boy son égoïsme, c'est tout. »

Lloyd et Daisy n'avaient pas encore fait l'amour. Pour la simple raison qu'elle n'avait jamais une nuit de libre. Et puis la seule fois où ils s'étaient retrouvés seuls ensemble, la chose ne s'était pas faite.

C'était le dimanche précédent, chez Daisy, à Mayfair. Les domestiques avaient leur dimanche après-midi. Elle l'avait entraîné dans sa chambre, dans la maison vide. Mais elle était nerveuse et mal à l'aise. Elle l'avait embrassé, puis s'était détournée. Quand il avait posé ses mains sur ses seins, elle l'avait repoussé.

Il n'avait pas compris : si elle ne voulait pas qu'il se comporte ainsi, pourquoi l'avait-elle amené dans sa chambre ?

« Pardon, avait-elle fini par murmurer. Je t'aime, mais je ne peux pas faire ça. Je ne peux pas tromper mon mari dans sa propre maison.

— Il t'a bien trompée, lui.

— Mais au moins, il l'a fait ailleurs.

— Soit.

— Tu me trouves bête ? »

Il avait haussé les épaules. « Après tout ce que nous avons traversé ensemble, je trouve que c'est faire preuve d'un excès de scrupules, oui. Mais bon, si c'est ce que tu éprouves, c'est comme ça. Et je serais vraiment un sale type si j'essayais de te forcer alors que tu n'es pas prête. »

Elle l'avait serré très fort dans ses bras. « Je te l'ai déjà dit. Tu es vraiment très adulte.

— Ne gâchons pas notre après-midi. Allons au cinéma, tu veux ? »

Ils avaient vu *Le Dictateur* de Charlie Chaplin et ri comme des fous, après quoi elle était partie reprendre son service.

Daisy occupa agréablement l'esprit de Lloyd pendant tout le trajet jusqu'à la station Embankment. Il remonta ensuite Northumberland Avenue pour rejoindre le Metropole. L'hôtel avait été débarrassé de toutes ses copies de meubles anciens et abritait désormais des tables et des sièges fonctionnels.

Après quelques minutes d'attente, Lloyd fut conduit à un grand colonel aux manières brusques. « J'ai lu votre rapport, lieutenant. Félicitations.

— Merci, mon colonel.

— Nous aimerions que d'autres suivent votre exemple et souhaitons les aider. Nous pensons plus particulièrement aux pilotes dont les avions ont été abattus. Leur entraînement coûte cher et nous tenons à les récupérer pour qu'ils puissent repartir en mission. »

Lloyd trouva la chose un peu rude. Quand un homme a survécu au crash de son avion, a-t-on le droit de lui demander de risquer une nouvelle fois sa vie ? Pourtant les blessés étaient, eux aussi, renvoyés au front dès qu'ils étaient rétablis. C'était la guerre.

Le colonel reprit : « Nous sommes en train de mettre en place une sorte de réseau de communication clandestin reliant l'Allemagne à l'Espagne. Vous parlez allemand, français et espagnol, à ce que je vois. Mais surtout, vous avez été en première ligne. Nous aimerions obtenir votre détachement dans notre service. »

Lloyd ne s'attendait pas à une telle proposition et ne savait trop qu'en penser.

« J'en suis très honoré, mon colonel. S'agit-il d'un travail de bureau ?

— Pas du tout. Nous voulons vous renvoyer en France. »

Lloyd frémit. Il n'avait pas envisagé de devoir revivre toutes ces épreuves.

Le colonel remarqua son air consterné. « Vous n'ignorez pas à quel point c'est dangereux.

— En effet, mon colonel.

— Vous pouvez évidemment refuser », ajouta sèchement le colonel.

Lloyd songea à Daisy se démenant sous le Blitz, à tous ces gens morts dans le brasier de l'immeuble Peabody, et se rendit compte qu'il n'avait pas la moindre intention de refuser.

« Si vous jugez que c'est important, mon colonel, j'y retournerai très volontiers, naturellement.

— C'est bien. »

Une demi-heure plus tard, Lloyd regagnait la station de métro dans un état second. Il faisait désormais partie d'un service appelé MI9. Il repartirait pour la France avec de faux papiers et d'importantes sommes d'argent en liquide. Des dizaines d'Allemands, de Hollandais, de Belges et de Français des territoires occupés avaient déjà été recrutés pour aider, au péril de leur vie, les pilotes de Grande-Bretagne et des pays du Commonwealth à rentrer chez eux. Il serait l'un des nombreux agents du MI9 chargés de développer le réseau.

S'il se faisait prendre, il serait torturé.

Il était tout à la fois effrayé et exalté. Il rejoindrait Madrid par la voie des airs. Ce serait la première fois qu'il prendrait l'avion. Il rentrerait en France par les Pyrénées et prendrait contact avec Teresa. Il évoluerait en terrain ennemi sous une fausse identité pour sauver des gens au nez et à la barbe de la Gestapo. Il veillerait à ce que ceux qui marcheraient sur ses traces ne connaissent pas la même solitude que lui.

De retour à la maison de Nutley Street à onze heures, il trouva un mot de sa mère : « Miss America dort comme un loir. » Après être passés sur les lieux du bombardement, Ethel avait dû se rendre à la Chambre des communes et Bernie au siège du conseil régional. Daisy et Lloyd avaient la maison pour eux.

Il monta dans sa chambre. Daisy dormait toujours. Sa veste de cuir et son gros pantalon de laine gisaient sur le sol. Elle était couchée dans son lit, en sous-vêtements. Cela n'était encore jamais arrivé.

Il enleva sa veste et sa cravate. Une voix ensommeillée s'éleva du lit. « Et le reste ? »

Il se tourna vers elle. « Comment ?

— Déshabille-toi et viens me rejoindre. »

La maison était vide. Personne ne viendrait les déranger.

Il se déchaussa, ôta son pantalon, sa chemise et ses chaussettes. Puis il hésita.

« Tu n'auras pas froid », promit-elle. Elle gigota sous les draps et lui lança une petite culotte en soie.

Il avait imaginé que cet instant serait un moment solennel de folle passion. Daisy paraissait décidée à en faire un intermède léger et amusant. Il ne demandait pas mieux que de se laisser guider.

Il retira son maillot de corps et son caleçon et se glissa sous les draps à côté d'elle. Elle était chaude et languissante. Il était affreusement nerveux : il ne lui avait jamais avoué qu'il était vierge.

Il avait toujours entendu dire que c'était à l'homme de prendre l'initiative, mais apparemment, Daisy l'ignorait. Elle l'embrassa, le caressa et soudain, posa la main sur son sexe. « Oh là là, lança-t-elle. J'espérais bien que tu en avais un comme ça. »

Il oublia toute sa nervosité.

VIII

1941 (I)

1.

Par un froid dimanche d'hiver, Carla von Ulrich prit le train avec Ada, leur domestique, pour aller voir Kurt, le fils de cette dernière, au centre de soins pour enfants de Wannsee, situé près du lac, aux environs de Berlin. Il fallait compter une heure de trajet. Carla mettait toujours sa tenue d'infirmière lors de ces visites, car le personnel du centre parlait plus ouvertement de Kurt à quelqu'un qui était de la partie.

En été, le lac était envahi de familles et d'enfants jouant sur la plage et barbotant au bord de l'eau. Ce jour-là, il n'y avait que de rares promeneurs emmitouflés pour se protéger du froid et un nageur téméraire que sa femme attendait sur la rive d'un air inquiet.

Le centre, spécialisé dans la prise en charge d'enfants gravement déficients, était une ancienne demeure bourgeoise dont les élégantes salles de réception avaient été subdivisées en petites pièces peintes en vert pâle et meublées de lits et de berceaux d'hôpital.

Kurt avait maintenant huit ans. Il marchait et se nourrissait comme un enfant de deux ans mais ne savait pas parler et portait encore des couches. Il n'avait fait aucun progrès depuis des années. Il accueillit néanmoins Ada avec une joie manifeste. Rayonnant de bonheur, il bafouilla avec excitation et tendit les bras pour que sa mère le soulève, le serre contre elle et l'embrasse.

Il reconnut aussi Carla. Chaque fois qu'elle le voyait, elle se remémorait le drame terrifiant qu'avait été sa naissance, lorsqu'elle l'avait mis au monde pendant que son frère Erik courait chercher le docteur Rothmann.

Elles jouèrent avec lui un long moment. Il aimait les trains miniatures, les petites voitures et les livres d'images aux couleurs vives. L'heure de sa sieste approchant, Ada lui chanta une berceuse jusqu'à ce qu'il s'endorme.

Au moment où elles sortaient, une infirmière s'adressa à Ada : « Frau Hempel, voulez-vous bien me suivre dans le bureau de Herr Professor Willrich ? Le docteur aimerait vous parler. »

Willrich était le directeur du centre. Carla ne l'avait jamais rencontré et Ada non plus, à sa connaissance.

Ada demanda d'un air inquiet : « Il y a un problème ?

— Le directeur veut sans doute vous parler des progrès de Kurt, la rassura l'infirmière.

— Fräulein von Ulrich va m'accompagner. »

Cette suggestion ne plut pas à l'infirmière. « Le professeur Willrich ne veut voir que vous. »

Mais Ada savait se montrer têtue. « Fräulein von Ulrich va m'accompagner », répéta-t-elle d'un ton ferme.

L'infirmière haussa les épaules et dit sèchement : « Suivez-moi. »

Elle les fit entrer dans un bureau agréable, une grande pièce qui n'avait pas été divisée. Un feu de cheminée ronronnait dans l'âtre. Une grande fenêtre offrait une belle vue sur le lac. Carla aperçut un voilier qui fendait les vaguelettes soulevées par une forte brise. Willrich était assis derrière un bureau recouvert de cuir, sur lequel étaient posés un pot à tabac et des pipes de formes variées rangées dans un râtelier. C'était un homme d'une cinquantaine d'années, de grande taille, à la carrure imposante. Tout semblait grand chez lui : le nez, la mâchoire carrée, les oreilles et le crâne chauve bombé. Il regarda Ada et dit : « Frau Hempel, sans doute ? »

Ada hocha la tête. Willrich se tourna vers Carla. « Et vous êtes Fräulein…

— Carla von Ulrich, professeur. Je suis la marraine de Kurt. »

Il haussa les sourcils. « Vous n'êtes pas un peu jeune pour être sa marraine ?

— C'est elle qui a mis Kurt au monde ! s'indigna Ada. Elle n'avait que onze ans ! Elle a été plus efficace que le docteur, qui lui, n'était pas là. »

Willrich ne releva pas. Sans quitter Carla des yeux, il ajouta d'un air dédaigneux : « Vous avez l'espoir de devenir infirmière, à ce que je vois ? »

Carla portait l'uniforme des débutantes, mais se considérait déjà comme une infirmière à part entière. « Je suis infirmière stagiaire », précisa-t-elle. Ce Willrich ne lui plaisait pas.

« Asseyez-vous, je vous prie. » Il ouvrit un mince dossier. « Kurt a huit ans. Mais son développement mental est celui d'un enfant de deux ans. »

Il s'interrompit. Les deux femmes restèrent muettes.

« Ce n'est pas satisfaisant », décréta-t-il.

Ada regarda Carla. Celle-ci ne comprenait pas où il voulait en venir et se contenta d'un haussement d'épaules.

« Il existe de nouveaux traitements pour des cas comme le sien. Mais il faudra transférer Kurt dans un autre établissement. » Willrich referma son dossier. Son regard se reposa sur Ada et, pour la première fois, il sourit. « Je suis sûr que vous souhaitez que votre fils suive une thérapie susceptible d'améliorer son état. »

Carla n'appréciait pas ce sourire ; il avait quelque chose d'effrayant. Elle demanda : « Pourriez-vous nous en dire davantage sur ce traitement, professeur ?

— Je crains que cela ne dépasse vos compétences. Bien que vous soyez infirmière stagiaire. »

Carla ne s'avoua pas vaincue.

« Je suis certaine que Frau Hempel aimerait savoir si cela implique une intervention chirurgicale, l'administration de médicaments, le recours aux électrochocs, par exemple.

— Des médicaments, lâcha le médecin à contrecœur.

— Où faudrait-il qu'il aille ? demanda Ada.

— L'hôpital se trouve à Akelberg, en Bavière. »

Ada n'avait que des notions rudimentaires de géographie et Carla se doutait bien qu'elle n'avait aucune idée de la distance que cela représentait. Elle précisa : « C'est à trois cents kilomètres.

— Oh, non ! s'écria Ada. Mais comment vais-je faire pour aller le voir ?

— Vous prendrez le train, répondit Willrich d'un ton agacé.

— Cela représente un trajet de quatre ou cinq heures, objecta Carla. Elle sera obligée de passer la nuit sur place. Et le prix du voyage ?

— Cela ne me regarde pas ! grommela Willrich. Je suis médecin, pas agent de voyages ! »

Ada était au bord des larmes. « Si cela permet à Kurt d'aller mieux, d'apprendre à dire quelques mots et à être propre... peut-être qu'un jour nous pourrons le ramener à la maison.

— Exactement, approuva Willrich. J'étais sûr que vous ne lui refuseriez pas la possibilité de faire des progrès par pur égoïsme.

— Parce que c'est de cela qu'il s'agit ? demanda Carla. Kurt pourrait être capable de vivre normalement ?

— La médecine n'offre aucune garantie. Même une infirmière stagiaire devrait le savoir. »

Carla avait appris avec ses parents à ne jamais se satisfaire de faux-fuyants.

« Je ne vous demande pas de garanties. Je vous demande un pronostic. Vous devez en avoir un, sinon, vous ne proposeriez pas ce traitement. »

Il devint écarlate. « C'est un nouveau traitement. Nous espérons qu'il pourra améliorer l'état de Kurt. Je ne peux rien vous dire d'autre.

— C'est un traitement expérimental ?

— Tout est expérimental en médecine. Les thérapies sont efficaces sur certains patients, pas sur d'autres. Vous feriez mieux d'écouter ce que je vous dis : la médecine n'offre aucune garantie. »

Carla était révoltée par son arrogance, mais songea que cela faussait peut-être son jugement. D'ailleurs, elle n'était pas sûre qu'Ada ait le choix. Les médecins avaient le droit de s'opposer aux souhaits des parents s'ils estimaient que la santé de l'enfant était en jeu. En réalité, ils pouvaient faire ce qu'ils voulaient. Willrich ne demandait pas l'autorisation d'Ada. Il n'en avait pas besoin. Il ne l'avait informée que pour éviter les complications.

Carla continua : « Êtes-vous en mesure de dire à Frau Hempel au bout de combien de temps Kurt pourrait revenir d'Akelberg à Berlin ?

— Assez vite. »

Ce n'était pas une réponse, mais Carla sentit qu'insister davantage ne ferait que le pousser à bout.

Ada avait l'air désemparée. Carla la comprenait. Elle-même ne savait pas quoi dire. On ne leur avait pas donné assez d'informations. Carla avait remarqué que c'était souvent le cas avec les médecins : ils donnaient l'impression de vouloir garder leur savoir pour eux. Ils cherchaient à s'en tirer par des généralités et devenaient agressifs quand on leur posait des questions.

Ada avait les larmes aux yeux. « S'il y a un espoir qu'il aille mieux...

— Voilà comment il faut prendre les choses », dit Willrich.

Pourtant Ada n'en avait pas fini. « Qu'est-ce que tu en penses, Carla ? »

Willrich fut manifestement offusqué qu'on puisse demander l'avis d'une simple infirmière.

« Je suis d'accord avec toi, admit Carla. Il faut saisir cette chance, pour le bien de Kurt, même si c'est dur pour toi.

— Voilà une parole sensée », approuva Willrich. Il se leva. « Merci d'être venues me voir. » Il se dirigea vers la porte et l'ouvrit. Carla avait la nette impression qu'il avait hâte de se débarrasser d'elles.

Elles quittèrent l'hôpital et regagnèrent la gare à pied. Au moment où leur train presque vide s'ébranlait, Carla ramassa sur la banquette un tract que quelqu'un avait laissé. Il s'intitulait COMMENT S'OPPOSER AUX NAZIS et énumérait dix comportements que les gens pouvaient adopter pour précipiter la chute du nazisme, dont l'un consistait à ralentir leur rythme de travail.

Carla avait déjà vu ce type de feuillets, assez rarement toutefois. Ils étaient distribués par un groupe de résistance clandestin.

Ada le lui arracha des mains, le froissa et le jeta par la fenêtre. « Tu peux te faire arrêter si on te prend à lire ces choses-là ! » Elle avait été la nounou de Carla et il lui arrivait de se comporter comme si celle-ci était encore une enfant. Carla ne lui en voulait pas de ses accès d'autoritarisme. Elle savait que c'étaient des marques d'amour.

Dans ce cas précis, pourtant, Ada n'exagérait pas. Les gens se faisaient arrêter non seulement pour avoir lu ces pamphlets, mais pour n'avoir pas signalé qu'ils en avaient trouvé. Ada pouvait s'attirer des ennuis par le seul fait d'en avoir jeté un par la fenêtre. Heureusement, il n'y avait personne d'autre qu'elles dans leur compartiment.

Ada continuait à réfléchir à ce qu'on lui avait dit au centre.
« Tu crois que nous avons bien fait ? demanda-t-elle à Carla.

— Je ne sais pas, répondit Carla avec franchise. Je pense que oui.

— Tu es infirmière. Tu connais tout ça mieux que moi. »

Carla aimait son métier, tout en regrettant qu'on ne lui ait pas permis de devenir docteur. Maintenant que tant d'hommes jeunes partaient à l'armée, l'attitude des autorités avait changé et les femmes étaient de plus en plus nombreuses sur les bancs de la faculté de médecine. Carla aurait pu déposer une nouvelle demande de bourse. Mais sa famille était plongée dans une telle misère qu'ils avaient tous besoin de son salaire, si maigre fût-il. Son père n'avait pas d'emploi, sa mère donnait des leçons de piano et Erik leur envoyait tout ce qu'il pouvait prélever sur sa solde de l'armée. Ada n'était pas souvent payée.

Ada était d'un naturel stoïque. Quand elles arrivèrent à l'hôtel particulier des von Ulrich, elle avait surmonté son inquiétude. Elle rejoignit la cuisine, enfila son tablier et commença à préparer le dîner. La routine semblait la réconforter.

Carla ne dînait pas à la maison ce soir-là. Elle avait des projets pour la soirée. Elle se sentait un peu coupable d'abandonner Ada à son désarroi, mais pas au point de renoncer à sortir.

Elle enfila une robe de tennis s'arrêtant aux genoux qu'elle avait confectionnée elle-même : une vieille robe de sa mère dont elle avait retiré le volant pour la raccourcir. Elle n'allait pas jouer au tennis. Elle allait danser et voulait se donner un style américain. Elle se mit de la poudre et du rouge à lèvres et se coiffa sans tenir compte de la préférence du gouvernement pour les tresses.

Le miroir lui renvoya l'image d'une jeune fille moderne dotée d'un joli visage et d'un air effronté. Elle savait que sa témérité et son assurance décourageaient nombre de garçons.

Elle aurait aimé parfois être aussi séduisante qu'efficace, un art que sa mère maîtrisait à la perfection, mais ce n'était pas dans sa nature. Elle avait depuis longtemps renoncé à essayer de faire du charme : elle ne réussissait qu'à se sentir stupide. Les garçons n'avaient qu'à l'accepter telle qu'elle était.

Si elle faisait peur à certains, d'autres la trouvaient attirante. Au cours des soirées, elle était souvent environnée d'un petit groupe d'admirateurs. Elle aimait les garçons, surtout quand ils cessaient de plastronner et se mettaient à parler normalement. Ceux qu'elle préférait étaient ceux qui la faisaient rire. Malgré quelques baisers à la sauvette, elle n'avait pas encore eu de vrai petit ami.

Elle compléta sa tenue par un blazer rayé qu'elle avait acheté d'occasion. Elle savait que ses parents désapprouveraient et l'inciteraient à aller se changer, en invoquant le danger qu'il y avait à heurter les préjugés des nazis. Il fallait donc qu'elle s'éclipse sans être vue. Cela ne devrait pas être trop difficile puisque Mutter donnait un cours de piano. Carla entendait le jeu hésitant de son élève. Vater devait être occupé à lire le journal non loin de là, car ils n'avaient pas les moyens de chauffer plus d'une pièce de la maison. Erik était à l'armée. Cependant, son unité était stationnée à proximité de Berlin et il était censé avoir une permission prochainement.

Elle enfila un imperméable tout à fait classique et glissa ses chaussures blanches dans sa poche.

Elle descendit, ouvrit la porte d'entrée, lança à la cantonade « Au revoir, à tout à l'heure » et sortit prestement.

Elle retrouva Frieda à la station Friedrichstrasse. Son amie était habillée dans le même style qu'elle, d'une robe à rayures sous un manteau marron, les cheveux lâchés, à cette différence près que ses vêtements étaient neufs et de bonne qualité. Sur le quai, deux garçons en uniforme de la Hitlerjugend les dévisagèrent avec un mélange de réprobation et de concupiscence.

Elles sortirent du métro à Wedding, un quartier ouvrier au nord de Berlin qui avait été en son temps un bastion de la gauche et se dirigèrent vers le Pharus Hall où les communistes tenaient autrefois leurs meetings. Naturellement, il n'y avait plus aucune activité politique. Le bâtiment était devenu le quartier général d'un mouvement qu'on appelait les « Swing Kids » ou les zazous.

Des jeunes de quinze à vingt-cinq ans se rassemblaient déjà dans les rues aux abords du local. Les garçons swing portaient des vestes à carreaux et un parapluie pour se donner l'air anglais. Ils se laissaient pousser les cheveux, manifestant ainsi leur mépris envers l'armée. Les filles swing se maquillaient outrageusement et portaient des vêtements de sport américains. Ils jugeaient que les membres de la Jeunesse hitlérienne étaient barbants et niais avec leur musique traditionnelle et leurs danses folkloriques.

Carla s'amusait de l'ironie de la situation. Quand elle était petite, les autres enfants se moquaient d'elle et la traitaient d'étrangère parce que sa mère était anglaise. Quelques années après, les mêmes, un peu plus vieux, considéraient tout ce qui était anglais comme le summum du chic.

Carla et Frieda entrèrent dans la salle qui abritait un club de jeunes classique et anodin : des filles en jupes plissées et des garçons en short jouaient au tennis de table en buvant des jus d'orange sirupeux. L'action se passait dans les pièces adjacentes.

Frieda entraîna tout de suite Carla dans un vaste entrepôt, où s'alignaient des rangées de chaises empilées contre les murs. Son frère Werner avait branché un tourne-disque. Une cinquantaine de filles et de garçons y dansaient un swing endiablé. Carla reconnut « Ma, he's making eyes at me ». Frieda et elle se mirent à danser.

Les disques de jazz étaient interdits parce que la plupart des musiciens de jazz étaient noirs. Les nazis mettaient un point d'honneur à dénigrer le talent des non-Aryens qui contredisait leur théorie de la supériorité de la race aryenne. Malheureusement pour eux, les Allemands aimaient le jazz autant que tout le monde. Les gens qui voyageaient rapportaient des disques de l'étranger et on pouvait en acheter aux marins américains de Hambourg. Le marché noir était florissant.

Werner avait des quantités de disques. Il avait tout : une voiture, des vêtements dernier cri, des cigarettes, de l'argent. Il continuait à faire battre le cœur de Carla, même s'il ne s'intéressait qu'à des filles plus âgées qu'elle, des femmes en réalité. Tout le monde pensait qu'il couchait avec elles. Carla, elle, était vierge.

L'ami de Werner, Heinrich von Kessel, s'approcha aussitôt d'elles et invita Frieda à danser. C'était un jeune homme grave, vêtu d'une veste et d'un gilet noirs, qui se donnait un air mélancolique avec sa longue chevelure noire. Il adorait Frieda. Elle l'aimait bien ; elle appréciait la conversation des hommes intelligents. Mais elle ne voulait pas sortir avec lui parce qu'il était trop vieux. Il devait avoir vingt-cinq ou vingt-six ans.

Bientôt, un garçon que Carla ne connaissait pas vint la faire danser. La soirée commençait bien.

Elle s'abandonna à la musique : le rythme irrésistiblement érotique, les paroles suggestives plus susurrées que chantées, les brillants solos de trompette, l'envol joyeux de la clarinette. Elle tournoyait et frappait du pied, laissant sa jupe virevolter à des hauteurs indécentes, tombait dans les bras de son partenaire pour s'écarter aussitôt en sautillant.

Au bout d'une heure, Werner mit un slow. Frieda et Heinrich commencèrent à danser joue contre joue. Ne voyant aucun garçon libre avec qui elle eût envie de se lancer dans un slow langoureux, Carla sortit se chercher un Coca. L'Allemagne n'étant pas en guerre contre les États-Unis, elle importait du sirop de coca mis en bouteilles sur place.

À sa grande surprise, Werner la suivit, laissant à un autre le soin de s'occuper du tourne-disque. Elle fut flattée de constater que le jeune homme le plus séduisant de la soirée voulait passer un moment avec elle.

Elle lui parla de Kurt et de son transfert à Akelberg. Il lui dit qu'il était arrivé la même chose à son frère, Axel, qui avait quinze ans. Axel était né avec un spina-bifida.

« Est-il possible que le même traitement soit efficace pour les deux ? demanda-t-il avec une moue dubitative.

— Ça m'étonnerait, mais je n'en sais rien.

— Pourquoi ces médecins sont-ils toujours incapables d'expliquer ce qu'ils font ? » dit Werner d'un ton exaspéré.

Elle émit un rire sans joie. « Ils se disent que si les gens ordinaires comprennent mieux la médecine, ils ne vénéreront plus leurs médecins comme des héros.

— C'est le même principe que pour un prestidigitateur. Les tours sont plus impressionnants quand le public ne comprend pas comment il s'y prend. Les médecins sont aussi égocentriques que les autres.

— Plutôt plus. En tant qu'infirmière, j'en sais quelque chose. »

Elle évoqua aussi le tract qu'elle avait ramassé dans le train. Werner demanda : « Qu'en as-tu pensé ? »

Carla hésita. Il était dangereux de parler ouvertement de ces sujets. Mais elle connaissait Werner depuis toujours, il avait eu des idées de gauche, et c'était un swing kid. Elle pouvait lui faire confiance. « Je suis contente de constater qu'il y a des gens qui s'opposent aux nazis. Ça prouve que tous les Allemands ne sont pas paralysés par la peur.

— On peut faire beaucoup de choses pour lutter contre le nazisme, dit-il. Pas seulement mettre du rouge à lèvres. »

Elle supposa qu'il lui suggérait de distribuer elle aussi des tracts. Se pouvait-il qu'il soit impliqué dans ce genre d'activités ? Non, il avait tout du play-boy. Pour Heinrich, c'était peut-être différent : il avait l'air si passionné.

« Merci bien, dit-elle. J'aurais trop peur. »

Ils finirent leurs Coca et retournèrent dans la salle. Elle était tellement bondée qu'il n'y avait presque plus de place pour danser.

Carla fut étonnée que Werner lui demande de lui accorder la dernière danse. Il mit la chanson de Bing Crosby, « Only forever ». Carla était aux anges. Il la serra contre lui et ils ondulèrent, plus qu'ils ne dansèrent, au rythme lent de la ballade.

La tradition voulait qu'à la fin quelqu'un éteigne les lumières pendant une minute pour permettre aux couples de s'embrasser. Carla était embarrassée. Elle connaissait Werner depuis toujours. En même temps, elle avait toujours été attirée par lui : elle leva alors son visage, avec ardeur. Comme elle l'espérait, il l'embrassa de façon experte. Elle lui rendit son baiser avec passion. Elle fut ravie de sentir ses mains se poser doucement sur sa poitrine. Elle l'encouragea en entrouvrant les lèvres. La lumière revint et ils se séparèrent.

« Eh bien, dit-elle, le souffle court. Pour une surprise… »

Il lui adressa un sourire enjôleur. « Je pourrai peut-être te surprendre encore. »

2.

Carla traversait le vestibule pour aller prendre son petit déjeuner à la cuisine quand le téléphone sonna. Elle souleva le combiné. « Carla von Ulrich. »

Elle entendit la voix de Frieda. « Oh, Carla, mon petit frère est mort !

— Comment ? » Carla n'en croyait pas ses oreilles. « Oh, Frieda, quel malheur ! Où est-ce arrivé ?

— Dans ce fameux hôpital. » Frieda sanglotait.

Carla se souvint que Werner lui avait appris qu'Axel avait été transféré dans le même établissement que Kurt. « De quoi est-il mort ?

— D'appendicite.

— C'est affreux. » Carla était affligée, mais aussi inquiète. Elle avait eu une mauvaise impression du professeur Willrich quand il leur avait parlé, un mois plus tôt, du nouveau traitement que devait suivre Kurt. Cette thérapie était-elle à un stade plus expérimental qu'il n'avait voulu l'admettre ? Était-elle dangereuse en réalité ? « Tu as des détails ?

— Nous n'avons reçu qu'une courte lettre. Mon père est furieux. Il a appelé l'hôpital mais il n'a pu parler à aucun des responsables.

— J'arrive. Je serai là dans quelques minutes.

— Merci. »

Carla raccrocha et gagna la cuisine.

« Axel Franck est mort à l'hôpital d'Akelberg », annonça-t-elle.

Son père, Walter, était en train d'ouvrir le courrier du matin. « Oh, s'écria-t-il, pauvre Monika ! »

Carla se rappelait que la mère d'Axel, Monika Franck, avait été amoureuse de Walter, d'après la légende familiale. Walter avait l'air si profondément peiné que Carla se demanda s'il n'avait pas eu un petit béguin pour Monika tout en étant amoureux de Maud. Décidément, l'amour était une affaire bien compliquée !

La mère de Carla, qui était devenue la meilleure amie de Monika, se désola. « Elle doit être dans tous ses états. »

Walter, qui continuait à regarder le courrier, s'exclama, surpris : « Il y a une lettre pour Ada. »

Le silence se fit dans la pièce.

Carla suivit des yeux l'enveloppe blanche quand Ada la prit.

Ada ne recevait pas souvent de courrier.

Erik était à la maison – dernier jour de sa courte permission –, ils étaient donc quatre à la regarder ouvrir l'enveloppe.

Carla retint son souffle.

Ada tira de l'enveloppe une lettre dactylographiée sur papier à en-tête. Elle la parcourut rapidement, poussa une exclamation, puis un cri strident.

« Non, dit Carla. Ce n'est pas possible ! »

Maud se leva d'un bond et serra Ada dans ses bras.

Walter prit la lettre des mains d'Ada et la lut. « Oh, mon Dieu, quelle tristesse ! Pauvre petit Kurt. » Il posa la feuille sur la table.

Ada sanglotait. « Mon petit garçon, mon petit garçon adoré. Il est mort sans sa mère. Je ne me le pardonnerai jamais ! »

Carla retenait ses larmes, abasourdie. « Axel et Kurt ? bégaya-t-elle. En même temps ? »

Elle ramassa la lettre sur la table. Elle portait l'en-tête « Institut médical d'Akelberg » et son adresse. Carla lut :

Chère Frau Hempel,

J'ai la tristesse et le regret de vous informer du décès de votre fils, Kurt Walter Hempel, âgé de huit ans. Il est mort dans cet hôpital le 4 avril des suites d'une appendicite aiguë. Tous les soins lui ont été prodigués pour le sauver, en vain. Veuillez accepter mes sincères condoléances.

Le message était signé du médecin-chef.

Carla leva les yeux. Sa mère était assise auprès d'Ada en pleurs et l'entourait de ses bras.

Malgré son chagrin Carla restait parfaitement lucide. Elle s'adressa à son père d'une voix tremblante : « Il y a quelque chose qui cloche.

— Comment ça ?

— Regarde. » Elle lui tendit la lettre. « Appendicite.

— Et alors ?

— Kurt avait déjà été opéré de l'appendicite.

— Je me souviens, en effet. On l'avait opéré d'urgence peu après son sixième anniversaire. »

De sombres soupçons se mêlaient à la peine de Carla. Kurt avait-il été tué par une dangereuse expérience que l'hôpital tentait de dissimuler ? « Pourquoi mentent-ils ? » se demanda-t-elle tout haut.

Erik frappa du poing sur la table. « Pourquoi dis-tu qu'ils mentent ? s'écria-t-il. Pourquoi accuses-tu toujours les autorités ? C'est probablement une erreur. Une dactylo se sera trompée ! »

Carla n'en était pas si sûre. « Une secrétaire d'hôpital est censée savoir ce qu'est une appendicite.

— Tu es prête à prendre jusqu'à ce drame personnel comme prétexte pour critiquer le système ? cria Erik, furieux.

— Calmez-vous tous les deux », intervint Walter.

Ils le regardèrent, frappés par l'inflexion nouvelle de sa voix. « Erik a peut-être raison, continua-t-il. Dans ce cas, l'hôpital sera tout à fait disposé à répondre à nos questions et à nous expliquer plus en détail comment sont morts Axel et Kurt.

— Bien sûr », approuva Erik.

Walter poursuivit. « En revanche, si Carla a raison, ils tenteront de se dérober, d'en dire le moins possible et d'intimider les parents des enfants décédés en suggérant que leurs questions sont injustifiées. »

Erik trouva cette hypothèse moins satisfaisante.

Une demi-heure plus tôt, Walter était un homme amoindri. Il semblait soudain revigoré. « Nous le saurons dès que nous les aurons interrogés.

— Je vais voir Frieda, annonça Carla.

— Tu n'es pas censée travailler ? demanda sa mère.

— Je suis dans l'équipe de fin de journée. »

Carla appela Frieda, lui apprit que Kurt était mort aussi et qu'elle arrivait tout de suite. Elle mit son manteau, son chapeau et ses gants et sortit sa bicyclette. Elle pédalait vite et il ne lui fallut qu'un quart d'heure pour atteindre la villa des Franck à Schöneberg.

Le majordome vint lui ouvrir et lui indiqua que la famille était dans la salle à manger. Elle était à peine entrée que le père de Frieda, Ludwig Franck, lui lança : « Qu'est-ce qu'ils t'ont dit à Wannsee ? »

Carla n'aimait pas beaucoup Ludwig. C'était un homme de droite qui avait soutenu les nazis dans les premiers temps. Sans doute avait-il évolué, c'était le cas de nombreux industriels désormais, mais il ne manifestait pas l'humilité que l'on pouvait attendre de ceux qui, comme lui, s'étaient aussi lourdement trompés.

Elle ne répondit pas tout de suite. Elle s'assit à la table et regarda les membres de la famille : Ludwig, Monika, Werner et Frieda, et le majordome qui s'activait à l'arrière-plan. Elle rassembla ses idées.

« Allons, mon petit, réponds-moi ! » insista Ludwig d'une voix impérieuse.

Il tenait à la main une lettre semblable à celle qu'avait reçue Ada et l'agitait d'un geste rageur.

Monika posa une main apaisante sur le bras de son mari. « Du calme, Ludi.

— Je veux savoir ! »

Carla considéra son visage empourpré, barré d'une petite moustache noire. Il était éperdu de chagrin, cela se voyait. En d'autres circonstances, Carla aurait refusé de répondre à un interlocuteur aussi discourtois. Mais il avait des excuses. Elle décida de passer outre. « Le directeur – le professeur Willrich – nous a dit qu'on disposait d'un nouveau traitement pour la pathologie de Kurt.

— On nous a dit la même chose. Quel genre de traitement ?

— Je le lui ai demandé. Il m'a répondu que je ne comprendrais pas. J'ai insisté. Il a parlé de médicaments, mais n'a pas voulu m'en dire davantage. Je peux voir votre lettre, Herr Franck ? »

Ludwig lui signifia par son attitude que c'était à lui de poser les questions. Il lui tendit néanmoins la lettre.

Elle était absolument identique à celle d'Ada. Carla eut la pénible intuition que la secrétaire en avait tapé un certain nombre en se contentant de changer les noms.

« Comment deux garçons peuvent-ils mourir d'appendicite au même moment ? s'interrogea Herr Franck. Ce n'est pas une maladie contagieuse.

— Kurt n'est certainement pas mort d'appendicite, répondit Carla. Pour la bonne raison qu'il n'avait plus d'appendice. On le lui a enlevé il y a deux ans.

— Bien, lança Ludwig. Assez parlé. » Il arracha la lettre des mains de Carla. « Je vais en toucher un mot à quelqu'un du gouvernement. » Il quitta la pièce.

Monika le suivit, ainsi que le majordome.

Carla s'approcha de Frieda et lui prit la main. « Je suis de tout cœur avec toi, dit-elle.

— Merci », murmura Frieda.

Carla se dirigea vers Werner. Il se leva et la prit dans ses bras. Elle sentit une larme couler sur son front. Elle était en proie à une vive émotion, vaguement ambiguë. Elle avait le cœur lourd mais ne pouvait s'empêcher de savourer le plaisir de sentir son corps contre le sien et le doux contact de ses mains.

Au bout d'un long moment, Werner s'écarta et s'écria d'une voix vibrante de colère : « Mon père a appelé deux fois l'hôpital. La seconde fois, on lui a dit qu'il n'y avait rien à ajouter et on lui a raccroché au nez. Mais je compte bien savoir ce qui est arrivé à mon frère et on ne m'enverra pas balader, je ne me laisserai pas faire.

— Ça ne le fera pas revenir, objecta Frieda.

— Je veux quand même savoir. Au besoin j'irai à Akelberg.

— Je me demande s'il y a quelqu'un à Berlin qui pourrait nous aider, dit Carla.

— Il faudrait quelqu'un qui soit au gouvernement, précisa Werner.

— Le père d'Heinrich… », suggéra Frieda.

Werner claqua des doigts. « C'est notre homme. Il a appartenu au parti du Centre. Maintenant, il est nazi et occupe un poste important aux Affaires étrangères.

— Tu crois qu'Heinrich obtiendrait un rendez-vous pour nous ? demanda Carla.

— Oui, si Frieda le lui demande. Heinrich ferait n'importe quoi pour elle. »

Carla le croyait volontiers. Heinrich mettait toujours tant de passion dans tout ce qu'il faisait.

« Je l'appelle tout de suite », dit Frieda.

Elle se rendit dans le vestibule. Carla et Werner se retrouvèrent assis côte à côte. Il l'entoura de son bras et elle posa la tête sur son épaule tout en se demandant s'il fallait attribuer ces marques d'affection au contrecoup du drame qui les frappait ou à autre chose.

Frieda revint en annonçant : « Le père d'Heinrich peut nous recevoir immédiatement. »

Ils s'entassèrent sur le siège avant de la voiture de sport de Werner.

« Je ne sais pas comment tu te débrouilles pour rouler avec cette voiture, remarqua Frieda alors qu'il démarrait. Même notre père n'arrive pas à obtenir d'essence pour son usage personnel.

— Je dis à mon supérieur que c'est pour mes déplacements officiels. » Werner travaillait pour un général important. « Mais je ne sais pas combien de temps ça va durer. »

Les von Kessel habitaient le même quartier et ils arrivèrent chez eux en moins de cinq minutes.

Quoique plus petite que celle des Franck, la maison était luxueuse. Heinrich les accueillit à la porte et les fit entrer dans un salon, ornementé d'une sculpture sur bois ancienne représentant un aigle, où s'alignaient des étagères chargées de livres reliés en cuir.

Frieda l'embrassa. « Merci, lui dit-elle. Cela n'a pas dû être facile. Je sais que tu ne t'entends pas très bien avec ton père. »

Heinrich rougit de plaisir.

Sa mère leur apporta un gâteau et du café. C'était une personne simple et chaleureuse. Après les avoir servis, elle s'éclipsa, comme une domestique.

Le père d'Heinrich, Gottfried, entra à son tour. Il avait la même tignasse épaisse et raide que son fils, mais argentée au lieu d'être noire.

Heinrich lui dit : « Je te présente Werner et Frieda Franck. C'est leur père qui fabrique la *Volksradio*, la radio du peuple.

— Ah, oui, acquiesça Gottfried. Je l'ai rencontré au Herrenklub.

— Et voici Carla von Ulrich. Je crois que tu connais aussi son père.

— Nous avons travaillé ensemble à l'ambassade allemande à Londres. En 1914. »

Il n'était manifestement pas très heureux qu'on lui rappelle ses liens avec un social-démocrate. Il prit une tranche de gâteau, qu'il laissa tomber maladroitement sur le tapis, essaya vainement de ramasser les miettes et finit par renoncer.

Carla se demanda : De quoi a-t-il peur ?

Heinrich alla droit au but. « Tu as dû entendre parler d'Akelberg, j'imagine. »

Carla observait attentivement Gottfried. L'espace d'un instant, une expression fugace passa sur son visage, mais il se composa très vite un air indifférent. « Une petite ville de Bavière ?

— Il y a un hôpital là-bas, continua Heinrich. Pour déficients mentaux et physiques.

— Je ne savais pas.

— Nous pensons qu'il s'y passe des choses étranges et nous nous demandions si tu avais des informations à ce sujet.

— Certainement pas. Que s'y passe-t-il d'étrange ? »

Ce fut Werner qui répondit.

« Mon frère est mort dans cet hôpital. D'appendicite, nous a-t-on dit. Le fils de la domestique de Herr von Ulrich est mort en même temps, dans le même hôpital, de la même chose.

— C'est très triste. Une coïncidence, probablement.

— Le fils de notre domestique n'avait plus d'appendice, intervint Carla. Il a été opéré il y a deux ans.

— Je comprends votre inquiétude, dit Gottfried. Mais il s'agit très probablement d'une erreur administrative.

— Dans ce cas, nous aimerions en être certains, insista Werner.

— Bien sûr. Avez-vous écrit à l'hôpital ?

— J'avais écrit il y a quelque temps pour demander quand notre bonne pourrait aller voir son fils, dit Carla. On ne m'a jamais répondu.

— Mon père a téléphoné ce matin, ajouta Werner. Le médecin-chef lui a raccroché au nez.

— Mon Dieu, quelles manières déplorables ! Mais, vous savez, cela ne concerne pas vraiment les Affaires étrangères. »

Werner se pencha en avant. « Herr von Kessel, est-il possible que ces deux enfants aient fait l'objet d'une expérience secrète qui aurait mal tourné ? »